MARABOUT *PRATIQUES*

PAUL CORINTE

La vraie vie des prénoms

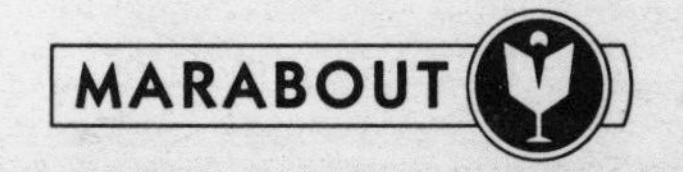

Cet ouvrage a paru précédemment dans la collection
marabout Service n° 678

Illustrations originales de
Patrice Varin

SOMMAIRE

Avant propos 3
Le calcul de l'impondérable 6

Les prénoms de A à Z 7

Le pouvoir des prénoms en **Afrique Noire** 56
Les prénoms de l'**Europe germanique et scandinave** 82
L'Allemagne : le balancier entre prénoms chrétiens et germaniques 84
Et l'**Angleterre** ? 139
Prénoms régionaux, prénoms de retour aux sources : prénoms bretons, prénoms celtisés, prénoms occitans, prénoms médiévaux, prénoms romains 174
La source **hébraïco-biblique** 191
Les prénoms composés et la dualité en marche 218
Les prénoms **en URSS** 236
Les prénoms des lointains : **la Chine** 260
Les prénoms au **Pays du Soleil Levant** 286
Les prénoms **en terre d'Islam** 314
Les prénoms sur **le Toit du Monde** 329
L'Inde et quelques-uns de ses prénoms 351

Conclusion 354
Index 355

« Le nom est plus important que la personne, parce qu'il voyage partout. »

Adage africain

AVANT-PROPOS

Généralement, les dictionnaires sont inertes. Ce livre-ci se veut un dictionnaire remuant – presque, pourrait on dire, un dictionnaire roman. Avant tout, il vise à fournir un ensemble d'informations relatives à environ 6 000 prénoms, français mais aussi étrangers, dont en particulier 700 sont traités et étudiés en détail.
Ainsi chacun de ces prénoms est-il précédé de diverses indications :
Sa couleur : chaque prénom est traditionnellement associé à une couleur qui le « reflète ».
Son chiffre : « fétiche » auspicieux, favorable au prénom considéré; pour Charlotte par exemple, c'est le 3.
Son signe astrologique associé : il représente la période de l'année particulièrement bénéfique pour le prénom. Ainsi Amédée se voit gratifié, durant la période couverte par le Taureau (22 avril-22 mai) d'une sorte de prévenance cosmique et de chance non négligeables. Ces étonnantes équations nous sont fournies par la mise en relation, traditionnelle au demeurant, du champ du Zodiaque et de l'alphabet chiffré hébraïque [1].
Enfin, nous rappelons à toutes fins utiles la date de la « fête » du prénom, et mentionnons les risques de consonance disgracieuse entre prénom et nom de famille, du genre Anton*in Him*bert.

A chaque prénom est adjointe une liste de prénoms apparentés ou dérivés, dans les différentes langues européennes, ainsi qu'une évocation de célébrités, anciennes et actuelles, porteuses du prénom considéré.

Mais au-delà de ces renseignements désormais conventionnels, voici que vont entrer en scène l'étymologie, les Saints, l'Histoire, et la caractérologie.

1. Voir le document annexe sur *le calcul de l'impondérable.*

Ici, quelques surprises jalonnent ce voyage parmi les prénoms, puisque nombre d'entre eux çà et là prennent eux-mêmes la parole. C'est que nous avons voulu que le dictionnaire vive et parle... Les prénoms vivent d'une vie à eux, où le son parle comme le sens. Ainsi, *Julie* parle d'or. Son et sens : vraie vie des prénoms, et si le sens dit vrai, le son dit la vie.

Pour commencer, tout prénom est d'abord un son, une musique qui va être jouée toute une vie durant sur bien des voix et bien des tons. C'est à cela, à cet objet sonore plus ou moins bref, que nous sommes toutes et tous conviés, dès notre apparition au monde, à nous identifier. La musique *Bernadette,* c'est toi. La musique *Jean,* c'est toi, et aussi sa variante *Jeannot.* C'est moi? Bien : affaire conclue, et personne n'y échappe. Je suis *Robert,* mais qu'est-ce que cela veut dire?
Nous voici face au sens des prénoms. Ce sens est souvent perdu aujourd'hui chez nous, et nombre de Robert, par exemple, doivent ignorer qu'ils sont, étymologiquement, des « Éclat de Gloire ». Les civilisations traditionnelles, on le verra, vivent encore souvent le sens direct, immédiat, de leurs prénoms, et n'ont donc pas à avouer cette ignorance qu'est le recours à l'étymologie. Mais celle-ci nous restitue, avec la mémoire, l'intelligence et la vie de nos prénoms. Elle est ici un bien précieux. Elle permet d'entrevoir la visée du prénom, sa ligne de crête. Lucien, Luc sont « Lumière ». Marcelle, Marc signifient « Consacré (e) au dieu Mars ». Philippe se révèle « Ami des chevaux »; Odette, « Richesse »; Anaïs, « Grâce »; Jeanne, « Dieu est miséricordieux »; Solange est « Solennelle »; Henri, « Roi de la maison », et Ivan, « Miséricorde de Dieu ». On le voit aisément : le sens de nos prénoms ne manque vraiment pas de souffle, mais il agit... silencieusement. Certes, je suis « Dieu avec nous » : Emmanuel, ou « Sanglier hardi » : Evrard – mais pourquoi, à quelle fin?

Sans nous égarer dans un taillis philosophique, tentons d'avancer une réponse simple : toute identité (tout rêve, tout désir d'identité) est à la recherche d'un centre invariant, d'une amarre sociale ou cosmique, d'un point stable à partir duquel il devient possible de se *fonder.* Le nom, le prénom, puisqu'en principe ils ne changent pas, visent ce point-là, cette permanence. (On est d'ailleurs amené à changer de prénom, justement, lorsqu'on a le sentiment intime que celui que l'on porte ne correspond pas à soi, que l'ancre n'a pas « accroché le fond »). Tout passe et change, le monde, nos humeurs, nos pensées, notre corps, nos vies : au milieu de tant de mouvement, voici que le prénom, immobile, demeure, et marque ce désir de permanence. Une vie durant, parole et musique, le prénom est ainsi le symbole « chanté » le plus immédiat de ce quelque-chose en nous qui ne changerait pas, qui serait permanent, et il fonctionne littéralement comme un *rappel à la concience.* Georges, « Travailleur de la terre »; Édouard, « Gardien des richesses »; Goulven, « Heureuse prière »; Deborah, « Abeille »; Martine, « Guerrière »; ou Maël, « Prince » – tout cela ne sonne-t-il pas du plus profond? N'y a-t-il pas là une puissante invocation, l'esquisse d'une trajectoire et d'une action à assumer?

Ainsi, le sens du prénom vise une permanence, une vérité, une voie.
Tandis que son appréciation immédiate, auditive, fait de tout prénom une musique, une vie, une voix.
Être « Espérance », c'est-à-dire Nadia, m'oblige du dedans, mentalement,

mais le son *Nadia* me conditionne du dehors, physiquement. On commence ici à entrevoir le doigté qu'il faut à des générations d'humains pour élaborer des prénoms harmonieux en eux-mêmes. En chaque prénom il importe que la musique et l'intention soient justes, et accordées. Certains prénoms, on le sait, tombent en désuétude dès le moment où leur musique sonne faux. Adéodate a beau être « Donnée par Dieu », plus personne, et pas même les plus religieux d'entre nous, ne voudrait aujourd'hui en affubler sa fille! Quoi qu'il en soit, l'éventuel « modelage » du caractère par le prénom (par les impératifs cachés ou manifestes de son jeu entre son et sens) n'est pas niable, même s'il n'est pas aisé de le « mesurer ». Au moins le bon sens et l'intuition spirituelle s'accordent-ils ici, et sur toute le planète, pour considérer le choix d'un prénom comme déterminant pour l'enfant, puis l'adulte, qui devra le porter. Acte fondateur, premier don qui nous est fait, le prénom fonctionne comme un *orienteur*. Comment n'aurait-il pas en lui, avec l'énergie d'un vœu universel, quelque pouvoir?
De là découle cette observation simple que si tous les Jacques ne se ressemblent pas nécessairement, on leur trouve néammoins des points communs. D'où, également, la possibilité de dresser une caractérologie, d'esquisser des profils psychologiques-types, des indications de tendance, en évitant toutefois de glisser au diagnostic « définitif ». Il est bien clair, en un tel domaine, que toute prétention à une absolue rigueur scientifique serait dérisoire. En revanche il n'est nullement interdit de rêver à partir d'Alice, de Galdan, quels que soient les caractères qu'on leur découvre.
Des parents choisissent un prénom : sur toute la terre, et quel que soit le prénom choisi, l'intention est finalement la même, qui veut que ce prénom soit beau et, surtout, bénéfique à l'enfant. L'égoïsme ou la mode, même, dans leur naïveté négative, n'y contredisent pas : le souhait spontané reste que le prénom « aille » et bénéficie à qui vient le porter. La connaissance préalable des caractéristiques essentielles des prénoms est donc d'un intérêt certain pour quiconque désire nommer, et bien nommer, son enfant. Michel n'est pas Hilaire, ni Boris. Comment voyez-vous votre enfant? En le nommant, à quoi allez-vous le vouer?

La visée auspicieuse, le vœu « magique », telle est donc l'intention de base qui préside, secrètement ou consciemment, au choix de tout prénom par des parents. Ce prénom vise une permanence, disions-nous. Une permanence, ou à tout le moins une positivité, une aide, un désir de destin favorable. Toutes les civilisations se rejoignent dans ce vœu, et l'on verra comment les cultures traditionnelles, notamment en Afrique noire, soulignent et assument plus hardiment que nous cette démarche qui fait de tout nom, de tout prénom correctement attribué, un véritable talisman. Au fil des pages, outre les prénoms français (et régionaux) et européens, nous serons de temps à autre amenés à rencontrer des prénoms d'ailleurs et de presque partout, de la Chine à la côte d'Ivoire, de la Bible au Coran, des prénoms germanico-scandinaves à ceux de l'Inde ou du Tibet.
Grande latitude est ainsi ouverte au choix des futurs parents, aux rêveurs de prénoms et à tous les autres : que le voyage commence!

LE CALCUL DE L'IMPONDÉRABLE

Alphabet chiffré hébraïque	
A = 1	**N = 50**
B = 2	**O = 70**
C = 20	**P = 80**
D = 4	**Q = 100**
E = 5	**R = 200**
F = 80	**S = 300**
G = 3	**T = 400**
H = 8	**U = 6**
I = 10	**V = 6**
J = 10	**W = 6**
K = 20	**X = 60**
L = 30	**Y = 10**
M = 40	**Z = 7**

Champ du Zodiaque

Douze signes, et 360 degrés – soit :

Le Bélier (1-30°)	**entre le**	**21 mars**	**et le**	**21 avril**
Le Taureau (31-60°)	–	**22 avril**		**22 mai**
Les Gémeaux (61-90°)	–	**23 mai**	–	**22 juin**
Le Cancer (91-120°)	–	**23 juin**	–	**23 juillet**
Le Lion (121-150°)	–	**24 juillet**	–	**23 août**
La Vierge (151-180°)	–	**24 août**	–	**23 septembre**
La Balance (181-210°)	–	**24 septembre**	–	**22 octobre**
Le Scorpion (211-240°)	–	**23 octobre**	–	**22 novembre**
Le Sagittaire (241-270°)	–	**23 novembre**	–	**22 décembre**
Le Capricorne (271-300°)	–	**23 décembre**	–	**20 janvier**
Le Verseau (301-330°)	–	**21 janvier**	–	**20 février**
Les Poissons (331-360°)	–	**21 février**	–	**21 mars**

Ainsi, Yves (10 : Y, + 6 : V, + 5 : E, + 300 : S) = 321. Sur le Zodiaque, à ce chiffre, nous sommes dans le Verseau. Yves bénéficie donc, entre le 21 janvier et le 20 février, d'une période de chance et de faveurs spéciales dans le visible et l'invisible... Ernest, dont le produit chiffré est de 960, nous a fait parcourir deux fois et demie le tour du Zodiaque, c'est-à-dire au moins 720 degrés (deux fois 360°); en ce cas, il faut soustraire 720 de 960. Ernest, donc = 240. Période qui lui est favorable : le Scorpion (23 octobre-22 novembre). Ces *opérations de mises en correspondances* peuvent prêter à sourire et ne valent, certes, que ce qu'elles valent, mais au moins fonctionnent-elles avec succès sur le plan symbolique, et depuis l'aube des temps. Tolérons-les, comme on tolère les ancêtres.

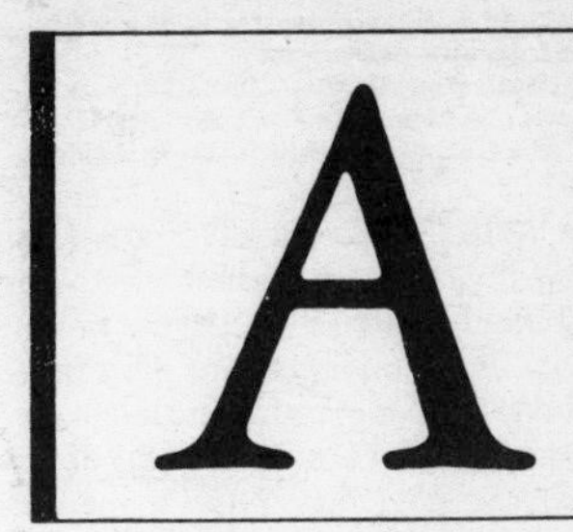

Aaron

Couleur : le rouge.
Chiffre : le 5.
Signe associé : le Verseau.
Risque de consonance disgracieuse avec un nom de famille commençant par O, On, Ron.

Prénom largement utilisé de nos jours parmi les milieux israélites, notamment aux États-Unis.

Célébrité : *Moïse et Aaron,* l'opéra de Schœnberg.

Aaron : son double A d'attaque le voue à la première place alphabétique. Du reste, il est premier en nombre de choses, et non des moindres : frère aîné de Moïse, dont il sera le premier interprète auprès du peuple d'Israël, il sera donc le premier grand prêtre des Hébreux. Prénom biblique, personnage-clef de l'Ancien Testament, lui aussi, comme Moïse, il communique avec Dieu. Intuition subtile, volonté, dynamisme, intelligence des choses cachées le caractérisent. Prénom sacerdotal, prénom des origines, le mieux, avec lui, est de s'en remettre à la Bible (*Rencontre avec Aaron,* Exode, IV, 27); juste après que Iahweh (Dieu) ait remis à Moïse les Tables de la Loi : « Iahweh dit à Aaron : Porte-toi au-devant de Moïse en direction du désert.
« Il partit, rencontra son frère à la montagne de Dieu et l'embrassa. Puis Moïse informa Aaron de ce qu'avait dit Iahweh qui l'avait envoyé, et de tous les prodiges qu'il lui avait prescrit d'accomplir. Moïse partit avec Aaron et ils réunirent tous les anciens des enfants d'Israël. Aaron répéta tout ce que Iahweh avait dit à Moïse; il exécuta les prodiges à la vue du peuple. Le peuple fut convaincu et se réjouit de ce que Iahweh avait visité les enfants d'Israël, et avait remarqué leur misère. Ils s'agenouillèrent et se prosternèrent. »
Aaron l'interprète, Aaron le révélateur : prénom de qui voit haut et loin, il voit, il dévoile, il annonce.

Abbas

Couleur : l'orange.
Chiffre : le 8.
Signe associé : le Verseau

A éviter avec un nom de famille débutant par une consonne sifflante, en S, F, ou As.

Prénom de milieux musulmans, il est également devenu patronyme.
Célébrités : Abu Al-Abbas, fondateur de la dynastie des Abbassides; Abbas Ier le Grand, chah de Perse, de la dynastie des Séfévides; Abbas Hilmi II, (1874-1944), khédive d'Égypte, régna de 1892 à 1914, date à laquelle il fut déposé par les Anglais; plus près de nous enfin, l'ancien responsable algérien Ferrat Abbas.

Avec Abbas l'univers islamique s'exprime fermement. Abbas fut en effet l'oncle du Prophète Mahomet, et vécut entre 566 et 652. Annonciateur d'un ordre neuf, germe d'une dynastie ultérieure, celle des Abbassides, on peut déceler en lui quelques-uns des grands traits qui caractérisent les esprits de méthode, d'organisation et de persévérance. Finesse et fermeté ne lui sont pas étrangères. Ce constructeur donne le plan. Ses bâtisseurs le réaliseront. Ainsi Abu Al-Abbas, l'un de ses descendants, saura fonder une dynastie théocratique, « ombre de Dieu sur terre », de 37 califes arabes : les Abbassides, qui, après avoir détrôné les Omeyyades, régnèrent 5 siècles durant à partir de Bagdad, de 762 à 1258. D'autres Abbas s'imposeront également dans l'histoire arabo-persane, notamment Abbas Ier (1571-1629), chah de Perse. Abbas enfin est une figure de Messager; il porte lui aussi, en quelque sorte, la « bonne nouvelle », et relaie le Prophète :
« J'en jure par la gravitation des astres qui cheminent et disparaissent! Par la nuit qui s'étend! Par l'aube exhalant son souffle! En vérité c'est là parole du vénérable messager, ferme, obéi et sûr, doué de pouvoir auprès du Maître du Trône! Votre compagnon l'a vu à l'horizon étincelant! Et de l'Inconnaissable il n'est jamais avare... » (Coran, Sourate LXXXI).

ABEL

(Abeau, Abelard, Abelia, Abelin, Abelinda, Abeline, Abella)

Couleur : le jaune.
Chiffre : le 2.
Signe associé : le Capricorne.
Fêté le 5 août.

A éviter avec un nom de famille commençant par L, Le, El. Se méfier du sobriquet Bébel, d'ailleurs plutôt affectueux que ridiculisant.

C'est un prénom « bien de chez nous », quoique peu courant actuellement, comme s'il était devenu grand-père.
Abel, étymologiquement, dérive de l'hébreu « hebel », c'est-à-dire « souffle, évanescence, fragilité des choses qui passent ».
Entre autres célébrités : le cinéaste Abel Gance (1889-1981), pionnier du cinéma.

Avec Abel nous restons en famille, et même en pleine histoire de famille. Aaron et Abbas étaient en rapport avec Dieu et le Prophète par frère et neveu interposés. Avec Abel l'homme est face à l'homme; face à Abel, son frère Caïn, l'agriculteur. Et Caïn l'agriculteur est jaloux de l'amour de Dieu pour Abel le simple berger. Et Caïn tue Abel. Sombre dimanche. Pauvre Bébel! Son chiffre est le 2 : on serait tenté d'ajouter, en pensant à Caïn : évidemment! Vie intérieure, intuition, volonté pacifique, Abel conduit ses brebis selon la Loi. Ce n'est ni un fougueux ni un dynamique. Il n'est pas fait pour l'affairement et la bousculade. Il préfère ostensiblement la profondeur d'un tête-à-tête à l'électricité superficielle des réunions et mondanités. De fait, c'est un contemplatif. La femme qu'on lui suppose était, dit-on, une sœur pour lui. Au temps de saint Augustin (IVe siècle), les Abéliens et autres Abélonites furent d'importantes sectes gnostiques qui prétendirent imiter Abel en pratiquant, si l'on peut dire, le mariage blanc. On connaît par ailleurs la mésaventure du philosophe amoureux de la belle Héloïse, Abelard, que Villon évoque sans détour :

> *« Où est la très sage Héloïse*
> *Pour qui fut châtré et puis moine*
> *Pierre Abelard à Saint-Denis »...*

Le saint Abel fêté le 5 août sera, au VIIIᵉ siècle, archevêque de Reims. Symboliquement, et comme par hasard, il sera démis de ses fonctions et exilé dans le Hainaut. Pas de chance, Abel? Écoutons-le nous conter sa trajectoire, telle qu'il la voit lui-même :
« Une seule fois dans l'histoire, moi, Abel, j'ai renversé la scène biblique qui m'est imposée, et j'ai tué mon frère Eric II, roi de Danemark, pour m'emparer de la Couronne. L'affaite fut rondement menée, et réussit. Las! Je ne suis pas fait pour de telles actions : deux ans plus tard à peine on se débarrassait de ma personne... Et Abel restait et redevenait Abel, simple pâtre contemplatif, loin des haines et des armes. En cette fin du XXᵉ siècle, où l'on m'oublie quelque peu, je pourrais convenir à nombre d'esprits indépendants, aux doux, aux pacifiques et pacifistes un tantinet écolo-mystiques : s'en avisera-t-on? Ce que je semble perdre au plan de la vie, et jusqu'à la vie même, je le retrouve sublimé, cristallisé au plan de l'esprit : qui verra comment, même trahi et tué, j'échappe à jamais au sacrifice, car je n'ai rien en moi qui soit encore à sacrifier?... »
C'est un fait : Abel ne sonne pas « malheureux ». La souffrance et la honte seront pour Caïn. Abel reste l'image de la juste douceur. Les dérivés féminins du prénom, peu usités, ne manquent d'ailleurs pas de charme : Abella voit son nom porté par une ville de Campanie particulièrement riche en avelines, c'est-à-dire en noisettes. Pour Abelia, c'est un arbuste aux fleurs blanc-rose, de parfum subtil, qui peut s'acclimater en Europe, bien qu'originaire de Chine et des Himalayas – il est vrai que cette caprifoliacée y fut « découverte » par un certain Abel Clarke, qui la baptisa à son image.)
La question se pose donc : Y a-t-il encore des doux, des justes, à naître autour de l'an 2000, pour pouvoir tranquillement porter ce grand prénom?

ABONDANCE

Couleur : le vert.
Chiffre : le 5.
Signe associé : les Gémeaux.
Fête : le 16 septembre.
A éviter avec un nom de famille commençant par des consonnes sifflantes, comme S, F.
Origine latine par « abundantia » : richesse, abondance.
Tombé en désuétude.

Divinité romaine, Abondance renversait à pleines mains la Corne d'où s'écoulaient célestes et terrestres richesses. Sainte Abondance, elle, fut martyrisée et mise à mort au IVᵉ siècle, sous le règne de Dioclétien.
Parée de tous les prestiges de la chance et de la fortune, elle est cependant bien seule de nos jours et, reconnaissons-le, Abondance se fait tout à fait rare.

ABRAHAM

Couleur : le vert.
Chiffre : le 8.
Signe associé : le Sagittaire.
Fête : le 20 décembre.

Risque de consonance peu élégante avec un nom de famille commençant par M, Am, Om.

Prénom très en faveur parmi les milieux protestants et israélites, notamment aux États-Unis, à cause de la grande figure d'Abraham Lincoln. Entre autres Abraham de quelque importance, il faut mentionner également Abraham Bosse (1602-1676), graveur français qui excella dans les scènes de mœurs.

Abraham Lincoln, président et père symbolique des États-Unis, peut être considéré comme un digne représentant historique de l'Abraham des origines. Ce dernier – ce premier, plutôt – s'appela tout d'abord Abram. Vingt siècles avant le Christ, Dieu lui demanda, par amour de Lui, d'immoler son propre fils, Isaac. Tourment d'Abram (« père élevé », en hébreu), qui se soumet; alors Dieu retient le bras du père prêt à sacrifier son fils, et Abram, père élevé, devient Abraham, « père des nations ». Cette autorité nouvelle d'Abraham, qui n'allait cesser de croître, est celle du patriarche détenteur de la vérité et gardien de la foi. Son second fils, Ismaël, sera le père des Arabes. Aussi Abraham est-il triplement père : des Juifs (par Isaac), des Arabes (par Ismaël), et des Chrétiens (par Jésus). Voilà un puissant personnage qui sait mettre sa puissance, avec humilité, au service d'une cause qui le dépasse et lui permet de fonder pleinement son autorité. Beauté, force, sens de l'action et de la justice : les atouts majeurs ne lui font pas défaut. Symbole du patriarcat bienveillant et intangible, on ne saurait s'étonner du mélange hautain de clémence et de rigueur qui le caractérise. Pierre de touche du monothéisme d'Occident, il ne badine jamais avec les principes. La rencontre d'un Abraham est enrichissante, mais pas de tout repos. La souplesse ici s'impose. Qu'on se le dise. Le père des nations veille de haut, et la bonté de son regard peut, pour nous élever – voir Isaac – se tremper à l'acier du glaive. Heureusement que le Ciel sait lui retenir le bras!

ACHILLE

(Achillée, Achileüs)

Couleur : le rouge.
Chiffre : le 5.
Signe associé : les Gémeaux.
Fêté le 12 mai.

Risque de confusion sonore avec un nom de famille commençant par Il, Al, El, Ol, Ul, Oul. Pas de sobriquet notoire, mais le fameux talon demeure son point faible.

Parmi les Achille célèbres, notons Achille Tatius, écrivain alexandrin du IVe siècle, Achille Chavée, poète surréaliste belge contemporain, Achille Zavatta, le clown des clowns, sans oublier Achille Talon, héros de bande dessinée, roi de la gaffe et des mésaventures drolatiques, ainsi que le « bouillant Achille » de *La Belle Hélène*, d'Offenbach.

Que la déesse Thétis, sa mère, ait plongé le futur héros dans le Styx afin de lui conférer l'invulnérabilité, soit. Elle aurait cependant pu ne pas oublier le tendon du talon par lequel elle tenait le bébé! On sait qu'Achille connut diverses tribulations, combats et victoires. On sait qu'il est vraiment devenu un héros, à Troie et ailleurs, et combien Homère, dans son *Iliade,* vante ses exploits. On sait que sa mort même, un oracle en annonçait la brutale venue. Et comment Apollon-Pâris réalisa la prédiction en visant Achille l'Invulnérable à son point faible, le fatal talon. Sait-on que saint Achille, ultérieurement, ainsi que saint Nérée son frère, furent, quoique soldats romains, parmi les premiers martyrs chétiens, au Ier siècle? Il est vrai qu'ils s'étaient donnés à la nouvelle foi sous les conseils directs de saint Pierre lui-même. Alors Achille, qui es-tu donc? s'interrogeait le vieil Homère. Passionné, actif, voire activiste, précis, scrupuleux, efficace, riche de flair et de vitalité, de tout cela assurément tu n'es point dépourvu. Tu ne dis rien? Tu es d'accord?... Bien. Mais tout de même, tu perturbes, tu surprends, tu triomphes sur tous les terrains et puis... Et puis tu découvres que nul, « invulnérable » ou pas, n'échappe à la nécessité. Il est vrai que ta mort mythologique ne t'atteint plus depuis longtemps, et qu'elle t'a conservé cette fière allure de héros à jamais. Tu es le prénom de la plus grande surprise. Même invulnérable, l'imprudence ne t'a jamais égaré, puisque tu sais ce qui nous attend comme l'oracle l'avait su pour toi. Chacune, chacun a son talon, n'est-ce pas? Eh bien Achille, tu ne dis rien? Non? Parfois les héros se taisent, c'est ainsi. Du reste, ils n'ont pas nécessairement demandé à l'être, héros. Ni à être plongés tête la première dans les eaux du Styx...

ADAM

(Adamo, Adanet, Adenot, Adnet, Adnot)

Couleur : le rouge.
Chiffre : le 1.
Signe associé : le Taureau.

A éviter avec les noms de famille débutant par An, Am, It.

Sobriquet improbable, à moins qu'Adam ne devienne dentiste.
Célébrités : le trouvère Adam de la Halle, le sculpteur allemand Adam Krafft (1450-1509), le grand poète polonais Adam Mickiewicz (1798-1855); l'économiste Adam Smith.

Eve aujourd'hui traverse encore les vrais ou faux Eden, mais Adam? Où est passé le premier homme? Le père de Caïn et Abel ne voit plus guère son nom dans les registres d'état civil. Il est vrai qu'Adam, à proprement parler, n'avait guère d'état « civil ». De surcroît, étrangement, aucun saint ne s'est appelé Adam, qui n'a donc pas sa fête sur nos calendriers. Il y a tout juste un Adam, grâce à Shakespeare *(Comme il vous plaira)* dans le grand théâtre. Pourtant, dès le VIIe siècle, Adam est un prénom fort en usage en Irlande, d'où il se répandra sur l'Europe. Certes, au IIe siècle, une secte gnostique célébrait ses rituels dans la plus stricte nudité, par laquelle ses adeptes se réclamaient de l'état de nature d'Adam. Le naturisme, ou le simple nudisme moderne, ont évidemment, qu'ils y pensent ou non, Adam pour patron. Mais qu'en penserait-il lui-même?

– Moi? Rien. J'ai quelque perspicacité, une vitalité solide, et le sens de l'initiative. Pourquoi m'offusquerais-je de l'oubli apparent où l'on me tient? Ai-je besoin de titres? Qui ne me connaît pas? Le plaisir de vivre, qui l'incarnerait mieux que moi? Ma chute est aussi une ascension, et je suis votre racine secrète, vous qui n'utilisez plus guère mon nom. Le fameux péché originel, vous vous souvenez? N'avez-vous pas toujours un peu mal à Adam? « Adamon », en assyrien, c'est *créer*. Et « adamah », c'est *rouge*. Dieu m'a créé d'un peu de limon rouge, et d'esprit. Et l'esprit, quel que soit l'habit, le moine ou le prénom, va toujours nu. Allez, je me passerai encore fort bien du calendrier...

ADÈLE

(Adeau, Adela, Adélaïde, Adelheid, Adélie, Adeline, Adelita, Adoucha, Alida, Aline, Della, Ethel, Heidi)

Couleur : le bleu.
Chiffre : le 9.
Signe associé : le Taureau.
Fête : le 24 septembre. (16 septembre pour Adélaïde; 20 octobre pour Adeline).
Risque de consonance disgracieuse avec des noms de famille commençant par L, El, ou D, Id, ou N, In, I. Se méfier de la célèbre « Elle est morte, Adèle ».

Etymologiquement, du germain « adal », c'est-à-dire « noble ».
Célébrités : Adélaïde de France, fille de Louis XV; Adélaïde de Savoie, reine de France; Adèle de Champagne, mère de Philippe-Auguste; Adèle de France; Adèle Patti (la Patti), cancatrice italienne, Adèle Hugo, fille de Victor Hugo; Adeline Bulteau.

Adèle, Adélie, Adeline, Adelaïde, Alida, Aline, vous avez une Terre (Adélie) à votre nom, et un port-Adélaïde d'un million d'Australiens dont les quais, par-dessus l'océan Indien, pointent plein sud sur l'Antarctique... sur la Terre Adélie précisément. Vaste panorama pour des prénoms d'ici! Fille du roi Dagobert II, sainte Adèle. Ou maman de Philippe-Auguste, Adèle de Champagne. Ou encore fille de Robert le Pieux en Adèle de France. Ou Adeline la bienheureuse au monastère des Dames Blanches au XIIe siècle. Ou bien reine d'Italie (épouse du roi Lothaire), puis veuve, puis impératrice d'Allemagne (épouse d'Otton le Grand), puis encore veuve et régente de l'empire, (cette dernière Adélaïde finira ses jours en qualité de sainte au monastère de Seltz fondé par ses soins – née fille du roi de Bourgogne en 931, elle mourra en 999 –) : On vous voit, les Adèle et autres Adélaïde, fleurir au Moyen-Age et le marquer de votre fière empreinte, puis connaître une longue éclipse. Mais le romantisme, avec Gœthe et son Adelhaid *(Götz von Berlichingen)* vous remet en usage, et si Adélaïde est ce port australien, c'est en hommage à la bonne reine Adélaïde, épouse du roi d'Angleterre Guillaume VI. Et si le pôle Sud, vers lequel pointe le regard depuis le port d'Adélaïde, se nomme Terre Adélie, c'est que son explorateur Dumont-Durville l'a baptisé du prénom de sa femme. Nous sommes alors en 1840. Non loin de là naîtra cette Adèle H., dont François Truffaut a fait un si émouvant portrait cinématographique. Adèle Hugo y incarne à souhait le caractère du prénom, tout en nuances, en finesse, à la limite de la rupture intérieure, comme l'éternelle enfance dans les bourrasques de la vie. Mais

vous autres, Adèle, Adeline, Adélie et Adélaïde, qu'en pensez-vous?
– Qu'une ainsi-appelée doit courir voir Adèle H : elle s'y retrouvera tout de suite! Et que les autres, qui ne s'appellent pas comme ça, peuvent y aller aussi, histoire de voir qui nous sommes à travers un grand film. »

ADHÉMAR

(Aldemar, Aymar)

Couleur : le bleu.
Chiffre : le 5.
Fête : le 29 mai, comme Aymar, ou le 24 mars, comme Aldemar.
Signe associé : le Sagittaire.
A éviter avec les noms de famille commençant par R, A, Ar. Les noms à particule lui vont fort bien.

Une étymologie germanique : « adal », noble; et « heim », maison; plus « mar », illustre. En toute simplicité.

Célébrités remontant aux croisades. De nos jours, c'est un prénom à usage plutôt restreint.

– Cher Adhémar, présentez-vous, je vous prie.
– Il y eut bien, certes, dans le lointain, un saint Adhémar – saint Adh, comme nous l'appelons entre nous, saint Adh, avec un h – mais il a disparu du calendrier liturgique. Vous savez, mon cher, les Adhémar aiment leurs aises. Alors, un calendrier... non, n'est-ce pas. Mieux vaut se donner un peu d'action, prêcher la Première Croisade par exemple, comme Adhémar de Monteil, ou se livrer à quelque travail de haute chronique, tel Adhémar de Chabannes (988-1034), dont tout Adhémar aime à penser qu'il fut peut-être son aïeul... Oui, lorsqu'un Adhémar devise, il y a plutôt des châteaux dans son exposé, ou de la chasse à courre de grande allure, et non des transports en commun ou des banlieues surpeuplées. Cela va de soi. Comme disait Boris Vian : « C'est à des petits trucs comme ça Que l'on est snob ou pas ».

Eh bien oui, c'est ainsi, en sus de leurs châteaux, les Adhémar sont aussi des gravures de mode, des esthètes qui soignent leur apparence, – en un mot, de grands élégants. Ils respirent la noblesse et inspirent l'humilité. Et moi-même, Adhémar qui vous entretiens des Adhémar, si vous saviez!... Si vous saviez combien je dois ployer le genou, parfois, devant la noblesse que je m'inspire! Ah, la tenue a ses sujétions! Noblesse oblige, n'est-ce pas, noblesse oblige...

ADOLPHE

(Adelphe, Adolf, Adolph, Adolphine, Adulf)

Couleur : le vert.
Chiffre : le 7.
Signe associé : la Balance.

Fête : le 14 février.
A éviter avec un nom de famille commençant par F.

Étymologie : du germain « adal », *noble,* et « wolf », *loup.*
Célébrités : Adolphe Thiers, Adolf Hitler, et le roman de Benjamin Constant, *Adolphe.*

Saint Adolphe (1185-1224) fut un évêque fort pieux et charitable à Osnabrück, tandis qu'Adolphe-Frédéric fut roi de Suède, et Adolphe de Nassau, empereur germanique. Depuis la dernière guerre mondiale, l'ombre portée de Hitler a évidemment une répercution fâcheuse sur ce prénom, dont l'usage a subi un net recul. Ajoutons qu'un autre saint Adolphe, originaire de Séville, se révéla un chrétien fort convaincu puisque, de mère chrétienne et de père musulman, on jugea bon de le martyriser à Cordoue, au IXᵉ siècle. Mais décidément cela ne semble pas suffire à effacer le discrédit dont le dictateur nazi a affecté le prénom. Au caractère, ce « noble loup » est pourtant pourvu d'évidentes qualités : volontaire, actif, fort sociable, il manifeste une intuition très fine et un sens aigu de l'amitié. Très émotif et enclin au sentimentalisme, son charme est généralement irrésistible, et lui joue parfois des tours, puisqu'on le trouve souvent en proie à une sorte d'auto-admiration narcissique qui le conduit à sous-estimer çà et là l'importance d'autrui. A vrai dire, ce séducteur impénitent a une fâcheuse tendance à l'égocentrisme appuyé. Il a bien du mal à s'oublier un peu; il est vrai, au demeurant, qu'on peine à l'oublier.

ADRIEN, ADRIENNE

(Adrian, Adriana, Adriane, Adriano, Adrion)

Couleur : le bleu.
Chiffre : le 6, le 7.
Signe associé : le Sagittaire, le Verseau.
Fête : le 8 septembre.
A éviter avec un nom de famille commençant par In, Inn, Enne.
Célébrités : six papes, dont le saint martyr Adrien III; le roman de Julien Green *Adrienne Mesurat;* la tragédienne Adrienne Lecouvreur (1629-1730); l'actrice contemporaine Adriana Bodgan; l'éditeur Adrien Maisonneuve.

« Adria, ville de Vénétie fondée par les Étrusques, donna son nom à la mer Adriatique, à Adrienne et à moi-même, Adrien. Ou Hadrien, comme l'empereur romain dont Marguerite Yourcenar a si admirablement inventé les confessions et souvenirs *(Mémoires d'Hadrien).* Empereur à part, la littérature contemporaine m'a aussi offert un beau rôle avec *Adrienne Mesurat,* de Julien Green. Auparavant, saint Adrien, converti à la religion du Christ qu'il avait commencé par combattre, tel saint Paul avant sa vision sur le chemin de Damas, fut évidemment mis à mort en 303, sous le règne du sinistre Dioclétien. Six papes, trois martyrs, Adrien a largement donné pour la bonne cause. Immolé en 309, saint Adrien de Césarée sera le patron de la forge et des forgerons. Adrien! Nom solide, impérial, maître de soi. Quelle qu'en soit l'issue, j'ai en effet l'ambition et les moyens du pouvoir. Certes il m'est difficile d'en oublier les risques, mais il y a tant de saints, de papes et de persécutés dans ma lignée : comment leur expérience ne me tiendrait-elle pas en éveil? Je peux osciller du dénuement à la grandeur, mais jamais de l'imprudence à l'irresponsabilité. C'est que je garde le ciel et l'Adriatique dans mon collimateur, et on ne m'ôtera pas de l'esprit que la lumière du bleu est l'avant-goût de la transparence. »

AGATHE

(Agatha, Agathon, Aggie)

Couleur : le violet.
Chiffre : le 6.
Signe associé : le Taureau.
Fête : le 5 février.
A éviter avec les noms de famille commençant par T, A, Ag, At.

En grec, agathos signifie « bon » (homme), et agatha, « bonne » (femme).

Une célébrité moderne : la romancière Agatha Christie.

Au Moyen Age, Agathe fut de bien des baptêmes, mais on disait alors Agacia, ou Agace. On comprend que ça n'ait pas duré... Pendant la révolution française, le masculin Agathon connut une sorte de vogue sous forme de nom de famille; ainsi, en changeant de patronyme, dix-sept citoyens parisiens répondant initialement au doux nom de... Cocu purent, grâce à Agathon, échapper légalement aux regards appuyés. De nos jours, restent deux Agathes historiquement marquantes : Agatha Christie tout d'abord, la romancière aux plus forts tirages du monde, et sainte Agathe de Catane ensuite, qui vécut au IIIᵉ siècle. Les reliques de son « voile miraculeux » nous protègent encore, paraît-il, contre les éruptions de l'Etna. Sa vie fut un calvaire exemplaire et cruel. Elle est devenue, on comprendra pourquoi après sa déclaration, la patronne des nourrices. Sainte Agathe nous le dit elle-même :

– « Oui, Quintanius partout me pourchassait de ses assiduités. Ses avances, je le savais, étaient celles du jouisseur, non de l'agneau divin. Aussi le repoussai-je toujours vertement. De dépit le traître me dénonça à la justice de Rome comme chrétienne. Un juge impie, un démon, un satan déguisé me condamna à avoir les seins tranchés – ce qui fut fait, hélas! Voilà la triste et véridique et douloureuse épreuve que le Seigneur m'a envoyée. Depuis, je médite et je prie. Les images de moi que l'on a faites, où l'on me voit portant mes seins coupés sur un plateau d'albâtre, restent une grande énigme protectrice, une image auspicieuse pour les futures maternités – mais qui comprendra mon sacrifice? »

AGLAÉ

(Aglaea, Aglaïa, Aglaïane)

Couleur : l'orangé.
Chiffre : le 8.
Signe associé : le Taureau.
S'accorde mal avec un nom de famille commençant par A, E.
Mais ce prénom est devenu un peu désuet, anachronique; c'est aujourd'hui un prénom « grand-mère », voire « arrière grand-mère ». L'ironie en joue presque comme d'un sobriquet. Et pourtant... Aglaé nous confie :

« Je suis, avec Thalie et Euphrosine, l'une des Trois Grâces. Mon nom veut dire « éclat ». C'est ma simplicité qui plaît, et ma sonorité qui fait sourire. Je m'épanouis volontiers en rire et en rondeurs. Un esprit sain dans un corps sain : le respect des traditions ne me paraît pas superflu. Euphrosine et Thalie semblent s'y être englouties, mais pour ma part je demeure, pas tout à fait oubliée, comme la gardienne d'un charme et d'un équilibre. Bien sûr, seules nos aïeules me représentent encore : c'est une situation qui m'amuse assez. Je n'ai d'ailleurs pas froid aux yeux et ne désespère jamais. J'attends mes petites sœurs en ce siècle-ci, ou mes petites filles. Je parie qu'il finira par y en avoir, dans les registres des mairies et les eaux baptismales. Le bouton de rose que les gravures me font tenir élégamment du bout des doigts n'en est-il pas l'inépuisable promesse? »

AGNES

(Agnesa, Agneta, Agnete)

Couleur : le vert.
Chiffre : le 10.
Signe associé : le Sagittaire.
Fête : le 21 janvier.
A éviter avec un nom de famille commençant par Es, S, F.

Étymologie : du grec « agnê », pureté.
Célébrités : l'impératrice de Bysance Agnès de France (XIIe siècle); Agnès Sorel, favorite de Charles VII; l'ingénue Agnès de *l'École des femmes*, de Molière; la cinéaste Agnès Varda.

Fraîcheur, candeur, naïveté, innocence gracieuse : sous ces traits flatteurs de femme-enfant se cache en fait une réelle et intense détermination. Agnès n'est pas « agneau » (du latin agnus), mais « pureté » (du grec agnê); la proximité de son et de sens entre agnus et agnê autorise toutefois cette très chrétienne confusion. Plus radicale encore qu'Agathe, Agnès, au IVe siècle, fut brûlée vive à l'âge de treize ans pour avoir préféré le martyre à la perte de sa virginité. C'est la plus populaire de toutes les sainte Agnès de la tradition chrétienne, qui furent légion de Bienheureuses. Au profane, elle est également l'ingénue, la femme-enfant, la très candide de *l'École des femmes* : « Le petit chat est mort. » Mais sa fraîcheur inentamable ne lui interdit pas pour autant les fonctions royales et situations en vue. Dans la sainteté comme dans le libertinage discret, notre ingénue est toujours en faveur du côté des baptêmes : l'image de la pureté n'a pas fini d'émouvoir et de faire battre les cœurs. Parfois, si elle en parle, on ne l'arrête plus. En fait, elle est très volontaire. N'allons pas nous risquer à ses troublants babils, et n'oublions jamais que c'est elle qui décide, du feu où elle se jette comme des menus qu'elle mijote.

AIMÉ, AIMÉE

(Aimie, Amata, Amaya, Amie, Amy)

Couleur : le vert.
Chiffre : le 1, le 6.

Signe : le Taureau, les Gémeaux.
Fête : le 13 septembre, le 20 février.

A éviter avec un nom de famille commençant par E, Ai, Ei, M, Mé.
Du latin «amatus», qui signifie... aimé.
Célébrités : le poète et homme politique contemporain Aimé Césaire; l'ex-footballeur et actuel entraîneur de l'équipe de Bordeaux Aimé Jacquet; Aimée Mortimer; Aimé Barelli.

Aimé(e) comme l'âme Aimée de Dieu. Alors saint Aimé (560-628) vient porter témoignage de cet amour très spécial en fondant le monastère de Remiremont, où il mourra pieusement. Alors sainte Aimée (1200-1250) à son tour quitte le siècle et les frivolités où elle était pour entrer au couvent, où elle mourra très pieusement aussi. Aimée, Aimé, depuis les débuts de l'ère chrétienne surgissent discrètement et régulièrement sur les registres d'état civil. De nos jours Aimé a su se faire poésie rebelle avec Césaire. Aimé Césaire, poète et député de la Martinique, est sans doute le héraut actuel le plus probant de ces élus du ciel et de leurs frères humains. D'eux, les grimoires affirment que ce sont de grands travailleurs, robustes et savourant la vie dans ses bienfaits comme dans ses luttes. La chaleur et l'amitié les captivent; la beauté les ravit. Tandis qu'Aimée, toute en nuances et sautes d'humeur, combine le garçon manqué avec la moue rieuse de l'enfance perpétuelle. Enfin l'une et l'autre ont le sens du retrait intérieur et savent prendre une juste distance au cœur même de leurs entreprises. La chance et l'espérance les accompagnent en vert : ne sont-ils pas un peu de la chlorophylle du monde?
Comme l'écrit Césaire :

Et maintenant le passé se feuille vivant
le passé se haillonne comme une feuille de bananier
Liberté liberté j'oserai
soutenir la lumière de cette tête blessée.

... Et leur révolte même est aimée de l'amour!

ALAIN

(Ailean, Alan, Alano, Allan, Allen)

Couleur : l'orangé.
Chiffre : le 10.
Signe associé : le Cancer.
Fête : le 9 septembre.

Ni diminutif ni sobriquet notables; tout juste quelques jeux de mots possibles sur le thème « Alain, à l'autre », qui n'entament en rien la dignité du prénom.
A éviter, pour la consonance, avec un nom de famille commençant par une voyelle, ou par In, Un, Lin.
Étymologie : de l'indo-européen « alun », harmonieux.

Célébrités nombreuses : le « docteur universel » Alain de l'Isle; Alain Chartier (1385-1433), poète de Charles VI et Charles VII; le philosophe Alain (1868-1951); le sportif Alain Mimoun; l'acteur Alain Delon; le regretté navigateur Alain Colas; l'historien Alain Decaux; les poètes Alain Jouffroy, Allen Ginsberg; le saint et bienheureux Alain de la Roche (1428-1475); l'écrivain Edgar Allan Poë; le navigateur solitaire-océanographe-écologiste Alain Bombard; le coureur automobiliste Alain Prost; le chanteur breton Allan Stivel; le philosophe Alan Watts; le cinéaste Alain Resnais.

Avec vous, Alain, Allan et autres Allen et Alano, l'étymologie nous emmène au nord de la Mer Noire, en Scythie, avec le peuple des Alani. Votre nom est donc d'abord le nom d'un peuple. D'origine indo-européenne, vous, Alains, êtes ainsi reliés aux Aryâni indo-iraniens et au monde celte où vous serez mis à l'honneur sous différentes formes, toutes dérivées de « Alun »,

c'est-à-dire « harmonieux ». Vous allez envahir la Gaule au début du Vᵉ siècle et, entre le VIIIᵉ et le Xᵉ, courir l'Europe et être légion en France. Alain de Roux, comte de Richmond, et Alain Fergeant, comte de Bretagne, furent tous deux de proches adjoints de Guillaume le Conquérant. Les Normands porteront Alain en Angleterre, où il devient Alan, Allen, et connaît l'engouement de moult baptêmes. L'Écosse en fera un nom de famille (Mc Allan, Callen). La France lui donnera des lieux et des villages : Dans la Moselle, Allaincourt; dans l'Aisne, Alaincourt; Allamont en Meurthe-et-Moselle; Allainville en Eure-et-loir. Enfin, la période 1940-1960, en France, vous voit connaître une vague d'extrême faveur. Dans la grande gamme des prénoms, à coup sûr Alain est une place-forte, une note-clé. Le bienheureux Alain de la Roche (1428-1475) vous place, Alain, Allan, Allen, sous la haute protection de la Vierge à laquelle il voua une ferveur inlassable, en propageant le culte du Rosaire de la Bretagne aux Pays-Bas, où il mourut. Ici se dévoile un pan de votre caractère, mais laissons au bienheureux de la Roche le soin de dire lui-même ce qu'il sait des Alains, en connaisseur d'Alain :
« Oui, les bienheureux parfois se souviennent de ce qu'ils furent, avant d'en venir à la sainteté. Alors, je me rappelle... Alain, un curieux mélange, une sorte de précipité chimique, pour viser « l'harmonieux ». J'ai cette contradiction dans ma mémoire : que l'harmonieux Alain de l'étymologie doit croiser le fer souvent avec l'esprit de contradiction, dont il explore toutes les saccades. Ainsi va la psyché d'Alain, du scepticisme de base aux ardentes convictions, par coups de force de la volonté. Une volonté de charme d'ailleurs, et que le charme peut détourner de son chemin... mais un instant seulement. Alain séduit, sensibilise, électrise son auditoire et s'emporte dans son propre élan, au risque alors de confondre intuition et impulsion. Je me souviens... Moi, Alain, plus ou moins sociable, entier, passionné, avec de brusques variations et des virages à la corde, je suis celui qui réfléchit sans cesse, mais en marchant très vite, ou au volant, à haute voix. L'action toujours me sollicite, et je m'y jette avec l'inarrêtable dynamisme dont j'use et abuse tel un Alain des Alani fondant sur l'ancienne Gaule. Parfois même, le culte du Rosaire je me surprends à l'imposer plus qu'à le prêcher! Au fond, entre l'ascèse occasionnelle et le psychisme électrisé, je n'attends d'autre révélation que de la Grâce (si j'ai l'œil au Ciel), ou du Caprice (si j'ai l'œil au monde). Dans de telles conditions, on comprend que « l'harmonieux » Alain se révèle tardivement : il y a tellement à faire avec les soubresauts de la vie! Le Bienheureux passera plus tard. Il n'en sera que mieux armé dans sa réussite, comme tous ceux qui ont vaincu et harmonisé les plus tenaces contradictions. A vaincre avec péril, Alain triomphe *assurément!* C'est l'ardent cavalier de la bataille de l'Harmonie, et ce n'est pas pour rien qu'il fut le bras droit de Guillaume le Conquérant. Mais moi, Alain qui vous parle d'Alain, j'ai le sentiment d'être l'unique, le seul à penser comme je pense, et je suis toujours chargé de mission, d'une importante mission. Laquelle? C'est là ce que je détermine seul, et souverainement : je suis un individualiste, voilà qui est clair, et je continue d'envahir l'Europe, comme mes ancêtres, et à lui communiquer quelque chose de l'ardeur des grands envahisseurs. Du reste, j'envahis la moindre situation, et si on ne me retire pas la parole, parfois, je ne m'arrête plus... La lente patience de l'homme enraciné au terroir, voilà exactement ce que je ne serai guère : je déplace le vent, je transgresse les frontières, et j'ouvre perpétuellement le champ. »

ALARIC

(Alara, Alarico, Alary, Alrick)

Couleur : le rouge.
Chiffre : le 9.
Signe associé : le Sagittaire.

A éviter avec les noms de famille commençant par C, Ic, Ac, Uc, Ec, Ouc, Uc...

Étymologie : « ala » = Tout, et « ric » = Puissant (en germain).
Ce prénom venu tout droit du temps des Wisigoths est bien peu en usage de nos jours.
Quelle célébrité, ou quel humble manant, en sont-ils encore affublés?

Pourtant il sonne royalement, Alaric! Il y eut pléthore d'Alaric en rois et princes wisigoths, et une grande vogue médiévale pour ce prénom. Ensuite, ce fut le presque total oubli, compensé toutefois par la transformation d'Alaric en nom de famille sous des formes contractées du type Aury, Aleric, ou Auric. Prestance et pouvoir, tel était Alaric. Il secouait sans vergogne les cornes d'abondance, et sa probité, impeccable, savait se nuancer de magnanimité. Ses colères subites ne le cédant en rien à de fougueuses tendresses, c'est un nom qui fleure encore de nos jours l'hydromel et le cuir. Quelque chose comme un parfum pour hommes. Qui l'essaiera d'ici la fin du siècle?

ALBAN

(Alba, Albain, Albane, Albe, Albin, Aubaine, Auban)

Couleur ; l'orangé.
Chiffre : le 3.
Signe associé : les Gémeaux.
Fête : le 22 juin.
A éviter avec un nom de famille commençant par Ban, An, En. La particule, en revanche, lui convient à merveille.
Étymologie : du latin « albus », blanc.

Célébrités notoires : la grande famille romaine des Albani, d'où est issu le pape Clément VI; le peintre italien François Albani, dit l'Albane (1578-1660), surnommé le Peintre des Grâces et l'Anacréon de la Peinture; le cruel duc d'Albe (1508-1582); le grand compositeur autrichien Alban Berg (1885-1935); le poète Alban Bertero.

Écoutons-le, Alban, tel qu'il revient en vogue, avec ses correspondances multiples :
« Chez les Sabins j'étais *alpus,* ou Alpes, montagnes étincelantes de blancheur. J'apparais avec le rose-orange de l'aube. J'illumine le martyre de saint Alban, premier martyr chrétien de Grande-Bretagne. J'ai du reste laissé mon nom à la ville anglaise de Sant-Albans, ainsi qu'à une bonne dizaine de Saint-Alban ou Saint-Aubain dans les campagnes de France. Ce blanc, « albus », se dit « alben » en allemand et signifie « esprits », « fantômes » et autres « dames blanches » de l'imaginaire des peuples. Cette dame blanche est poésie, et comme elle je jouis de l'intensité de l'envol spirituel, et de la rigueur dans la perspective. Je plane au-dessus des partis et querelles, et je fonde solidement mon pas. Il est d'ailleurs dangereux pour moi de succomber à la tentation du pouvoir, où je risque de devenir excécrable – voir le duc d'Albe, précisément. Hormis cela, une modestie toute particulière me contraint à ne pas être un prénom de masse. Une

ci-devant nuance aristocratique et artistique passe évidemment dans ma lignée, quoique je ne brigue aucun autre royaume que le Pays du Blanc ou, à défaut, quelque val sacré survolé par les aigles. J'ai toujours des émules de nos jours, et je reviens même discrètement à la mode, mais je ne cherche nullement à ce que nous soyons foule... »

ALBÉRIC

(Alberich, Alfaric, Aubriet, Aubriot, Aubry, Elberich)

Couleur : le rouge.
Chiffre : le 5.
Signe associé : le Sagittaire.
Fête : le 26 janvier.

A éviter avec un nom de famille commençant par C, Ric, Ic. Gare aux diminutifs et astuces du genre « Bébert, Riquet ».
De même que pour Alaric, ce prénom est assez peu courant de nos jours.
Vient du germain « alb » (elfe) et « ric » (puissant), ou « rik » (roi).

Albéric, « elfe puissant » ou encore « roi des elfes », est l'un des Nibelungen dans la Tétralogie de Wagner. C'est aussi saint Albéric le Cistercien, quittant la vie en 1109 à l'abbaye de Citeaux. C'est encore le marquis de Camerino – les marquis, même, puisqu'ils furent deux, Albéric Ier et Albéric II, au xe siècle. Et c'est un poète, Albéric de Briançon, au XIIe. C'est enfin un moine-chroniqueur au XIIIe. Et il devient également nom de famille sous les forme d'Aubry, Aubriet, Aubriot. Comme type de caractère, c'est... Albéric, maître des changements d'humeur et de perspective. Il agit pour faire la différence, pour marquer la séparation des cycles de l'existence. De l'ombre à la lumière, il aime dépayser son énergie. Le pessimisme n'est pas à sa portée. En pleine nuit il prépare le jour. Mais il n'est plus guère présent parmi nous, comme si le temps de l'elfe-roi ne concernait plus celui de l'électronique...

ALBERT

(Adalbert, Alberta, Alberte, Alberti, Albertini, Alberto, Aubert, Aubertin, Bert, Elbert)

Couleur : le bleu.
Chiffre : le 4.
Signe associé : le Capricorne.
Fête : le 15 novembre.

Sobriquet : Bébert, évidemment.
A éviter avec les noms de famille commençant en Ber, ou Er.
Étymologiquement, Albert est *noble* (du germain « adal ») et *célèbre* (du germain « behrt »).
Célébrités d'envergure : Albrecht Dürer (1471-1528), le très grand peintre et graveur; le célèbre Albert Schweitzer; Albert Einstein (ci-contre); les écrivains Albert Camus et Albert Cohen, ainsi que l'as de l'harmonica Albert Raisner; le président Albert Lebrun (1871-1950); les peintres Alberto Giacometti et Albert Lenormand. Une bonne dizaine de saints et bienheureux ont porté le nom d'Albert, et parmi eux saint Albert de Louvain, évêque de Liège, qui fut assassiné en 1192 par les bons soins de l'empereur Henri VI le Cruel.

Le véritable saint Albert, le plus grand d'entre eux, fut saint Albert... le Grand, précisément. Peu de personnages de l'Église eurent droit à cette appellation : le Grand, cela sonne fort. Né en Souabe vers 1200, saint Albert le Grand, donc, devint évêque et enseigna dans les grandes universités de l'époque, du nord au sud de l'Europe. Esprit puissant et synthétique, il renouvela la théologie en s'appuyant sur l'œuvre d'Aristote; il eut saint Thomas d'Aquin pour élève et continuateur, et mourut à Paris en 1277, où il venait d'arriver pour y soutenir les écrits et les thèses de saint Thomas, justement, qui étaient alors controversés. La place Maubert, à Paris, lui est consacrée : « Maubert » est une contraction de « Maître Albert ». Outre ses travaux de théologie, il se consacra également à l'investigation scientifique; il laissa diverses études sur l'acide nitrique, le soufre et la potasse. On lui attribue par ailleurs l'invention première, longtemps avant Vaucanson, d'un automate doué de mouvement et même de parole! Écoutons-le : « Moi, l'automate d'Albert, je sais qui est Albert. Comme automate, sans doute n'ai-je pas d'âme, mais comme machine, je suis pétri de ses mains et de sa pensée. Ainsi ai-je pu savoir ce que savait saint Albert : qu'Albert est un prénom de Grand. Des empereurs, des rois, des princes : c'est surtout dans le monde germanique que j'apparais avec éclat. Les actions d'ampleur, exigeant effort et ténacité voilà qui me convient à merveille. Si, en cours de route, de nouvelles conditions surgissent, et que les données de la situation changent, je sais les analyser aussitôt et y adapter mes projets. Intuition, attention et sens de la synthèse, voici les armes dont je dispose le plus pacifiquement du monde. Comment la philosophie et les arts pourraient-ils m'échapper? Certes, en contre-partie, je suis soumis à une sensibilité à fleur de peau qui parfois s'échappe en flambées agressives, ou en fluctuations d'humeur. Ma volonté doit lutter çà et là contre l'indécision, mais je ne me laisse jamais totalement déborder. *L'invention observe :* voilà ma très grande chance... »

ALBERTE, ALBERTINE

(Adalberte, Alberta, Albertina, Bela)

Couleur : le bleu.
Chiffre : le 9, le 5.
Signe associé : le Capricorne, les Poissons.
Combinaison disgracieuse avec un nom de famille commençant par T ou I.
Célébrité : l'écrivain Albertine Sarrazin.

Si Alberte a du charme, Albertine a de l'intuition. Si Alberte est solide et sonne dur et dru, Albertine est rêveuse et son esprit vagabonde et cavale dans l'imaginaire. Et si l'on peut se fier à l'une, on le peut également à l'autre!

ALDA

Couleur : le bleu.
Chiffre : le 9.

Signe associé : le Taureau.
Fête : le 26 avril.
A éviter avec un nom de famille commençant par Da, A.
Prénom assez peu courant en France.
Étymologie : du germain « adal » et « alt », c'est-à-dire « noble » et « vieux ».

Doublement ouvert en A, ce prénom se nuance et s'équilibre par le centre avec ses deux consonnes demi-dure et coulée (D, L). Alda vient de loin, comme un rempart qui a tenu, ou une basilique inaltérable. Sainte Alda la Bienheureuse (1245-1309) consacra sa vie, après la perte de son époux, à la prière et aux bonnes œuvres. Alda est la lucidité même, alliée à la mémoire de l'œuvre bien faite. Elle est simple et droite : noble comme une architecture toujours vive. Elle vient à nous avec le bleu du ciel d'hiver. La laisserons-nous passer sa route de grand nord?

ALDO

Couleur, chiffre, signe, fête : voir Alda.

Prénom essentiellement italien, il est très courant au-delà des Alpes, comme Alda, mais pratiquement inexistant chez nous.
Célébrité notoire : l'homme politique italient Aldo Moro, victime du terrorisme; et l'acteur Aldo Maccione.

Aldo, c'est Alda avec le vent du sud. L'Alda venue, étymologiquement du nord, l'Aldo la siffle, lui, résolument. Ce n'est pas que les Aldo soient particulièrement « macho », mais le travail et les affaires, où ils excellent, leur commandent ces enfantillages récréatifs. La fin tragique de Aldo Moro vient toutefois donner un coup d'arrêt à l'imagerie bon enfant qui les accompagnait jusqu'alors.

Aldegonde

Couleur : le bleu.
Chiffre : le 4.
Signe associé : la Vierge.
Fête : le 30 janvier.
A éviter avec un nom de famille commençant par On, Onde, In.

Prénom à résonnance médiévale marquée. A la mode au XIXe siècle, a presque totalement disparu aujourd'hui.
Étymologie : « adal » : noble, et « gund » : guerre, en germain.

Aldegonde? Une sainte. Et même : une noble élue de la guerre sainte. Guerre tout individuelle, certes, et familiale : sainte Aldegonde a ainsi farouchement résisté à ses parents, refusé le mari qu'ils tentaient de lui imposer, et s'en est allée fonder le monastère de Maubeuge pour une vie entièrement consacrée à la plus austère piété. Après quoi, par une nuit de pleine lune de l'an de grâce 684, assistée de Waudru sa sœur, elle rendit l'âme onctueusement. Elle sait, elle veut, et elle sait ce qu'elle veut : servir autrui. La charité est son domaine d'élection. Au profane, on la dit très fidèle à l'éventuel époux enfin accepté. Elle est celle par qui l'âtre rayonne. Elle connaît l'entretien du feu, de tous les feux. Notre siècle, lui, semble l'avoir abandonnée. Il est vrai qu'il croit au chauffage central...

Alex

(voir Alexandre)

Alexandra

(voir Alexandre)

Couleur : le bleu.
Chiffre : le 8.
Signe associé : le Bélier.
Fête : le 20 mars.
Se combine malaisément avec un nom de famille commençant par A, Ra ou Dra.
Diminutif éventuel renvoyant à « Sandra », ou masculinisant le prénom en « Alex ».

Étymologie : du grec « alexein », protéger et de « andros », l'homme.
Célébrités : deux impératrices de Russie, une reine d'Angleterre, deux reines des juifs sans oublier l'écrivain et grande voyageuse Alexandra David-Neel (1868-1969), et l'actrice Alexandra Stewart.

L'énergie séductrice, l'exploratrice des confins du monde, la droiture qui va de l'avant et s'exalte d'elle-même, la protectrice de l'homme, du guerrier (« andros »), la mère potentiellement parfaite du héros, telle est Alexandra. Qu'au IIIe siècle sainte Alexandra ait été immolée par l'empereur Maximin, ou qu'au IVe siècle une bienheureuse Alexandra ait vécu mystiquement à... Alexandrie, voilà qui vient précisément confirmer Alexandra dans son image, toute entre tension et compassion. Enfin, pour le service royal des terrestres rigueurs, elle a déjà donné – merci pour elle : trois reines (deux chez les Juifs, une chez les Anglais) et deux tzarines de Russie, dont la dernière fut la proie des Bolcheviks. En fait, la grande figure moderne, avec elle, c'est bel et bien Alexandra David-Neel, une Française infatigable, la première Européenne à avoir parcouru le Tibet (et l'Inde, la Chine, tout l'Extrême-Orient)... à pied! Précieuse initiatrice aux mœurs et croyances de l'Orient, et plus particulièrement du bouddhisme, elle est l'ancêtre de tous les voyageurs en quête « d'autre chose » que du simple exotisme. Ses ouvrages, reportages, études, romans, savent mêler l'humour à l'enquête philosophique. Elle s'est éteinte à Digne à l'âge de 101 ans. Sur le chemin de l'éternel, elle ne dédaignait pas les événements du monde : dans sa centième année, elle méditait de consacrer un ouvrage aux événements de mai 1968, qui l'avaient passionnée! Son prénom revient en force de nos jours. Elle coupe le vent par l'X, et son sillage a le parfum de l'aventure vers l'inconnu.

ALEXANDRE

(Alessandro, Alex, Alexia, Alexine, Sacha, Sandie, Sandra, Sandrine)

Couleur : le bleu.
Chiffre : le 3.
Signe associé : les Poissons.
Fête : le 3 mai.

A éviter avec les noms de famille débutant en D, De, Dre ou An.
Diminutif possible : Alex, lui-même devenu prénom.
Étymologie : du grec « alexein », ***repousser, défendre,*** **et « andros »,** ***homme, guerrier, ennemi*** **en foi de quoi Alexandre repousse l'ennemi en défendant l'homme.**
Célébrités d'importance : huit papes, nombre de rois dans l'antiquité, des empereurs romains et byzantins, trois rois d'Écosse, trois tzars de Russie, le saint héros Alexandre Nevski dont Eisenstein retraça les hauts faits dans son chef-d'œuvre cinématographique; et, plus près de nous, Alexandre Pouchkine, Alexandre Dumas, et Alexandre Soljenitsine, Alexandre Blok.

Une cinquantaine de saints et bienheureux, et non des moindres, plus huit papes dont le très scandaleux Borgia Alexandre VI, furent des Alexandre – mais une figure domine de haut le vaste monde alexandrin, celle d'Alexandre, justement, le Grand, le Conquérant (356-323 av. J.-C.), qui eut Aristote pour précepteur, et qui se tailla un empire jusqu'aux Indes. Il s'est avancé seul aux lisières du monde. Il a défié l'abîme et frôlé l'inconnu. Il a su écouter l'art et la vie des peuples. Il fut un conquérant très peu impérialiste. En un mot comme en mille, en trente années de vie il a conquis la steppe et reconnu l'Indus. Il est mort, nous dit-on, piqué par une rose.
Au Moyen Age enfin *le Roman d'Alexandre* va traverser l'Europe en vers alexandrins. On ne verra jamais ce prénom redescendre, ni jamais habité par quelque malandrin. Il est très à la mode en « Sacha » en Russie. Il est très bien coté jusqu'en Alex aussi. Alexandre Nevsky, Alexandre Dumas, Alexandre Pouchkine, et puis Alexandrie, la Cité des Savants portée vers l'inconnu : Alexandre toujours c'est le dépassement. C'est l'univers dedans victorieux au dehors. C'est la gloire assurée ou bien l'Inde qui rôde avec la fleur mortelle au cœur de l'émeraude.
Alexandre a parlé. Il nous faut donc nous taire. Sa légende respire aux

confins de la terre. C'est un prénom qui va contre montagne et doute, le sol qu'il a foulé, la lumière l'écoute.

ALEXANDRINE

Couleur : le bleu.
Chiffre : le 6.
Signe associé : le Taureau.

A éviter avec un nom de famille commençant par In, I ou N. En fait, c'est une variante, comme prénom, d'Alexandra.

Citons ici les bouts rimés de Gilles d'Armal (1824-1889), feuilletonniste suisse du siècle passé, qui définissent plaisamment le caractère du prénom : « Alexandrine est féminine. Alexandrine est Taureau bleu. Alexandrine est forte et fine. C'est une Alexandra qui pleut. C'est un prénom qui sonne, sonne. C'est un regard sous les persiennes, une sonnerie de consonnes et le cristal des voix anciennes. Prénom discret, prénom-parfum, il revient parmi nous enfin. » (*in* « Billets envolés »).

ALEXIS

(Alexane, Alexia, Alexiane)

Couleur : le bleu.
Chiffre : le 7.
Signe associé : le Taureau.
Fête : le 17 février.
A éviter avec un nom de famille commençant par I ou Si.

Célébrités : cinq empereurs orientaux, un tzar (le père de Pierre le Grand), l'écrivain Alexis Carrel, l'essayiste contemporain Henri-Alexis Baatsch, le poète Saint-John Perse, qui s'appelait en fait Alexis.

La Vie de saint-Alexis, vieux grimoire français du XIe siècle, vante l'émouvante carrière de ce saint, à Rome, au ve siècle : une vie tellement pieuse que le calendrier catholique romain s'en est positivement méfié, lui préférant saint Alexis Falconieri, mort à plus de cent ans en 1310 après avoir fondé l'Ordre des Services de Marie. Cet Alexis-là fut en effet un saint des plus classiques, absolument compatible avec un calendrier liturgique qui n'entend point le mystère trop appuyé ni la légende trop... légendaire. Cinq empereurs orientaux plus un tzar : Alexis, dans le profane, a la fonction sociale plutôt grandiose; et le fils de ce tzar Alexis et de Nathalia Narichkine sera le grand Pierre-le-Grand. De nos jours, en fait d'Alexis, le plus connu est Alexis Carrel *(L'homme, cet inconnu),* auteur fécond en présupposés biologiques frisant le racisme délibéré. C'est qu'Alexis a, comme on dit, le sang riche. Ce jouisseur pense, et médite à fond le moindre de ses actes. Connaisseur du vieux cauchemar, il sait sourire et rire, avec une égale insolence, de toutes choses et de lui-même. A sa façon, Alexis est « concret » : il jouit de ses représentations mentales et se joue de l'Histoire. La sainteté ne semblant plus de son ère, il lui reste heureusement le mariage, où se révèle l'excellence de sa largeur de vue et d'une nouvelle et profonde compréhension d'autrui, à la fois désintéressée et passionnée. Alexis? Une sagesse corrosive.

ALEYDE

(Alla)

Couleur : le violet.
Chiffre : le 7.
Signe associé : le Taureau.
Fête : le 16 juin.
A éviter avec les noms de famille commençant par I, É, et les voyelles en général. Peu fréquent aujourd'hui.
Étymologie : de « adal », noble, en germain.

Au XIIIe siècle une sainte Aleyde belge, atteint de la lèpre, vécut dans la contemplation cloîtrée au fond d'un couvent cistercien où elle finit par rendre l'âme vers 1250. Depuis, Aleyde s'est également retirée de la vie profane : le calendrier, où elle figure pourtant, ne lui est pas un bon support publicitaire. Mais qui oserait de nos jours nommer ainsi une petite fille? Il paraît qu'Aleyde aime plaire... Oublions, oublions.

ALFRED

(Alf, Alfrédine, Alfredo, Aufray, Aufroy, Fred)

Couleur : le violet.
Chiffre : le 1.
Signe associé : le Verseau.
Fête : le 15 septembre.
Les noms de famille commençant par T ou D, ne lui conviennent guère.
Diminutifs et sobriquets ne lui manquent pas : Fred, Freddie, Fredo... mais ils sont eux-mêmes devenus des prénoms parfaitement viables.
Deux étymologies germaniques, et non une seule, viennent d'emblée gratifier Alfred d'une grande résonance au plan du sens : « Alf » = Tout, et « Frido » = Paix – et « Alf » = elfe, plus « Rath » = Conseil.
Les ancêtres célèbres ne lui font pas défaut non plus : Alfred de Vigny, Alfred de Musset, Alfred Jarry, Alfred Hitchcock (ci-contre) et Alfred le Pingouin.

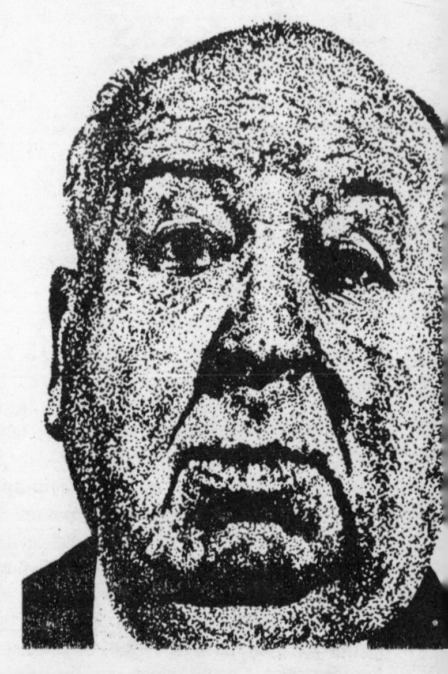

Alfred porte la paix en toutes choses, grâce, sans doute, aux conseils qu'il reçoit de l'Assemblée des elfes. Alfred le Grand, roi d'Angleterre entre 871 et 901, fut comparé à Charlemagne et son exemple contribua à la vogue des Alfred au Moyen Age. Il laissa un testament où il affirmait que « les Anglais devaient être aussi libres que leurs pensées ». Après une longue éclipse historique, Alfred revient en force au début de ce siècle. Est-ce cette liberté, égale à celle des pensées, qui y contribua? Alfred est en tous cas un prince du paradoxe et de l'indépendance d'esprit. Il a le sens de l'unique, du non-ressemblant, de l'irréductible. L'individu, selon lui, importe au moins autant, sinon davantage, que le groupe. Alfred semble donc plus que méfiant à l'égard des croyances ou idéologies de masse. Toutes ces caractéristiques en font un créateur, un franc-tireur systématique. Mais s'il se refuse à encenser de quelque façon que ce soit l'appartenance grégaire à un ensemble, ce n'est jamais en grognon, en « schizo » ou en râleur : son arme favorite est l'humour, salubre, décapant, sans attaches. Comme le disait Jarry (Alfred) : « Nous nous verrions volontiers forçat, avec un beau bonnet vert, repu aux frais de l'État et occupant nos loisirs à de menus travaux. »

ALFREDA

Couleur : le violet.
Chiffre : le 2.
Signe associé : le Verseau.
S'accorde mal avec un nom de famille commençant par Da, A D, De.
Prénom assez peu répandu, cette version « au féminin » de Alfred n'a guère de célébrités notables à son pedigree.

Alfreda n'hésite pas : elle transmue les qualités d'Alfred en romantisme exacerbé, à la fois angélique et irrespectueux à l'égard des us et coutumes socialement « convenables ». C'est une candidate au mysticisme radical. Pour elle, la fusion dans l'esprit prime tout, y compris la confusion apparente de la marche du monde. Sa propre démarche en est parfois gravement affectée, mais à ses yeux là n'est pas l'essentiel. Gourmande d'absolu, elle se moque du relatif.

ALICE

(Alicia, Aliette, Alison, Alissa, Alizon, Alix)

Couleur : le jaune.
Chiffre : le 3.
Signe associé : les Gémeaux.
Fête : le 9 janvier.

S'harmonise difficilement avec les noms de famille commençant par Es, Is, S.

Étymologie : du germain « adal », noble.
Célébrités : Alix de Champagne, mère de Philippe-Auguste; Alix de Savoie, épouse de Louis VI; l'actrice Alice Sapritch; Alice Godel, poète contemporaine; et enfin l'inoubliable *Alice au pays des merveilles*, de Lewis Carrol.

Alice, tout comme Adélaïde dont elle est étymologiquement parente, vient du germain « adal », « noble ». Le Moyen Age la porta très haut dans sa faveur, puis la désuétude l'emporta... jusqu'au XIXe siècle, où Lewis Carroll la ressuscita littéralement. Douce et fantasque Alice! Émotive, subtile, intelligente Alice! Romanesque et aventureuse et tenace, combien de miroirs a-t-elle traversés pour des pays d'au-delà des phénomènes, pour un rêve qu'elle sait plus réel que notre réel! Verra-t-on Alice orienter la vie de ces jeunes femmes à venir, pour lesquelles l'univers intérieur sera plus que jamais seul maître du cours des choses? Alice, prénom tremblé de la poésie en actes, de la rosée qui descend les pieds nus sur les feuilles, et que jamais ne retiendra sa propre image dans la glace : Alice, c'est le dépassement de Narcisse et de tous les narcissismes, c'est la générosité du songe où l'esprit voit. Et, puisqu'en grec Alice signifie Vérité, souhaitons beaucoup d'Alice à cette fin de siècle.

Aloïs, Aloysius

Couleur : l'orange.
Chiffres: le 2, le 4.
Signes: le Verseau, le Bélier.
Ce couple de prénoms est évidemment très proche parent de Louis, auquel il conviendra de se reporter. Leur forme, très vieillie de nos jours, les a un peu laissés pour compte, et leur usage moderne est peu fréquent.
Une célébrité non négligeable au siècle dernier : le poète Aloysius Bertrand (1807-1841), auteur du très populaire *Gaspard de la nuit*.

Aloïs est une femme de hauts projets volontiers non-conventionnels, et n'hésite pas à bousculer les bienséances. Aloysius, à ce trait, ajoute la vigueur et la tenacité. Mais voici deux prénoms que leur habit médiéval de voyelles et consonnes a rendus bien silencieux à présent, et Louise et Louis ont repris leur flambeau. Dommage?

Alphonse, Alphonsine

(Alfonso, Fons)

Couleur : le violet.
Chiffres : le 9, le 6.
Signes : la Balance, le Sagittaire.
Fête : le 1er août.
A éviter avec les noms de famille commençant par S, On ou INN.
Célébrités innombrables, royales et littéraires.
Alphonse : une étymologie qui en dit long : du germain « adal » (noble) et « funs » (prompt, rapide), et une ascendance de chez les Wisigoths, qui s'en allèrent enraciner Alphonse dans le sud de l'Europe.
Une bonne douzaine de rois d'Espagne, de Castille, de Navarre et d'Aragon, une demi-douzaine de rois du Portugal, deux rois de Sicile : voilà un prénom résolument royal. Et puis, en France, Alphonse de Lamartine, le poète; Alphonse Daudet, l'écrivain des *Lettres de mon moulin,* Alphonse Allais, l'humoriste de Honfleur, qui voulait mettre les villes à la campagne.

...enfin, le saint Alphonse de Liguori qui, jeune docteur en droit à seize ans, quitte barreau et robe pour aller fonder, sous une autre robe, la Congrégation des Rédempteurs chez les Napolitains; mort en 1787, Rome la canonise un demi-siècle plus tard. Comme dit le populaire « Il fonce, Alphonse »... vers quoi? Vers la beauté, le goût, l'équilibre, l'habileté, la rigueur morale. Alphonsine, elle, est une forme archaïque récemment resurgie. On ne s'étonnera guère qu'en sus des qualités d'Alphonse, elle sache tenir à son indépendance par rapport aux hommes. La conscience de leur valeur est un trait commun aux deux prénoms, Modestes, et fiers de l'être, ils savent commander tout autant que faire hautainement retraite. Peut-être cette légère tendance à l'autosatisfaction mâtinée d'autoritarisme est-elle à l'origine du relatif manque d'engouement moderne pour ces prénoms, qui font un peu figure de grands-parents sévères. Mais Alphonse, tout comme Alphonsine, restent de grands et puissants prénoms : quand on a connu, comme eux, des lustres et des siècles de grande gloire, on sait se résigner un moment, et se retirer des champs battus de l'actualité. Alphonsine et Alphonse, même grand-mère et grand-père, le respect leur est dû : l'histoire d'ailleurs le leur accorde.

AMALRIC

(Voir AMAURY)

AMAND, AMANDINE

(Amance, Amanda, Amandin, Manda, Mandy)

Couleur : l'orangé.
Chiffres : le 6 et le 7.
Signes : les Poissons, la Vierge.
Fêtes : le 6 février, le 9 juillet.
A éviter avec les noms de famille commençant par An, Man, Nan ou I, In, Ine.
Mais Amandine ni Amand ne sont amants, leur étymologie les désignant seulement comme « aimables » (du latin « amandus » aimable).
Les personnages célèbres ayant porté ces prénoms sont essentiellement des religieux, mais on ne voit pas pourquoi ils en auraient le quasi-monopole... D'autant qu'Amandine, née le 24-2-82, est le prénom du premier bébé français « in vitro ».

« Certes, nous ne sommes plus guère à l'ordre du jour, mais les jours comme les ordres passent, et nous demeurons. Certes, nous n'avons jamais brigué les fastes et honneurs du pouvoir temporel, ni les royaumes ni les présidences, ou si peu que nul ne s'en souvient; mais les pouvoirs, eux aussi, passent. Dans la fuite infinie des choses, c'est la littérature sans doute qui nous retient le mieux, mais elle aussi s'efface. Alors nous considérons nos grands prédécesseurs, et nous songeons... Et saint Amand vient nous parler, lui, l'ermite devenu évêque, qui mourut en 679 d'une vie fort pieuse à l'abbaye d'Enone, qu'on appelle depuis Saint-Amand-les-Eaux. Et nous voyons Français et Belges se souvenir de son passage, et nommer de son nom des villes et villages, et par exemple celui-ci, niché au creux bocage de la Nièvre : Saint-Amand-en-Puisaye. Plus avant dans le temps, et plus au sud, nous eûmes un évêque de Bordeaux. Une dizaine de saints et autres grands méditants sont de notre lignée. Notre sœur Amandine, franciscaine missionnaire en Chine, y fut assassinée en 1900. Ah, son inoubliable sourire, sa douceur, sa piété! Son dévouement, sa ferveur ont laissé son image toute à l'image de la Vierge en bien des cœurs et des esprits, en ces lointaines contrées tout comme parmi nous. Mais tout cela aussi s'efface... Las! Nous sommes des dévoués, des discrets, des fervents, en un mot : d'actifs idéalistes. L'estime de ceux qui nous approchent, nous n'avons guère de mérite à la conquérir : c'est notre trait de caractère le plus sûr. Mais qui, aujourd'hui, peut encore venir à nous, qui ne venons plus beaucoup nommer les nouveau nés? Qu'importe : tout s'efface, mais nous poursuivons nos œuvres clandestines, et à quoi bon chercher à être aimé, lorsque déjà l'on est *aimable*? »

AMAURY

(Amalric, Amalrico, Amerigo, Amery, Amory)

Couleur : le jaune.
Chiffre : le 4.

Signe associé : le Sagittaire.
Fête : le 15 janvier.

A éviter avec un nom de famille commençant par I, R.
Étymologie : du germain « amal », de signification obscure, lié à la famille royale wisigothe Amali, et de « ric », *puissant.*

Le sud-ouest de la France, autour de Toulouse, et l'ensemble du midi, ont manifesté une faveur certaine à ce prénom wisigoth. Le roi des Wisigoths Amalaric se maria au VIe siècle avec une fille de Clovis; l'abbé de Citeaux Arnaud Amalric (XIIIe s.) fut un des pourfendeurs de l'hérésie cathare et se manifesta comme l'un des meneurs de la croisade contre les Albigeois. Le fils aîné de Simon de Montfort, chef de cette croisade, s'appelait Amaury (1192-1241) et fut connétable de France. L'envahissement de l'Italie par les Ostrogoths, au début du VIe siècle, donna lieu à nombre d'appellations d'enfants en Amalrico et Amerigo; conséquence inattendue de cette invasion : l'Amérique... ainsi dénommée à partir du prénom du cartographe florentin Amerigo Vespucci (1450-1512) qui, après Christophe Colomb, débarqua sur le nouveau continent. Au caractère, Amaury se signale par une exigence et une intransigeance morale sans faille, une puissance intellectuelle, une intuition hors de pair, et une sensibilité souvent à fleur de peau; gare à ses emballements et colères, car c'est un fougueux qui prend facilement la mouche au nom des grands principes! Un prénom qui revient de loin, et – voir Amerigo Vespucci – qui y va!

AMBROISE

(Ambre, Ambroisie, Ambroisine, Ambrose, Ambrosia, Ambrosie, Ambrosi)

Couleur : le violet.
Chiffre : le 1.

Signe associé : le Sagittaire.
Fête : le 7 décembre.

A éviter avec un nom de famille commençant par Z, S, Soi.
Étymologie : du grec « ambrôsios », immortel.
Célébrités notoires : Ambroise Thomas (1811-1896), le compositeur de *Mignon*; et surtout le grand chirurgien Ambroise Paré (1517-1590), qui fut le chirurgien de Henri II, de François II, de Charles IX et de Henri III; Ambroise Roux, ex-directeur de la Compagnie générale des eaux, « fervent capitaliste » (selon ses propres dires).

L'ambroisie, le nectar des dieux, leur liqueur d'immortalité, c'est moi. Au IVe siècle, saint Ambroise, c'est encore moi : grand théologien chrétien, j'ai aussi converti un autre futur grand des docteurs de l'Église, saint Augustin. En Angleterre, on dit que je fus Ambrosius Aurelianus, la véritable identité du légendaire roi Arthur. On dit encore que Merlin l'Enchanteur, l'immortel amoureux de la fée Viviane, fut qualifié d'« ambroise », puisqu'immortel. Je suis toujours celui qui rêve d'une autre vie que de cette vie, et qui parfois la ressuscite. Je suis le maître ambigu de la chance, et le vainqueur du temps. Les voyages, ici-bas comme au delà, font partie de mon apanage. En ce siècle de doute, où l'immortalité semble ne plus faire recette, mais où le voyage est roi, on devrait se souvenir de moi, même pour nommer de simples vies mortelles. C'est un prénom de longue durée que j'offre là. Nouveau nés du futur, et vous, parents perplexes, songez y! On oublie le Nectar, on idolâtre le Flacon, on défigure la divine Ivresse, mais seule demeure l'immortelle ambroisie, accessible à toute âme bien née!

AMÉDÉE

(Amadeo, Amadeus, Amadis)

Couleur : le jaune.
Chiffre : le 1.
Signe associé : le Taureau.
Fête : le 30 mars.
A éviter avec un nom de famille commençant par D, Dé, Ai. Risques d'affectueux diminutifs en Dédé, Médée.
Amédée provient du latin « amadeus » – en mot à mot, « aime Dieu »). C'est l'équivalent, pour le sens, de l'allemand Gottlieb, ou du grec Théophile.
Célébrités : un roi d'Espagne, nommé Amédée de Savoie (1845-1890); neuf comtes de Savoie également, dont le plus connu fut Amédée VIII Antipape, qui se fit nommer Félix V; n'oublions pas, bien sûr, Wolfgang Amadeus Mozart, ni Amadeo Modigliani, phares entre les phares parmi les Amédée, ni Amédée Frétal, employé au cadastre de l'*Essai d'herméneutique sexuelle,* d'Yves Buin.

Devenu prénom usuel à partir de la Renaissance, Amédée fut d'abord un nom de baptême dont usait traditionnellement la famille de Savoie. Sous la forme Amadis (en vieux français), il connut ses premières gloires publiques grâce à *Amadis des Gaules,* roman de chevalerie répandu dans toute l'Europe du XVIe siècle; ainsi, le héros dudit roman, Amadis, deviendra-t-il en plusieurs langues synonyme de « chevalier ». Au XIXe siècle, Gobineau, sur ce thème, laissera inachevé un très ample poème, intitulé *Amadis.* Mais revenons à la famille de Savoie, véritable initiatrice en matière d'Amédée : si Amédée VIII fut un Antipape, Amédée IX (1435-1472) fut un Bienheu-

reux gouvernant canonisé par l'Église. Après avoir épousé Yolande, sœur de Louis XI, il dut se résoudre à laisser l'exercice du pouvoir à sa femme, ce dont Louis XI ne fut pas mécontent : il « empochait » ainsi littéralement le royaume de Savoie. Amédée IX en effet, souffrant de graves crises d'épilepsie, se contenta grandement de se consacrer aux pauvres et aux indigents, fondant hôpitaux et monastères et soutenant les œuvres charitables de l'Église. Il fut béatifié cinq ans après sa mort. Il repose sous les marches du maître-autel de l'église Saint-Eusèbe, à Vervueil, en Italie. De toute évidence, il n'était pas fait pour le pouvoir.
Ces Amédée donneront naissance à des noms de famille, ainsi Amadei en Corse, Amadieu dans le Midi, ou encore, en Bourgogne, Amidieu, et ces aime-dieu, ces amis de Dieu, ou Ses aimés, on les dit doués dans leurs entreprises d'un esprit de décision fort efficace, et particulièrement sur le plan des affaires. Amédée IX fut donc plutôt une exception venant confirmer la règle, puisqu'après tout il fut visiblement aussi un réalisateur ès-bonnes œuvres. Mais les Amédée ont pour eux vitalité, robustesse, sens du concret. Ce sont des sanguins, vifs, sensuels, goûtant la vie que, sans complexes, ils dévorent à belles dents. Leur excès d'intuition cependant, leur intelligence, leur curiosité, en font dans le secret d'eux-mêmes des êtres prêts aux mysticismes les plus aigus, ne se satisfaisant pas d'une église, d'une religion institutionnelles. Infatigables, on les voit portés, én tout, à la création. Mais la création, n'est-ce pas la moindre des choses quand on a, dans son étymologie même, un rapport d'amour avec le Créateur?

AMÉLIE

(Amalia, Amelia, Amelin, Ameline, Amelot, Milly)

Couleur : le violet.
Chiffre : le 9.
Signe associé : le Cancer.

A éviter avec les noms de famille commençant par Li ou I. La particule ne lui va pas mal. La poésie popularise Amélie au Moyen Age. Puis *Les Brigands* (1781) de Schiller lui font un rôle, ainsi que la *Jobsiade* (1799) de Kortum. D'où le considérable et perpétuel succès d'Amélie en Allemagne. En Angleterre, où elle abonde aussi, elle se confond avec Émily.
Étymologie : du wisigoth « Amal », « Amali », et « rik », *puissant*. Les Amali furent une lignée de rois wisigoths.
Célébrités : Amélie, princesse d'Orléans qui devint reine du Portugal; et surtout la duchesse Anna-Amalia de Saxe-Weimar, qui fut la protectrice de Goethe.

« Je vais comme mon prénom sonne : avec douceur, légèreté, plus une pointe de suavité. Je sais convaincre en peu de mots, ceux-ci par exemple : rêve, gentillesse, générosité, charme, intuition. Je séduis sans le chercher. En faut-il davantage pour qu'apparaisse clairement et sereinement ceci : je suis bien au-delà des provocants " occupe-toi d'Amélie " qu'un auteur à succès a semés sur les boulevards! Allons donc : Amélie est un prénom plus subtil encore que charmant. Il ne nous quittera pas de si tôt, parole d'Amélie! »

ANASTASE, ANASTASIE

(Anastaise, Anastasia, Anastasiane, Anastasy, Anasthase, Aspasie, Astasie, Stacey)

Couleur : le vert.
Chiffre : le 8.
Signe associé : les Poissons.
Fêtes : le 22 janvier, le 25 décembre.
A éviter avec des noms de famille commençant par S, A, As ou I, Si, Is.
Un peu désuet de nos jours, tout du moins en France, où l'on a oublié jusqu'aux stases d'Anastase, venu d'un nom grec latinisé (Anastasius) qui signifie « né une nouvelle fois ». Sa résonance hellénique et chrétienne lui a valu une grande vogue dans la religion orthodoxe. Très courant en Russie, sous les formes Nastasya, Nastya, il apparut en Grande-Bretagne au XIIIe siècle. Célébrités venues du froid : la sœur de Constantin, Anastasia; Anastasia, la fille contestée du tsar Nicolas II; enfin, parmi les contemporains, Anastase Mikoyan, le chef de la diplomatie soviétique.

Au IVe siècle, sainte Anastasie fut martyrisée et mise à mort sous l'ordre de Dioclétien, à Sirmium, en Yougoslavie. Nombre de saintes portèrent son nom, et notamment au VIe siècle celle-ci, qui devint à son tour une sainte Anastasie : riche et belle patricienne, Justinien en fut follement, et en vain, amoureux, mais Anastasie lui préféra un ermitage dans le désert de Scété, où elle alla se retirer sous un habit de moine. Elle vécut ainsi accoutrée dans une parfaite contemplation, et quitta le monde en 567. Saint Anastase, quant à lui, eut moins de chance : il fut martyr à Césarée en 628. Fils d'un dignitaire persan, la foi chrétienne l'avait saisi et touché, comme on voit, durement et sûrement. D'autres saints et religieux furent des Anastase, dont le pape Anastase Ier.
Anastase et Anastasie, ces « deux-fois-nés », possèdent en eux tout le mystère de cette seconde naissance dont il est dit qu'elle constitue l'assomption de l'esprit. Autrement dit, et au profane, c'est l'extase, Anastase! Au vrai, Anastasie et Anastase-les-rêveurs sont des séducteurs-nés. Leur arme : une sensibilité profonde, une sorte de connivence immédiate avec autrui. Ils sont d'autant plus aptes à toutes les aventures qu'ils savent en pressentir le sel à peine les ont-ils envisagées. Et ils s'aventurent aussi bien en rêve qu'en actes, en pure évanescence comme en froide évaluation stratégique. Comme ils jouent spontanément de ce double registre avec finesse en toutes occasions, ils sont, si besoin est, la diplomatie même. Peu courants de nos jours en France, ils mériteraient peut-être quelque retour de flamme. Ne gagnerait-on pas à voir surgir des « deux-fois-nés » à l'heure où le poids des armes semble vouloir nous tuer deux fois?

ANATOLE

(Anatolia, Anatolie, Anatoline, Natolia)

Couleur : le jaune.
Chiffre : le 5.
Signe associé : la Balance.
Fête : le 2 juillet.

**A éviter avec un nom de famille commençant par L, O. A vrai dire, Anatole est largement tombé en désuétude depuis le siècle dernier; c'est un prénom de bisaïeul. « Natole », « Totole » sont inévitables, mais a-t-on vu l'atoll que cache Anatole?
En grec, « anatole » c'est l'aurore, et « anatolios » c'est « qui vient de l'Orient, de l'est oriental ». La région de l'Anatolie, en Turquie, garde jusque dans son nom quelque chose de ce parfum-là.**

Célébrité d'ici en la personne de l'écrivain Anatole France.

Mathématicien et théologien de la Pâque, saint Anatole de Laodicée vécut en Syrie au IIIe siècle. Quatre autres saints furent encore des Anatole, dont saint Anatole de Salins, dans le Jura, qui eut une vie d'ermite (IVe siècle). Les Anatole, disait-on autrefois, sont fragiles comme l'aurore, à la merci d'un manque d'amour dont ils peuvent d'autant plus souffrir qu'ils adorent être aimés. Discrétion, charme et fraîcheur, telles sont les vertus qu'ils chérissent. Réfléchis et sûrs, leur maturité peut être précoce et lever tôt, dans l'or de l'Est. Lucidité, rigueur, et intense vacillement possible : ces funambules du spontané avancent sans autre hésitation que celles d'une affectivité hypersensible. Ce sont des sages, mais vulnérables. Ils nous ont fuit voici un siècle; qui sait s'il n'en reviendra pas?

ANDRÉ

(Anders, Andor, Andréa, Andreani, Andreas, Andrée, Andreu, Andrew, Andrieu, Drew, Dries)

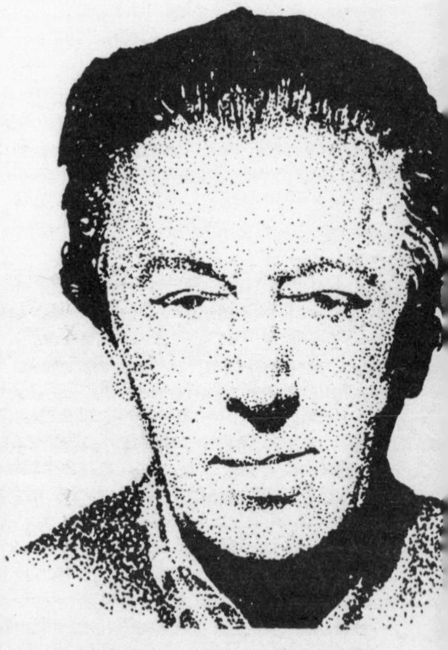

**Couleur : le rouge.
Chiffre : le 6.
Signe associé : le Sagittaire.
Fête : le 30 novembre.
A éviter avec un nom de famille commençant par E, An, Dré ou Ré. L'inévitable diminutif (« Dédé », « Dédée ») les accompagnera un moment, mais ne les affectera guère bien longtemps.
Étymologie : du grec « andros », illustre parmi les hommes.
Célébrités innombrables : nous avons ici affaire à un prénom-vedette. Ainsi : l'apôtre André; une quarantaine de saints et bienheureux; trois rois de Hongrie, André Ier, André II, André III; un aréopage d'écrivains et d'artistes : le sculpteur-architecte Andrea Le Pisan; les peintres – florentin, Andrea del Sarto – et surréaliste, André Masson; le musicien André Messager; les écrivains André Malraux, André Gide, André Maurois, André Dhotel, André Pieyre de Mandiargues; les poètes André Salmon, André Breton (ci-contre), André Velter, Andrée Chedid, Andréi Vossnessenski; le coureur cycliste André Darrigade, longtemps recordman des victoires d'étapes au sprint, dans le Tour de France; les physiciens et Prix Nobel Andréi Sakharov et André Lwolf.**

Saint Jean-Baptiste, ébloui dans les eaux du Jourdain, pointa un doigt en direction du Fils de l'Homme et dit à André son disciple : « Voici l'agneau de Dieu », et André se livra à Jésus pour être son apôtre, et par la suite Simon son frère, tous deux pêcheurs, Simon, André, au lac de Tibériade. Et Simon

allait devenir Pierre, mais ce n'est plus le registre d'André. André dériva d'abord, en étymologie, du grec *andros,* « illustre parmi les hommes ». Andreas fut ainsi sans doute l'abrégé familier d'un nom composé de style grandiose, du genre Androklês, Andromaque, ou Andromède. Plus sobrement, ce nom signifia « courageux », « viril », et se répandit en Palestine... Un peu plus tard, Jésus dit à André et à Simon pêchant au bord du lac de Tibériade : « Suivez-moi. Vous serez pêcheurs d'hommes. » Ainsi l'apôtre André est-il nommé « le Protoclet » chez les chrétiens grecs, autrement dit : « appelé le premier ». De la Mer Noire jusque dans le Caucase, il évangélisa. Martyrisé à Patras, au nord du Péloponnèse, on l'attacha sur une croix en forme d'X, dite depuis Croix de Saint-André. Ses reliques, autrefois conservées à Rome, ont regagné l'Église orthodoxe et la ville de Patras, en gage d'œcuménisme bien ordonné. Plus de quarante saints et bienheureux portèrent le nom de l'Apôtre, dont saint André Corsini, carme canonisé en 1629, saint André Kagwa, saint André Avellin, canonisé en 1712, saint André Bobola, jésuite polonais canonisé en 1938.
André sera également un nom de famille sous des formes diverses : Andrez dans le Nord de la France, Andreu dans le Midi, Andreix dans le Limousin, ou Andrey dans l'Est. Parfois il devient Landrieu; d'autres fois c'est Drieu (d'où le nom « andréatique » de l'écrivain Drieu la Rochelle) ou encore Andrieu, Andriveau, Andrivot, Andrivel, et autres Andreucci, Andreani en Corse, ou Andral, Andrès, Andrat, Andrin, Andraud, en Bretagne et ailleurs.
André : ses deux syllabes sonnent bref, clair, et ferme. Il est de la race de ceux qui marchent au devant. Du reste il ne se prive pas de nous le faire savoir. C'est l'énergie même, il suffit de l'écouter :
« Moi? Mais... je n'hésite pas : j'indique la direction, comme le Baptiste me l'a à moi-même indiquée. Je suis l'un des plus captivants prénoms du monde. Ma vogue est immense, universelle, et constante. Peu m'échappent, de tous ceux qui me rencontrent. Et mes œuvres sont toujours solides, équilibrées, quasi-invulnérables. Je ne vise pas au miracle, mais je ne le redoute jamais. J'ai incroyablement confiance en mon étoile, même si elle devait scintiller en forme d'X, comme la Croix de l'Apôtre. Comment, en toutes situations, ne serais-je pas positif? D'une manière générale j'ignore le pessimisme, ou s'il m'atteint ici ou là, je sais le vaincre de haute lutte, par l'action, par la passion d'oser, d'entreprendre et de réaliser. En ces domaines, je le dis très simplement, il m'est échu d'exceller, comme tout « appelé le premier » qui se respecte, et j'y parviens, ma foi, sans déplaisir. Je suis la difficile et vivante synthèse du réaliste à l'intelligence froide et du méditatif sensible aux brumes qu'irradie le soleil levant sur quelque crête des Himalayas. Dans ma lignée quelques rois de Hongrie s'estompent, mais quantité d'écrivains et de peintres viennent et reviennent, et chacun dans son style en André réussi – n'est-ce pas un signe d'accomplissement qui auréole, telle la bonne fée penchée sur le berceau, toute Andrée, tout André qui s'en viennent faire apparition au monde? Et c'est cette fois en toute modestie que je balaie d'un haussement d'épaules les " Dédés " ricaneurs : les jalousies aboient, mais André passe les siècles. Cela dit, je plaisante à dessein. C'est que j'ai des pudeurs, que je préfère passer sous cape. La compassion, la générosité spontanée m'émeuvent au plus haut point. En ces domaines, on ne parle pas : on agit. Voilà ce qui m' " agite " encore quand le spectacle du monde fait semblant de se taire. Alors je me tais. Mais je reviendrai, bien sûr! »

ANGÈLE

(Ange, Angel, Angela, Angélina, Angéline, Angélique, Angelon, Angie, Anja)

Couleur : le violet.
Chiffres : le 8, le 4 (Angéline), le 2 (Angélique).
Signes : le Cancer, la Vierge, la Balance.
Fêtes : 4 janvier, 15 juillet, 17 juillet.

A éviter avec des noms de famille commençant par L, Le, El, Del, ou I, Inn, Li, C. « On gèle, Angèle! » : c'est à peu près tout, en matière de plaisanterie liée au prénom.
Éthymologie : du grec « eggelos », messager.

Célébrités : hormis la libertine *Angélique, marquise des anges*, l'héroïne d'une populaire « littérature de gare », nous baignons, avec ces prénoms, en odeur de sainteté, entre carmélites, ursulines et Port-Royal : ces grandes dames furent des bienheureuses – ainsi Angèle de Foligno (1248-1309), Angélique de Cobra (1377-1435), Angélique Rousset (dite Sœur Marie du Saint-Esprit), victime de la Terreur en 1794, dont se sont inspirés Gertrud von Lefort, puis Bernanos, pour les *Dialogues des carmélites*.

Angèle de Foligno, ayant perdu les siens, y compris son époux et ses enfants, passa de la vie mondaine à la vision mystique, atteignant, dit-on, à une révélation bouleversante de la Sainte Trinité. Angéline de Cobra, jeune veuve d'à peine 18 ans, entra chez les franciscains et participa à la fondation d'une centaine de monastères. Quant à la bienheureuse Angélique Rousset, sa piété l'exposa à la mort violente, épreuve ultime pour les êtres à vocation de sainteté. Pour sa part Marie-Angélique Arnault, sœur du soutien des jansénistes contre les jésuites, le Grand Arnauld, se contenta, si l'on peut dire, d'être au XVIIe siècle, l'abbesse de Port-Royal.
Le prénom masculin Ange vient de Byzance où il apparut d'abord. Il dévoile franchement le jeu de ces prénoms. D'une manière ou d'une autre, les anges veillent ces vies-là. Le puritanisme britannique, au XVIIe, ne s'y trompa point : on fit interdire le prénom Angela pour cause d'orgueil blasphématoire – en un mot, il n'est pas séant de se prendre pour un ange! Angelica, Angelika sont de nos jours encore à la mode en Allemagne, et la ville de Los Angeles, aux Etats-Unis, doit son nom aux Ange et Angèle venus autrefois d'Espagne. « Angelus » (*ange*, en latin), vient du grec « èggelos », c'est-à-dire *messager*. Que les anges (les « vrais ») aient fonction de messagers, cela se conçoit; mais qu'en est-il des Ange, Angéline, Angélique et Angèle? Autrement dit : ces Angèle et ces Ange... en sont-ils?
Le pouvoir d'un prénom n'est pas tel qu'il puisse à jamais enfermer un être dans le tissu de ses caractéristiques. Que les Angèle se rassurent : toutes n'entrent pas nécessairement au couvent! Leurs évidentes dispositions à la rêverie sans attaches, voire à un certain goût du désœuvrement apparent n'est nullement paresse, mais ténacité dans l'observation. Sous le flux des phénomènes, elles savent repérer l'essentiel. On les voit alors s'engager, et assumer au besoin de lourdes responsabilités. Elles ne se dévoilent que lentement, mais une fois l'entreprise commencée, elles ne l'abandonnent pas. Angéline, quant à elle, peut au contraire flancher un peu en route : une sensibilité à vif, voilà son point faible. Elle connaît des hauts et des bas, des enthousiasmes et des déceptions. Sa générosité extrême lui permet sans cesse de rétablir l'équilibre dans un surcroît de dévouement pour quelque grande cause, où elle sait se dépasser. Elle illustre assez cette réflexion désabusée selon laquelle on appelle bons, de nos jours, ceux qui ont de mauvais nerfs. Mais cette bonté précisément sauve tout chez Angéline. Angélique, en revanche, a tout de la femme assurée d'elle-même. Elle

fascine et envoûte. Forte, « fatale », hors de prise. Son sens aigu de l'indépendance vient rehausser la valeur de son éventuelle acceptation, ou soumission à un ordre, à une cause. Elle accorde sa confiance, ou la refuse, d'un regard immédiat et sûr. Ange, très populaire macho de Sicile et d'ailleurs, n'a qu'à bien se tenir : Angélique est capable de l'obliger à se tenir à la hauteur de son prénom, c'est-à-dire à l'image... d'un ange. Il est vrai qu'en France au moins, nous ne les voyons plus guère passer. Peu de baptêmes au nom des amis des anges. Mais peut-être Angélique relèvera-t-elle le défi?

ANICET

(Anicette)

Couleur : le jaune.
Chiffre : le 7.
Signe associé : le Lion.
Fête : le 17 avril.
A éviter avec un nom de famille commençant par E ou S, Sé.
Deux étymologies : le latin « anicetum », c'est-à-dire *anis;* et le grec « aniketos », c'est-à-dire *invincible*.
Une célébrité antique : Anicet, esclave de Néron qui, affranchi, œuvra à la création du vaisseau où devait périr Agrippine. Un pape (de 155 à 166), Anicet Ier, martyr sous Marc-Aurèle. Un nom de famille : Auguste Anicet-Bourgeois (1806-1871), auteur de *Rocambole* et du *Bossu* (« Si tu ne viens pas à Lagardère... »). Et un héros de roman du jeune Aragon : *Anicet ou le panorama, roman* (1921). Plus le ministre Anicet Le Pors.

Peu en usage de nos jours, Anicet fleure quelque invincible anis, celui de la verte absinthe d'autrefois, qu'appréciaient nos grands et arrières grands-pères au temps d'Alfred Jarry. On y décèle un certain parfum d'individualisme radical, un goût de l'originalité. Anicet n'ignore rien du sens de la hiérarchie élitiste, et sa finesse critique creuse l'écart, et fait la différence. L'effort ne le rebute pas, mais les tâches d'exécution ne sont point de son registre. Le regard « d'en haut » qu'il condescend à laisser tomber sur la vie quotidienne en dit long sur l'état de son détachement intérieur :
« ... Voici pourquoi, en bon fils de mon siècle, je conforme mes actes et mes œuvres à une loi probablement sans fondement, mais qui revêt à mes yeux le prestige d'être tombée en désuétude, de sembler intolérable à autrui, et de ne me peser guère à moi qui ne crois ni au temps, ni au lieu, ni à l'action... Excusez de si longs prolégomènes de n'introduire que le bref : Anicet, Conte de la Parfumeuse et des Bonnes Mœurs. » (*Anicet ou le panorama,* Aragon).
Et de surcroît, notre homme sait user de l'humour à l'encontre de son côté « snob élégant » : que lui opposerait-on, à ce champion de l'habileté, à ce virtuose de la pirouette?

ANNE

(Anaïs, Anita, Anke, Anna, Annabelle, Annchen, Annaik, Annequin, Annette, Annick, Annie, Anouchka, Anouck, Antje, Hannach, Nanette, Nancy, Ninette, Ninon)

Couleur : le bleu.
Chiffre : le 7.
Signe associé : le Cancer.
Fête : le 26 juillet. (Face à l'abondance des

prénoms dérivés de Anne, nous nous en tiendrons ici strictement à Anne, dont les traits dominants sont largement représentés chez les Anna, Annie et autres Anaïs).
Étymologie : de l'hébreu « hannah », *grâce.*
Célébrités relatives aux différentes Anne : la poétesse Anna de Noailles (1876-1933); Anna Karénine, bien sûr; Annabel Lee, l'héroïne d'Edgar Poë; l'actrice Annabella; des princesses, des reines, des impératrices à Byzance et en France pour Anne : Anne d'Autriche, Anne de Bretagne, Anne de Gonzague; et en Angleterre Anne Boylen et Anne de Clèves, toutes deux femmes d'Henri VIII; deux Anne Jagellon, reines de Bohême et de Hongrie; la romancière Ann Badcliffe; ou encore la chanteuse Annie Cordy et l'impératrice romaine Annia Lucillia (147-183), ou bien les actrices Anouck Aimée (ci-contre), Anna Magnani, Anna Karina ou l'écrivain Anaïs Ninn.

Avec Anne, nous ne sommes pas loin, là encore, de la Grâce; et même, nous y sommes : c'est que « hannah », en hébreu, signifie précisément « grâce », « gracieuse ». Il se trouve qu'Anne et Joaquim, trop âgés pour avoir un enfant, en eurent tout de même un, qu'un ange annonça à Anne : ce fut Marie, la Vierge Marie, elle-même future mère immaculée, comme on sait, de Jésus. Anne est donc la grand-mère de Jésus, et son culte est extrêmement répandu, faisant d'elle également la sainte patronne de la Bretagne, et des femmes en général, veuves, mamans ou futures mamans.
Virgile, dans son *Énéide,* en fait la sœur de Didon. L'Église acceptant au VIe siècle de reconnaître Anne comme une vraie sainte (seuls en effet les évangiles apocryphes mentionnent Anne comme mère miraculeuse de Marie), le prénom se répandra peu à peu sur l'Europe. Sa vogue, depuis, n'a pas décru. A peine peut-on soulever « l'ombre » parisienne portée par l'hôpital Sainte-Anne, chargé des soins de la folie, sur le prénom. Le charmant « Anne, ne vois-tu rien venir », le sauve de toute déroute. Du reste, n'est-ce pas folie douce, aux yeux de la plupart de nos contemporains, que d'enfanter par la voie des anges?
« N'en croyez rien. Je veux dire, moi, Anne, qui vous parle, ne croyez pas d'emblée ce que l'on vous dit, mais expérimentez tout par vos propres soins. Sainte Anne n'a véritablement cru l'annonce de l'ange que lorsqu'elle s'est vue enceinte. Alors, je le dis : Anne est de celles qui réalisent, qui bâtissent sur des certitudes, mais des certitudes *éprouvées,* assumées, reconnues. Toute son attention, toute son intuition ne visent qu'à reconnaître le terrain, et à l'explorer par avance. Ce qui lui vaut, parfois, de ne pas sortir franchement de visions et rêveries d'enfance qui peuvent lui occasionner quelque patinage, ou même du sur-place, dans la course de sa vie. N'importe : elle a de quoi surmonter l'obstacle, en particulier par son aptitude « aimante », typiquement maternelle et compréhensive à l'égard

d'autrui. Elle s'applique à elle-même cette attitude en l'appliquant à la charité, au dévouement, aux nobles causes. Les résultats, les Anne et les non-Anne peuvent les mesurer, par exemple, à l'immense registre de ce prénom, qui supporte quantité de prénoms composés, et à la faveur dont il jouit de façon ininterrompue à travers les siècles. Je vous le disais : Anne est solide et sûre, et sa grâce est partout. »

ANSELME

(Anse, Anseaume, Ansel, Anselma, Anserme, Anthelme, Anzo, Enselin)

Couleur : le bleu.
Chiffre : le 7.
Signe associé : les Gémeaux.
Fête : le 21 avril.

A éviter avec un nom de famille commençant par M ou L.
Étymologie : du germain « ans », désignant les dieux Ases, et de « helm », signifiant « casque, heaume, protection ».
Célébrités religieuses principalement : Saint-Anselme le Scolastique (ils seront deux à être nommés ainsi, l'un au XIe, l'autre au XIIe siècle; le Père Anselme, chroniqueur de la Maison de France au XVIIe siècle; Saint-Anthelme (1107-1178), septième prieur de la Grande Chartreuse, puis évêque de Belley.

Saint Anselme (1033-1109) eut pour maître le futur archevêque de Canterbury, nommé par Guillaume le Conquérant, le moine Lanfranc. Moyennant quoi, devenu bénédictin, il songeait à se consacrer à une vie de piété retirée du monde, mais le pape Urbain II le décida pourvu de toutes les qualités requises pour en faire, à la mort de Lanfranc, son successeur à l'épiscopat de Canterbury. Saint Anselme supplia, mais en vain, qu'on voulût bien le laisser simple moine à la prière. Il fut donc évêque, et théologien réputé. Dans son œuvre de réforme grégorienne, il eut maille à partir avec les rois d'Angleterre Guillaume II le Roux et Henri Ier Beauclerc, et dut s'exiler à deux reprises, à Rome et à Lyon. Ces tribulations, propres à lui faire regretter la simplicité de son ancienne existence de moine, n'eurent pas raison de sa vitalité métaphysique : on lui doit nombre d'ouvrages de première importance, et notamment le *Cur Deus homo,* où il se révèle un dialecticien hors de pair. Six siècles après sa mort, il sera proclamé Docteur de l'Église. De saint Anselme le Scolastique à saint Anthelme (1107-1178), il n'y avait d'ailleurs qu'un pas à franchir. Se destinant à la méditation, saint Anthelme fut le septième prieur des chartreux, mais dut accepter, sur ordre du pape Alexandre III, la charge d'évêque de Belley, malgré son peu d'enthousiasme pour cette fonction. Au moins lui fut-il donné de terminer sa vie parmi les « siens », c'est-à-dire chez les chartreux. On le voit : ces êtres voués à la simplicité durent, bon gré mal gré, accepter les honneurs et responsabilités qui leur furent imposées. En est-il de même pour tous les Anselme et autres Anthelme? Sûrement non. Mais une trajectoire demeure : leur grande sensibilité alliée à un sens aigu de la logique, de l'adresse, de la minutie, en font des travailleurs intellectuels forts subtils. Ce sont des amoureux de la précision; s'ils ne confondent pas l'esprit et la lettre, ils savent vivifier celle-ci. Ce sont aussi des réalistes, et la rêverie, chez eux, est l'orientation pratique. A preuve cette observation de saint Anselme : « Qui n'a pas cru n'expérimentera pas.

Qui n'aura pas expérimenté ne comprendra pas. La connaissance de celui qui expérimente l'emporte sur la science de celui qui entend. » Est-ce à cause de ce bon sens pratique qu'Anselme a un peu disparu de nos jours? Ou simplement à cause de la sonorité du prénom? Mais il n'est pas interdit de se demander si, par hasard, nous n'en manquerions pas un peu, d'Anselme, d'Anthelme ou d'Anserme.

ANTOINE

(Anthony, Antoinet, Antoinette, Antoinon, Anton, Antonella, Antoni, Antonia, Antonien, Antonienne, Antonin, Antonine, Antonio, Thony, Toinon, Toinette, Toni, Tonio)

Couleur : le jaune.
Chiffre : le 6.
Signe associé : le Scorpion.
Fête : le 17 janvier.
A éviter avec un nom de famille commençant par N. La plupart des diminutifs (Toni, Tonio) sont eux-mêmes devenus des prénoms.
Étymologiquement parlant, Antoine serait une « inestimable fleur », selon le latin « antonius » (*inestimable*), ou le grec « anthos » (*fleur*). Mais l'étymologie est ici fort controversée. Quoiqu'il en soit, qu'Antoine soit inestimable ou fleur, il pourrait bien être les deux, si l'on veut bien songer qu'une fleur est toujours inestimable – surtout si elle surgit en plein désert...
Célébrités innombrables, à commencer par saint Antoine le Grand (251-356) et saint Antoine de Padoue; l'amoureux de Cléopâtre, Marc-Antoine qui, vaincu à Actium, se suicida à Alexandrie; Antoine de Bourbon, roi de Navarre (père de Henri IV); Antonio Gaudi, le grand architecte catalan; le peintre Antoine Van Dijk; le sculpteur Antoine Bourdelle; les musiciens Antonio Vivaldi, Anton Webern; quantité d'écrivains, dont Rivarol, Saint-Exupéry, Blondin; les acteurs Anthony Quinn, Anthony Perkins; les peintres catalans contemporains Antoni Taulé, Antoni Tapiès; Antonio Saura; le peintre italien Antonio Recalcati; le poète Antonin Artaud; la future Marie-Antoinette, Antoinette d'Autriche; Antoinette d'Orléans, fondatrice de la congrégation des Filles du Calvaire; l'écrivain russe Anton Tchekov; le responsable politique anglais Anthony Eden; le musicien Anton Bruckner; l'acteur Tony Curtis; le chanteur-navigateur Antoine.

Avec Antoine, comment ne pas céder à la tentation d'évoquer la vie de celui qui, en matière de Tentation, fut plutôt copieusement servi, nous voulons dire : saint Antoine le Grand (251-356)?
Une large part du caractère du prénom est déjà là, dans cette vie hors du commun, exemplaire certes comme le sont les vies des saints, mais en même temps « humaine », non désincarnée, proche, dans ses revirements et déchirements, de tout Antoine qui n'aurait pas nécessairement vocation à la sainteté. L'ermite saint Antoine était fort proche des humains, même lorsqu'il se retirait de leur voisinage: voilà peut-être son secret.
Car il fut un ermite, et non des moins stricts dans ses volontaires exils du monde. Riche orphelin de dix-huit ans, il fit don de tous ses biens aux pauvres du village de Qeman, où il était né, après quoi il alla au désert. Il y rencontra un vieux sage-ermite accompli, qui l'enseigna. Durant plus de vingt ans, seul, installé dans les ruines d'un tombeau creusé à même la montagne, il médita. Et fut la proie des Tentations suprêmes, celles de la

révolte et de la luxure, et triompha de haute lutte des cauchemars, des hallucinations terrifiantes, des visions malignes. A elle seule, cette partie de la vie du saint eut suffi à sa gloire, puisque les plus grands artistes l'ont célébrée, de Jérôme Bosch à Bruegel, sans oublier *La Tentation de saint Antoine* (1874) de Flaubert. Reste que notre homme ne s'en est pas tenu là. S'enfonçant plus loin encore dans le désert, il rencontre sa nouvelle demeure : une ancienne forteresse particulièrement délabrée, refuge à scorpions et serpents, aux pieds de laquelle ruisselle une source. En 285, à tout hasard, il s'y emmure. Évidemment, une telle radicalité dans l'ascèse lui amènera de plus en plus de visiteurs éblouis. Il lui faudra débloquer sa porte. Dès lors, notre ermite recommence à errer, mais d'une errance « de précision », puisqu'il fonde les deux premiers monastères de l'histoire de la chrétienté, et rend des visites à ceux qui vont se créer vite autour. Fait symptomatique : il se refusera à formuler ni imposer la moindre règle : indépendant avant tout, il ne régentera jamais. A Alexandrie l'hérésie arianiste règne, et saint Athanase y a fort à faire : l'ermite vole à son secours, n'hésitant pas à aller séjourner « en ville »! Saint Athanase, touché et transporté par la grâce d'Antoine, se fera son enthousiaste biographe avec sa *Vie de saint Antoine*, qui connut très vite un succès considérable. Finalement, c'est encore au désert que le saint se sent le mieux, puisqu'il y retournera pour y finir ses jours. Il y fera garder le secret absolu quant au lieu de sa tombe, et ses disciples ne le divulgueront pas... Jusqu'en 561, où on la retrouvera par hasard. Ses reliques vont alors errer à Constantinople, puis aller à la Motte-Saint-Didier, dans le Dauphiné, devenu depuis... Saint-Antoine. Le célèbre cochon qui l'accompagne sur ses représentations picturales, symbolisant l'esprit malin, n'est apparu dans l'iconographie qu'au XIIe siècle. Il fait de saint Antoine le patron des bouchers, des porchers et des animaux domestiques, mais il reste d'abord le protecteur des solitaires. Le « feu Saint-Antoine », où l'on voyait la malice du diable tentateur, est une inflammation : de ce feu à l'enfer, rien qu'un pas à franchir, que le recours à saint Antoine devait exorciser.
Plus d'une cinquantaine de saints ont porté le nom d'Antoine, et parmi eux saint Antoine de Padoue (1195-1231), élevé à la dignité de Docteur de l'Église sept siècles après sa mort (par le pape Pie XII, en 1946), remarquable prédicateur. Il sera le saint patron des faïenciers et du Portugal et, nul ne sait pourquoi, celui que l'on invoque pour retrouver les objets perdus. C'est même à ce titre qu'il est le plus populaire...
Antoine sait fort bien « faire le vide » en lui, et accueillir la vie à la fois comme un don et un combat. Prénom énergique, prénom de l'endurance à la tâche et de l'intransigeance qui résiste, il porte en lui la stabilité forte de la victoire remportée sur les déséquilibres et les égarements. Une vitalité à toute épreuve, en tout cas inlassable, seconde une intelligence aiguë. Au revers de si évidentes qualités, le goût parfois exclusif du secret, une tendance au sectarisme, au refus de la critique, à l'incompréhension de ses propres défaites (il déteste être perdant) peuvent le rendre momentanément vulnérable, et lui gaspillent un peu de son immense énergie. L'image de l'ermite ne doit pas nous abuser sur Antoine : ce n'est pas une paix facile qui le meut, mais bel et bien le sens et la passion de la lutte. Il y a toujours une tentation à vaincre, et Antoine est là pour s'y mesurer. Antoine, et Antoinette, et Antoni, et Antonin : des lutteurs éclairés, qu'on se le dise!

APOLLINAIRE

(Apollon, Apollinaris, Apolline, Apollonius, Apollos, Polly)

Couleur : le bleu.
Chiffre : le 4.
Signe associé : le Lion.
Fête : le 23 juillet.

A éviter avec un nom de famille commençant par E ou R, Ré. Sobriquets ou diminutifs : Apo, Polly, Pollo, voire Paulo.
Du grec « apellos », qui inspire.
Célébrités : deux grammairiens grecs (IVe siècle), Apollinaire le Jeune et Apollinaire l'Ancien; plus récemment, Wilhelm Apollinaris de Kostrowitsky, plus connu sous les traits du poète Guillaume Apollinaire, qui se fit un nom de l'un de ses prénoms; et enfin la patronne des dentistes, sainte Apolline, brûlée vive à Alexandrie en 250, après s'être vue casser toutes les dents. Le dieu grec Apollon est, on s'en doute, à l'origine du prénom.

« Apellos », en grec, signifie « qui inspire », et Apollon fut ainsi le dieu de la poésie, de la musique, et de l'astre solaire. Le cygne, le hibou et le loup étaient ses animaux emblématiques, et son principal sanctuaire se trouvait à Delphes. C'est à la Renaissance qu'avec Diane, César ou Hercule, Apollon se répandit en Europe. Mais un compagnon et disciple de saint Pierre fut déjà un Apollinaire, et fut martyrisé en l'an 200. On rencontre ainsi plusieurs saints portant le nom d'Apollinaire. A notre époque, ce prénom assez peu porté reste incarné par le grand Guillaume Apollinaire.
Apollinaire? – Un travailleur, un réalisateur infatigable. Très centré sur lui-même, mais vibrant à l'unisson de généreux élans d'idéalisme, c'est un charmeur agile et souple. Sa subtilité comme son humour ne lui font pas perdre de vue une exigence intérieure qui le pousse vers la perfection dans tout ce qu'il entreprend. Il connaît les nuances et les trouvailles de l'improvisation, mais déteste le travail bâclé. Rares sont celles et ceux qu'il ne parvient pas à convaincre ou à séduire. Avec lui, c'est l'énergie de l'intuition vive qui est à l'œuvre. Écoutons donc Apollinaire et ses fulgurantes avancées : « Perdre, mais perdre vraiment / Pour laisser place à la trouvaille », « J'ai tout donné au soleil / Tout / Sauf mon ombre », « La bonté / Contrée énorme où tout se tait. »

ARABELLE

Couleur : le rouge.
Chiffre : le 3.
Signe associé : le Capricorne.

A éviter avec un nom de famille commençant par L ou Le, La. Cette Anna, ou cette Anne est belle : guère de sobriquets possibles avec une telle auréole. Avec Arabelle, c'est plutôt de charme qu'il s'agit. Pour l'essentiel cependant, elle a rendez-vous avec Anne, et y convie bien volontiers la lectrice et le lecteur.

ARCADIUS

(Arcady, Arcadie)

Couleur : le rouge.
Chiffre : le 4.
Signe associé : le Capricorne.
Fête : le 12 janvier.

A éviter avec un nom de famille commençant par Us ou S. Prénom tombé en désuétude.
Saint Arcadius, mis à la torture et martyrisé sous Dioclétien en 305, serait mort en proclamant sa foi au milieu du supplice. Ce prénom, comme beaucoup d'autres, fut d'abord le nom d'un pays, en l'occurrence une contrée de l'antique Péloponnèse, l'Arcadie.

Archibald

(Archie, Archimbaut, Arcibaldo, Baldie, Erkenbald)

Couleur : le jaune.
Chiffre : le 4.
Signe associé : le Capricorne.
Fête : le 30 avril.
A éviter avec un nom de famille commençant par D, L ou A.
Depuis qu'Archibald est allé faire fortune aux Amériques, il n'a plus guère hanté l'Europe. C'est un prénom devenu largement bisaïeul chez nous, alors qu'il tient encore la vedette dans le monde anglo-saxon. Son diminutif familier, Archie, y est d'ailleurs devenu lui-même un prénom à part entière. Chez les Écossais en particulier, c'est quasiment une dénomination-vedette.
Nous éprouvons quelque difficulté de mémoire au sujet de ses origines. Disons qu'il dérive du germain « aircan », c'est-à-dire *naturel*, et de « bald », *audacieux*, tandis qu'un saint Erkenwald (ou saint Archibald) fut, au VIIe siècle, évêque de Londres.
On le dit nerveusement solide, doué d'endurance et de ténacité, avec aussi le péché mignon d'« en vouloir trop ». Mais, vraiment, l'oncle Archibald nous reviendra-t-il?

Ariane

(Ariadné, Ariadne, Ariana, Arianna, Arianne)

Couleur : le bleu.
Chiffre : le 3.
Signe associé : le Sagittaire.
Fête : le 17 septembre.

A éviter avec un nom de famille commençant par N ou A.
Étymologie : du latin « Ariana », nom de la fille du roi Minos, de Crète.
Célébrités : la dernière épouse de Barbe-Bleue, celle qui découvrit son terrifiant secret; de nos jours, la réalisatrice de théâtre Ariane Mouchkine. Mais la beauté de ce prénom ne tient pas qu'à un fil.

« Moi, Ariane, " la fille de Minos et de Pasiphaë " comme le rappela Gérard de Nerval, je suis également la sœur de Phèdre. Thésée m'aimait follement, et je l'aidai à sortir du labyrinthe où il était aux prises avec le Minotaure, grâce au fameux fil dont je l'avais pourvu. Peut-être aurais-je dû le laisser se débrouiller seul : une fois de retour, il me séduisit, m'enleva et m'abandonna sur l'île de Naxos. Les héros ont certes de la fougue, mais aussi une solide dose, souvent d'inconstance! Heureusement que Dyonisos, de passage dans le secteur, s'éprit à son tour de ma personne; lui, il m'épousa. Ensuite, dans le droit fil des Ariane qui m'ont succédé, sainte Ariane la très-chrétienne vint prendre la relève, aux alentours du IIIe siècle. En sainte Ariane je fus une jeune esclave d'Asie Mineure promise à l'imminent martyre en tant que chrétienne. Au dernier moment la foule assemblée là, touchée par mon innocence, me sauva de la mort. Je n'ai par ailleurs rien à voir avec l'hérésie arianiste qui sévit autour d'Alexandrie au IIIe siècle, combattue par saint Athanase et saint Antoine; l'arianisme, qui refusait la doctrine du Verbe, fut en fait l'œuvre d'un certain Arius, puissant magnétiseur des âmes égarées, avec lequel je n'entretins aucune espèce de rapport. J'exerce tout mon charme à montrer que je peux parfaitement occuper les mêmes fonctions que les hommes, et, du reste, je suis manifestement apte à les modeler et à les révéler à eux-mêmes. En amour, je suis souvent l'initiatrice, à la fois mère et femme, et le macho moyen, incapable d'être transformé, ne me concerne guère. Que voulez-vous! On se fie à moi complètement, ou pas du tout, mais gare au labyrinthe si l'on m'oublie : tout de même, c'est moi qui tiens le fil, non? »

ARISTIDE

(Aricie)

Couleur : le jaune.
Chiffre : le 4.
Signe associé : la Balance.
Fête : le 31 août.
A éviter avec un nom de famille commençant par D, I ou Di.
Étymologie : « aristos » et « eidès », c'est-à-dire, en grec, *fils du meilleur*.
Célébrités : Aristide Briant (1862-1932), onze fois président du Conseil en France et remarquable orateur; Aristide Bruant (1851-1925), le chansonnier du siècle dernier; Aristide Maillol (1861-1944), le sculpteur.

Aristide! Encore un prénom passé de mode! Encore un prénom que l'on n'entend plus guère dans les cours de récréation des maternelles, et que l'on n'inscrit plus très souvent sur les registres. C'est ainsi : en dépit de la solidité qui s'attache à lui, Aristide l'indomptable n'a plus la faveur des parents d'aujourd'hui. Bâti comme un roc, Aristide a une santé de fer : toute son intelligence peut ainsi, sans entraves d'ordre physique, aller de l'avant et explorer le dessous des choses. Il ne se laisse jamais impressionner par les apparences, et va au fond du sujet considéré. Faudra-t-il se résoudre à la disparition de plus en plus marquée d'un tel prénom?

ARLETTE

(Arleen, Arlène, Arleta, Arline, Harlette)

Couleur : le rouge.
Chiffre : le 9.
Signe associé : le Verseau.
A éviter avec un nom de famille commençant par E ou T, Ett. Voir CHARLOTTE : Arlette est en effet un diminutif de Charlette, anciennement forme féminine de Charles.

ARIEL, ARIELLE

(Ariell, Ariella)

Couleur : le bleu.
Chiffre : le 1.
Signe associé : le Sagittaire.
Fête : le 1er octobre.

A éviter avec un nom de famille commençant par L, El, R, Ri.
Prénom biblique, en faveur chez les Israélites.
Étymologie : vient de l'hébreu « 'ari'él » ou « har'él », c'est-à-dire : *foyer de l'autel*; par là s'explique le rôle d'Ariel en tant que gardien de la Jérusalem céleste. Dans la Bible, du reste, Jérusalem est parfois nommée Ariel (voir notamment *Isaïe 29, 1-2*). C'est tout dire!
Célébrités : le musicien Ariel Kalma; le subtil comédien Ariel Garcia-Valdes.

ARMAND, ARMANDE

(Armanda, Armandin, Armandine)

Couleur : le jaune.
Chiffres : le 6, le 2.
Signes associés : le Capricorne, le Verseau.
Fête : le 23 décembre.
A éviter avec un nom de famille commençant par Man, An ou Ande, Mand, D.
Étymologie germaine.
Célébrités : la femme de Molière, Armande Béjart; Richelieu qui s'appelait Armand (de Richelieu); les écrivains contemporains Armand Salacrou, Armand Lanoux.

« L'homme fort » (du germain « hart », *fort,* et « mann », *homme*), « l'armée joyeuse » (du germain « hari », *armée,* et « mand », *joyeux*) : telle est la controverse étymologique au sujet d'Armand. Oserons-nous régler la question en avançant que, de toutes manières, une armée joyeuse a besoin d'hommes forts? Ainsi va Armand. Mais Armande n'est pas en reste, puisqu'à défaut d'équipées martiales, elle hérite d'une ténacité à toute épreuve. Elle s'accroche à ce qu'elle entreprend et n'abandonne pas en route : un sens quasi... « homme fort » de l'auto-discipline. Nous verrons tout à l'heure ce qu'il en est de sa nuance féminine. Dès à présent, retournons aux sources : quelques saints ont porté le nom et notamment saint Armand, franciscain hollandais, évêque de Brixen au XIIᵉ siècle, et saint Armand de Pontbriand, passé par la guillotine en 1792. Mais pas de sainte en vue chez les Armandes. N'importe : les « forts », les « joyeux » sont en marche. Armand et Armande, leur « sainteté », c'est peut-être tout simplement de pouvoir s'atteler à des entreprises au long cours, des travaux de longue haleine. En un mot, ils savent se tenir, se retenir longuement. Très concentrés, maîtres d'eux-mêmes, et en même temps dépendants de leurs intenses besoins affectifs. Déçus ou blessés dans le domaine des sentiments, ils peuvent soudain sortir de leurs gonds, surprenant leur entourage plutôt habitué à leur impassibilité coutumière. Mais ces explosions sont rares, et Armande les conjure par avance grâce à son goût pour les travaux en équipe, où sa curiosité éclairée, sa vivacité, son adresse font merveille. Coureurs de fond en toutes choses, Armande et Armand placent très haut la fidélité : ce siècle qui s'achève leur sera-t-il fidèle?

ARMEL, ARMELLE

(Armelin, Armeline, Armella, Armilla, Arhel, Arzel, Arzhael, Arzhaelig, Arzhela, Arzhelenn, Anzhelez, Arzhvael, Hermelin, Hermeline)

Couleur : l'orangé.
Chiffres : le 4, le 3.
Signes associés : le Capricorne, les Poissons.

Fête : le 16 août.
A éviter avec les noms de famille commençant par L, El, E, ou M.

Étymologie fort belle, et celtique : « arz » *(ours)* et « mael » *(prince)*, d'où : Armel, Armelle, princesse et prince des ours.

Prénoms de vieille souche celtique et bretonne, prénoms de l'esprit de finesse, du goût de l'indépendance, de la science qui envoûte. La voix claire, l'intuition, la connaissance : voilà leur cible, et cette cible est *la leur*; ils ne se laissent pas lier par les systèmes ou les églises auxquels ils peuvent appartenir. Ce sont des créateurs imprévisibles. Saint Armel, né au Pays de Galles au VIe siècle, laisse à son nom la ville de Saint-Armel-des-Boscheaux, dans l'Ille-et-Vilaine, et l'abbaye de Pluarzel, qu'il fonda. La forêt de Brocéliande le vit ouvrir ce qui deviendra Ploërmel, c'est-à-dire « la paroisse d'Armel ». Il est le patron d'Ergué-Armel, non loin de Quimper, et donne leur nom – le sien, en fait – à Ploërmel, Saint-Amel, Plouarzel et bien d'autres localités bretonnes. Sur un registre assez semblable à l'invocation de saint Antoine de Padoue pour retrouver les objets perdus, saint Armel est fort sollicité contre les migraines et les rhumatismes. Armelle, Armel, heureux prénoms, voués, par-delà les savoirs, à la connaissance, vous sortirez de Brocéliande un jour, vous êtes sortis déjà, puisque l'on voit ici et là en plein Paris des nouveau-nés princesse et prince de l'Ours. Brocéliande est partout.

ARNAUD

(Arend, Arnall, Arnd, Arnaudet, Arnaudy, Arnold, Arnolda, Arnoldo, Arnoud, Arnould, Ernout)

Couleur : le violet.
Chiffre : le 5.
Signe associé : le Sagittaire.
Fête : le 10 février.

A éviter avec un nom de famille commençant par O, Au, ou No. Prénom très en vogue en France aux VIIIe et IXe siècles, ainsi que dans toute l'Europe et le monde anglo-saxon, où il se maintint fort bien jusqu'au XVIIe siècle. Il a néanmoins fait une magistrale réapparition aux lendemains de la dernière guerre mondiale.
Arnaud est, selon l'étymologie, « le gouverneur de l'aigle » (du germain « arn », *aigle*, et « walden », *gouverner*.
Célébrités : le Bienheureux Arnaud (1185-1255); Arnaud de Brescia (1100-1155), réformateur politique et religieux, disciple d'Abelard; Arnaud de Villeneuve (1235-1313), médecin et alchimiste catalan, qui étudia de près les propriétés de l'alcool; mentionnons également le romantique allemand Achim von Arnim (1781-1831); enfin la famille Arnault qui, en son temps, donna les meilleurs des siens au jansénisme et à Port-Royal; et, de nos jours, Arnaud Desjardins.

Il veut toujours plus, toujours mieux, et toujours plus haut. Optimiste, il sait pouvoir compter sur sa bonne étoile, et il croit à sa chance, mais activement. En quelque sorte, il sait « aider sa chance », et se faire reconnaître; jamais totalement satisfait, c'est souvent un perfectionniste. Il va de l'avant, et il aime qu'on l'aime. Son renouveau contemporain semblant solidement assuré, gageons qu'il n'a besoin d'aucune publicité...

ARSÈNE

(Arsenius)

Couleur : le jaune.
Chiffre : le 7.
Signe : la Balance.
Fête : le 19 juillet.

A éviter avec un nom de famille commençant par E, En, Sén.
Étymologie : « arsenios », qui, en grec, signifie *viril, puissant*.
Prénom largement devenu « grand-père », il est un peu passé de mode ces temps-ci.
Haut fonctionnaire de Rome, saint Arsène décida de fuir les honneurs de la Cité pour aller se faire ermite au désert, où il mourut très vieux en 455. Autres célébrités notoires : le physicien français Arsène d'Arsonval (1851-1940), et bien entendu Arsène Lupin, le fameux héros du romancier Maurice Leblanc.

Prénom élégant, aristocratique : on voit en Arsène l'alliance réussie de l'extrême sensibilité émotive et de la maîtrise de soi... à la condition expresse qu'il se sente estimé et aimé. En ce qu'il entreprend, finesse et subtilité de l'artiste sont volontiers de la partie. Mais il ne dépose plus guère sa fameuse carte de visite sur le rebord de nos fonds baptismaux... Dommage!

ARTHUR

(Artie, Artor, Arthus, Artus, Arthuys, Aurturo, Thurel)

Couleur : le violet.
Chiffre : le 5.
Signe : le Cancer.
Fête : le 15 novembre.
A éviter avec un nom de famille commençant par U, Ur, Ru.
Arthur est Ours, étymologiquement parlant bien sûr (selon le celtique « arz », *ours*), bien qu'ici l'étymologie soit controversée. De sorte que cet Ours n'en est peut-être pas un... Appelons-le donc Arthur sans plus de détours; c'est un prénom fort, et qui fut fortement porté.
Célébrités d'importance, à commencer par le légendaire roi Arthur et ses chevaliers de la Table Ronde; nombre de comtes et ducs de Bretagne; le philosophe Arthur Schopenhauer; l'homme politique anglais Arthur Balfour; le duc de Wellington, le général Arthur Wellesley; les écrivains Arthur de Gobineau, Arthur Adamov, Arthur Koestler; le fulgurant Arthur Rimbaud (ci-contre); les musiciens Arthur Honegger, Arthur Rubinstein.

L'imaginaire, l'intuition, l'action : entre ces trois pôles se tient Arthur. Qu'il soit roi, ou chef d'État, philosophe, écrivain ou musicien, que la légende s'empare de lui ou qu'il reste parmi les humbles, c'est ce sens inné de la poésie qui le caractérise au quotidien. Arthur peut transformer les situations d'un geste, ou d'une remarque. Fantasque, certes, et dispendieux avec l'insouciance requise, il se permet à la fois la fougue et la contemplation : c'est que sa capacité d'attention est intense, et qu'il voit loin. Ses foucades, ses sautes d'humeur, ses longs silences, on lui passera tout, tellement sa détermination et sa finesse séduisent. C'est un prénom qui va devant. Il précède, car il sait, ou il va savoir : sur le chemin de l'accomplissement de soi, il connaît et reconnaît tous les rôles. Avoir un Arthur parmi ses amis est une chance à ne pas négliger. Ne la négligeons pas, et relisons Rimbaud : « Je suis le saint en prière sur la terrasse – comme les bêtes pacifiques paissent jusqu'à la mer de Palestine. Je suis le savant au fauteuil sombre... Je suis le piéton de la grand-route par les bois nains; la rumeur des écluses couvre mes pas. Je vois longtemps la mélancolique lessive d'or du couchant. Je serais bien l'enfant abandonné sur la jetée partie à la haute mer le petit valet suivant l'allée dont le front touche le ciel... »

ASTRID

(Astri, Estrid)

Couleur : le bleu.
Chiffre : le 8.
Signe : la Balance.
Fête : le 27 novembre.
A éviter avec un nom de famille commençant par I, Ri, D.

Étymologie discutée : entre « ans » (en germain : les ases, c'est-à-dire les divinités) et « trud » (en germain : fidélité) – ou « frid » (en scandinave cette fois : gracieuse, belle).

Est-ce à dire qu'Astrid a quelque chose de la beauté d'une déesse, plus une part de l'énigmatique fidélité des dieux?
En tous cas, Astrid, princesse de Suède, puis épouse de Léopold III, roi des Belges, fut estimée et aimée pour sa grande beauté et sa douceur, elle qui mourut d'un accident (en 1935) à l'âge de trente ans. On dit des Astrid qu'elles créent l'harmonie là, où elles se trouvent, et que ce sont de parfaites épouses. Alors : charme, prévenance, intelligence paisible : vite, que naissent et renaissent des Astrid!

ATHANASE

(Athanasie, Athenaïs)

Couleur : le violet.
Chiffre : le 6.

Signe associé : le Taureau.
Fête : le 2 mai.

A éviter avec un nom de famille commençant par S, ou A. Peu fréquent de nos jours, hormis dans les milieux orthodoxes grecs, on ne lui connaît guère de diminutifs. Étymologie : du grec « athanos », *immortel.*

Saint Athanase, patriarche d'Alexandrie (290-373), docteur de l'Église et biographe de saint Antoine, qui vint du fond de son désert lutter à ses côtés contre l'hérésie arianiste, eut une vie très mouvementée; ce fut, typiquement dans le style du prénom, un combattant infatigable. Quelques autres saints se nommèrent également Athanase, et parmi eux l'ermite Athanase, qui rendit l'âme sur le mont Athos en l'an 1000. Ainsi, Athanase est-il un dynamisme en mouvement, qui fonce et charge : il faut dire qu'il est censé posséder de bonnes réserves d'énergie, puisqu'« athanos », en grec, signifie *immortel*! Mais cet immortel n'a que trop tendance, chez nous, à ne guère renaître parmi les baptisés... Attendons – qui sait?

AUBIN

(voir Alban)

Couleur : le bleu.
Chiffre : le 2.
Signe associé : les Gémeaux.
Fête : le 1er mars.
A éviter avec un nom de famille commençant par In, B, Bin, Ban.
Étymologie : la même que pour Alban.

Saint Aubin (469-550), évêque d'Angers, se signala par la lutte vigoureuse qu'il mena contre la luxure et le péché, notamment l'inceste. Il est le patron de la bonne ville d'Angers. Aubin est brillant, maniant avec une sorte d'aisance innée l'écrit et la parole. Mais son goût et son sens du combat ne le laissent guère en repos : il doit alors se ressaisir et se méfier de l'action-pour-l'action. Son activisme peut parfois l'égarer. Heureusement, son intelligence veille! Disons de lui qu'il est une sorte d'Alban « remuant ».

AUDE

(Alda, Aldilon, Aud, Auda, Audon)

Couleur : le bleu.
Chiffre : le 4.
Signe associé : le Bélier.
Fête : le 18 novembre.
A éviter avec un nom de famille commençant par Au, O, ou D. Sainte Aude fut, au VIe siècle, une compagne de sainte Geneviève. Aude nous vient du germain « ald », *ancien;* depuis le VIe siècle environ, et jusqu'en Islande et dans toute la Scandinavie, elle connaît les faveurs des baptêmes.

Prénom de l'énergie profonde, de la rigueur aimante, sa sonorité feutrée renvoie à l'image d'une femme accomplie, au psychisme riche, capable d'épouser des causes graves et fortes. Aude n'est guère susceptible de dépendance, et n'a guère besoin de protection. Les fonctions ordinairement tenues pour « masculines », elle sait se les approprier sans rien perdre de sa féminité; aucune ambiguïté n'est de mise avec elle, qui n'a pas besoin du soutien des hommes pour pouvoir vivre, mais seulement et uniquement d'*un* homme, pour pouvoir aimer. Synthèse exacte de la franchise directe e* de discrète pudeur, comment Aude ne serait-elle pas, elle, « l'Ancienne », celle que nul (ni nulle) n'évoque sans nostalgie? Mais qu'importent les nostalgies : avec Aude « l'Ancienne » les beaux jours, parodoxalement, sont toujours au-devant.

AUDREY

(Audric, Audrica, Audrie, Audry, Autric, Autry)

Couleur : le rouge.
Chiffre : le 2.
Signe associé : le Scorpion.
Fête : le 23 juin.
A éviter avec un nom de famille commençant par E, ou Ré.
Deux étymologies pour une signification : Audrey est « royale » (en celtique, « roen ») et « haute » (« alt »), ou « noble » (en germain « adal ») et « glorieuse » (« horod »). Disons que la grandeur ne lui fait pas défaut.
Prénom répandu en Angleterre avec la conquête normande, sous la forme première d'Etheldreda, Shakespeare lui offre sa place dans *As You Like It* (*Comme il vous plaira*) (1599).

Sainte Audrey, originaire d'Exning, dans le Suffolk, fut d'abord une simple princesse; contrainte au mariage avec le prince Tonbert, mais déjà toute à l'amour de Dieu, elle obtint de l'époux humain une compréhensive neutralité, de sorte qu'ils en restèrent au mariage blanc. Mais Tonbert mourut, et Audrey se vit imposer un autre prince et époux, peu désireux d'imiter le précédent en matière de chasteté. Alors Audrey prit tout simplement la fuite pour l'île d'Ely, s'y retirant dans un couvent qu'elle avait elle-même contribué à fonder. Elle rendit l'âme pieusement en ce lieu en 670. Sens du secret, courage hors de pair, imprévisibilité : voilà comment Audrey s'impose. Il est vrai qu'on lui reconnaît en outre des qualités de séduction extrême, sur un registre peu... catholique : velours profond du regard et voix venue de l'avant-gorge, elle sait instinctivement retrouver son aura de « femme fatale », habituellement dissimulée à autrui et elle-même par le jeu des conventions, et par une allure première qui la montre d'abord sous les traits d'une femme-enfant légère et sans malice. De nos jours, l'actrice Audrey Hepburn (ci-dessus) contribua beaucoup à la gloire de ce prénom. On peut seulement constater, et regretter, sa relative rareté en France.

AUGUSTE, AUGUSTIN

(Aguistin, August, Augusta, Augustin, Augustina, Augustine, Augusto, Augustus, Austin, Gus, Gusta, Gustin)

Couleur : le vert.
Chiffre : le 4, le 9.
Signe associé : le Bélier, le Taureau.
Fêtes : le 29 février, le 28 août.

A éviter avec un nom de famille commençant par U, Us ou T. Les diminutifs d'Auguste, « Gus », « Gustin », sont souvent devenus eux-mêmes des prénoms; le sobriquet « gugusse », quant à lui, n'y est point parvenu. *Augustus,* en latin, signifie « vénérable », « majestueux », « consacré par les augures » : tout empereur portant ce titre, qui devint ainsi un nom, était donc sacré comme un égal des dieux.
Célébrités : elles sont impériales et artistiques, à commencer par Octave, sacré empereur de Rome sous le titre d'« Auguste », et suivi par les empereurs qui lui succédèrent. Par la suite, Auguste fut en vogue avec la Renaissance. Le fait que, plus tard (XIXᵉ siècle), Auguste devint l'apanage des clowns ne l'empêcha pas d'être porté par de sérieuses et nobles figures : le physicien Auguste Picard, le philosophe Auguste Comte, le peintre Auguste Renoir, le sculpteur Auguste Rodin, l'écrivain Auguste Strindberg; Pierre-Augustin de Beaumarchais; l'historien Augustin Thierry; l'épouse du Kaiser Guillaume, Augusta; l'écrivain Auguste Villiers de l'Isle-Adam; l'inventeur du cinéma (avec son frère Louis) Auguste Lumière; le romantique allemand August Wilhelm Schlegel (1767-1845); le sculpteur contemporain Agustin Cardenas.

Le Bienheureux Auguste Chapdelaine fut, au XIXᵉ siècle, missionnaire en Chine; il y rencontra le martyre (1856) dans le Kouang-si. C'est à ce jour le dernier saint connu de la lignée des saint Auguste. Pour les Augustin, ils ne furent pas moins de 17 reconnus en sainteté, à commencer par saint Augustin de Cantorbéry, qui, d'un seul mouvement, ne craignit point de baptiser dix mille personnes dans sa ville, au VIᵉ siècle. Mais le « grand » saint Augustin (354-430) est venu d'Afrique du Nord. Né en Algérie, il étudia à Carthage, puis à Rome et Milan. Brillant, et aussi débauché, il se retrouva père d'un enfant naturel, qu'il nomma Adéodat, c'est-à-dire « don de Dieu ». Le sens aigu du péché l'engagea sur la voie religieuse, manichéiste d'abord, puis sous l'influence de saint Ambroise, chrétienne. Dès lors, une transfiguration complète s'ensuivit : austérité (il abandonna ses biens au profit des pauvres), prédication (il fut prêtre d'Hippone), et écritures saintes. Docteur de l'Église, il laisse ses célèbres *Confessions* (397), sa *Cité de Dieu,* son *Discours sur l'histoire universelle* comme autant de monuments de l'esprit religieux, ou de l'esprit « tout court ». L'augustinisme influencera profondément le cours de la pensée chrétienne. Mais qu'en disent-ils, ces « vénérables », ces « majestueux », ces Augustin, ces Augustine, et ces Auguste?

« Rien qu'Augustin n'aie déjà laissé entendre : en un mot, nous sommes de ceux et celles qui aiment se dépasser. Pour nous, qui n'avance point recule, et qui ne prend pas de risques se dévalue. Nous sommes téméraires, intempestifs, jouisseurs. Nous aimons les bonnes choses, mais nous aimons tout avec le raffinement du secret bien gardé. Ainsi, notre intrépidité, notre audace mûrissent-elles longuement leurs plans, et le fruit de nos actions ne se livre que parfaitement conçu. C'est à ce prix que nous sommes des novateurs. En fait, le péché n'a pas barre sur nous : nous l'ignorons, purement et simplement. Si l'ascèse ou la dureté de la vie nous y contraignent, nous repérons nos fautes, nos erreurs, avec une acuité sans égale. Nous possédons par ailleurs le secret de l'organisation et de la méthode. Autant dire que nous sommes plutôt bien armés. Notre charpente est bonne, et nos fondations, solides. Nous avons de quoi assumer les risques que nous prenons : qui s'engage avec nous n'a donc rien à craindre. On ne voit vraiment pas pourquoi, dans de telles conditions, la vogue des Auguste, des Augustine, des Augustin, a tendance à décroître ces temps-ci, comme si c'étaient là prénoms de grand-oncle, grand-père ou arrière-cousine. Les petites vies pressées de l'ère robotique n'auraient donc pas besoin de majesté, de grandeur – d'Auguste? »

AURÉLIEN

(Aure, Aurèle, Aurélia, Aurélie, Aurica, Auriole, Aurore, Avreliane, Orell)

Couleur : l'orangé.
Chiffre : le 4.
Signe associé : le Verseau.
Fête : le 16 juin.
A éviter avec un nom de famille commençant par Ien, In, ou I.
Etymologies : le grec « aurios », *matinée*, d'où le latin « aureus », ou « aurum », *or, mordoré, semblable à l'or.*
Célébrités : deux empereurs romains, dont le grand Aurélien (214-265), et Marc-Aurèle (121-180); Aurélia est à la fois une héroïne du Wilhelm Meister (1795), de Goethe, et la fascinante *Aurélia* de Gérard de Nerval; *Aurélien,* le roman d'Aragon; George Sand, qui s'appelait en fait Aurore Dupin.

Aurélien, Aurélie, Aure, Aurèle : Aurore. Et c'est bien, en effet, l'image de l'aurore qui gouverne ce prénom. A Rome, Aurore est une déesse qui accomplit un miracle quotidien de grande allure : ce sont ses doigts de rose qui livrent passage à l'astre du jour, en écartant doucement les voiles sur la porte de l'orient. Char de vermeil, chevaux de pourpre et toge de safran, Aurore est la grande amoureuse qui, debout sur la mer, préside à la naissance de chaque jour. Comme elle eut l'outrecuidance, elle, la douceur même, de se laisser aimer de Mars, le guerrier, Vénus lui dévolut à jamais, pour la punir, d'être en proie à l'amour. Ainsi Tithon, Astrée, Orion, Céphale passeront, et elle entre dans leurs bras. Enfin, il lui est échu de pleurer chaque matin la perte de Memnon, son fils, de sorte que le monde végétal en entier lui est redevable de la rosée... Alors? Alors il y eut des saintes Aure, Aurore et Aurélie, mais leurs vies se sont plus vite évaporées que d'autres, comme rosée au soleil. Reste Aurélien. Aurore est la pointe du jour, Aurélien l'élan du matin. Sous Childebert 1er, saint Aurélien, évêque d'Arles, y fonda deux monastères ayant pour première mission d'apprendre aux moines à... lire et à écrire; ceci se passait au VIe siècle, et donne la mesure en quelque sorte « matinale » des premières chrétientés. On peut immédiatement repérer dans ce fait une caractéristique essentielle de ces *gens du matin* que sont les Aurélien, Aure et Aurore : l'originalité. Chaque geste, même le plus quotidiennement répété, ils le font unique, comme pour la première fois. Charme irrésistible, goût de l'indépendance, curiosité, idéalisme, passion de l'espoir, ardeur, vitalité, tout cela fait mieux qu'accompagner leur voyage dans la vie : c'est leur pas même, et ils et elles savent voyager. Géographiquement, comme en esprit. A cet éveil qu'elles symbolisent, les Aurélia, les Aurélie, les Aure et Aurore ajoutent un certain féminisme spontané : l'esclavage n'est pas pour elles. Aurèle et Aurélien le savent, et apprécient comme ils apprécient la liberté même.

AVA, AVIT

(Avelaine, Avelina, Aveline, Aviva)

Couleurs : le bleu, le rouge.
Chiffres : le 6, le 7.
Signes : le Taureau, le Bélier.
Fêtes : le 29 avril, le 5 février.

A éviter avec des noms de famille commençant par A, Va, I, Vi, V.
Etymologiquement, on fait dériver Ava et Avit du latin « avis », *oiseau;* mais il est plus que probable que c'est le souvenir d'Ève qui guide les deux prénoms.

Célébrité : l'actrice Ava Gardner (ci-dessus).
Saint Avit, évêque, poète et théologien, fut très lié à Clovis, dont il assura la conversion. Mais son prénom a complètement disparu de nos jours. Quant à Sainte Ava, elle fit don de toute sa fortune à l'abbaye de Denain où elle se retira; la légende veut qu'aveugle elle ait retrouvé la vue miraculeusement, au toucher des reliques de l'ancienne abbesse de Denain, sainte Renfroi, d'où sa réclusion reconnaissante.

Ava est un prénom chaud; la passion la dévore, et elle sait se donner aux causes ardues et à la défense des malheureux, faibles et opprimés. C'est un volcan qui couve, et qui attend le juste moment : car elle ne manque pas de clairvoyance et ne brûle pas ses feux à l'aventure. Elle sait ce qu'elle veut, et elle va.

AXEL, AXELLE

(Acestus, Acke, Aksel, Axeline, Axella, Axellane)

Couleur : le jaune.
Chiffres : le 6, le 5.
Signes : le Cancer, le Lion.

A éviter avec un nom de famille commençant par El, S, X, E. Parfois confondu avec Alex, diminutif d'Alexandre, Axel dérive en fait de l'hébreu « ab », *père*, et « shalom », *paix*. Il est très en faveur en Scandinavie depuis le XIIe siècle. Saint Absalon (1128-1201) participa à la fondation de Copenhague, où fut érigé le château d'Axelhuus; il y eut tant d'Axel au Danemark qu'on appela ses habitants « Axelssönerna », autrement dit « des fils d'Axel ». Axel et Axelle eurent également, mais à un degré moindre, les faveurs des Allemands et des Français. On songe à l'ami de Marie-Antoinette, Axel de Fersen (1755-1810), gentilhomme suédois qui escorta la reine dans sa fuite devant la Révolution. Ou encore au roman de Pierre Benoît, *Axelle*. Ou surtout à *Axel*, de Villiers-de-l'Isle-Adam.

Poésie, goût de l'imaginaire, charme à toute épreuve, Axel est doté d'une indéniable aptitude à s'envoler et à faire décoller son entourage; il se doit toutefois à la rigueur s'il ne veut pas courir le risque de rêver sa vie plus que de la construire. Le perpétuel sourire intérieur où il puise l'essentiel de ses forces doit pouvoir le prémunir contre les errances de la distraction, où il n'excelle que trop... De ce point de vue, Axelle, quant à elle, est mieux armée. Toute en passion et grands élans elle ne manque pas non plus d'opiniâtreté, et sait se battre pour ce à quoi elle destine sa générosité. Sa beauté ne l'alanguit pas, mais la vivifie; son romantisme ne l'éloigne pas du monde, mais le transfigure; sa ténacité, enfin, loin de la figer ou de la raidir, sait se nuancer de souplesse d'esprit. Axelle ni Axel ne sont des êtres enclins à porter ni imposer des dogmes, l'esprit de système n'étant pas leur fort; mais la nostalgie d'une cohérence vécue les habite. Souhaitons-leur beaucoup d'envols dans l'axe de leur vision, et attendons l'atterrissage parmi nous de nouvelles et nouveaux Axel(le).

AYMAR

Couleur : le rouge.
chiffre : le 4.
Signe associé : le Sagittaite.
Fête : le 29 mai.
A éviter avec un nom de famille commençant par R, Ar, ou Mar.
Etymologie : « dure maison », ou « illustre maison » (du germain « haim », *maison*, et « hard », *dur* ou « mar », *illustre*).
Aimar est parfois devenu un patronyme,

comme c'est le cas pour le coureur cycliste et ex-vainqueur du Tour de France, Lucien Aimar. Mais c'est aussi un prénom qui n'a guère d'adeptes de nos jours.

Saint Aymar, en 1242, fut massacré par les Albigeois, mais il est vrai qu'il se trouvait parmi eux en qualité d'inquisiteur... Il fut béatifié par Rome ultérieurement, et sans doute est-ce là un cas limite puisqu'on ne connaît guère d'exemple de Bienheureux Inquisiteur Béatifié. Heureusement pour les autres Aymar, ils ne sont pas nécessairement de cette trempe. En fait, Aymar a le goût du voyage, où il rencontre, avec les pays et les êtres les plus différents, l'émotion et le plaisir de vivre bien plus que celui, dégradant, de l'inquisition. Ce saint Aymar était sans doute un Aymar bien pervers, c'est-à-dire inapte à la confiance. Celle-ci est un heureux trait du caractère d'Aymar, aux antipodes de l'esprit de doute et de suspicion systématiques. Solidité, continuité dans les idées : voilà qui en fait aussi quelqu'un qui a « les pieds sur terre ». Du reste comment aurait-il de mauvais nerfs, celui qui se nomme *Maison Dure ?*

AYMERIC

(Aimeri, Aimeric, Emeric)

Couleur : le bleu.
Chiffre : le 2.
Signe associé : le Capricorne.

A éviter avec un nom de famille commençant par C, I, Ri. Ric.
Etymologie : vient du germain « haim », *maison,* et « ric », *puissant.*
Aimericus connut une grande vogue au Moyen Âge. Les Normands lui firent envahir l'Angleterre, et l'Allemagne également l'adopta. On le trouve, sous la forme *Imre,* jusqu'en Hongrie (par exemple avec Imre Nagy, Premier ministre exécuté en 1956). Prénom un peu « éteint » de nos jours, il est pourtant flamboyant au niveau de sa sonorité, riche, puissante, et frappant fort dans sa finale, *ric.* Aymeric a le profil du chevalier : impassible, concentré, inébranlable, il a une haute idée de sa mission, et aussi... de lui-même. Mais il sait corriger ce dernier trait par une exigence soutenue. C'est un vigilant, un solide, sur lequel on peut compter. Alors, même s'il semble aujourd'hui se cacher, comptons sur son retour.

AYMONE, AYMON

(Aimon, Aymon, Haymo, Haymon)

Couleur : le violet.
Chiffre : le 1.
Signe associé : le Sagittaire.
Etymologie : vient du germain « haim », *maison.*
Le roman de chevalerie du XIIe siècle, *Les Quatre fils Aymon,* lui assurent un grand succès. A notre époque, Anne-Aymone Giscard d'Estaing l'a en quelque sorte ressuscité.

Élégance, vivacité, robustesse ne lui font pas défaut. Le calendrier liturgique ne porte pas souvenir d'une sainte ou d'un saint à ce prénom : il s'en passera en souriant.

LE POUVOIR DES PRÉNOMS EN AFRIQUE NOIRE

Si l'Afrique noire, sous la double influence musulmane et chrétienne, a intégré nombre de prénoms issus de la Bible et du Coran – comme Fanta (Fatimata) Mariabou (Myriam, Marie) Souleiman, ou encore Euphrasie, Pélagie, qui sont là-bas des prénoms adoptés pour leur exotisme, ou bien Degaulle, Fêt-Nat (Fête Nationale) – il est important de ne pas oublier que l'Afrique a des sources culturelles profondes, et profondément vivaces. Ses propres prénoms, ses propres noms et les usages et croyances qui leur sont attachés méritent quelques observations. Par les traditions africaines, nous pénétrons en effet d'emblée au cœur de l'usage originel des prénoms, au cœur de ce rapport de son et de sens qui éveille des échos sur les plans individuel et collectif, psychologique et social, voire initiatique et spirituel. Certes, compte tenu du foisonnement des peuples, coutumes et croyances africaines, nous ne pourrons qu'évoquer l'ensemble de la question, et mentionner quelques prénoms (ceux, du moins, dont la restitution, ou la transcription, sont possibles dans notre langue) sans prétendre à un exposé réellement exhaustif. Mais on aura idée, par ce simple aperçu, de la profondeur et de la rare richesse avec lesquelles les sociétés africaines traditionnelles ont abordé le problème de la nomination des êtres et personnes.

Un adage des Dan de Côte d'Ivoire nous avertit que « le nom est plus important que la personne, parce qu'il voyage partout », et leurs voisins Bété soulignent que nommer n'est pas seulement donner à reconnaître, étiqueter un individu, mais aussi se donner un pouvoir sur l'être même de la personne. Les Dogon du Mali attachent une grande importance à l'usage correct du nom, qui est auspicieux et bénéfique, et « fait germer les paroles comme des graines arrosées d'eau »; à leurs yeux, le nom de quelqu'un est une manière de *double* de l'individu : le bien prononcer (ou « mal », intentionnellement) c'est avoir prise sur lui, et éventuellement, par magie et sorcellerie, le posséder, l'asservir. De la même façon, prononcer le nom d'un génie, deviner celui d'un être surnaturel, c'est s'assurer leur concours. Un héros découvre le nom (caché) du détenteur du secret de la riziculture, et dès lors le secret sera dévoilé aux hommes, qui pourront eux-mêmes cultiver le riz : c'est ainsi qu'un mythe des Kabré du Nord-Togo représente la maîtrise du progrès humain. On le voit : le nom, ici, a du pouvoir, ou des pouvoirs, qui déploient leurs sens et leurs effets dans le visible et l'invisible, sur le triple plan social, psychique et métaphysique. Un exemple d'une rare intelligence dialectique nous en est fourni par les quatre prénoms des Dogon du Mali, dont nous emprunterons à André Marie l'exposé détaillé :
« Chez les Dogon, chaque individu est gratifié de quatre noms correspondant aux quatre composantes de la personne ainsi qu'aux quatre éléments de la structure sociale : l'appartenance totémique, la famille paternelle, la famille maternelle, la classe d'âge.

Le *boy toy* est le nom (ou prénom) courant; c'est " le nom des ancêtres "; après la retraite consécutive à l'accouchement, la mère présente l'enfant au doyen de la famille, et celui-ci, en présence de tous et devant l'autel des ancêtres, prononce alors la formule rituelle : « Que Dieu te prenne sous sa garde. Ton nom sera... ». Le *boy toy,* symbole d'intelligence et de raison, correspond à l'élément « intelligent-mâle » de la personne.
Le *boy ba,* attribué quelques jours plus tard au cours d'une cérémonie semblable par le chef de famille de la mère, ne sera pas utilisé dans la pratique; symbole d'instabilité et d'ambivalence, il correspond à l'élément " bête-femelle " de la personne.

Le *tono boy* est un sobriquet utilisé seulement par les camarades de la même classe d'âge; il exprime gaieté et contentement et correspond à l'élément " bête-mâle " de la personne.
Le *boy dana* enfin, est un nom à jamais secret donné par le prêtre du groupe paternel; il ne doit jamais être divulgué ni prononcé, et seul peut l'utiliser le prêtre qui l'a attribué; il représente la part affective, intuitive et mystique de la personne, et correspond à l'élément " intelligent-femelle ". »

Laissons aux méditatifs le plaisir d'explorer l'étrange force de cette double contradiction croisée, et allons droit au paradoxe. Certaines dénominations africaines ont en effet des ambitions conjuratoires déroutantes, puisque les Bantou d'Afrique centrale, par exemple, afin d'éloigner le malheur et la mort du destin des nouveau-nés, leur donnent à dessein des noms d'animaux ou de matières répugnantes! Pour détourner le mauvais sort, les Malgaches n'hésitent pas à appeler « Tête de singe » un enfant beau et sain, et « Bien-portant » un chétif malingre. Pour égarer les Esprits malfaisants de la mortalité infantile, et afin qu'ils ne soient pas tentés de reprendre les nouveau-nés dans la mort, les Agni donnent aux enfants de ces périodes-là des noms d'objets méprisés, comme Fotoé (« Ordures »), Kanga (« Esclave »). En d'autres circonstances qu'épidémies de morts d'enfants, les mêmes Agni utilisent volontiers des prénoms en forme de pensée, ou d'énigme, disant (retranscrits, bien sûr) : « Je verrai », ou « On n'aime pas la chasteté »; en outre, l'usage, chez les Agni, impose de donner également à chaque nouveau-né un nom correspondant à son jour de naissance, le *klada,* car c'est « le nom de l'âme ». La liste en est d'ailleurs belle :

masculins	**jours**	**féminins**
Kadia.	**lundi**	**Adijoba.**
Kablan.	**mardi**	**Ablan.**
Kakou.	**mercredi**	**Akomba.**
Koao.	**jeudi**	**Yaba.**
Kofi.	**vendredi**	**Afiba.**
Kouamé.	**samedi**	**Aama.**
Kouassi.	**dimanche**	**Akassi.**

Mais la multiplicité, le foisonnement de l'Afrique fourmillent d'usages et de prénoms à résonances diverses, de la volonté de protection religieuse à l'expression des relations sociales, en passant par le lieu d'accouchement et l'évocation du déroulement de la grossesse, tout cela peut donner prétexte à un de ces noms-prénoms africains souples et déroutants, allant du gag apparent (Sinema est un prénom chez les Kissi, correspondant à la première installation d'une salle de cinéma chez eux) jusqu'au sacré et au mystère (le très secret *boy dana* des Dogon).

L'Afrique, pour nommer un enfant, remue littéralement ciel et terre : elle consulte ses devins, évoque la réincarnation des ancêtres, et leur occulte bienveillance, affirme et affermit à travers ses façons de nommer les humains ses propres codes sociaux et sexualisés. Une femme Dogon n'appelle jamais son mari par son prénom courant, mais doit lui dire : « Toi »; la naissance de leur premier enfant l'autorisera ensuite à le nommer, par exemple, « Père de Kofi », ou « Père d'Akomba ». L'époux, quant à lui, peut appeler sa femme par son nom courant, en signe de marque de possession, tandis que les enfants, eux, ne doivent pas utiliser les noms courants de leurs père et mère, puisqu'il y aurait là une nuance tenue pour incestueuse. Et il y aurait encore tant à dire des prénoms et des noms des Konkomba du Togo, des Nyakusa de Tanzanie, des Agni Sanwi de Côte d'Ivoire, des Coniagui de Guinée, des Malgaches, des Dogon, des Kissi!... Mais dans tous les cas, l'Afrique noire semble tenir le nom, le prénom, pour une clef, une clef qui œuvre et ouvre sur l'intelligence et le mystère des choses, comme en témoigne ce conte des Coniagui, où l'une des filles du roi est follement aimée du héros qui doit, pour pouvoir l'épouser, *découvrir son nom.*

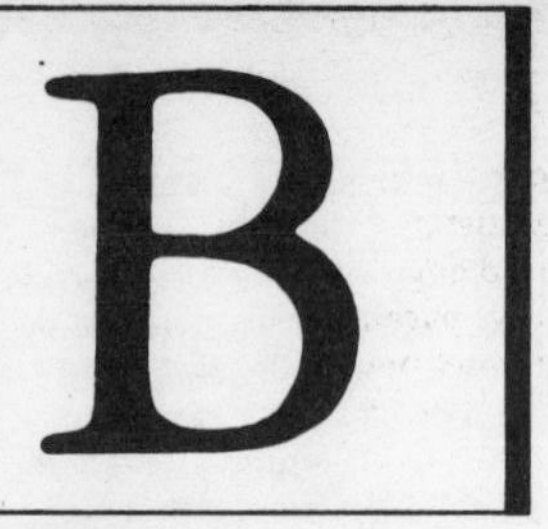

BABETTE

(voir Élisabeth)

Couleur : le rouge.
Chiffre : le 1.
Signe associé : le Cancer.
A éviter avec un nom de famille commençant par B, ou T, ou Et, Ed.
Célébrité : on se souviendra du film *Babette s'en va-t-en guerre,* comédie légère où Brigitte Bardot campait une Babette assez conforme aux caractéristiques du prénom.

Gentillesse, candeur et débrouillardise à la fois un peu maladroite et finalement efficace, voilà les traits d'une femme-enfant que sa fraîcheur même protège. Le rôle de mère, ultérieurement, lui conviendra d'autant mieux qu'il lui permettra de se révéler à elle-même. Ce sont des choses qui arrivent.

BALBINE

Couleur : le bleu.
Chiffre : le 9.
Signe associé : le Cancer.
A éviter avec un nom de famille commençant par I, N, In.
Étymologie curieuse : Balbine vient de « balbus » qui, en latin, signifie bègue.

Au IIe siècle, une jeune sainte Balbine fut martyrisée, mais l'hagiographie ne précise pas qu'elle ait eu un cheveu sur la langue. En fait, ce prénom peu courant de nos jours cache un être en forme d'enfant perpétuel : Balbine recherchera longtemps son père, ou l'image de son père, ou le Père. Ses déceptions éventuelles peuvent la conduire au couvent, ou à tout le moins vers une certaine prise de distance à l'égard de la vie sociale ordinaire. Une méditative? Une silencieuse?

BALTHAZAR

Couleur : le rouge.
Chiffre : le 8.
Signe associé : la Balance.
A éviter avec un nom de famille commençant par A, R, Ar, ou Zar.
Étymologie babylonienne : « Bêl-Shar-Our-

sour ». C'était le nom de l'un des trois rois mages, précisément celui qui était porteur de la myrrhe destinée au nouveau-né hors série de Béthléem, Jésus.
Un autre Balthazar fut célèbre dans l'histoire : Balthazar, régent de Babylone. Il sera détrôné par Cyrus, ainsi que l'oracle du destin l'avait annoncé. Se livrant à une profanation des vases sacrés des juifs, Balthazar eut soudain la vision de la mystérieuse main inscrivant sur le mur qui lui faisait face l'impérieux *Mané, Thécel, Pharès* (« compté, pesé, divisé ») lui annonçant sa chute.

Dans le film de Robert Bresson, « *Au Hasard, Balthazar* », où figure notamment l'écrivain Pierre Klossowski, le héros, Balthazar donc, est un âne. Autre célébrité : l'écrivain et jésuite espagnol Balthazar Gracian (1601-1658). « L'âne, dit Robert Bresson, est à la première place dans les deux Testaments; en même temps, il amène l'érotisme grec. Sa candeur et sa simplicité l'opposent à notre orgueil, à notre avarice, à notre besoin de faire souffrir, à notre sensualité. » Sacré âne! Mais âne sacré... En fait, Balthazar n'est pourvu ni de grandes oreilles ni de l'habituelle stupidité prêtée à l'âne « ordinaire ». La sonorité même du prénom, majestueuse, renvoie Balthazar à son illustre ancêtre roi-mage. Sa simplicité, sa droiture peuvent cependant tourner à l'autoritarisme, pour peu que Balthazar soit en proie à quelque doute. Mais sa grande vertu est dans le sens pratique de la conciliation, où il excelle. Sa sociabilité s'affirme comme une qualité d'évidence pour son entourage. Quant à « l'érotisme grec » mentionné par Bresson... disons que Balthazar y perd son latin.

BAPTISTE

(Bapper, Baptista, Baptistine, Baptistin, Batista, Bautisse, Bop)

Couleur : le jaune.
Chiffre : le 2.
Signe associé : le Cancer.
A éviter avec un nom de famille commençant par S, T, Is, It.
Célébrité : outre Jean-Baptiste officiant dans le Jourdain : Baptiste Ajamais, héros de *Anicet ou le Panorama, roman,* d'Aragon.

Baptiste, c'est l'être de la compassion, du cœur, et du rêve. Il a spontanément foi dans l'amour, à quelque niveau qu'il s'exerce. Avec lui la méfiance n'est pas de mise. Toute la finesse de sa sensibilité semble issue de cette confiance envers la vie, de cette ouverture sans détour à un monde dont l'hostilité éventuelle ne l'abat pas : Baptiste est si loin du pessimisme qu'on ne saurait trop souhaiter d'en rencontrer plus souvent. Y aura-t-il donc bientôt des baptêmes pour Baptiste? Ce serait la moindre des choses.

BARBARA

(Baab, Babie, Barbary, Barbe, Bärbel, Barberine, Bärle)

Couleur : le jaune.
Chiffre : le 7.
Signe associé : le Taureau.
A éviter avec un nom de famille commençant par R, A, Ra, Ar, Bra.
Étymologie : le latin « barbari », *barbares.*
Célébrités : l'auteur-compositeur et chan-

teuse Barbara; l'héroïne du poème de Prévert interprété par Montand : Rappelle-toi Barbara / Il pleuvait sans cesse sur Brest / Ce jour-là... »; l'actrice Barbara Streissand et Barbara Hendricks (ci-dessus).

« Qu'ai-je donc à voir, moi, Barbara, avec les barbares? L'étymologie a parfois de ces énigmes! En fait, je me roule et m'enroule dans le roulis de mes trois A, de mes deux R, et j'y entends couler toute la pluie d'un monde dont j'aime la richesse sensuelle et sonore. Si j'oscille entre une gaieté de bon aloi et quelque penchant, parfois, à la mélancolie, est-ce là un comportement « barbare »? Allons, il n'y a pas de barbares, mais seulement des hommes. Je ne me sens nulle envie, en général, de les détester, d'autant qu'on murmure de moi qu'en particulier je les apprécierais plutôt. En ces domaines comme en d'autres, que ne dirait-on pas pour mes beaux yeux! S'ils sont humides, çà et là, est-ce bien pour ce qu'on en veut croire? Ah, nul ne sait qui je suis, et moi-même, vraiment, vous le dirais-je? »

BARBE

Couleur : le jaune.
Chiffre : le 1.
Signe associé : la Balance.
Fête : le 4 décembre (mais le nouveau calendrier romain a retiré Barbe de sa liste; il n'empêche que la tradition populaire n'oubliera pas la Sainte-Barbe de sitôt).
Étymologie : le latin « barbari », ou le grec « barbaros », qui signifient : *étranger, barbare(s).*

Ce prénom connut ses grandes heures au Moyen Age, où il était courant en Allemagne, en France et en Angleterre (sous la forme de *Barbary).* Il a quasiment disparu de nos jours dans notre pays, mais non pas chez les anglo-saxons et les germaniques. Le culte de sainte Barbe, martyre au IIIᵉ siècle, est très vivace et diversement enraciné, puisque sainte Barbe est la patronne des marins aussi bien que des pompiers, des mineurs, des artilleurs, des artificiers et autres armuriers! Barbe n'a rien à voir avec Barbe-Bleue ni avec la mythique Femme à barbe, mais cette fâcheuse consonance l'a écartée non seulement du calendrier, mais aussi de l'usage courant; on lui préfère Barbara. C'est ainsi... C'était pourtant, dit-on, une princesse de l'esprit, de la volonté, et du subtil discernement! Tant pis. Sainte Barbe, mise au feu comme chrétienne par son propre père, ne brûla point : il la décapita; mais alors le feu s'en prit à lui, et le grilla en un instant. Affreux bonhomme! Mais la jeune sainte Barbe était, selon la légende, d'une très grande beauté.

BARNABÉ

(Barnabas, Barnabe, Barnaby, Varnava)

Couleur : le vert.
Chiffre : le 7.
Signe associé : le Sagittaire.
Fête : le 11 juin.
A éviter avec un nom de famille commençant par E, ou Bé, Ba, etc.
Étymologie hébraïque : de l'hébreu « bar », *fils*, et « naba », *consolation*.
Célébrités : on se souvient de la chanson de Fernandel, *Barnabé*.

« Je m'appelais Joseph, et les Apôtres firent de moi Barnabé, « fils de consolation ». J'ai conduit saint Paul, alors frais converti, aux Douze Apôtres, et voyagé ensuite avec lui longuement, à Antioche, en Asie Mineure, à Chypre. Je suis d'ailleurs devenu le saint patron de cette grande île. Mon apostolat, pour finir, me conduisit au martyre, comme tant d'autres. Mais mon prénom suivit sa route, et parvint en Europe vers le XIIᵉ siècle, où il prit souche fort discrètement. Je n'ai jamais été un prénom de masse, mais plutôt un prénom de marge; en Italie, un évêque de Milan fut Barnabé, d'où quelque ferveur milanaise en ma faveur, comparable à celle qui résulta pour moi de la publication, au XIXᵉ, du roman de Dickens – en Angleterre, *of course – Barnaby Rudge.* Les Américains m'abrègent en Barnay, Barnie, Barn. Comme on voit, j'ai tout de même pas mal voyagé, depuis les temps lointains de mon apostolat. Il faut dire que je n'aime que ça, ou presque, voyager. Au dehors, toujours à la poursuite des quatre horizons; à l'intérieur de moi, dérivant de l'une à l'autre des quatre vérités. C'est que je ne tiens guère en place, et ne suis jamais satisfait ni auto-satisfait; le goût de l'exactitude, de la perfection me hante : je suis de ceux qu'un perpétuel besoin d'ailleurs et de meilleur invite et pousse au dépassement. On aurait du mal à faire de moi un homme de la norme. Mais je parle, je parle... Je m'attarde! J'ai un avion à prendre, voyez-vous, et des baptêmes, çà et là, qui m'attendent encore! »

BARTHÉLEMY

(Bartel, Bärthel, Barthélémye, Bartholomäus, Bartholomé, Bartholomée, Bartholomew, Bartolo, Bartolomeo, Berthélémy)

Couleur : le bleu.
Chiffre : le 1.
Signe associé : les Poissons.
Fête : le 24 août.
A éviter avec un nom de famille commençant par I, M, Mi, (ou E, M, Mé pour Bartholomé).
Étymologie : vient de l'hébreu « bar », *fils*, et « talmaï », *qui trace le sillon*.
Célébrités : Barthélemy, l'un des douze Apôtres; saint Barthélemy Amidé, l'un des fondateurs de l'ordre des Servites; Barthélemy Las Casas (1474-1566), prélat espagnol qui s'éleva contre l'oppression des Indiens par les conquistadores; Barthélemy Diaz, qui disparut en 1500 dans un naufrage après sa découverte du Cap de Bonne-Espérance; le 24 août 1572, qui vit le massacre des protestants en France (la Saint-Barthélemy).

« Moi, Barthélemy l'Apôtre, je mourus écorché vif par les impies; d'où le fait que je sois devenu le saint patron des tanneurs, des bouchers et des relieurs. Mon nom fut très en usage en Europe durant le XIIIᵉ siècle, et les Normands me répandirent en Angleterre, où je dus m'accommoder de diminutifs variés, comme Bartle, Batty, Bartley, Tolly. En France je devins par la suite un nom de famille méridional, du style Bourthouloume, Bartoli, Barthol, Berthomieux, etc. Au XXᵉ siècle, me voici devenu prénom d'ancêtre inusité. Je suis pourtant porteur d'une puissante charge altruiste et du sens du dévouement. Il n'est rien que je n'entreprenne en faveur de la justice et de la paix, et l'on m'oublie... N'aurait-on plus besoin, à l'heure des fusées spatiales, de ces fameuses vertus? Il est vrai que la sinistre date du 24 août 1572, où tant d'innocents furent massacrés, ne joue pas en ma faveur, mais enfin je n'y suis pour rien. C'est ainsi cependant : on m'oublie, et j'entends encore les paroles de Jésus, disant : " Mon royaume n'est pas de ce monde ", et je les médite, je les médite... »

BASILE

(Basil, Basileo, Basilide, Basilius, Vassil, Vassily)

Couleur : le jaune.
Chiffre : le 3.
Signe associé : les Poissons.
Fête : le 14 juin.
A éviter avec un nom de famille commençant par I, Il, L, Li.
Étymologie grecque, de « basileus », *roi*.
Célébrités : deux empereurs orientaux du Xᵉ siècle, Basile I et Basile II, qui fut vainqueur des Arabes; l'alchimiste Basile Valentin; la chanson de Charles Trenet *Où vas-tu Basile sur ton grand cheval perché?*

Chez Basile, quelle famille! Chez saint Basile le Grand (330-379), voulons-nous dire, très grand Docteur de l'Église chrétienne grecque, dont la sœur, les deux frères, le père et la mère furent également des saints reconnus et canonisés. Évêque de Césarée, fort lié à saint Grégoire de Naziance, Basile évangélisa, favorisa la croissance du monachisme, et écrivit beaucoup. Sa

Règle de saint Basile, ses lettres, ses traités, notamment *Sur le Saint-Esprit* font autorité dans l'Église. Quinze autres Bienheureux furent aussi des Basile, et parmi eux Basile d'Ancyre, martyrisé sous Julien en 362, et Basile le Jeune, mis à mort à Constantinople en 952. Mais voilà encore un prénom qui s'en va... vers la désuétude. Or, il est dit que Basile sait à la fois parler et communiquer avec la psyché collective, et se retirer dans les plus profondes concentrations; qu'en un mot il est l'orateur et le méditant, ou le prêcheur et l'homme de réflexion. Comme il semble que nous ayons aujourd'hui davantage de beaux parleurs que de gens réfléchis, peut-être serait-il temps de rétablir l'équilibre et d'élever le débat : Basile est là pour ça.

BASTIEN

(voir Sébastien, dont Bastien est le diminutif)

BATHILDE

(Bathilda, Batilde, Bathylle)

Couleur : le bleu.
Chiffre : le 7.
Signe associé : le Cancer.
Fête : le 30 janvier.
A éviter avec un nom de famille commençant par D.
Étymologie double : du germain « batu », *combat,* et « hilde », *combat* également; ou encore « bald », *audacieux,* et « hild », *combat.* Sainte Bathilde eut une carrière de choc : née en Angleterre, elle sera enlevée par des pirates et vendue en Gaule, en 641. Elle devra épouser contre son gré le roi Clovis II, et lui donner trois fils, Clotaire III, Childéric II et Thierry III, tous futurs rois mérovingiens. Veuve en 647, elle sera reine-régente du royaume. Assistée de saint Léger et de saint Ouen, elle luttera contre l'esclavage et fondera abbayes et monastères, dont Saint-Germain-des-Prés. Elle sera béatifiée au XIe siècle.

Prénom médiéval, Bathilde semble opérer ces temps-ci une surprenante percée. Rêveuse Bathilde, courageuse, inattendue Bathilde! Excellente mère et collaboratrice parfaite, qui sait solliciter les conseils et en faire le meilleur usage, nous guetterons avec étonnement, mi-intrigués mi-charmés, son retour médiéval juste avant l'an 2000...

BAUDOIN

(Balduino, Baldwin, Baldwina, Baudouine, Beaudoin)

Couleur : le bleu.
Chiffre : le 7.
Signe associé : le Lion.
Fête : le 21 août.
A éviter avec un nom de famille commençant par In, Inn, ou Win.
Etymologiquement, Baudoin est « l'ami audacieux » (de « bald », *audacieux,* et « win », *ami*).
Célébrités : des rois de Jérusalem, des empereurs orientaux, des comtes de Hainaut et de Flandre; Baudoin de Constantinople, frère de Godefroy de Bouillon; Baudoin Ier, roi des Belges.

Disciple de saint Bernard, saint Baudoin fut, au XIIᵉ siècle, abbé de San Pastore, où il mourut de mort naturelle. Prénom en faveur aux Pays-Bas et en Flandre, il est devenu également un nom de famille, notamment en Grande-Bretagne, et en France où il se présente sous les formes de Baudry, Baudinat, Baudier, Baudin. A l'image de sa sonorité un peu sourde, ramassée sur elle-même, Baudoin n'est pas un adepte des bruyants éclats ni des mondanités. Concentré, calme, il bénéficie de la ténacité de ceux qui entreprennent et mènent à terme des projets de longue haleine. En amour, il protège, réconforte et organise; en ce domaine, aucun renfermement pour lui, ni aucun rejet des prévenances et délicates attentions. C'est même là que se révèle chez lui un goût très sûr, voire dispendieux, des vrais luxes : rien n'est trop beau pour l'élue de son cœur. Si, étymologiquement, Baudoin est, en germain, « l'ami audacieux », n'oublions pas sa plus profonde racine celtique, « boudi », qui signifie *victoire.*

BÉATRICE

(Bea, Beat, Beate, Beatrix, Beatriz, Beatty, Biche, Trixie)

Couleur : le bleu.
Chiffre : le 9.
Signe associé : le Capricorne.
Fête : le 29 juillet.

A éviter avec un nom de famille commençant par I, Is, S, Si, ou X.

Etymologie latine, de « beatus », *heureux, qui rend heureux.*
Célébrités : les princesses de Savoie et de Bourgogne, bien sûr, mais surtout Béatrice Portinari, l'inoubliable Béatrice immortalisée par Dante dans sa *Divine Comédie* et la *Vita Nova.*

Dès le IIᵉ siècle, Béatrice avait envahi l'Europe latine. En 304, sainte Béatrice fut noyée dans le Tibre, subissant le même martyre que ses deux frères, Faustinus et Simplicius, eux-mêmes condamnés pour leur foi. Du Moyen Age jusqu'au siècle dernier, où le prénom revient en vogue, notamment en Angleterre, Béatrice s'était quelque peu éclipsée. Actuellement, on peut dire que Béatrice est de nouveau bien présente, ses caractéristiques s'adaptant assez bien aux nécessités du siècle. Qu'on en juge par cet autoportrait :
« Je n'ai nulle vocation au farniente ni à l'indolence. Je le dis tout net : je suis de celles qui agissent et ne supportent pas les rôles de subalternes. J'ai cette fierté toute moderne de prétendre à l'indépendance, et je m'accomplis dans le travail, y compris celui que les conventions sociales réservent ordinairement aux hommes. Je tiens d'ailleurs pour fallacieuse leur prétendue supériorité sur le plan de l'action comme de l'endurance. Mon charme ne saurait me distraire : j'entreprends de construire moi-même ma vie, et je souris de me découvrir ma plus sûre protectrice. Il paraît même que je suis de nature à inquiéter le mâle moyen, mais qu'il se rassure, le pauvre : je ne lui veux décidément rien de particulier. Mon orgueil, c'est à la découverte de soi que je le consacre, à la connaissance par l'action bien conduite, et personne ne saurait m'en tenir rigueur ».

BÉNÉDICTE

(voir Benoît, Benoîte)

Couleur : le jaune.
Chiffre : le 4.
Signe associé : le Lion.
Fête : le 16 mars.
A éviter avec un nom de famille commençant par T, C, It, Ic.
Etymologie latine, de « benedictus », *protégé par Dieu, béni.*
Célébrité historico-religieuse : sainte Bénédicte, qui, au XIIIe siècle, se consacra à une vie de charité et de prière.

D'elle-même, Bénédicte n'hésite pas à nous dire ce qu'il en est de son attitude :
« Je suis la fougue et l'enjouement des plus fortes liqueurs. Les sucreries et fadaises m'indiffèrent : je suis passion, éclat, et présence. Je le dis sans complexe : j'éblouis, je ravis, j'impressionne. Généralement, ma prestance et mon port de tête en imposent assez... En un mot, la vie ne me fait pas peur. Baptisez donc en Bénédicte : c'est la force et le soleil divins qui entreront dans le foyer! »

BENJAMIN

(Beathan, Ben, Beniamino, Benny, Veniamine)

Couleur : le vert.
Chiffre : le 5.
Signe associé : la Vierge.
Fête : le 31 mars.
A éviter avec un nom de famille commençant par In, Min.
Etymologie hébraïque, de « ben'yamin », *fils de la main droite :* autrement dit, Benjamin est du côté de la chance, du bon augure. Fils cadet de Jacob et de Rachel dans l'Ancien Testament, c'est un prénom que l'on retrouve très fréquemment chez les juifs du Moyen Age. Il jouira plus tard d'une grande faveur anglo-saxonne. Aux États-Unis, Benny est très populaire de nos jours.
Célébrités : « Big Ben », la fameuse cloche du Parlement, à Londres; mais aussi saint Benjamin de Perse, qui fut empalé en 422 pour avoir refusé d'abjurer sa foi chrétienne et de devenir un adorateur du feu; Benjamin de Tudale, grand rabbin du XIIe siècle; Benjamin Franklin (1706-90) homme d'état et inventeur du paratonnerre; le musicien de jazz Benny Goodman; l'écrivain Benjamin Constant; le compositeur Benjamin Britten; les poètes Benjamin Péret, Benjamin Fondane.

Et que dit-il, Benjamin, « le fils de la main droite »? .
« On a dit de moi, Benjamin, que ma capacité d'attention en toutes choses allait jusqu'à la manie de la précision, voire jusqu'à la maniaquerie systématique. Je proteste : je suis aussi la fantaisie, l'humour et la curiosité active de ceux qui savent voir. Attentif, oui, mais attentif à la nature comme à la culture, et la vie quotidienne, quelles que soient ses difficultés, enchante mon aptitude à capter la couleur, le trait caché, le détail. Sous l'apparence austère, je cultive la joie de vivre, qui selon moi est une joie de la précision. Laquelle, le plus souvent, conduit au-delà des sentiers battus. »

BENOÎT, BENOÎTE

(Benedetto, Bénédicte, Bénédictine, Benft, Benita, Benito, Benz)

Couleur : l'orangé.
Chiffres : le 2, le 7.
Signes : la Vierge, la Balance.
Fête : le 11 juillet.
A éviter avec un nom de famille commençant par A ou une autre voyelle; par T ou A en ce qui concerne Benoîte.
Etymologie : du latin « benedictus », *bien dit, bien nommé,* donc *béni, protégé de Dieu.*

Célébrités : une quinzaine de papes, et même deux antipapes. Très populaire au Moyen Age, puis discret ensuite, il est revenu en force dans la première moitié du XXe siècle : le chef d'État de l'Italie fasciste Benito Mussolini; l'homme politique mexicain Benito Juarez; le responsable syndical français ancien dirigeant de la C.G.T., Benoît Frachon; la romancière contemporaine Benoîte Groult.

Extravertis et volontaires, diplomates en même temps qu'autoritaires, les Benoît savent se faire respecter ou, à tout le moins, obéir. Leur faconde et leur flair jouent avec aisance du registre émotionnel, et ils peuvent exceller dans les relations sociales. Ils tempèrent volontiers leur côté un peu tranchant d'une sorte d'ardeur de la bonhomie. L'humour ne leur faisant pas défaut, ils apprécient leur chance comme étant la moindre des choses, puisqu'un Benoît est un *béni* à qui la réussite vient quasi-nécessairement. Comportement de victorieux, doublé chez Benoîte du raffinement féminin de n'en rien laisser paraître, une grâce les accompagne, ces Benoîte et Benoît, qui leur permet d'affronter les épreuves de l'existence comme si de rien n'était. A vrai dire, ils n'ont rien de « benoît » au sens quiétiste et tranquillisant de l'épithète...

BÉRENGER, BÉRENGÈRE

(Berengar, Berengario, Béranger, Bérangère)

Couleur : le violet.
Chiffres : le 8, le 7.
Signe : le Cancer.
Fête : le 26 mai.
A éviter avec un nom de famille commençant par Gé, Ger, E, R, Ré.
Etymologie : du germain « ber », *ours,* et « gari », *lance.* Fameux prénom du Moyen Age, il tend à revenir en faveur aujourd'hui – principalement en Bérengère, forme féminine d'un prénom qui est également devenu nom de famille comme Bérengier, Bringuier, Brengier. On sait de saint Bérenger (XIe siècle) qu'il fit des miracles à l'abbaye de Saint-Papoul.
Célébrités : deux rois d'Italie; deux reines de Castille, dont Bérengère de Barcelone; une princesse de Navarre, qui sera l'épouse de Richard Cœur de Lion; l'ex-hérétique devenu théologien Bérenger de Tours; le troubadour du XIIe siècle Bérenger de Palazol.

Prénom de rêverie, de délicatesse, prénom de poésie et d'amour courtois, il semble tout entier un champ ouvert à l'imaginaire. Destinations artistiques fort envisageables. Le temps des troubadours, avec Bérengère et Bérenger, n'a jamais dit son dernier mot!

BÉRÉNICE

(Bernice) (voir Véronique)

Couleur : le vert.
Chiffre : le 7.
Signe associé : le Capricorne.
A éviter avec un nom de famille commençant par I, S, Si, ou F, Fi.
Etymologie : « Bereniké », nom de plusieurs cités grecques, qui se décompose en « phéré », *porter, apporter,* et « niké », *victoire.*
Célèbre entre toutes les Bérénice, celle qui séduisit Titus et dont Racine a fait l'héroïne de sa tragédie (1670). La Bible nous dit de Bérénice qu'elle fut une princesse juive, fille de Hérode Agrippa Ier. Titus, raison d'État obligeant, dut la répudier; Corneille s'en inspira également *(Tite et Bérénice,* 1670). Mentionnons encore la légende qui entoure la princesse égyptienne Bérénice II, dont la chevelure fut transformée en constellation céleste après qu'elle en eût fait don à Aphrodite. Y a-t-il en tout cela quoi que ce soit qui interdise à Bérénice quelque retour en force chez les prénoms de demain?

Ainsi Bérénice (comme Véronique) est-elle celle « qui porte la victoire ». Elle séduit sans nulle traîtrise, par sa droiture et sa rigueur. Elle a en horreur l'artifice, la tricherie, la vantardise. Elle émeut plus par sa grande allure que par sa beauté, qui est souvent loin d'être négligeable.

BERNARD

(Barnard, Barney, Barnd, Bénard, Bernardin, Bernardo, Bernadette, Bernadine, Bernardino, Bernd, Bernhard, Bernie, Nadette, Nadine)

Couleur : le violet.
Chiffre : le 8.
Signe associé : le Cancer.
Fête : le 20 août.
A éviter avec un nom de famille commençant par A, R, Na.
Etymologie : du germain « ber », *ours,* et « hard », *courageux.*
Dimutifs familiers un peu infantilisants du genre « Bébé », voire « Béber » (comme pour Albert), et « Nanar ». Mais Bernard est un des « grands » dans le monde des prénoms, de sorte qu'aucun diminutif ne saurait l'atteindre.
Célébrités nombreuses, à commencer par saint Bernard de Clairvaux (1090-1153), prédicateur de la seconde Croisade et conseiller de différents papes, dont Innocent II, Eugène III (ex-moine de Clairvaux, de son nom premier Bernard Paganelli). Citons encore Bernard, roi d'Italie et petit-

fils de Charlemagne, Bernard de Chartres, philosophe du XIIe siècle, Bernard de Ventadour, le troubadour du XIIe siècle, l'architecte de la cathédrale de Reims Bernard de Soissons, l'inventeur Bernard Palissy, qui mit au point la céramique, le prince-consort des Pays-Bas Bernard; et, plus près de nous, l'écrivain et poète Bernard Noël, le peintre Bernard Monino et le célèbre animateur littéraire de la télévision Bernard Pivot (page précédente); Bernard Pons, le collaborateur de J. Chirac; le champion cycliste Bernard Hinaut; les footballeurs Bernard Lacombe et Bernard Genghini.

Avec Bernard, et dès le Moyen Age, nous sillonnons toute l'Europe. Hormis de très légères baisses de faveur, ce prénom est l'un des plus stables et constants jusqu'à nos jours, où il est couramment utilisé. La grande figure qui le mit en vogue fut assurément saint Bernard de Clairvaux (1090-1153), Docteur de l'Église, dont la vie et l'œuvre immense surent se hausser au premier plan de la prière, de la mystique, de la contemplation, mais aussi de la théologie, à la fois lyrique et rigoureuse, et de la politique, dans le sens de la conciliation. L'ordre des Cisterciens (les « moines blancs ») fut également créé à partir de son exemple, et religieux, papes et empereurs se disputèrent ses conseils. Lutteur, prêcheur infatigable, il était cependant avant tout un homme de dévotion et de mystique, et ses *Six Sermons sur le Cantique des Cantiques* sont parmi les plus purs sommets des écritures chrétiennes. Quantité de saints et de bienheureux se sont appelés Bernard, évidemment, et parmi eux saint Bernard de Menthon, fiancé malgré lui, qui s'enfuit la veille de son mariage. Il gagna la cathédrale d'Aoste, où il se fit chanoine. Il sera archidiacre, et fondera les hospices du Grand et du Petit Saint-Bernard avec la congrégation religieuse qui s'y rattache. Grand alpiniste lui-même, il est devenu le saint patron des Alpes. Quant à saint Bernardin de Sienne (1380-1444), combattant de la peste, prédicateur infatigable du saint nom de Jésus, accusé à ce sujet d'hérésie par l'Inquisition, lavé de tout soupçon par une bulle papale d'Eugène IV en 1432, il rénova l'ordre des Franciscains et prêcha dans toute l'Italie.

Ardeur à l'action, grande capacité de concentration, sens de la conviction sans failles, sûreté inébranlable des chefs : il y a, chez les saints Bernard, bon nombre des caractéristiques essentielles du prénom. Mais lorsqu'il n'est pas voué à la stricte sainteté, ce qui est tout de même le cas de la plupart d'entre nous, comment Bernard se comporte-t-il? Comment se voit-il? Laissons-le donc répondre lui-même :

« C'est entendu : je suis plutôt tranchant. J'agis comme je contemple, sans m'embarrasser de diplomatie. Je suis sûr de mon fait, et je n'hésite jamais à inculquer à autrui ma vérité. J'ai le sens de l'intuition ininterrompue, d'où mon intérêt spontané pour la défense et l'illustration des grands principes, ou de ce qui me semble tel. Dans cette optique, et bien que j'affectionne les réflexions et méditations solitaires, je suis l'image même de l'organisateur du travail en équipe. Au travail, du reste, qu'il soit individuel ou collectif, je mets toute mon énergie en jeu, je fonce, je « mets le paquet »; les mous, les tièdes, les irrésolus ne m'intéressent pas, et je les écarte si besoin est. Quel que soit le champ d'activité envisagé, je vise à la réalisation, à l'accomplissement : celui de l'action comme le mien propre, et ma volonté, qui est du genre farouche et inébranlable, m'enchante. Tout mon charme vient d'ailleurs de là. Mes propos surprennent, et j'aime provoquer en disant, ou laissant entendre un « je veux » indiscutable. Je suis un prince de la conviction; mes armoiries? : une intelligence du détail, analytique, rigoureuse, logique. Je ne me laisse pas égarer par la passion d'agir, et l'action, chez moi, vient tout droit d'une pensée exercée. Oui, je suis un bâtisseur-né, vigilant, exigeant, conscient, grâce à une étonnante mémoire des ensembles de données à mettre en jeu pour aller de l'avant. Je sais fort bien prendre le réel à bras le corps et lancer de vastes campagnes, et toute grande organisation, politique, sociale, religieuse ou étatique peut compter sur mon goût farouche – certains disent : encombrant – de l'orthodoxie. Moyennant quoi, je peux fort bien, en cas de crise, me révéler très encombrant pour autrui comme pour moi-même en manipulant avec la même implacable rigueur les hérésies, la négativité ou même simplement la fantaisie étrangement débridée. Tous les grimoires ne mentionnent-ils pas mon aptitude à jouer les « coucous » dans les entreprises, voire les foyers ou les pensées des autres? Sans parler du fait que je peux aisément me parasiter moi-même, ne me refusant rien des séductions douteuses de l'auto-destruction à petit feu... Mais je l'affirme : Bernard est un constructeur avant tout; les états de crise prolongée lui apparaissent vite comme des complaisances auxquelles il ne saurait se tenir. Moi, Bernard, j'affirme plutôt que de nier, je cherche la rigueur et non les plaintes, j'exalte nos devoirs comme source de nos droits, et pas l'inverse. Délibérément, j'exagère mes pensées, et je n'ignore pas ce qu'il en coûte : en tout domaine où cette passion s'exerce, je ferai figure d'extrémiste. Rouge, noir, ou blanc, révolutionnaire, ou transfiguré par je ne sais quel démon de sainteté, je tiens que l'on ne passe d'un acte à un autre qu'à la force du poignet! Je ne crois guère à la chance, à la grâce qui tombe nul ne sait comme : pour moi, je m'aide d'abord moi-même, et si le ciel doit y aider, eh bien qu'il aide! Partout, à tout moment, j'entreprends, et j'entreprends beaucoup. Il n'est rien tant que l'inachèvement pour me faire réellement souffrir. J'aime les choses nettes, accomplies : elles permettent d'aller plus loin, et d'entreprendre, encore et encore. On en pensera ce qu'on voudra, cela m'est tout à fait égal. Mon amour-propre n'est pas situé si bas qu'il me faille réellement me soucier des appréciations des autres. A ceci près, tout de même, que de très forts besoins affectifs m'amènent à rechercher – à susciter, évidemment – la compréhension de mes desseins par l'être aimé, faute de quoi j'irais jouer les coucous ailleurs, ou serais tristement marri. On dit aussi, ou on murmure, que je ne suis pas facile à vivre, ou pas « de tout repos » : j'avoue avoir en moi quelque chose du hussard, mais d'un hussard de l'intelligence; alors qu'y puis-je si l'exigence place très haut la barre? Mais j'ai la patience de ne pas exploser trop vite. On ne sait jamais quand je vais exploser, puisqu'en effet « j'implose » constamment, en sachant transformer mes échecs en semailles de futures victoires. Au fond, c'est la part féminine des choses qui me surprend et me dérange le plus : l'ondulation, la souplesse, l'indolence heureuse, voilà exactement ce que je ne m'autorise guère... Mais je rêve d'annoncer un perpétuel printemps, et parfois j'y parviens! La modestie n'est pas mon fort, et j'ai l'humour de n'en rien cacher. »

BERNADETTE

Couleur ; le bleu.
Chiffre : le 8.
Signe : les Poissons.

Fête le 16 avril.
A éviter avec un nom de famille commençant par E, D, ou T.

Étymologie : voir Bernard.
Célébrités notoires : pour Bernadette, c'est Soubirous (1844-1879), avec le délire et la magie de Lourdes, et Bernadette Lafont, *La Fiancée du pirate*.

Bernadette Soubirous, la future sainte Bernadette, est une petite paysanne née à Lourdes, et élevée à garder chèvres et moutons plus qu'à s'exercer à l'histoire, à la philosophie et aux mathématiques. Inculte certes, mais très intuitive, fine, attentive. A force de compter ses moutons et d'observer la nature, elle finira par voir la Vierge Marie, qui, entre le 11 février et le 16 juillet 1858, se manifestera 18 fois à la jeune Bernadette (elle a 14 ans), lui révélant à la seizième : « Je suis l'Immaculée Conception ». Tout ce que le doute et le dogme de l'époque pouvaient compter de sévère et rigoureux – autorités civiles et ecclésiastiques réunies – tentera en vain de la faire se rétracter : Bernadette a bien « vu » la Vierge, et elle n'en démord pas. Mais, pour la jeune sainte, l'heure de la grâce semble dès lors passée, et celle des épreuves sonne. Elle échappe aux curiosités malsaines en entrant dans les ordres, où elle devient sœur Marie-Bernard, employée à des fonctions subalternes et quelque peu tyrannisée par l'intransigeance d'une Supérieure très dure au couvent de Nevers. De santé fragile, la maladie l'emportera à l'âge de 35 ans, où elle rend l'âme en invoquant Marie. Elle sera béatifiée (1925), puis canonisée (1933).
Au profane, Bernadette est un prénom qui contient en lui tout l'apanage de Bernard, auquel il faut ici se reporter. Notons cependant qu'elle nuance la relative « dureté » de Bernard, en se sens qu'elle ne se contente pas d'annoncer le printemps : elle est le printemps, elle l'a vu. Autant dire que son intuition est encore plus vive, et qu'elle est beaucoup plus fraîche, simple, immédiate. Candeur, générosité, gentillesse sont de son champ psychologique, et la révèlent comme un adoucissement généralisé des caractéristiques de Bernard. Enfin, c'est une non-violente spontanée; elle ne se battra pas pour convaincre autrui d'une vérité à elle, mais seulement de la vérité en soi. Encore tout son combat ne sera-t-il que celui du charme tranquille. Prénom puissant, il est largement répandu, et il continue d'aller de l'avant.

BERTHE

(Berteli, Berteline, Berta, Bertie, Bertilie, Bertille, Bertillon, Bertin, Bertl)

Couleur : l'orangé.
Chiffre : le 4.
Signe associé : le Sagittaire.
Fête : le 11 mai.
Étymologie : du germain « behrt », *renommé, brillant*. Prénom d'origine résolument nordique, Berthe est une abréviation de prénoms comme Berthilde, Bertfrieda, Berthegonde, ou Norberte. Nombre de noms de famille également vont en dériver, ainsi les Berthes, Barthe, Brecht, Bertillon, Berton, et autres Berthod.
Célébrités : quelques saintes et bienheureuses; Berthe ou Bertrade, dite Berthe au Grand Pied, femme de Pépin le Bref et mère de Charlemagne; Berthe (964-1022), princesse de Bourgogne, puis épouse du roi de France Robert II, qui dut la répudier sous la contrainte de l'Église (ils étaient, Berthe et Robert, trop proches parents).

A l'origine, Berthe est la déesse Berchta, qui, dans les pays germains, présidait au solstice d'hiver. Déesse de la femme et de la fécondité, on la retrouve en Scandinavie sous le nom de Holda, et c'est encore elle qui surgit dans les contes de Grimm, déguisée cette fois en « Frau Holle » (la Dame

Holle). Dans le Jura, on la vénère comme la patronne des fileuses, et c'est alors « Berthe la Fileuse ». Dans ces conditions, les autres appellations célèbres la concernant, les « Berthe au Grand Pied » et autres « Grosse Bertha » (les canons de gros calibre allemand de la guerre de 14-18) ne sauraient entamer sérieusement l'image et la vocation du prénom, même si de nos jours on se souvient plus volontiers de la « Grosse » et du « Grand Pied » que de la déesse du solstice d'hiver. C'est pourtant la déesse, en Berthe, qui mène la danse. Même si elle n'est pas toujours portée vers l'éloge de la fertilité. Ainsi, sainte Berthe, au VIIe siècle, eut recours au mariage blanc pour se livrer tranquillement à ses dévotions; elle fonda le monastère d'Avenay, près de Reims. Ayant légué ses biens à l'Église, elle fut assassinée par ses neveux, qui s'estimaient déshérités! Il y eut encore, au VIIIe siècle, une sainte Berthe tellement éprise d'austère contemplation qu'après avoir fondé l'abbaye de Blangy-en-Artois, elle se fit emmurer dans une étroite cellule, dont la seule ouverture, une lucarne, lui assurait une vue imprenable sur l'autel de l'église. De nos jours – en France du moins – Berthe ne fait plus recette : voici l'effet défavorable du grand pied, conjugué au souvenir de la grosse Bertha – effet et souvenir qui ne semblent guère gêner nos voisins, chez lesquels Berthe n'est pas un prénom désuet. Mais savons-nous ce que nous perdons en négligeant Berthe? Et Berthe, qu'en dit-elle?
« Vous perdez effectivement beaucoup! En particulier, vous perdez le contraire d'une alanguie ou d'une rêveuse. Je suis de celles qu'on ne réduit jamais à l'esclavage : forte, tenace, et toujours en éveil, c'est bien simple, je ne tiens littéralement pas en place! Tout le contraire d'une recluse, et sainte Berthe de Blangy savait ce qu'il lui fallait dompter radicalement en elle, et à quel prix, d'où sa rigoureuse réclusion. Pour moi, je raisonne, je fais front, et j'agis! On susurre même que je suis encline à l'entêtement, à l'obstination : on exagère à peine. En fait, prise entre ma volonté, du genre plutôt soutenu, inflexible, et une émotivité envahissante, il me faut bien cette dose d'opiniâtreté, d'attention pour ne pas me laisser piéger par les sentiments, et par mes propres réactions. Flair, séduction, sens de l'amitié, vitalité et résistance, voici mes atouts. De surcroît, je sais protéger et posséder ce que je désire. Si j'osais, je vous dirais qu'en m'oubliant vous perdez une croqueuse de vie, une âme résolument morale et pleine d'ardeur, un esprit synthétique au puissant magnétisme... J'ai osé : oserez-vous? Oserez-vous faire appel à moi sur les fonds baptismaux? Il n'est jamais trop tard – je veux dire : pour Berthe, il n'est jamais trop tard. Je suis de celles qui toujours reviennent. A bientôt. »

BERTRAND

(Belt, Beltig, Bertram, Bertran, Bertrane, Bertrande)

Couleur l'orangé.
Chiffre : le 1.
Signe associé : le Lion.
Fête : le 16 octobre.
A éviter avec un nom de famille commençant par An.

Etymologie : du germain « behrt », *brillant*, et « hramm », *corbeau*.
Célébrités : Saint Bertrand de Comminges (l'évêque, et la ville à son nom); Bertrand de Born, troubadour du Périgord au XIIe siècle; Bertrand de Bar-sur-Aube, poète du

XIIIe siècle; le connétable Bertrand du Guesclin, qui combattit les Anglais pendant la Guerre de Cent ans; Bertrand Russel, (1872-1970), le philosophe et mathématicien anglais.

Bertrand est Beltig en breton, Bertram et Bertrand en anglais, mais pourquoi l'étymologie en fait-elle un « corbeau brillant »? La réponse nous vient du nord, avec l'ancienne religion germanique; dans celle-ci, le dieu Oddin affectionnait particulièrement le corbeau, qui passa donc pour un animal sacré. Courant au Moyen Age, Bertrand s'éclipsa ensuite longuement, jusqu'au XIXe siècle, où il revint en force. De nos jours, c'est encore un prénom fortement employé. Saint Bertrand-de-Comminges, cité de Haute-Garonne, porte le nom de son évêque, saint Bertrand, à qui elle doit l'entreprise de sa reconstruction (la ville avait été ravagée par les Francs plusieurs siècles auparavant, et était restée en ruines depuis). Six autres saints ont porté ce prénom. Puissant, ambitieux et parfois génial, Bertrand est l'homme des grands desseins, des entreprises de longue haleine, et des réalisations d'envergure. Mais il ne lui est pas conseillé d'échouer ou de manquer ses coups : une sensibilité très vive, un psychisme en dents-de-scie alternant facilement l'enthousiasme et la dépression sont susceptibles alors de le mettre à bas. S'il est K.O., Bertrand accuse très durement la situation et peine à s'en relever. C'est un émotif à l'intelligence aiguë, prompte à relier, analyser, déduire. La mémoire, qu'il a vaste et profonde, ne lui fait pas défaut, et son intuition très subtile lui assurent une promptitude étonnante; il capte, il décide et il agit à la vitesse de l'éclair. Entre le goût de la liberté absolue et celui du nid protégé, il a recours à une affectivité intense, et son besoin d'être compris et aimé n'est que trop évident. Cet indépendant farouche a besoin de reconnaissance et d'amour : il ne saurait rejeter autrui dans l'ombre. Comme on le voit, Bertrand est un prénom à se jouer des contradictions. Chevalier du XXe siècle, il a donc de beaux jours devant lui...

BETTINA, BETTY

(voir Elisabeth)

Couleur : le jaune.
Chiffres : le 8, le 9.
Signes : le Lion, le Cancer.

A éviter avec des noms de famille commençant par A ou Na; ou par I, T, Ti.
Célébrités : Betty Grable, Betty Hutton, actrices; Bettina Brentano (1785-1859), sœur de Clémens Brentano, poète romantique allemand; elle-même fut une des figures et des sensibilités les plus vives de ce mouvement étoilé; femme de cet autre grand du romantisme allemand, Achim von Arnim, elle a laissé des lettres admirables, et notamment l'étonnante *Correspondance de Goethe avec une enfant.*

BIENVENUE

Couleur : l'orangé.
Chiffre : le 7.

Signe associé : le Lion.

A éviter avec un nom de famille commençant par U, Nu.
Etymologiquement, Bienvenue est « benvenuta », c'est-à-dire, en français comme en transalpin... bienvenue!

Prénom peu courant de nos jours en France, mais les Italiens connaissent encore nombre de Benvenuto. Sainte Bienvenue (1254-1292) s'infligea une existence tellement surchargée de mortifications invraisemblablement âpres et dures que les autorités religieuses durent s'en émouvoir; vaguement ramenée à plus de raison, elle devint une dominicaine dont l'ascèse resta marquée au coin de l'étrangeté. Drôle de sainte que celle, pourtant bienvenue, qui se croit si envahie d'impureté qu'il lui faille l'extirper par les plus atroces souffrances et auto-punitions... Il est vrai que nous avons un peu oublié la sainte et son prénom. Celui-ci, pourtant, devrait porter bonheur. On y décèle sans peine l'accord de la fraîcheur et de l'esprit aigu. On murmure également que Bienvenue s'abandonne volontiers au plus minutieux perfectionnisme. Alors, Bienvenue, pourquoi pas?

BILLY

(voir Guillaume et William)

Couleur : le bleu.
Chiffre : le 6.
Signe associé : les Gémeaux.
A éviter avec un nom de famille commençant par L, I, Li.

Un heureux caractère, enjoué, optimiste, qui se coule et s'adapte aisément à toutes les situations. Ce prénom est également devenu nom de famille.

BLAISE

(Blas, Blaisette, Blaisiane, Blasius, Blésilla, Vlas)

Couleur : le jaune.
Chiffre : le 3.
Signe associé : les Poissons.

A éviter avec un nom de famille commençant par E, ou S. La particule lui va fort bien.

Curieuse étymologie, venue du nom d'une famille romaine, « Blaesus », c'est-à-dire : qui bégaie. Or, aucun Blaise célèbre ne fut bègue.
Célébrités : Blaise Pascal; Blaise Cendrars; *Pauvre Blaise,* de la Comtesse de Ségur; *Ruy Blas,* de Hugo, et *Blaise* de Sauverzac.

Blaise se fit un prénom très répandu entre le XIIIe et le XVIe siècle. On l'a vu resurgir au XIXe, à la faveur du *Pauvre Blaise,* de la comtesse de Ségur, puis se raréfier à nouveau. Actuellement, Blaise n'est pas tenu pour désuet, ni totalement abandonné, mais c'est un prénom qui se fait discret, et tire son charme de cette discrétion même. De très grands ancêtres veillent sur lui, tels Blaise Pascal et, plus proche de nous dans le temps, le poète Blaise Cendrars.
Et puis, Blaise n'est pas seulement le *Pauvre Blaise* de la Comtesse de Ségur, ni le fier *Ruy Blas* de Hugo; il y eut en effet saint Blaise, évêque d'Arménie au IVe siècle, qui vivait en ermite dans la forêt, et en bonne intelligence avec tous les animaux, y compris les féroces, qu'il soignait. L'empereur Licinius,

qui persécutait les chrétiens, l'expédia en prison, mais rien n'y fit : autour de Blaise enchaîné, prodiges et miracles se multipliaient, et on raconte que saint Blaise guérit un enfant qu'étouffait dangereusement une arête de poisson. Pour en finir avec lui, on l'écorcha vif avec des herses de fer, puis on lui trancha le col. Saint Blaise est ainsi devenu le saint patron des cardeurs, des tisserands (à cause des peignes des herses), et on l'invoque pour la guérison des maux de gorge. En Allemagne, où « blasen » veut dire *souffler,* un calembour consciencieux en a également fait le patron des meuniers et des joueurs de flûte et autres instruments à vent. Au caractère, Blaise se signale par une stricte rigueur morale, une vive intelligence et une intuition aiguë : il devine et il sent bien les êtres et les situations; d'une nature attentive et inquiète, cet indépendant va son chemin avec passion, et défend vigoureusement ce qu'il croit et pense, mais peut filer tout droit dans quelque élan mystique. Du vif-argent à l'état pur.

BLANCHE

(Bianca, Blanca, Blanchette, Branca, Gwen)

Couleur : le jaune.
Chiffre : le 9.
Signe : le Cancer.

A éviter avec un nom de famille commençant par J ou Ch.
Etymologie : du germain « blank », *clair.*
Prénom très en faveur dans l'Europe du Moyen Age, Blanche connaît de nos jours un discret succès.
Célébrités royales incontestables : la Mer Blanche, dans l'océan Arctique, au nord de l'URSS – très poissonneuse; Blanche de Castille, (1188-1252), épouse du roi de France Louis VIII et mère de saint Louis, deux fois régente du royaume, et régente avisée; Blanche de Bourgogne, épousée et répudiée par Charles IV le Bel (en 1322); Blanche d'Aragon-Navarre (1424-1464), épousée et répudiée par Henri IV de Castille (en 1453); et le roman d'Aragon, *Blanche ou l'oubli.*

Ah, Blanche, Blanche! A force d'être claire, à force d'être fêtée, en Espagne, le jour de Notre-Dame-des-Neiges, à force de blancheur on ne vous voit presque plus. Vous êtes l'incarnation de la poésie dans les actes, vous en êtes la finesse et la grâce, et l'époque vous devine à peine. Il est vrai que de si subtiles qualités demandent un bon environnement, et que vous êtes à la merci de votre affectivité. Alors vous vous cachez, comme vous cachez pudiquement votre grande générosité de cœur, et votre aptitude à l'harmonie, au rôle de mère et d'ange du foyer. Mais çà et là, et de moins en moins seuls, sont les parents qui vous reconnaissent et reconnaissent leurs nouveau-nées comme autant de Blanche à venir. Attendons, attendons.

BLANDINE

(Blandin, Blandina, Blandino, Dina)

Couleur : le bleu.
Chiffre : le 7.
Signe associé : la Vierge.
Fête : le 2 juin.
A éviter avec un nom de famille commençant par I, N, Inn, Ni.

Etymologie : du latin « blandus », ***caressant, flatteur.***

Sainte Blandine connut le martyre à Lyon en 177.

Prénom de vogue incertaine, il reste des plus discrets mais réapparaît furtivement çà et là dans le cours des siècles. De nos jours, Blandine semble opérer un de ces retours sans tapage et toujours discret. On continue de lui prêter un visage d'ange, la fraîcheur d'esprit de la pure enfance ainsi que l'art de se donner pleinement à de grandes et charitables causes; chez elle, la morale est dépassée au profit d'une véritable éthique; une très grande âme; une émotion vive; on ne saurait que se féliciter de son retour.

BONIFACE

(Bonifacius, Bonifacio, Bonifas, Faas, Fatzel)

Couleur : le bleu.
Chiffre : le 1.
Signe associé : le Scorpion.
Fête : le 5 juin.
A éviter avec un nom de famille commençant par S, F, ou As, Sa.
Etymologie : du latin ***« bonifacius », celui qui a bonne face,*** **ou encore « bonus »,** ***bon*** **et « fatum »,** ***destinée.***

Dans la lignée des célébrités marquantes, on trouve neuf Boniface papes, dont l'excommunicateur de Philippe le Bel, Boniface VIII; trois marquis de Toscane; un comte romain du Vᵉ siècle; le poète pamphlétaire du XIIIᵉ siècle Boniface de Castellane, qui combattit durement de ses vers Charles d'Anjou.

Ce bon visage, ce destin heureux font de Boniface un être résistant, énergique, solide. En toutes choses, il est porté à rechercher l'absolu, et s'il n'y accède pas, il n'en fait pas un drame, et recommence ailleurs. Mais sait-on que ce prénom qui évoque l'Italie et la Corse connut ses plus fiers succès en Angleterre, dont il est l'un des saints patrons? Au XVIIIᵉ siècle encore, tous les tenanciers de bars, d'auberges et débits de boissons britanniques étaient surnommés « Boniface » dans le langage courant. Il est vrai que saint Boniface, né dans le Wessex, exerça son zèle évangélique en Allemagne, sacra Pépin le Bref, et fut assassiné en 755 par des païens Frisons.

BONAVENTURE

Couleur : le jaune.
Chiffre : le 2.
Signe associé : les Gémeaux.
Fête : le 15 juillet.

A éviter avec un nom de famille commençant par U, R, Ur, Ru.
Etymologie... : bonne aventure, évidemment, de l'italien « bonaventura ».

Cette aventure est celle de la vie, que l'on souhaite bonne à sa naissance et son existence durant à tout Bonaventure. Prénom marqué d'emblée au coin de la chance, il se trouve n'en avoir guère eu, puisque très rarement utilisé. Il y eut au XVIᵉ siècle un conteur fameux portant ce prénom, Bonaventure des Périers, mais le plus célèbre des Bonaventure est encore saint Bonaventure (1221-1274), Docteur de l'Église, ministre général des Franciscains à 36 ans, et ami de saint Thomas d'Aquin. Humble et décontracté, il faisait sa vaisselle au soleil lorsqu'on lui annonça sa nomination de cardinal; le nonce du pape lui apporta cérémonieusement le chapeau précieux de son nouvel état : entre deux coups de torchon, saint Bonaventure lui dit d'accrocher le couvre-chef à une branche d'arbre voisine... On lui doit une admirable *Vie de saint François d'Assise (Itinerarium mentis ad Deum,* 1259), où l'extase de saint François sur l'Alverne est décrite comme l'aboutissement nécessaire de toute l'aventure de la vie et de l'esprit. Au profane, Bonaventure est l'improvisation même, qu'il conduit avec le funambuliste des êtres qui croient à leur étoile. C'est un indépendant, un combatif un peu brouillon parfois, s'engageant dans plusieurs entreprises en même temps. Sa volonté, toute en double face, procède à la fois de l'obstination et de l'imaginaire; Bonaventure est un ludique, il prend des risques et n'hésite pas à remettre ses acquis en jeu. Super-intuitif, brillant, d'une fantaisie parfois échevelée, il joue de sa nervosité comme d'un atout. Mais cette démarche papillonnante le conduit, en cas d'échec, à des accès de fatalisme dont il ne se relèvera qu'avec une envolée de charme où il excelle. Roi des jeux de mots, homme de cœur et grand séducteur, qui pourrait donc lui résister? Et pourtant, on l'oublie, ces temps-ci, on l'oublie...

BORIS

(Borroméa, Borromée)

Couleur : le violet.
Chiffre : le 9.
Signe associé : le Scorpion.
Fête : le 24 juillet.
A éviter avec un nom de famille commençant pas I, S, Is, Si, ou B.
Etymologie : du slave « borotj », ***combattant, guerrier.***
Célébrités non négligeables : plusieurs rois de Bulgarie, dont Boris Ier, canonisé par l'Église; un tsar de toutes les Russies, Boris Godounov, gendre d'Ivan le Terrible, dont Moussorgski s'inspira pour son opéra (*Boris Godounov,* 1874); l'acteur Boris Karloff; et enfin l'écrivain poète-musicien Boris Vian (ci-contre).

Prénom d'origine russe, Boris s'est répandu en Europe et aux États-Unis par l'intermédiaire des exilés. Esprit pénétrant et inattendu, Boris use de la surprise et du coup de théâtre comme d'un ultime argument en faveur de son charme, qui est proprement irrésistible. C'est aussi un être de passion et d'amour, à qui il arrive d'ouvrir à la métaphysique les portes de l'irrationnel.

BRICE

(Brès, Bricius, Brix, Briz, Bryce)

Couleur : le rouge.
Chiffre : le 1.
Signe associé : le Scorpion.
Fête : le 13 novembre.
A éviter avec un nom de famille commençant par I, S, Is, Si.
Etymologie : du celtique « brigh », ***force.***
De nos jours, le philosophe Brice Parrain, l'écologiste Brice Lalonde sont les représentants les plus en vue de ce prénom.

Disciple de saint Martin, saint Brice employait une bonne part de son temps à vilipender son maître, lequel possédait une indulgence infinie... Et saint Brice, malgré tout, succéda à l'évêque de Tours, devenant évêque lui-même, sans que rien n'y parut de son ancien comportement. Il rendit l'âme en 444. Émotif, passionné, précis, efficace, énergique, Brice est d'une intelligence pénétrante et minutieuse. Rien à voir avec ces esprits rapides qui, à ses yeux, semblent justement trop rapides, c'est-à-dire superficiels. C'est un scrupuleux : il pense lentement et agit vite, mais il paraît qu'il est sujet à la jalousie, voire à quelque cruauté; n'en croyons rien, et constatons seulement qu'il est doté d'une certaine raideur affective. C'est leur rigidité qui les freine et peut faire d'eux des moralistes, et même négativement, des moralisateurs. Qu'importe, après tout, si leur perfectionnisme parfois les pousse dans le sens opposé à celui qu'ils croient suivre! L'essentiel, pour eux, est d'explorer lentement le chemin. Beau prénom, quoique discret, l'élégance aristocratique de sa syllabe unique indique assez sa ligne de mire : il est celui qui vise la victoire par des moyens sûrs.

BRIGITTE

(Berhed, Biddie, Birgitte, Bride, Bridie, Bridget, Brighid, Brigide, Britt, Britta)

Couleur : le rouge.
Chiffre : le 9.
Signe associé : le Verseau.
Fête : le 23 juillet.
A éviter avec un nom de famille commençant par T, I, It, D.
Etymologie : du celtique « brigh », ***force.***
Célébrités : Brigitte Massin, musicologue; Brigitte Bardot (page suivante), évidemment, et Brigitte Fossey, bien sûr, actrices.

Au caractère, Brigitte est, sous un aspect parfois distant au premier abord, la sociabilité même; volontaire, intuitive, d'une intelligence prompte à la synthèse, lucide, rigoureuse et active, Brigitte continuera, c'est évident, de nous enchanter.

Brunehilde

(Brunehaut, Brunhild, Brunhilda, Brunilda, Brunilde, Brunilla, Brünnhild, Brynhild)

Couleur : le bleu.
chiffre : le 8.
Signe associé : le Verseau.

Un nom de famille commençant par une voyelle lui convient mieux que n'importe quelle consonne.
Etymologie : du germain « brunja », ***armure,*** **et « hild »,** ***combat.*** **Ainsi Brunehilde serait une « combattante cuirassée ».**

Prénom typiquement médiéval, Brunehilde est, du moins en France, très rare de nos jours, mais conserve une certaine faveur en Allemagne. Fille du dieu scandinave Odin, Brunehilde était la première des Walkyries. Siegfried la tira du sommeil enchanté où l'avait jetée son père. De cette légende, s'inspireront Wagner *(L'Anneau du Nibelung)* ainsi que le conte de *La Belle au bois dormant.* Au VIIe siècle la rivale de Frédégonde, reine de Neustrie, fut la reine d'Austrasie, Brunehilde. Reine, guerrière, et Belle au Bois Dormant : il se trouve que Brunehilde est, au caractère, tout cela tout ensemble, mais quel prince charmant viendra, en cette fin du XXe siècle, lui offrir un anneau, un combat, et l'éveil?

Bruno

(Broen, Bronne, Bruna, Brune, Brunella, Brunette, Brunetto)

Couleur : le bleu.
Chiffre : le 7.
Signe associé : le Verseau.
Fête : le 6 octobre.

A éviter avec un nom de famille commençant par O, No.
Etymologie : du germain « brun », ***bouclier,*** **ou « brunja »,** ***armure,*** **ou encore, mais ce point est controversé, du latin « brunus »,** ***brun.***
Saint Bruno (1030-1101), après avoir enseigné la théologie aussi bien que les sciences et les lettres, saura se retirer pour fonder le monastère le plus strict qui soit, la Chartreuse, ouvert à l'essentiel par-delà les dernières rigueurs. Plusieurs autres bienheureux ont porté ce prénom, ainsi que quatre archevêques de Cologne, un duc de Saxe, le chef d'orchestre Bruno Walter, l'acteur Bruno Cremer, l'écrivain contemporain Bruno Bettelheim; l'éditeur Bruno Roy ***(Fata Morgana);*** **le footballeur Bruno Bellone.**

Bruno était l'un des surnoms donnés au dieu Odin. Une très ancienne peuplade nordique s'appela du reste les Brunons. Courant au Moyen Age, le romantisme l'a remis en vogue, et Bruno est actuellement fort vivace en France. C'est un franc-tireur, ennemi des routines et des obligations artificielles. Son dynamisme intellectuel semble parfois un peu brouillon, du moins aux yeux des esprits méthodiques et lents, dont il n'est pas. En fait, sa promptitude à comprendre autrui en fait un ami solide et sûr. Hyper-sensible, très intelligent, il ne se laisse guère figer par les conventions, et son exceptionnelle intuition du mouvement perpétuel le conduit aisément à renouveler les principes plutôt qu'à vouloir y contraindre le réel. Tout le contraire d'un dogmatique ou d'un moralisateur! Un sens supérieur de la rigueur l'enchante, et non les petites règles maniaques des petites morales et petites vertus.

LES PRÉNOMS DE L'EUROPE GERMANIQUE ET SCANDINAVE

Nous ignorons ordinairement, en France, que la majeure partie de nos prénoms nous viennent de l'Europe germanique et scandinave d'avant la percée chrétienne, et que Lambert, Charles ou Frédéric arrivent tout droit d'Allemagne, qui offre un fonds originel d'environ quarante mille prénoms au choix des futurs parents. Nous en donnerons ici une liste évidemment succincte, en précisant que, du germanique au scandinave, si les racines sont identiques, subsistent de légères différences d'orthographe (Waldemar chez les Allemands pour Valdemar chez les Scandinaves, Siegmund et Sigmund) et que l'influence latine a atténué, dans le sud de l'Allemagne les K (Konrad, au nord) en C (Conrad, au sud), ou les F (Olaf, au nord) en V (Olav, au sud). Ces prénoms, dont la plupart sont de nos jours encore parfaitement courants, fleurent pour nous les temps anciens, et vont chercher leurs sources fort avant dans le passé pré-chrétien. Quelques-uns d'entre eux sont directement passés dans notre langue (Adalbert, Bertrand, Édith ou Irma) et d'autres sont aisément « reconnaissables » (Albrecht = Albert, Heinrich = Henri). Enfin, certains semblent irréductiblement nordiques, et ne manquent pas, çà et là, d'un certain charme (Günther, Ulrike, Swantje) : nos ancêtres du nord n'ont donc pas dit leur dernier mot. En voici quelques-uns :

féminins

Adelheid.
Alrun.
Alwine.
Anstrud.
Astrid.
Bathilde.
Bentje.
Berthilde.
Bilhilde.
Brünnhilde.
Diethilde.
Edwige.
Édith.
Érika.
Ethel.
Frida.
Gertrud.
Godelieve.
Gudrun.
Helga.
Ingrid.
Irma.
Linda.
Mildred.
Nora.
Ottilie.
Roswitha.
Selma.
Sigrid.
Solveig.
Swanhilde.
Swantje.
Thusnelda.
Ulrike.
Wilhelmine.

masculins

Albrecht.
Amalrik.
Ansgard.
Answald.
Armin.
Arnold.
Asbjörn.
Baldwin.
Bernhard.
Bertrand.
Björn.
Bruno.
Detlev.
Dietrich.
Dietwin.
Eckart.
Einar.
Erich.
Ewald.
Friedrich.
Gottfried.
Günther.
Hartfried.
Helmut.
Heinrich.
Hildebrand.
Lambrecht.
Leif.
Ludwig.
Luitpold.
Manfred.
Oswald.
Ragnar.
Roeland.
Rolf.
Rudolf.
Siegfried.
Siegmund.
Thorfinn.
Udo.
Ulrich.
Volkmar.
Waldemar.
Wilfrid.
Wolf.
Wolfgang.

L'ALLEMAGNE : LE BALANCIER ENTRE PRÉNOMS GERMANIQUES ET CHRÉTIENS

En Allemagne, tout se joue, pour ce qui concerne les prénoms, entre les dieux des anciens Germains et la montée de la christianisation, entre les prénoms germaniques, « païens », et ceux issus de la Bible. Jusqu'au XIIe siècle, les germaniques règnent en maîtres des lieux, puis cèdent progressivement du terrain aux prénoms chrétiens, qui prennent de plus en plus d'importance jusqu'au XVIe siècle, allant, au moment de la Réforme, jusqu'à faire disparaître quasi complètement leurs prédécesseurs.
Ces prénoms inspirés du christianisme connaîtront eux-mêmes plusieurs vogues, apportant avec eux des gréco-latins (XIIe-XVe siècles), puis, avec l'humanisme du XVe siècle, des résurgences de l'Antiquité classique (Julius, Alexandre); la Réforme, qui refusa le culte des saints, leur substitua les prénoms hébraïco-bibliques de l'Ancien Testament, Calvin n'hésitant pas à faire proscrire par le Conseil de Genève tout prénom autre que biblique, tandis que Johannes Carion, bras droit de Luther, faisait publier en 1537 un livre de recommandations d'inspiration identique.
Au début du XVIIe, Johannes semble avoir définitivement gagné la partie contre Björn ou Wolf. D'autant que le mouvement allait

s'intensifier sous l'influence du piétisme, qui, aux XVIIe-XVIIIe siècles, n'hésita pas à créer de nouveaux prénoms allemands forgés par une inspiration mystico-chrétienne marquée : c'est l'envolée des Gottlieb, des Leberecht (« Qui vit dans la droiture »), des Furchtegott (« Qui craint Dieu »), et autres Christliebe (« Amour du Christ »).
Cette tendance extrême, toutefois, ne durera pas profondément, et un mouvement de réaction, à la même époque, commence à se faire jour en faveur du retour en usage des prénoms germaniques, et le romantisme, au XIXe, y contribuera puissamment. Parallèlement, des prénoms nouveaux sont encore créés, portant cette fois au comble de l'abstraction les vertus nécessaires aux âmes bien nées, comme Freude (« Joie »), Herz (« Cœur »), ou encore Artigine (à partir de *artige,* « sage »), Blumine (à partir de *Blum,* « fleur »). Le retour des prénoms « de chevalerie », traduisant le sursaut d'une conscience nationale, avait préparé, dès le XVIIIe, ce renversement de situation, en ramenant les Werner, Günther, Bertha, Gertrud et Ottokar au premier plan. Actuellement, ce vaste mouvement de balancier semble relativement stabilisé, et, si les prénoms chrétiens restent les plus répandus, un équilibre semble instauré, qui permet aux prénoms germaniques d'avoir toujours largement droit de cité. Les listes qui suivent sont indicatives de ces différentes tendances, mais on constatera que les prénoms qui, aujourd'hui, sont les plus couramment utilisés, sont d'origine chrétienne.

Prénoms germaniques

Bernart, Bernhard.
Heinrich.
Siegfried.
Ulrich.
Wolfgang etc.

Prénoms bibliques

Hans.
Jörg (Georges).
Peter.
Steffen.

puis, avec la Réforme : Abraham, Isaac, Jacob, Johannes, Samuel etc.

Créations piétistes :

Christliebe.
Gottheld.
Gottelieb.
Gotthold.
Furchtegott.
Leberecht.
Traugott etc.

et « abstraites » (XIXe siècle) :

Blumine.
Artigine.
Freude.
Herz.
Lustine etc.

Les prénoms les plus utilisés de nos jours :

Andrea.
Anja.
Anna.
Barbara.
Birgit, Britta.
Christine.
Claudia.
Julia.
Kristen.
Margareta.
Maria.
Martina.
Nicole.
Petra.
Sabine.
Sandra.
Stefanie.
Susanne.
Tanja.
Vera.
Ursula.

Andreas.
Christian.
Friedrich.
Frank.
Hans.
Johannes.
Jörg, Jürgen.
Karl.
Mark, Markus.
Michael.
Peter.
Ralf, Rolf.
Rudi.
Stefan.
Thomas.

CAMILLE

(Camila, Camilo, Camill, Camilla, Camillo, Cammie, Kamilka, Millie)

Couleur : le jaune.
Chiffre : le 1.
Signe associé : le Lion.
Fête : le 14 juillet.
A éviter avec des noms de famille commençant par I.
Étymologie : du latin « camillus », ***jeune homme,*** **qui, dans les sacrifices aux dieux de Rome, assistait le grand prêtre durant la cérémonie.**
Célébrités : Camille, reine des Volsques dans l'Enéide; Virgile la fait si aérienne qu'« elle court sur les épis sans qu'ils courbent la tête »; la sœur des Horaces; le général romain Camille (IVe siècle avant J-C), second fondateur de Rome » et ainsi désigné pour avoir fait échapper la ville à une attaque... des Gaulois; ***Camilla*** **(1976), roman de Fanny Burney, qui popularisa le prénom en Angleterre; Camille Desmoulins; Camille Saint-Saëns; Camille Pissaro.**

Comme Dominique ou Claude, Camille est un prénom donné aussi bien aux filles qu'aux garçons. Saint Camille de Lellis (1550-1614) eut une jeunesse frivole et mouvementée, après quoi un incurable ulcère à la jambe lui fera rencontrer la foi; infirmier à Rome, scandalisé et ému par la grande détresse des hôpitaux, il fonda l'Institut des Camilliens, ancêtre direct de la Croix-Rouge, qui était d'ailleurs l'emblème des Camilliens. Saint Camille a été canonisé en 1746, et il est devenu le protecteur des hôpitaux et des malades, et le patron des infirmières et infirmiers. Trois autres saints et trois saintes, dont une sainte Camille martyrisée à Auxerre, furent des Camille. Au caractère, quel caractère! Camille est un volcan ardent et fier, qui s'emballe vite et fort, mais toujours au nom de quelque grand principe qu'il a à cœur de voir illustrer ou défendre; Camille est la rigueur morale même, doublée d'une intelligence et d'une intuition qui lui font immédiatement repérer, sentir ce qui va ou ne va pas; c'est un sensible et un sensuel, un inquiet et un indépendant – un rapide. Au féminin, le prénom de Camille s'entoure d'une autre atmosphère, puisqu'on la découvre hyper-intuitive et sociable, généreuse et courageuse, opiniâtre et pleine d'émotion retenue, d'impulsions et d'élans du cœur; il est vrai qu'elle aussi s'emballe volontiers et se passionne pour le jeu des idées. De vives natures.

CARINE

(Cara, Carina, Karen, Karin, Karina, Karine)

Couleur : le rouge.
Chiffre : le 5.
Signe associé : le Capricorne.
Fête : le 7 novembre.
A éviter avec un nom de famille commençant par I, N, Inn.
Etymologie : du latin « carus », *bien-aimé, cher.*

Souvent confondu avec des diminutifs de Catherine, ou Katharina, ce prénom serait en fait d'origine scandinave, et, de la Suède où il était en faveur, il a gagné l'Allemagne juste avant la dernière guerre, puis la France et l'Angleterre (surtout sous la forme de Cara). Quant à sainte Carine, au IVe siècle, l'empereur Julien l'Apostat la fit martyriser à Ankara en même temps que son fils et son mari. Prénom curieusement austère en dépit de sa sonorité caressante, l'esprit de sérieux ne lui manque pas. Carine n'appartient pas au monde de la facilité. Nerveuse, d'un psychisme capricieux sujet aux coups d'humeur, elle passe d'un trait de la déception à l'enthousiasme... et inversement! Ce serait une « intellectuelle », mais quel dynamisme!

CARL, CARLOS, KARL

(voir Charles)

Couleur : le rouge.
Chiffres : le 7, le 5.
Signe associé : le Sagittaire.

Célébrités : Carl-Maria von Weber (1786-1826), le musicien; Karl Marx, évidemment; ainsi que le mythique (?) terroriste contemporain Carlos; Carl Orff, auteur de la cantate *Carmina burana* (1937); le chanteur Carlos; et l'écrivain ethnologue apprenti-sorcier Carlos Castaneda; les philosophes Carl Jaspers, Carl-Gustav Jung.

CARMEN

(Carma, Carmencita, Carmina, Carmine, Charmaine)

Couleur : le jaune.
Chiffre : le 9.
Signe associé : le Verseau.
A éviter avec un nom de famille commençant par En, N.
Etymologie : du latin carmen *chanson.*

***Célébrités :* l'opéra de Bizet, *Carmen (1875);* la cantate *Carmina burana* (1937), de Carl Orff; la reine Élisabeth de Roumanie, qui, à des fins littéraires, se donna le pseudonyme de Carmen Sylvia; Carmen Tessier.**

Carmen est aussi le dénomination espagnole de la montagne qui jouxte la rade de Saint-Jean d'Acre; là fut d'ailleurs créé l'Ordre des Carmes et des Carmélites. Il y avait donc une relation entre Carmen et le mont Carmel, qui ferait de la « chanson » Carmen un chant grave et sacré. Vive, indépendante, audacieuse, Carmen n'admet point d'être dominée par l'homme. Son goût de la liberté, son intrépidité même peuvent lui jouer des tours en l'exposant à la dispersion. Elle peut se risquer à entreprendre trop, c'est-à-dire plus qu'elle ne pourrait réaliser. Son charme est généralement irrésistible, et elle le sait.

CAROLE, CAROLINE

(voir Charlotte)

Couleurs : le rouge, le bleu.
Chiffres : le 9, le 1.
Signes associés : le Verseau, le Bélier.
A éviter avec des noms de famille commençant par L ou N, Inn.

Célébrités : l'actrice Carole Lombard, ou encore Carole Laure; Caroline Mathilde (XVIIIe siècle), reine du Danemark qui laissa les rênes du pouvoir à son amant et mourut en bateau; Caroline de Brunswick (1768-1821), reine d'Angleterre; son époux, Georges IV, lui intenta un procès pour adultère et la répudia; Caroline Bonaparte; Caroline de Monaco; et enfin, des célébrités géographiques : l'archipel de l'Océanie, les îles Carolines; Carolina, ville espagnole du sud de la sierra Morena; la Caroline du Nord, la Caroline du Sud, qui sont deux états des États-Unis. On pourrait presque parler d'une Caroline au long cours; mais c'est à la romantique allemande Caroline von Günderode (1780-1806) que nous laisserons le soin de conclure : « ... du tout j'avais la pensée, du tout j'avais le sentiment; dans l'océan j'étais une onde, dans le soleil j'étais rayon, gravitation avec les astres... »

CASIMIR

(Casimiro, Casper, Cass, Cassie, Cassy, Kasimir, Kasmira)

Couleur : le bleu.
Chiffre : le 9.
Signe associé : le Scorpion.
Fête : le 4 mars.

A éviter avec un nom de famille commençant par R, Ir, Ri.

Étymologie polonaise, de « kas », *assemblée,* et « kasimierz », *qui fait la paix.*
Célébrités : le poète Casimir Delavigne (1793-1843); le banquier et homme politique Casimir Périer (1777-1832); cinq rois de Pologne; venu de Pologne, Casimir continue d'y être très répandu.

A la question : qui êtes-vous, Casimir? celui-ci répond fort discrètement, comme il le doit à sa modestie :
« Je suis souvent ce que veut le vent. L'assemblée, la paix à conclure, tout cela c'est l'étymologie, et ce n'est pas toujours la paix; du reste, pour en arriver là, il a bien fallu qu'il y ait guerre. Tout dépend, bien souvent, de l'entourage où l'on se trouve pris; pour moi, il m'arrive d'avoir cette faiblesse de tant respecter autrui que parfois je peux me laisser prendre à ses jeux, qu'ils soient bons ou méchants, édifiants ou cruels, même si j'avoue d'abord et avant tout ma tendance au dévouement, à la compassion et au soutien des faibles et des malheureux. En fait, j'ai grand-soif d'absolu, d'union profonde, voire mystique, et je compte mes déceptions au nombre des épreuves secrètes que le destin nous donne à surmonter. Sous les apparences chantantes de ma sonorité, je suis un prénom plutôt sérieux, c'est ainsi. »

CATHERINE

(Caitlin, Cathia, Cathie, Catalina, Cationa, Kalleke, Katalin, Katarina, Kate, Katel, Käthe, Kathleen, Kathlene, Katinka, Katia, Katje, Katiouchka, Katrina, Katy, Keet, Ketty, Nine, Trina, Trine, Trinke)

Couleur : le rouge.
Chiffre : le 2.
Signe associé : les Poissons.
Fête : le 29 avril.

A éviter avec un nom de famille commençant par I, Inn, Rinn.
Étymologie : du grec « katharos », *pur,* en provenance du grec « Ékaté », qui était l'un des surnoms de la déesse Diane. Catherine est l'un des « grands » prénoms féminins. Les célébrités ne lui manquent pas : quatre reines d'Angleterre; deux impératrices orientales; la reine de France Catherine de Médicis; les chanteuses Catherine Sauvage et Catherine Lara; les actrices Katerine Hepburn, Catherine Deneuve (page suivante); l'écrivain Katherine Mansfield; la théoricienne du féminisme contemporain Kate Millet, etc.

Avec Catherine, nous entrons d'emblée dans la grande légende chrétienne, et nombre de saintes et bienheureuses ont porté ce prénom. Ainsi, sainte Catherine de Sienne (1347-1380), dominicaine, farouche ennemie des mœurs corrompues et auxiliaire efficace de Grégoire XI et Urbain VI, elle est celle qui fit revenir à Rome les papes tenus en Avignon. Sainte Catherine d'Alexandrie, au IVᵉ siècle, connut le martyre dans cette ville. Sainte Catherine Labouré, au siècle dernier, eut une vision de la Vierge le

27 novembre 1830; elle fut canonisée en 1947. On le voit : Catherine est un prénom de forte envergure en matière de sainteté. Au profane, il faut bien constater qu'il en va de même, eu égard au nombre de reines et autres très grandes dames qu'elle abrite dans son sillage. Prénom riche et puissant, elle éveille de profonds échos dans la sensibilité. Intuition, sens conjoint du mystère et du naturel, elle sait mêler la féerie à la conviction. Pourtant, elle se rebelle contre l'excès d'intellectualité qui parfois la submerge, tout comme elle rationnalise aisément ses rêveries les plus avancées. Ce psychisme complexe souffre çà et là de sa propre richesse, et ses ré-équilibrages intérieurs ne vont pas sans à-coups quelquefois violents et déconcertants. Mais son intelligence très analytique et son dynamisme la sauvent toujours. Enfin, est-il besoin de faire valoir les qualités d'un prénom qui s'est si largement et durablement imposé partout, en Orient comme en Europe, en Russie comme en Amérique? Catherine est la patronne universelle des jeunes filles (les « catherinettes »), et, rien qu'à ce titre, elle est assurée d'un renouveau perpétuel!

CÉCILE

(Cäcilie, Cecil, Cécile, Cécilia, Cecilius, Cecily, Ceese, Célia, Célie, Sile, Sileas, Sisile, Sisley, Sissie, Tsilia, Zielge)

Couleur : le bleu.
Chiffre : le 1.
Signe associé : les Gémeaux.
Fête : le 22 novembre.
Étymologie : du latin « caecus », ***aveugle.***
A éviter avec un nom de famille commençant par L, Il, Sil.

Célébrités : Cécile Vasa, fille du roi de Suède Gustave Ier Vasa (XVIe siècle), elle fut remarquée pour la double hardiesse de sa conduite et de sa beauté; l'archiduchesse d'Autriche et reine de Pologne Cécile-Renée; les actrices Cécile Sorel et Cécile Aubry; la tendre chanson de Claude Nou-

garo, *Cécile, ma fille*; au XVIIIᵉ siècle, Haendel composa une *Ode à sainte Cécile;* la nouvelle de Heinrich von Kleist, *Die heilige Căcilie* (la sainte Cécile).

Courant en France dès le XIIIᵉ siècle, Cécile envahit l'Angleterre avec les Normands. Le succès de ce prénom, quoique toujours sobre, ne s'est jamais démenti. Martyre au IIIᵉ siècle, sainte Cécile est la patronne des musiciens, elle qui monta au supplice en chantant. De méchants esprits décrivent Cécile comme une rêveuse ou une mythomane fuyant le réel. Disons qu'elle possède une aptitude naturelle à le transfigurer et à en faire ressortir le charme inaperçu. Ses vertus cardinales sont d'ailleurs la volonté, l'intuition, l'intelligence et le sens de l'action. En fait, c'est aussi une réaliste complète, puisqu'elle sait reconnaître la secrète rêverie comme composante à part entière de la réalité sensible. Prénom fort, prénom séduisant, nul n'ironisera sans dommage sur la qualité de son regard, et bien des Cécile viendront et reviendront encore!

CÉDRIC

Couleur : le bleu.
Chiffre : le 3.
Signe associé : le Sagittaire.
A éviter avec un nom de famille commençant par I, ou Ic.
Étymologie : du vieil anglais « caddaric », *chef de guerre;* ou encore du gallois « ceredig », *aimable.* De résonance typiquement médiévale, Cédric tend à revenir parmi nous.
Célébrités : le Cédric d'*Ivanhoe* (1820), de Walter Scott; ou encore le Cédric de *Little Lord Fauntleroy* (1886), roman de Hodgson Burnett.

Ce guerrier aimable est, au caractère, un être actif et émotif à la parfaite moralité; on le sait pourvu de flair et de finesse : quoi d'étonnant à ce succès discret dont il jouit de nos jours? Il témoigne parfaitement de ce retour de faveur qui accompagne actuellement la résurgence de prénoms anciens.

CÉLESTIN, CÉLESTINE

(Célesta, Céleste, Célestina, Celtina)

Couleur : le jaune.
Chiffre : le 6.
Signe associé : la Vierge.
Fête : le 27 juillet.
A éviter avec des noms de famille commençant par In, Inn, Tin.

Célestin et Célestine sont un peu désuets de nos jours, comme nombre de prénoms devenus grands-pères et grands-mères. Saint Célestin 1ᵉʳ, pape entre 422 et 432, fut un farouche combattant de diverses hérésies de son époque. Saint Célestin (1215-1296), ermite accompli et retiré du monde, fut élu pape malgré lui en 1294; il avait presque atteint ses 80 ans! Après un an d'exercice de ce sacerdoce, il reprit sa vie d'ermite, fondant au passage l'Ordre des Célestins. Trois autres papes furent également des Célestin.

CÉLIA

(Diminutif anglo-saxon de Cécile; voir ce prénom)

CÉLINE

(Célinia, Célinie, Celinda, Cylinia)

Couleur : le bleu.
Chiffre : le 3.
Signe associé : le Cancer.
Fête : le 21 octobre.
A éviter avec un nom de famille commençant par N, Inn.

Étymologie controversée : du latin « marcus », *voué à Mars* (dieu de la guerre), ou du latin « celare » *celer, cacher.*
Célébrité : Céline Zins, poétesse contemporaine.

Prénom rarissime il y a encore peu de temps, on assite aujourd'hui à sa spectaculaire remontée. Pour ce qui concerne les origines de Céline, les spécialistes y perdent leur latin... Ainsi, on fait dériver Céline de Marceline aussi bien que de Céleste ou Célie, ou encore du prénom médiéval Asseline, Asselin, ou bien de Selena (du grec « sélènè » *lune,* emblème de la déesse Artémis)! Quoi qu'il en soit, sainte Cécile fut la mère de saint Rémi de Reims (Vᵉ siècle), et sainte Céline de Meaux, la compagne de sainte Geneviève (420-510). Céline fut également le prénom de la mère de Louis-Ferdinand Céline, dont il fit son patronyme littéraire. Au caractère, Céline est dite volontaire et tributaire des fluctuations du cœur : son intuition jaillit aux sources affectives d'une émotivité parfois difficile à maîtriser. Mais elle sait placer, lorsque la situation l'exige, l'orgueil le plus spontané au service de la méditation. On ne saurait que souhaiter un bon retour à ce prénom.

CÉSAIRE

(voir César)

Couleur : le vert.
Chiffre : le 6.

Signe associé : la Balance.
Fête : le 27 août.

Plusieurs saints ont porté ce prénom, notamment saint Césaire d'Arles (470-542), qui s'employa à combattre l'hérésie arianiste, et saint Césaire de Naziance, qui fut le frère de saint Grégoire (IVᵉ siècle).

CÉSAR

(Cäsar, Caesar, Césaire, Cesare, Césarie, Césarine, Cesario, Cesarius, Kecha, Kesari, Serres, Tzezr)

Couleur : le vert.
Chiffre : le 1.

Signe associé : la Vierge.
Fête : le 27 août.

A éviter avec un nom de famille commençant par A, Ar, Ra, R.
Étymologie : du latin « caeso », *pratiquer une césarienne.*
Célébrités nombreuses, à commencer par le premier des Jules, César, qui se fit un nom de ce prénom; le scandaleux César Borgia, fils amoral d'un pape immoral; le fils naturel de Henry IV, César de Vendôme; le mucisien belge César Frank; César Biroteau, personnage central du roman de Balzac; le compositeur César Franck; le *César* de Marcel Pagnol; l'éditeur Cesare Rancilio; l'empereur, chez les Allemands et les Russes, est un *Kaiser* ou un *Tsar,* c'est-à-dire un César. Le prénom est par ailleurs souvent devenu un nom de famille sous les formes de Césari, Césarini, Cézard, Césaire – comme c'est le cas du grand poète et homme politique martiniquais contemporain Aimé Césaire. Le césarisme, à cause, principalement, de la figure de Jules César, est devenu synonyme d'autoritarisme. Il est vrai que c'est un prénom puissant.

César? Un vainqueur, un homme qui domine la situation. Maître de soi, César équilibre parfaitement la volonté et l'action. L'efficacité en toutes choses est de son ressort, et il ne manque ni de dynanisme ni d'intelligence. Chercheur minutieux et infatigable, il excelle dans la stabilité affective pour mener à bien ses entreprises au dehors. Rigueur morale et sûreté de jugement le signalent à l'attention. C'est un ami solide, tenant fermement parole. On peut certes compter sur lui, car il est de ceux que même l'échec vient stimuler. « Veni, vidi, vici », dit Jules César : « Je suis venu, j'ai vu, j'ai vaincu ». Nous ne lui donnerons pas ici la parole : il prendrait trop vite le commandement. Et les César ne sont pas près de manquer!

CHANTAL

Couleur : le jaune.
Chiffre : le 5.
Signe associé : le Lion.
Fête : le 12 décembre.
A éviter avec un nom de famille commençant par L, Al, La.
Étymologie : de l'occitan « cantal », *pierre, roche.*
Célébrités : l'image snob des « Marie-Chantal », dont le prénom a un peu souffert; la cinéaste belge contemporaine Chantal Ackermann.

Sainte Chantal (1572-1641) s'appelait en réalité Jeanne Frémyot, épouse du baron de Chantal; elle fonda l'Ordre de la Visitation avec saint François de Sales, et fut la grand-mère de Madame de Sévigné; l'Église la canonisa sous le nom de Jeanne de Chantal. Ce prénom eut un certain succès entre les années quarante et soixante en France, et amorce un redémarrage au début de ces années quatre-vingts. Chantal semble l'archétype de la beauté passionnée; la fougue, l'enthousiasme, les nobles causes par où se dépenser, voilà les qualités les plus évidentes de cette idéaliste active. Et peu importe qu'on l'ait traitée de snob, elle a l'humour qu'il faut pour passer outre!

CHARLES

(Carito, Carl, Carla, Carlo, Carlos, Carlotta, Carlyle, Carol, Carola, Carole, Carolin, Caroline, Charel, Charlemagne, Charlène, Charletta, Charlette, Charley, Charlie, Charline, Charlot, Charlotta, Charlotte, Cheree, Cheryl, Chick, Chuck, Halle, Jarl, Karel, Karl, Karlota, Karlouchka, Lilita, Linchen, Lini, Lola, Loletta, Lotta, Lotte, Lottie, Sarel, Sherry, Sheryl, Siarl, Teârlach)

Couleur : le rouge.
Chiffre : le 3.
Signe associé : la Balance.
Fête : le 4 novembre.
A éviter devant Le, La.
Etymologie : du germain « karl », ***viril.***
La liste des célébrités qui portèrent ce prénom est fort étendue, et nous n'en retiendrons nécessairement que les plus marquantes, ainsi, outre les Charlemagne, Martel, Téméraire et autres Marx, Darwin ou De Gaulle et Chaplin, il y eut sept empereurs d'Occident, neuf rois de France, des rois dans toute l'Europe (en Angleterre, en Espagne, en Suède, en Sicile, à Naples), des ducs de Savoie; des poètes et écrivains – Charles Dickens, Charles Baudelaire, Charles Perrault, Charles Nodier; des philosophes – Karl Jaspers, ou Carl Gustav Jung; les musiciens Carl Maria von Weber et Charles Gounod; Charles le Brun, peintre du Roi (Louis XIV) et initiateur du château de Versailles; l'écrivain visionnaire Charles Fourier; le peintre contemporain Charles Maussion; le botaniste Charles de l'Écluse (1525-1609); les chanteurs Charles Trenet, Charles Aznavour; le grand Charlie Mingus etc.

Carolus Magnus, « le grand Charles » – autrement dit Charlemagne, dont on a fait un saint pour des raisons plus politiques que religieuses, est à l'origine de la renommée du prénom. Celui-ci s'est répandu en Angleterre avec les Normands, en Espagne avec Charles Quint, et toute l'Europe s'est reconnue en ses divers grands porteurs, qu'il s'agisse de Charles Martel, Charles le Téméraire, ou Charles Darwin, Karl Marx et Charles de Gaulle. En fait de sainteté, une bonne quinzaine de Bienheureux furent des Charles, à commencer par Charles Borromée (1538-1584), grand ecclésiastique, lettré et organisateur de l'Église, ou Charles Lwanga, martyr en Ouganda en 1886 avec vingt-deux de ses compagnons ougandais pour avoir refusé de se plier aux désirs homosexuels de leur roi. Ce grand prénom n'a guère subi les atteintes des temps, et continue d'être universellement porté dans le monde occidental. Au caractère, Charles passe, et rien ne semble devoir l'arrêter, interrogeons-le :

« Moi, Charles, je suis de ces flegmatiques maîtres d'eux-mêmes qui semblent quasiment immobiles alors qu'ils savent plier le monde entier à leur vision. C'est ainsi : j'avance puissamment, en donnant l'impression du plus grand calme; je réalise mon projet, j'impose la marche vers mon but, j'agis en essayant de ne pas faiblir, douter, ou revenir en arrière. L'action, je ne souffre pas de la voir remise à plus tard, et tout manquement à la confiance en soi me paraît signe de veulerie ou d'insuffisance créatrice. Il faut dire que je suis un roi de la volonté, et qu'émotions fortes, échecs ou obstacles ne sont à mes yeux qu'occasion d'exercer une juste et indispensable domination sur nos humaines faiblesses : la maîtrise, voilà qui est digne de la rigueur et de la lucidité qu'il m'est échu de déployer. J'ai d'évidentes aptitudes au commandement, à l'exercice de l'autorité, spirituelle aussi bien que temporelle, et mon intelligence est le moteur central de toutes mes entreprises. J'analyse en détail et j'unifie en force; la synthèse, la logique et la droiture couronnent mes réflexions, et j'apprécie l'équilibre et la cohérence comme bases du véritable dynamisme. Si Charlemagne est le patron des écoliers, le simple Charles est celui de l'attention rigoureuse. Inflexible et sûr, il me paraît inutile de m'encombrer de concessions, de compromis, de combines – choses que j'abhorre au plus haut point. Je ne suis sociable qu'avec qui en est digne, et je tiens qu'il n'y a d'autre chance que celle du travail bien mené; c'est d'ailleurs sous cet angle qu'on peut me dire soutenu par la chance. Il est clair qu'au plan affectif je ne me livre qu'avec modération et retenue, les grandes démonstrations sentimentales me paraissant toujours un peu suspectes d'émotivité incontrôlée. Seule la placidité intérieure, avec son calme, assure à mes yeux l'authenticité du cœur. Certes, il peut m'arriver de cultiver secrètement quelque mélancolie profonde, mais je jugerais ridicule d'en faire étalage. Et puis, le vrai courage est précisément de savoir passer outre – et je passe outre! Une cuirasse solide et l'orgueil de l'abnégation : voilà qui permet d'aller de l'avant, y compris pour vaincre l'orgueil et s'exposer au véritable risque. En fait, ma force est de ne pas pratiquer le culte de la force, mais de la mettre toute entière au service d'un but clairement visé et défini. Si j'osais, et je l'ose, je dirais que c'est cela, la douceur : il n'est d'autre bienveillance que le goût d'assumer le seul miracle du monde, qui se nomme volonté, cohérence, et harmonie. Je tiens qu'il faut savoir disparaître avant les honneurs, une fois l'œuvre accomplie, sans souci des jugements extérieurs : je m'en vais donc, et vous laisse au charme des autres Charles à venir. Je vous permets même de sourire et de rire, et le *Charlot* ironique dont vous m'affubleriez n'entame en rien mon prestige et mon humour, puisqu'avec Chaplin il force encore le respect. »

CHARLOTTE

(voir Charles)

Couleur : le rouge.
Chiffre : le 3.
Signe associé : le Taureau.
Fête : le 17 juillet.

A éviter devant O, T, TO.
Étymologie : voir CHARLES.
La Bienheureuse Charlotte, Carmélite de Compiègne, connut la guillotine en 1794. Un an plus tôt, Charlotte Corday subissait le même sort après avoir poignardé Marat. Forte personnalité que Charlotte, puisqu'on la retrouve princesse palatine en Charlotte de Bavière, reine des Belges, en Charlotte-Augusta, épouse de Léopold Iᵉʳ, et grande duchesse du Luxembourg, en Charlotte fille de Léopold III, ou écrivain en Charlotte Brontë.

Au caractère, Charlotte se démarque assez nettement de Charles, puisque sa volonté, certes puissante, s'octroie la liberté de s'arrêter parfois en chemin. Sentimentalité, tendresse, versatilité sont chez elle l'apanage d'une émotivité qui confine à la nervosité. Contrairement à Charles encore, elle se révèle volontiers extravertie, et le besoin de séduire son entourage fait d'elle un être d'une grande sociabilité; de surcroît, son sens de l'action n'a rien d'un activisme inflexible, et elle peut changer d'idée en route. En fait, seuls ses élans d'enthousiasme assurent son dynamisme. Le brillant de l'existence, son éventuel luxe et le plaisir de la beauté l'attirent davantage que l'effort soutenu. Une intelligence reine du détail et peu encline à l'esprit de synthèse, une affectivité assoiffée de reconnaissance et d'amour, un sens moral exigeant et secret, voilà qui lui confère une grande décontraction mêlée, çà et là, de crispations soudaines. Mais son charme est puissant et sa robustesse, toute paysanne et sûre, lui permet de passer outre à ses coquetteries. En fait, sa liberté d'esprit confine à la chance pure et simple de n'être pas entravée par sa propre désinvolture : sous une apparente et hautaine indolence, elle cultive au-dedans un feu toujours prêt à rejaillir. Présence chatoyante et complexe, Charlotte s'adapte avec beaucoup de bonheur aux situations les plus mouvantes et imprévues. Une fleur de feu sous une eau brillante.

CHRISTIAN, CHRISTIANE

(Carsta, Carsten, Chrétien, Chrétienne, Chris, Chrissy, Christel, Christelle, Christina, Christie, Christiana, Cristiano, Karsten, Kerst, Kerstin, Khristocha, Kirsten, Kristian, Kristiane, Kristina, Kristine, Stijn, Stina, Stinke)

Couleur : le vert.
Chiffres : le 2, le 7.
Signe associé : le Bélier.
Fête : le 12 novembre.
A éviter avec un nom de famille commençant par An ou N, Ann.
Etymologie : du latin « christianus », *chrétien, disciple du Christ.*
Célébrités : des rois de Danemark et de Norvège; le poème de Coleridge, *Christabel* (1816); Hans-Christian Andersen et ses contes; le fils de Jean-Sébastien Bach; le peintre contemporain Christian Bouillé; l'éditeur Christian Bourgois; l'acteur Christian Marquand; et l'écrivain Christiane Rochefort.

Saint Christian (IIe siècle) évangélisait la Pologne avec un groupe de moines; des bandits les occirent, mais furent capturés et condamnés à mourir d'inanition enchaînés aux tombes des moines et de Christian. Au bout d'un certain temps, dit la légende, les chaînes et les fers tombèrent d'eux-mêmes : du fond de la tombe, ou du ciel, les saints avaient accordé leur pardon aux brigands; libres, ils se firent tous moines. Sainte Christiane (ou Chrétienne) vécut au IVe siècle; prodigue de foi et de charité, elle soigna et évangélisa ferme en Géorgie. Christian, très fréquent en France, décline un peu depuis les années 1950, mais les formes féminines du prénom sont toujours très vivantes, et dans toute l'Europe – hormis peut-être Christabel, devenu rare. Christiane elle-même cède un peu la place actuellement à Christine, venue d'Italie au XIe siècle, ou Christelle. Au caractère, Christian se révèle sociable, plein d'énergie et d'initiative; intelligent et sensible, sa générosité ne fait pas de doute; ce viril ne s'avoue jamais battu, et va de l'avant résolument. Christiane est toute droiture et intelligence; très exigeante en amitié comme en amour, passionnée de justice et de perfection, elle est ardente au dévouement, à la lutte, comme au pardon; un cœur immense, et un esprit tranchant.

CHRISTELLE

(voir Christiane)

Couleur : le vert.
Chiffre : le 3.
Signe associé : le Capricorne.
A éviter devant un nom de famille commençant par El, L, Le.
Étymologie : voir CHRISTIANE.

Séduction, sérieux, activité soutenue : Christelle est très proche de Christiane, avec peut-être un charme plus appuyé, une légère pointe de coquetterie dans la rigueur.

CHRISTINE

(voir Christiane)

Couleur : le vert.
Chiffre : le 6.
Signe associé : le Capricorne.
Fête : le 28 juillet.
A éviter devant un nom de famille commençant par Inn, N, T.
Étymologie : voir CHRISTIANE.
Célébrités : Kristin, (1364-1430) femme (suédoise) de saint Éric; Christine de Pisan, poétesse du Moyen Age; Christine de France, fille de Marie de Médicis et Henri IV; Christine de Suède (1626-1689), reine scandaleuse, catholique et cultivée, protectrice de Descartes; l'écrivain Christine de Rivoyre et Christine Piot, critique et œil inspiré, notamment de l'œuvre de Picasso.

Il y eut huit saintes et bienheureuses à se nommer Christine, et notamment sainte Christine l'Admirable, jeune vierge du XIIIe siècle, mais il y eut d'abord sainte Christine de Boldéna (Italie), souvent confondue avec une

martyre de Tyr, mais les vies de ces dames sont soumises aux fluctuations des récits et légendes. Sainte Christine de Boldène, donc, fut torturée, suppliciée, martyrisée de mille manières, toutes plus affreuses les unes que les autres, par son père, rendu fou furieux par la foi de sa fille. Mais sans doute convient-il de mettre tout ceci au conditionnel, l'Église elle-même ne jurant de rien quant à cette histoire. Ceci se passait aux premiers siècles, mais on n'est sûr que de l'époque à partir de laquelle un culte fut rendu à cette sainte : le IVe siècle.
Au caractère, Christine ne semble pas se ressentir des souffrances de sa sainte ancêtre, ou les avoir parfaitement assimilées et dominées, puisqu'on la retrouve très voisine de Christiane en fait de cœur, d'esprit, et d'énergie; elle agit sans trêve, et parfois sans repos, ce qui peut être gênant, tellement l'inaction lui fait peur; sa façon de contempler, sa méditation et prière, c'est donc l'action, la culture de soi permanente, l'application au travail; on pourrait la croire, dans ces conditions, plutôt rigide et austère, mais il n'en est rien, puisqu'un humour salubre lui évite la crispation morose de l'excès de sérieux. Une belle ardeur.

CHRISTOPHE

(Chris, Christopher, Cristobal, Cristof, Cristoforo, Chrystal, Kester, Kit, Kristof, Kristofer, Kristofor, Toffel, Töffel)

Couleur : le bleu.
Chiffre : le 4.
Signe associé : le Bélier.
Fête : le 25 juillet.

A éviter devant un nom de famille commençant par To, F, V.
Étymologie : du grec « Khristophoros », ***qui porte le Christ.***

Célébrités : trois rois de Danemark; un empereur byzantin; Christophe Glück; Christophe Colomb et Jean-Christophe Victor, évidemment; de même que le poète Christophe Donovan et l'écrivain templier contemporain Jean-Christophe Bailly, ainsi que Christopher Lee, acteur-ès-Dracula, et le roman ***Jean-Christophe,*** **de Romain Rolland.**

Selon la légende, Saint Christophe prit un jour sur ses épaules, afin de traverser un feu, un enfant dont le poids faillit le terrasser : c'était l'enfant Jésus. Quatre autres saints ou bienheureux furent des Christophe. Quant à Saint Christophe, il est devenu le saint patron des voyageurs, des automobilistes et des forts des Halles. Ce sont les Croisés qui, retour des lieux saints, introduisirent ce prénom en Europe. Depuis la dernière guerre mondiale, Christophe bénéficie d'un net retour en grâce, et se rencontre fréquemment en Europe occidentale. Christophe Colomb est évidemment pour beaucoup dans la renommée de Christophe dans les pays latins aux XVe, XVIe siècles. Au caractère, c'est un volontaire activiste et hardi, amoureux du risque et en prenant, d'une énergie que rien, parfois, ne semble pouvoir modérer; méfiant, soucieux de rigueur, il peut soudain s'ouvrir et déborder d'affection et d'amour : pudique dans l'expression des sentiments, il les manifestera par un dévouement, une camaraderie et une autorité emplis d'humour et de charmants enfantillages; sa passion spirituelle, parfois, vise haut et loin; son goût de la discipline aussi; tantôt moine et tantôt soldat, Christophe cherche à jeter l'ancre, et se réjouit qu'elle ne trouve pas le fond. Une forte tête.

Claire

(Chara, Claatje, Clair, Clairette, Clara, Clarence, Clarent, Clarette, Clarie, Clarinda, Clarine, Clarisse, Clarita, Claro, Clarrie, Klaar, Klara, Sorcha)

Couleur : le vert.
Chiffre : le 3.
Signe associé : le Sagittaire.
Fête : le 11 août.
A éviter avec un nom de famille commençant par R, E, Er.
Étymologie : du latin « clara », *claire*.

Célébrités : l'héroïne de *La Nouvelle Héloïse* (1761), de Jean-Jacques Rousseau; Clara Schumann; Clara d'Anduze, poétesse du XIIIe siècle; la virtuose Clara Haskil; Clara Malraux; la poétesse Claire Goll; la spécialiste d'art contemporain Claire Burrus; la romancière Claire Etcherelli.

Nombre de saintes furent Claire, mais la plus évidente fut sainte Claire des Clarisses, que la ferveur populaire invoque « pour y voir clair »; elle est ainsi la patronne des yeux et, plus récemment (depuis 1958, grâce à Pie XII) celle de la télévision. (Saint Clair, pour sa part est le saint patron des tailleurs). En 1212, saint François d'Assise, le bienheureux qui parlait aux oiseaux, l'admit en religion, et sainte Claire fonda, sous ses conseils, l'Ordre des Pauvres Dames, c'est-à-dire l'Ordre des Clarisses. Elle rendit l'âme à Assise en 1253, après une vie d'austérités très dures et de dévotion; elle fut, fait rarissime, canonisée deux ans à peine après sa mort. Au profane, Claire a une haute conscience de soi. Elle est l'image de celle qui résiste et ne cède pas face à la dureté du monde. Il est évident à ses yeux que la femme est pour le moins l'égale de l'homme. Elle croit au triomphe de la raison – la sienne, s'entend! La douceur cependant l'envahit dès qu'il s'agit des malheureux, des opprimés, des faibles, et révèle d'ardentes qualités de compassion et de dévouement. Dans une optique voisine, on la voit souvent venir en aide aux artistes et aider à leur reconnaissance. Personnalité racée, volontaire, exigeante : elle possède le charme rare de la claire rigueur. A suivre, car elle revient en vogue.

Claude

(Claudette, Claudia, Claudie, Claudien, Claudienne, Claudine, Claudio, Claudius, Cledia, Klaudia, Klavdei, Klavdia)

Couleur : l'orangé.
Chiffre : le 1.
Signe associé : les Gémeaux.
Fête : le 6 juin.

A éviter avec un nom de famille commençant par D, Aud ou T.
Étymologie : du latin « claudus », *boiteux*. Un ancêtre boiteux donna ainsi son sobriquet à une illustre famille romaine, qui s'en fit un nom, et non des moindres. Deux empereurs en surgirent : Claude Ier, malencontreux époux de Messaline puis d'Agrippine, qui parvint à l'empoisonner; et Claude II, qui guerroya contre les Barbares.
Autres célébrités du prénom : l'épouse de François Ier, Claude de France; Claude le Divin, maître verrier attitré de la papauté; Claude Monnet; Claudio Monteverdi; Claude Debussy; Claude Bernard; l'acteur Claude Brasseur, le chanteur Claude François; l'auteur compositeur Claude Nougaro (page suivante); le ministre Claude Cheysson; les poètes Claude Pélieu, Claude Tarnaud; les écrivains Jean-Claude Montel, Jean-Claude Vernier; le cinéaste Claude Lelouch.

Utilisé pour les deux sexes, Claude est donc un prénom androgyne qui supporte vaillamment le pertétuel diminutif de « Cloclo » dont souvent il se voit familièrement affublé. Saint Claude (VIIe siècle) fut un solitaire opiniâtre résolument contrarié dans sa vocation : élu évêque de Besançon, il se déroba et s'enfuit; on le retrouva, et le fixa de force à son évêché. Au bout de cinq ans il présenta sa démission pour aller se nicher dans un monastère du Jura... où il se retrouva nommé Père abbé! Chef malgré lui, son rayonnement à la tête du monastère agrégera autour de celui-ci la ville de Saint-Claude. D'autres saints furent également des Claude, et notamment le bienheureux Claude de la Colombière (XVIIe siècle), jésuite au couvent des Visitandines; il y fit la connaissance de sainte Marguerite-Marie Alacoque, visionnaire du Sacré-Cœur de Jésus, dont il nota les visions. Au caractère, il sait jouer de l'effet de surprise et aime à déconcerter. C'est un être extrêmement sociable au demeurant, non dépourvu d'humour, et s'adaptant avec aisance à la diversité des situations et à l'imprévu. Mais il ou elle n'est pas autant abusé(e) par les valeurs grégaires et la pression de la foule. Leur sens de la surprise vise précisément à assurer et affirmer leur goût de l'indépendance et de la liberté d'esprit. Volontiers provocateurs ou provocatrices, les Claude préservent ainsi leur pudeur, leur gentillesse et la profondeur de leur tendresse. Leur jugement est vif et aigu, et leur renommée n'a jamais faibli : ces « boîteux » par l'étymologie marchent en fait fort droit.

Clélia

(Clélie)

Couleur : le jaune.
Chiffre : le 1.
Signe associé : le Cancer.

Fête : le 13 juillet.
Étymologie : du latin « Claelius », qui fut le nom d'une famille romaine.

Prénom tombé en désuétude, prénom de rêverie et de mélancolie, il fut porté par la bienheureuse Clélia (1847-1870), de Bologne, qui eut le temps, dans sa brève existence, de se consacrer aux enfants et à leur éducation, fondant une congrégation de religieuses enseignantes. Quelques autres saintes furent aussi des Clélia et Clélie. *Clélie,* de Madame de Scudéry, donna ses lettres de noblesse littéraire à ce prénom un peu oublié de nos jours.

CLÉMENT, CLÉMENCE

(Clem, Clemmie, Clemmy, Clemens, Clémente, Clémentia, Clémentin, Clémentine, Clémentius, Clim, Klémens, Klimka)

Couleurs : rouge et bleu.
Chiffres : le 7, le 6.
Signes associés : la Balance, la Vierge.
A éviter avec un nom de famille commençant par En, Ens, In, On ou S.
Etymologie : du latin « clemens », *doux,clément.*

Célébrités : saint Clément, le troisième pape de la chrétienté, vraisemblablement nommé par saint Pierre en personne, plus treize autres papes; deux antipapes, Clément VII et VIII; Clément d'Alexandrie, qui fut le maître spirituel d'Origène; Clément de Chartres (XIIIe siècle), peintre verrier, le premier à signer un vitrail; Clément d'Ohrid, propagateur du christianisme en Bulgarie et inventeur supposé de l'écriture cyrillique; Clément le Scot, sous Charlemagne; le poète Clément Marot; le romantique allemand Clemens Brentano; l'homme d'État britannique Clement Attlee; la chanson de la conquête de l'Ouest *Clementine, my darling Clementine*; Clémence de Hongrie, qui fut reine de France (elle était la fille de Charles Martel); Clément Magloire-Saint-Aude, grand poète haïtien contemporain.

Et que disent les Clément, Clémence et Clémentine? Comment se voient-ils?
« Nous? Nous nous voyons à l'image de notre étymologie : doux, paisibles, diplomates. L'habileté physique et psychologique ne nous fait pas défaut, et nous sommes susceptibles de dévouement et de clémence, justement, dans nos jugements. La curiosité, la soif de connaissance nous anime, ainsi qu'un goût très sûr de la magnanimité et de l'équité. Nous n'acceptons pas l'idée de la prétendue infériorité des femmes, et nous avons, il faut le reconnaître, un charme indéniable. On se demande vraiment pourquoi notre prénom est un peu passé de mode en cette fin de siècle, alors qu'il fut en vogue chez les Romains, au Moyen Age et jusqu'aux dix-neuvième. C'est ainsi. Mais nous n'avons pas dit notre dernier mot. La clémence n'est-elle pas toujours de première nécessité? »

CLOTHILDE

(Clotilda, Clotilde, Chlothilde, Klothilde, Tilda, Tilde)

Couleur : l'orangé.
Chiffre : le 8.
Signe associé : la Balance.
Fête : le 4 juin.
A éviter avec un nom de famille commençant par L, D, T.
Étymologie : du germain « hlod », *gloire,* et « hilde », *combat.*

Prénom typiquement médiéval, le romantisme l'a remis momentanément en faveur, ainsi *Hesperus,* le roman de Jean Paul. Il reste néammoins discret dans son usage actuel. Sainte Clotilde (470-545), fille du roi des Burgondes, fut la femme de Clovis, qu'elle finit par convertir au christianisme. On la dit amoureuse du couple réussi, de l'équilibre et de l'opiniâtreté dans l'effort. Pour son maintien ou son retour parmi nous, souhaitons-lui, comme à d'autres beaux prénoms médiévaux, bonne chance...

COLAS

(voir Nicolas)

Couleur : le bleu.
Chiffre : le 6.

Signe associé : les Gémeaux.

Colas est un diminutif de Nicolas, auquel on se reportera.
Mentionnons ici le roman de Romain Rolland, *Colas Breugnon.*

COLETTE

(voir Nicole)

Couleur : le bleu.
Chiffre : le 7.
Signe associé : la Balance.
Diminutif de Nicole, Colette est bien représentée avec l'écrivain Colette, ou encore les chanteuses Colette Renard et Colette Magny; et le peintre Colette Deblé.

COLOMBAN

(Colombe, Colombine, Columba, Collie, Colly, Coulombe, Coline, Colombi, Colombat)

Couleur : l'orangé.
Chiffre : le 3.

Signe associé : la Capricorne.

A éviter avec un nom de famille commençant par An, Ban, In, Au, On,
Étymologie : du latin « columba », *colombe.*

Prénom courant en Espagne et en Italie, mais pratiquement muet en France, si l'on excepte l'ouvrage de Prosper Mérimée, *Colomba* (1840). Il laisse derrière lui des villes et des États aux USA (l'université de New York,

Columbia; la ville de Colombus, le district de Columbia), tout cela en souvenir de Christophe Colomb. La comédie italienne fait donner la réplique à Pierrot par Colombine, prototype de la jeune fille piquante à l'esprit vif et enjoué. En France, plus tristement, colombines et colombins ne sont que fientes de pigeons. Sainte Colombe (IIe siècle) s'entoure de mystère : on sait seulement qu'elle fut martyrisée à Sens. Saint Colomban (VIe siècle), né en Irlande, partit évangéliser la Bretagne, puis fonda le très strict monastère de Luxeuil; exilé et pourchassé par le roi d'Austrasie Thierry, il se réfugia au bord du lac de Constance. Colombe, Colomban, Colombine : prénoms d'oiseaux du genre gros volatiles. Une force de travail inlassable, un goût inné de la vérité en toutes choses caractérisent ces prénoms, mais leur handicap français semble décidément insurmontable. Seule Colomba paraît pouvoir échapper au discrédit qui, dans notre langue, a frappé ces prénoms.

CONCEPCION

Couleur : le rouge.
Chiffre : le 4.
Signe associé : les Poissons.

Prénom en faveur en Espagne et dans les pays de langue espagnole.
Étymologie : du latin « conceptio », *conception, procréation,* en référence directe à l'immaculée Conception de la Vierge Marie. Concepcion a aussi donné son nom à une grande ville du Chili. Mais ce prénom est absolument inusité en France, où il provoque immanquablement un étonnement amusé.

CONRAD

(Connie, Conny, Conrade, Conradin, Conradine, Conrado, Conrard, Conrart, Corradina, Corradino, Corrado, Curd, Curt, Keno, Kohn, Kord, Koeraad, Koert, Koertsje, Kuno, Kurt, Kunz, Radel, Rädel, Räsch)

Couleur : l'orangé.
Chiffre : le 1.
Signe associé : les Poissons.
Fête : le 26 novembre.

Étymologie : du germain « chuon », *courageux, audacieux,* et « rad », *conseiller, conseil.* Prénom peu répandu en France, mais courant en Europe germanique et nordique.

Célébrités : des rois de Jérusalem, des empereurs germaniques, un prince de Pologne; l'évêque d'Utrecht Conrad le Clerc (XIIe siècle, traducteur allemand de *La Chanson de Roland*); l'écrivain Joseph Conrad, de son véritable nom Konrad Korzeniowski; l'homme d'État de la République fédérale d'Allemagne Konrad Adenauer, le peintre Konrad Klapheck, et le Prix Nobel Konrad Lorenz.

Sa première syllabe « passe » décidément fort mal dans notre langue, et la seconde n'arrange pas vraiment la situation. Il paraît que Conrad est un super-intuitif, un mystique potentiel, et qu'il n'est pas de ces esprits terre-à-terre pour qui la première vertu est la logique. Admettons-le, et passons.

Constant, Constance

(Costante, Costin, Constancy, Constanta, Constante, Constantin, Constantina, Constantine, Constantino, Constanza, Dina, Dine, Konstantsia, Sta, Stans)

Couleur : le vert.
Chiffres : le 7, le 4.
Signes associés : le Scorpion, la Balance.

A éviter avec des noms de famille commençant par An, S, Tan.
Étymologie : du latin « constantia », *constance*.
Célébrités : un empereur de Rome; un empereur d'Orient; le valet de Napoléon, Constant; trois empereurs romains furent des Constance (le prénom était alors masculin), ainsi que deux reines de France, Constance de Castille et Constance de Provence et deux reines de Sicile; mais il y eut onze empereurs byzantins prénommés Constantin, ainsi que deux empereurs romains, deux empereurs d'Orient et des princes et rois en Russie, en Bulgarie, en Grèce. Et le sculpteur Brancusi.

Ces prénoms, devenus aussi noms de famille, donnent encore l'écrivain Benjamin Constant, l'acteur Eddie Constantine ou le chanteur Michel Constantin. Enfin, signalons que Constantin fut le premier empereur romain à être converti au christianisme, d'où les « baptêmes » en son honneur de Byzance, devenue Constantinople, et de l'ancienne Cirta, en Algérie, devenue Constantine. Comme on le voit, ces prénoms eurent du succès, et notamment en Russie ainsi que dans l'Église orthodoxe. Constance et Constant connurent leur heure de gloire en France au XIXe siècle. Aujourd'hui, ils sont plutôt perçus comme des prénoms de bisaïeuls. Comme l'indique l'étymologie, leur grand problème psychologique est précisément celui de la fidélité, de la constance. Perspicaces, intelligents, ce sont souvent des optimistes. Ils font confiance à leur bonne étoile et leur compagnie ne manque pas d'agrément. Comment se fait-il donc que nous ne leur soyons pas fidèles?

Cora

(Voir Coralie)

Couleur : le rouge.
Chiffre : le 1.
Signe associé : le Capricorne.

Cora, diminutif de Coralie, est notamment présente parmi nous grâce à la chanteuse Cora Vaucaire.

Coralie

(Coraline, Coralise)

Couleur : le rouge.
Chiffre : le 9.
Signe associé : les Poissons.
Étymologie : du celtique « carent », *parenté, entourage*, ou « kar », ami.
A éviter avec un nom de famille commençant par I, L ou Li.

Ce prénom charmant, ainsi que Cora, son diminutif lui-même utilisé comme prénom, est assez peu courant en dépit de sa riche sonorité, qui évoque le corail et ses arborescences sous-marines. C'est dommage. Coralie possède en effet quelque chose des reflets et des transparences aquatiques, et le charme des plus mystérieuses rêveries. Trop « poétique » peut-être, on la rencontre donc bien rarement. Aurions-nous peur de sa finesse? Craindrions-nous son extrême douceur?

CORENTIN

(Corentina, Corentine, Corentino, Curi, Kaou, Kaourentin, Tin)

Couleur : le bleu.
Chiffre : le 8.
Signe associé : les Gémeaux.
Fête : le 12 décembre.
A éviter avec un nom de famille commençant par In, T ou Tin.
Étymologie : du celtique « carent », ***parenté, entourage,*** **ou « kar »,** ***ami.***

Prénom très en faveur en Bretagne jusqu'au début de ce siècle grâce à l'image de saint Corentin, breton du VIe siècle (475-555), évêque de Quimper dont il fonda le monastère. Corentin fut si populaire en Bretagne que l'on en vint bientôt à nommer les Bretons des « Corentins ». Une chanson de la chouannerie, *La Chasse aux loups,* vante ceux-ci et, de nos jours, la bande dessinée de Paul Cuvelier met en scène Corentin, son héros, sous les traits d'un moussaillon breton. Au caractère, Corentin est le prénom des heureuses natures, qui se jouent des difficultés de l'existence et ne se laissent pas impressionner par l'esprit de groupe. Volontiers indépendant et non-conformiste, Corentin se laisse difficilement embrigader; c'est un individualiste-né qui recherche d'abord la force et l'initiative dans l'intelligence plus que dans la volonté de puissance. Et il y a encore, de-ci, de-là, des Corentins qui veillent...

CORINNE

(Corinna)

Couleur : le bleu.
Chiffre : le 6.
Signe associé : le Taureau.
A éviter avec un nom de famille commençant par I, Inn ou N, Ni.
Étymologie : du celtique « carent », ***parenté,*** **ou « kar »** ***ami.***
Korinna fut une poétesse grecque six siècles avant Jésus-Christ, on la retrouve héroïne du roman de Madame de Staël, ***Corinne,*** **et actrice avec Corinne Marchand.**

De toujours il est dit que Corinne allie le charme à la vigueur, la sensibilité à la clarté de l'esprit, la persévérence à la finesse de l'intuition, et que son âme est noble et son cœur généreux. Prénom discret, il se faufile parmi tous les autres avec la grâce de la connaissance.

CRÉPIN

(Crépinien)

Couleur : le bleu.
Chiffre : le 2.
Signe associé : le Bélier.
Fête : le 25 octobre.

A éviter avec un nom de famille commençant par In, Pin.
Étymologie : du latin « crispus », ***crépu.***

Saint Crépin et saint Crépinien furent d'inséparables bienheureux du IXᵉ siècle; venus de Rome, ils furent cordonniers à Soissons, et y firent miracle en évangélisateurs discrets, zélés et efficaces... Trop d'ailleurs, puisque les Romains finirent par les repérer malgré leur allure de cordonniers : la sanction ne tarda guère, et on les mit à mort. Ils sont évidemment les saints patrons des cordonniers. Courageux, dynamiques, volontaires, ce sont d'ardents esprits pourvus d'une solide endurance, mais les Crépin et autres Crépinien en ont besoin, eux qui attendent si longuement de nos jours entre deux rares baptêmes à leur prénom... *Pauvre Crépin, pauvre Pinpin,* chantaient les petites filles du Moyen Age.

CUNEGONDE

Couleur : l'orangé.
Chiffre : le 7.
Signe associé : le Scorpion.
Prénom typiquement médiéval, il est tombé en désuétude de nos jours. Sa première syllabe, malencontreuse, lui a évidemment nui et la dernière n'a rien arrangé.

Son étymologie : du germain « kuni », ***lignée,*** **et « gund »,** ***combat.***
Sainte Cunégonde (XIᵉ siècle), épouse de l'empereur d'Allemagne Henri II, est la sainte patronne des aveugles.
Mais Cunégonde a cessé de livrer bataille. Elle est partie en paix.

CYPRIEN

(Cyprian, Cyprienne, Cyprille, Cypris)

Couleur : le rouge.
Chiffre : le 9.
Signe associé : le Bélier.
Fête : le 16 septembre.

Étymologie : du latin « cyprius » ou du grec « kupris », qui signifient ***originaire de l'île de Chypre.***

Mais pourquoi l'île de Chypre? Parce que l'Antiquité y plaçait la naissance de Vénus. Ainsi coiffés du signe de l'amour, Cyprien et Cyprienne n'hésitent pas : ils prennent délibérément des risques, et leur vitalité, leur dynamisme sont de premier ordre. Stoïques face à l'adversité, ils savent lutter, convaincre et arbitrer les conflits. Notre époque en aurait bien besoin, mais semble les oublier. Saint Cyprien, au IIIᵉ siècle, fut l'un des Pères de l'Église;

persécuté toute sa vie, il se révéla un théologien puissant et un homme d'une grande modération de pensée – tout le contraire d'un fanatique. Son action et son œuvre furent néanmoins assez marquantes pour que l'empereur Valérien lui fasse trancher la tête dans sa ville, Carthage.

CYRILLE

(Cirila, Cirillo, Cyril, Cyriac, Cyrill, Cyrilla, Cyrillus, Cirioel, Kyrill)

Couleur : le rouge.
Chiffre : le 3.
Signe associé : le Verseau.
Fête : le 18 mars.
Étymologie : du grec « kurios », ***consacré au divin.***
A éviter avec un nom de famille commençant par L, Li, Lieu.
Célébrités : un prince bulgare, un grand-duc russe, deux Pères de l'Église, saint Cyrille et le coureur cycliste Cyrille Guimard.

Saint Cyrille mit définitivement au point l'alphabet « cyrillique » (IXe siècle). L'autre saint Cyrille (mais il y eut une quinzaine de bienheureux chez les Cyrille), fut, au IVe siècle, évêque de Jérusalem; Docteur de l'Église, on lui doit *Les Catéchèses,* œuvre importante consacrée au baptême et à la liturgie. Au caractère, Cyrille est un original, un franc-tireur; c'est un combattant de l'amitié, et un grand cœur. N'ayons garde de l'oublier; il se maintient fort discrètement.

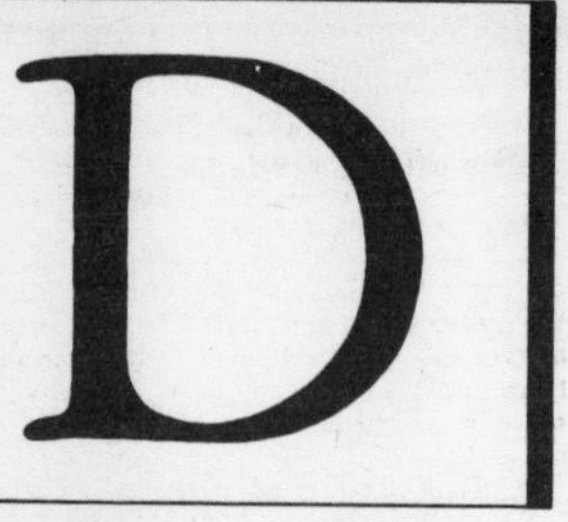

DAGMAR

(Dag, Dagmara, Dagomar, Dagomaro, Dajo)

Couleur : le rouge.
Chiffre : le 2.
Signe associé : le Sagittaire.
A éviter avec un nom de famille commençant par A, R, Ra, Ar.
Prénom typiquement celte, Dagmar est surtout féminin de nos jours au Danemark (alors que Dagomar, autrefois, était masculin).
Étymologie : de « dag », *jour,* et « mar », *célèbre.*
Non utilisé chez nous, ce prénom est cependant à l'origine de noms de famille comme Dagommet, ou Dagomar.

DAGOBERT

Couleur : le bleu.
Chiffre : le 5.
Signe associé : le Verseau.
Étymologie : du germain « dag », *jour,* et « bert », *brillant.*

Tombé en désuétude de nos jours, ce prénom perpétue le souvenir du fameux roi Dagobert Ier, roi des Francs entre 629 et 639, et de son conseiller-ministre saint Éloi, qui tenait tant à ce que le bon roi se réajustât correctement. Mais les rois mérovingiens et leurs exploits sont plutôt passés de mode, et plus personne ne s'appelle Dagobert, sauf au plan des noms de famille, où Dagobert a tout de même laissé des traces sous les formes de Dagbert, Dacbert, Daibert.

DAISY

(voir Marguerite)

Couleur : l'orangé.
Chiffre : le 4.
Signe associé : le Verseau.
Daisy est l'un des diminutifs anglo-saxons de Marguerite, à laquelle on se reportera.

DAMIEN

(Dami, Damia, Damian, Damiana, Damiane, Damiano, Damianus, Damienne, Damiette, Damioen, Damy)

Couleur : le rouge.
Chiffre : le 1.
Signe associé : le Cancer.
Fête : le 26 septembre.
A éviter avec un nom de famille commençant par In, M, Min.
Étymologie : du grec « Damia », qui était la déesse de la fertilité et des moissons. (Damia était un surnom de Cybèle, véritable « identité » de la déesse).

Saint Damien et son inséparable frère, saint Côme, furent martyrisés sous le règne de Dioclétien; ils sont désormais les patrons des médecins. Prénom tombé en semi désuétude il y a encore peu, il retrouve ces temps ci une seconde jeunesse. Il est d'ailleurs placé sous le signe de la fraîcheur et de l'enfance : liberté, spontanéité, douceur, il incarne l'image de la séduction et du naturel des gestes réussis sans effort; la grâce propre à la poésie l'accompagne. Souhaitons lui un bon retour parmi nous!

DANIEL

(Dania, Danie, Daniela, Danièle, Danielle, Danielo, Danielou, Danila, Danilo, Danitza, Danjel, Dännel, Dany, Deniel)

Couleur : le jaune.
Chiffre : le 9.
Signe associé : le Cancer.
Fête : le 11 décembre.

A éviter avec un nom de famille commençant par L, El.
Étymologie : de l'hébreu « dayân », « dan », *juge*, et « el » (de « Elohim »), l'un des noms de Dieu. Avec Daniel donc, Dieu est seul juge.
Il est assez curieux que l'allemand populaire appelle un « daniel » une carte à jouer truquée utilisée par les tricheurs, ou encore qu'en Écosse le prénom de Daniel ait été mis à contribution pour la traduction de Domhnall (Donald). Reste que les deux grandes figures, avec Daniel, sont celles du prophète Daniel, de l'Ancien Testament, puis celle de saint Daniel le styliste, au vᵉ siècle. Autres célébrités inévitables : l'explorateur américain Daniel Boone; l'auteur de *Robinson Crusoë*, Daniel Defœ; Daniel Galitski, prince de Galicie; Daniel Nevski, fils d'Alexandre Nevski; le musicien Daniel Lesur; les acteurs et actrices Daniel Ivernel, Daniel Gélin, Danièle Delorme, Danielle Darrieux; le peintre-scupteur Daniel Pommereulle; l'écrivain Daniel Giraud, moderne « Vieux de la Montagne », ainsi que le cosmopolite et cosmosophe Daniel Katz.

L'Ancien Testament nous dit que Nabuchodonosor était en proie à un songe obsessionnel dont le prophète Daniel le débarrassa, moyennant quoi le roi désigna Daniel comme sage entre les sages de Babylone; Daniel eut également affaire à Darius et Cyrus, et c'est sous le règne de celui ci qu'il fut jeté dans la fosse aux lions, tellement les Babyloniens étaient fous de rage de le voir dédaigner leurs idoles et leurs croyances. Face aux lions, l'intervention divine protégea Daniel, et pas un fauve ne le toucha. Ses prophéties occupent quatre chapitres de la Bible. Quant à saint Daniel le Styliste, moine en Syrie au vᵉ siècle, il resta perché en méditation au sommet d'une colonne, et, puissant de ce monde ou humble miséreux, il fallait grimper l'échelle pour aller lui parler! Il ne redescendit que mort, à l'âge respectable de 85 ans, après avoir passé trente-trois ans sur son socle céleste. Au caractère, Daniel est « celui qui sourit », disent les grimoires, et il sourit en effet. Très sociable, séducteur en diable, il est pourvu d'une intelligence profonde et précise : il juge, jauge et sait d'un seul coup d'œil, tant son intuition est aiguë et exacte. Une délicatesse, une allure lunaire, un sens spontané de la rêverie éveillée, tout cela fait de lui un artiste « dans l'âme », quoi qu'il fasse. Il sait ne pas perdre son sang-froid. Un charme fou. Et il retombe toujours sur ses pieds, perché sur une colonne ou pas.

DANIÈLE, DANIELLE

(voir Daniel)

Couleur : le violet.
Chiffres : le 5, le 8.
Signes associés : le Cancer, le Lion.
A éviter devant un nom de famille commençant par L, El.
Étymologie : voir DANIEL.

Danièle et Danielle s'interrogent : elles sont sentimentales, assez calmes, équilibrées, contenant leur émotivité, maîtrisant leurs réactions, discrètes et réservées mais désireuses de paraître, psychologues spontanées et femmes-enfants au-delà de l'âge de l'être, mais y en a-t-il un? – selon elles, non – sociables, dévouées, attentives, patientes, d'une intelligence efficace et sélective, plutôt souples au plan moral et possessives sans en avoir l'air, et elles s'interrogent, donc, et se demandent qui elles sont vraiment. Réponse à leur mesure : elles sont ce qui, en elles, leur permet de s'interroger. De surcroît, elles ont de la chance, de la gaieté, du charme : que se demandent-elles donc?

DAPHNÉ

(Daffy, Dafné, Daph, Daphne)

Couleur : le vert.
Chiffre : le 4.
Signe associé : le Lion.
A éviter avec un nom de famille commençant par E, Né, V, F.
Étymologie : du grec « daphnè », *laurier*. La romancière Daphné du Maurier est parmi les célébrités contemporaines de ce prénom.

A l'origine (mythologique), Daphné était une nymphe; très belle, elle déclencha le désir et la convoitise d'Apollon; mais Zeus veillait et transforma Daphné en laurier afin qu'Apollon ne s'égarât point! Depuis, et de nos jours encore, Daphné jouit d'une grande faveur dans les pays anglo-saxons, mais est quasi-inconnue en France. On la dit acharnée, courageuse, farouche, passionnée; elle défend ce qu'elle aime avec passion, fougue et même ruse, n'hésitant pas à mettre son charme, très puissant, dans la balance. Pourquoi pas, d'ailleurs?

DAVID

(Dafydd, Daibidh, Dave, Davida, Davide, Davidou, Davidka, Davie, Davina, Daviot, Davit, Davy, Daw, Dawie, Taffy, Vida, Vidli)

Couleur : le bleu.
Chiffre : le 4.
Signe associé : le Bélier.
Fête : le 1er mars.

A éviter avec un nom de famille commençant par I ou D ou Vi.
Étymologie : de l'hébreu « daoud », ou « yadad », qui signifie *aimé, chéri.* Prénom biblique par excellence, David s'est répandu en Europe à la fin du Moyen Âge.
Célébrités : deux empereurs de Trébizonde, deux rois d'Écosse, cinq rois de Géorgie; le théologien David de Dinant (XIIe siècle); le héros du roman de Charles Dickens, *David Copperfield*; le trappeur Davy Crockett; l'homme d'État israélien David Ben Gourion; le physicien moderne David Bohm.

Roi et prophète d'Israël, successeur de Saül dont il fut le musicien, David, on le sait, fut le vainqueur de Goliath le Géant. Bouillant personnage, David fit assassiner Urie le Hittite afin de pouvoir lui ravir Bethsabée, sa femme, dont il eut un fils, le futur roi Salomon, qui lui succédera. Auteur de *Psaumes* qui sont des monuments de la pensée hébraïque et chrétienne, il vécut un millier d'années avant Jésus, lequel est un descendant direct de sa tribu. Quant à saint David (VIe siècle), il est le saint patron du Pays de Galles, où il fonda nombre de monastères; son austérité et son ascétisme intransigeants le firent surnommer « waterman », *le buveur d'eau.* Sept autres saints furent également des David. C'est à la fin du Moyen Age que ce prénom s'est imposé en Europe, et particulièrement en Angleterre, en Irlande, au Pays de Galles et en Écosse. On le trouve aussi aux Pays-Bas et dans le nord de la France, mais il est plutôt rare en Allemagne. Au caractère, on le dit volontaire et farouche, pratiquant volontiers le culte de l'amitié virile et du courage du genre « risque-tout » : ce n'est pas par hasard qu'il abat les géants!

DÉBORAH

(Deb, Debbie, Debby, Debir, Debora, Debra)

Couleur : l'orangé.
Chiffre : le 3.
Signe associé : le Capricorne.
Fête : le 21 septembre.
A éviter avec un nom de famille commençant par A, Ra.
Étymologie : de l'hébreu « deborah », *abeille.*
Célébrités : Déborah Milton, fille du poète anglais John Milton; les actrices Debbie Reynolds, Débra Paget, Déborah Kerr.

Déborah, prophétesse et juge en Israël, assura et célébra la victoire des Hébreux sur les Chananéens; son éloquence sans pareille faisait de ses prophéties un miel au cœur de ses auditoires. Au profane, Déborah est paraît il l'image même du sérieux, de la sourcilleuse vérité, et de l'éventuelle colère vengeresse : c'est qu'elle chérit par-dessus tout l'esprit de droiture et abomine la fourberie. Cette abeille peut donc piquer, mais quelle suavité, quel charme dans son bruissement d'ailes et de syllabes!

DELPHINE

(Dauphin, Dauphine, Delfina, Delfine, Delphin, Delphy)

Couleur : le jaune.
Chiffre : le 1.
Signe associé : la Balance.
Fête : le 26 novembre.
A éviter avec un nom de famille commençant par In, N, I, V, F.
Étymologie : du grec « delfis », ***dauphin (de mer).***
Célébrités : ***Delphine*** **(1802), le roman de Mme de Staël; le lied de Schubert,** ***Delphine;*** **l'actrice Delphine Seyrig.**

Delphinus fut l'un des patronymes d'Apollon, victorieux du serpent Python ou... Delphina. Les comtes d'Albon, au XIIe siècle, en firent un prénom héréditaire dans leur lignée, puis les comtes du Viennois l'utilisèrent comme titre – d'où le nom de la région du Dauphiné; d'où également le titre de « dauphin », désignant, après la réunion du Dauphiné à la Couronne de France, le fils aîné du roi. La simplicité spontanée de la grâce alliée à la maîtrise de soi, voilà ce qui caractérise d'emblée une Delphine; comme ses cousins aquatiques, elle paraît porteuse d'un radar intérieur, d'une finesse intuitive quasi-infaillible, et rien de ce qui a trait à l'amour et à l'harmonie ne semble pouvoir lui échapper. Ce beau prénom connaît de nos jours une faveur impressionnante, bien plus qu'à aucune autre époque du passé. Bravo.

DENIS

(Denice, Denise, Dennis, Denys, Denyse, Dion, Dionigia, Dionise, Dionisio, Dioniza, Denijse, Denissia, Denney, Dnny, Donisi, Dyonise, Dyonisos, Dyonisius, Dyonisus, Dwight, Nise, Nisi)

Couleur : l'orangé.
Chiffre : le 6.
Signe associé : le Bélier.
Fête : le 9 octobre.

A éviter avec un nom de famille commençant par N, I.
Étymologie : du grec « dionusos », ***fils de Dieu;*** **Dionysos fut le dieu grec de la Vigne et du Vin, lui-même étant issu de Zeus et Sémélé; son culte a contribué à l'élan des Mystères, et les Romains l'ont assimilé à leur Bacchus.**
Célébrités : la ville australienne de Sidney (contraction de « Saint-Denis »); un roi du Portugal; Denys d'Halicarnasse, historien grec contemporain d'Auguste (Ier siècle avant J-C); Denys l'Ancien (405-367 avant J-C), tyran de Syracuse, et son successeur et fils Denys le Jeune; saint Denis lui-même, qui fut pape entre 259 et 268; Denis Papin; Denis Diderot; Denis de Rougemont; et Sidney Bechett.

Pemier évêque de Paris, saint Denis martyrisé au IIIᵉ siècle, fut enseveli sous la basilique qui porte son nom. Coutumier du miracle, saint Denis décapité est censé avoir porté sa tête dans ses mains jusqu'à sa sépulture; la légende et les croyances populaires l'ont également assimilé à Denis l'Aréopagite, que saint Paul avait converti, non à Paris, mais à Athènes. Invoqué contre les maux de têtes, saint Denis, Aréopagite ou non, fut parmi les saints les plus aimés en France. Une vingtaine d'autres saints ou bienheureux furent des Denis, dont Denis-le-Petit, moine du VIᵉ siècle, qui, le premier, suggéra de considérer la date de naissance de Jésus comme point de départ de notre cycle chronologique. Au caractère, Denis passe pour un être un peu énigmatique; très émotif, prompt à réagir, il y a du feu en lui toujours prêt à jaillir; mais c'est un introverti, souvent taciturne et renfermé en lui-même, qui a fort à faire avec ses pulsions intérieures et use de toute sa volonté et de sa rigueur morale pour trouver son juste équilibre; dès lors, courage et dynamisme ne lui font plus défaut, et c'est avec foi et enthousiasme qu'on le retrouve, lui qui semblait hésitant et indécis; il séduit en déconcertant, et son intelligence, logique et ordonnée se méfie de toute irrationnalité – ce qui ne l'empêche pas d'être sensible à une certaine religiosité spontanée. Un paradoxe en liberté.

DENISE

(voir Denis)

Couleur : le jaune.
Chiffre : le 2.
Signe associé : le Bélier.
Fête : le 6 décembre.
A éviter avec un nom de famille commençant par L, S.
Étymologie : voir DENIS.

Sainte Denise, son fils Majoricus et sa sœur Dative moururent de la main des Vandales arianistes, fouettés à mort à Vite (Afrique du Nord) en 484. Deux autres martyres et saintes furent des Denise. Au caractère, elle est aussi paradoxale que Denis quoique sur un registre différent : à la fois flegmatique et volontaire, active et en retrait, tenace et réfléchie, mais se décourageant assez vite et s'aigrissant en cas d'échec, Denise est secrète, renfermée... comme un volcan qui sommeille. Lorsqu'elle se montre et intervient au dehors, c'est au contraire un feu d'artifice : ironie acide, gaieté inattendue, observations fines et sens de l'organisation se révèlent. Passion, mystère, et vivacité.

DÉSIRÉ

(Dees, Desidario, Desideratus, Desiderius, Désirat, Désirée, Dizier)

Couleur : le violet.
Chiffre : le 6.
Signe associé : la Vierge.
Fête : le 8 mai.

A éviter avec un nom de famille commençant par E, R Ré.
Étymologie : du latin « desideratus », ***souhaité, désiré.***

Quasi-totalement oublié de nos jours, Désiré subsiste cependant à travers les noms de famille qu'il a inspirés, comme Didot, Didelot, Dizier, ou Diderot. Saint Désiré vécut au IXe siècle, et fut proche des rois Clotaire et Childebert. D'autres saints ont porté le nom de Désiré. Au caractère, Désiré est un être très secret, jaloux de son indépendance et de ses pensées... à tel point, sans doute, que l'on finit par ne plus le désirer : paradoxe d'un prénom dont le sens n'était que trop marqué.

DIANE

(Deana, Dee, Dian, Diana, Dianna)

Couleur : le rouge.
Chiffre : le 6.
Signe associé : les Gémeaux.
Fête : le 9 juin.
A éviter avec un nom de famille commençant par N, Na.
Étymologie : la déesse romaine Diane, la célèbre Chasseresse, « maîtresse des monts et des forêts profondes » (Catulle).
Célébrités : Diane de Poitiers (1499-1566), la favorite d'Henri II; Diane de France, fille du même Henri et de Felippa Duco; Diane Vernon, héroïne du roman de Walter Scott, *Rob Roy* (1817); la chanteuse Diane Dufresne (ci-contre).

Comme prénom, Diane fut très recherchée à la Renaissance, et a continué depuis à jouir d'une grande vogue aristocratique. Il est vrai que la particule lui sied fort bien. Son psychisme est tout en sautes de tension et conserve la naïveté, la fraîcheur et le caprice de l'enfance parfois fort avant dans la vie. Son instabilité mutine ne manque pas de charme, mais n'est pas de tout repos pour son entourage.

DIDIER

(Didia, Didiane)

Couleur : le jaune.
Chiffre : le 4.
Signe associé : le Scorpion.
Fête : le 23 mai.

A éviter avec un nom de famille commençant par E ou I.
Étymologie : comme pour Désiré, du latin « desideratus ».

Célébrités : le dernier roi des Lombards; un duc de Toulouse; le footballeur Didier Six.

Saint Didier (VIe-VIIe siècle) évêque de Vienne (Dauphiné), s'attaqua aux mœurs dissolues des grands de son époque, et mal lui en prit : Thierry II le fit exiler sous l'accusation de viol, puis, plus tard (en 607) la reine Brunehaut le fit tuer à coups de bâtons et de pierres. D'autres saints, également nommés Didier, parsemèrent l'histoire sainte de leurs exploits et martyres. Au caractère, Didier est un absolutiste; il va jusqu'au bout de ce qu'il entreprend, quelles qu'en soient les conséquences. Persuadé de son bon droit, ou de la justesse de ses vues, c'est un réalisateur que l'adversité ne rebute pas.

DIEUDONNÉ

(Adéodat, Déodat, Déodate, Dié)

Couleur : le vert.
Chiffre : le 1.
Signe associé : la Balance.
Fête : le 19 juin.

A éviter avec un nom de famille commençant par E, N, Né ou D.
Étymologie : du latin « a Deo datus », *donné par Dieu.* Déodat, Déodate sont synonymes de Dieudonné. Prénom tombé en désuétude, et plutôt difficile à porter, compte tenu de son sens comme de sa musique.
Célébrités : quelques saints et bienheureux; deux papes; l'aviateur Dieudonné Costes, qui réussit en 1930 le premier vol sans escale Paris-New York.

DJAMILA

(Jamîl, Jamîla)

Couleur : le jaune.
Chiffre : le 8.
Signe associé : le Cancer.

A éviter avec un nom de famille commençant par A, Al, La.
Étymologie : de l'arabe « jamîla », *belle.*

Ce prénom, qui se répand quasi-silencieusement en France, est en effet une fort belle musique. On peut y goûter de bien subtiles saveurs, et une sorte d'inflexible rythme. Djamila Bouhired, Djamila Boupacha, militantes et combattantes algériennes, incarnent cette détermination, mais la musique de Jamîla, Djamila est tellement plus suave et belle que le mot « belle », ou le mot « suave »... Et puis, au cœur de Djamila, n'y a-t-il pas l'Ami?

DOLORES

(Delora, Delores, Deloris, Dolorita, Lola, Lolita)

Couleur : le bleu.
Chiffre : le 7.
Signe associé : le Verseau.
Fête : le 15 septembre.

A éviter avec un nom de famille commençant par E, S, Es.

Étymologie : de l'espagnol « dolores », ***douleurs.***
Célébrités : entre toutes, la Passionaria, Dolores Ibarruri, grande figure de la Guerre d'Espagne; Lola et Lolita, beaucoup plus hollywoodiennes (*Lola Montès*, le roman de Nobokov, qui donnera *Lolita* à l'écran) sont en faveur aux États-Unis.

Prénom d'abord exclusivement espagnol, il gagne de nos jours les Etats-Unis parmi des milieux non espagnols ni catholiques. Dolores évoque en fait le « jour des douleurs de la Vierge » (dia de los Dolores), et est devenu une autre façon d'évoquer Marie. Au caractère, Dolores a l'ambition d'œuvrer aussi efficacement que l'homme et d'être au moins son égale. Ardente, passionnée, lutteuse, mais en même temps fragile, enfantine, naïve, elle assume ses dons et ses contradictions avec l'intelligence de celles qui ont la liberté pour point de mire. Mais gare à la tentation de succomber à la souffrance inscrite dans son prénom! Dolores se doit d'être forte, sous peine de devenir un souffre-douleurs... C'est ainsi qu'il en va de certains prénoms étroitement marqués par leur sens littéral.

DOMINIQUE

(Doma, Domenica, Domenico, Domien, Dominga, Domingo, Domingos, Domini, Dominik, Dominika, Dominikus, Domnika, Mingo, Mini, Minkes, Nika, Nikoucha)

Couleurs : le vert (masculin); le jaune (féminin).
Chiffre : le 8.
Signe associé : le Capricorne.
Fête : le 7 août.
A éviter avec un nom de famille commençant par I, Ic, N, Ni, K, et toute consonne dure.
Étymologie : du latin « dominicus », ***qui appartient au Seigneur.***
Dominique, en français, fait partie des prénoms mixtes, aussi bien attribués aux filles qu'aux garçons. Ce prénom a en outre donné naissance à nombre de noms de famille, comme Dominici, Demange, Demangeon, Mangeot, Maginot, Mougeot, Doumenc, Doumergue, Domecq, Domerc. En espagnol, Domingo est dimanche (le jour du Seigneur). L'île de Saint-Domingue fut découverte un dimanche, d'où le nom qui lui fut attribué. Le jeu des dominos dérive également de Dominique.
Célébrités : entre autres, le héros d'Eugène Fromentin, Dominique; l'acteur Dominique Paturel; le footballeur Dominique Rocheteau (ci-contre); Dominique Éluard, femme du poète Paul Éluard; l'écrivain et critique Dominique Labarrière.

Homme ou femme, comment se voient-ils, les Dominique?
« Comme femme, nous voyons Dominique consciencieuse, méthodique et solide au caractère : en un mot, l'image même de la responsabilité et de l'esprit de sérieux. Mais qu'on ne s'y trompe pas : cette Dominique efficace et stable n'a rien d'austère ni d'ennuyeux, et sous ces apparences se cache le lutin de la fantaisie et de l'humour. Avouons que nous ne pouvons en dire

autant du Dominique masculin, toujours en quête de maîtrise de soi et de self-control, d'où une rigueur certaine dans la mise au pas des irritations, rancunes et agacements divers. Un caractère puissant donc, apte aux grandes entreprises exigeant de la ténacité dans l'effort, et une loyauté à toute épreuve, voilà tout Dominique, et seuls des esprits légers lui reprocheront son excès de gravité... »

DONALD

Couleur : le rouge.
Chiffre : le 5.
Signe associé : la Vierge.
Fête : le 15 juillet.
A éviter avec un nom de famille commençant par D, ou L.

Étymologie : du celtique « da », *bon,* et « noal », *Noël.*
Il y eut un saint Donald au VIIIe siècle; père de neuf filles, il créa une congrégation religieuse rien que pour elles; nul ne sait comment elles s'en trouvèrent.

Au caractère, Donald n'est pas facile : égocentrisme, méticulosité parfois excessive, absence d'humour, voilà qui oblitère sérieusement l'image de cet amoureux du travail bien fait. De surcroît, l'énorme célébrité du canard de Walt Disney le rend à peu près inutilisable de nos jours comme prénom. Du reste, en fait de Donald, il n'y a plus guère que Donald Duck, et Picsou, l'oncle.

DONATIEN

(Donatienne)

Couleur : le jaune.
Chiffre : le 1.
Signe associé : le Scorpion.
Fête : le 6 septembre.

Étymologie : du latin « donatus », *donné*.
Un personnage hautement célèbre : Donatien-Alphonse-François de Sade, le « divin » Marquis.

Martyre, passion et légende entourent la vie et la mort des « enfants nantais », saint Donatien et saint Rogatien, au IIIᵉ siècle. Prénom de l'activité opiniâtre et risque-tout, Donatien a quasi-complètement disparu de nos jours. Tant pis.

DORA, DORIS

(voir Dorothée, dont ces prénoms sont des diminutifs)

DORIAN, DORIANE

(voir Théodore dont ces prénoms sont les diminutifs anglo-saxons)

DOROTHÉE

(Dodie, Doortje, Dora, Doralicia, Dorchen, Dorinda, Doris, Dorit, Dorke, Dorocha, Dorofei, Doroteo, Dorothy, Dörte, Dorthea, Dorthy, Dot, Drotea, Duredle, Durl)

Couleur : le jaune.
Chiffre : le 9.
Signe associé : le Taureau.
Fête : le 6 février.

A éviter avec un nom de famille commençant par T, E, Té.
Étymologie : du grec « dorôn », *cadeau, présent*, et « théos », *Dieu*.

Jeune vierge de Cappadoce, sainte Dorothée fut suppliciée au IIIᵉ siècle; elle réussit cependant à convertir in extremis l'avocat Théophile et les deux femmes qui la conduisaient au bourreau. Bon nombre d'autres saintes et saints (car Dorothée fut d'abord un prénom masculin) portèrent ce nom. Au caractère, elle est réputée ambiguë, alternant la possessivité avec la bonhomie, la féminité aiguë avec l'esprit de décision le plus abrupt. Mais elle sait tirer de ces apparentes contradictions le charme de celles qui voient l'équilibre comme le plus précieux des biens – « don de Dieu » oblige. Dorothée fut et reste un prénom très en faveur en Angleterre et en Allemagne. Gœthe l'a célébrée dans son *Hermann et Dorothée* (1798).

EDGAR

(Edgard, Edgardo, Edger, Ogier, Otgar, Otger, Otker)

Couleur : le jaune.
Chiffre : le 8.
Signe associé : le Scorpion.
Fête : le 8 juillet.
A éviter avec un nom de famille commençant par A, Ar, R, Gar.
Étymologie : du germain « ed », *biens, richesse*, et « gari », *pique, lance*.
Célébrités : le roi d'Angleterre Edgar le Pacifique (944-975), père de sainte Édith; le prince anglo-saxon Edgar Aetheling (1050-1130), concurrent malchanceux au trône d'Angleterre de Guillaume le Conquérant; l'historien et philosophe français Edgar Quinet (1803-1875); le peintre Edgar Degas (1834-1917); l'homme politique contemporain Edgar Faure; et, bien sûr, Edgar Allan Poë (1809-1849).

Très en faveur en Angleterre jusqu'à la conquête normande, Edgar fit sa réapparition au XVIIe siècle grâce à Shakespeare (*Le Roi Lear*, 1606), puis avec le roman noir (notamment dans *La Fiancée de Lammermoor*, 1819, de Walter Scott), et se répandit ensuite sur l'Europe et l'Amérique. Au caractère, Edgar est l'homme de l'intelligence aiguë et intuitive; c'est un esprit ouvert que n'encombrent guère les préjugés, et un amoureux de l'observation minutieuse et rigoureuse; le goût du mystère et du secret, qu'il affectionne, ne débouche pas, chez lui, sur des croyances ou des superstitions à bon compte : dans les ténèbres Edgar va chercher, et trouver, la lumière sensible de la raison. Un beau prénom.

ÉDITH

(Ada, Ditte, Eda, Edita, Edite, Edika)

Couleur : le bleu.
Chiffre : le 1.
Signe associé : les Gémeaux.
Fête : le 16 septembre.
A éviter avec un nom de famille commençant par D, I, T, Ti, Di.
Étymologie : du germain « ed », *biens, richesse*, et « guth », *combat*.
Célébrités évidentes : la militante (et ministre) socialiste Édith Cresson, et la grande Édith Piaf (page suivante).

Comme Edgar, Édith survécut en Angleterre à la conquête normande. Édouard le Confesseur (XIe siècle) et son fils Édouard II épousèrent des Édith, tandis qu'Edgar le Pacifique avait auparavant donné naissance à sainte Édith (961-984). Mais Édith se répandit plus vite et plus tôt qu'Edgar sur le continent européen. Charlemagne eut une Édith parmi ses épouses. Et le romantisme mit le prénom en faveur notable aussi bien en Allemagne et en France qu'en Angleterre. Au caractère, Édith est le prénom de la vivacité, de la surprise, du bond imprévu : on ne peut assurer que son humeur soit l'image parfaite de la stabilité... Mais son moral tout en sautes de tension et caprices inattendus reflète bien ce qui constitue, justement, son charme : la spontanéité, la fraîcheur, l'innocence; prénom de l'enfance inaltérable et jamais perdue, prénom du naturel, prénom des vrais élans du cœur, Édith nous reste comme l'un des signes les plus clairs de la non-morosité, et le véritable optimisme, ni forcé ni béat, lui est manifestement associé.

EDMOND

(Admeo, Eamon, Edemonda, Edma, Edme, Edmea, Edmée, Edmonda, Edmonde, Edmondo, Edmund, Edmundo, Otmund)

Couleur : le violet.
Chiffre : le 1.
Signe associé : le Lion.
Fête : le 20 novembre.

Étymologie : du germain « ed », ***biens, richesse,*** **et « mund »,** ***protecteur.***

Célébrités : Edmond Ier (922-946) et Edmond II dit *Côtes de Fer* (980-1017), rois des Anglo-Saxons; Edmond de Goncourt; Edmond Rostand; Edmond de Rothschild; Edmond Maire; Sir Edmond Hillary, premier vainqueur de l'Everest en 1953 avec le sherpa Ten-Zing.

Le Moyen Age britannique voua un culte à saint Edmond (840-870), assassiné par les Danois à Thetford, et son tombeau de Bury-Saint-Edmonds donna lieu à quantité de pèlerinages. Au XIIIe siècle, saint Edmond Rich, archevêque de Canterbury, fut exilé en Bourgogne, où il mourut. Après une longue éclipse, Edmond revint en vogue, et dans toute l'Europe, au XIXe siècle. Il semble un peu en perte d'influence de nos jours, mais nombre de nos grands-parents furent des Edmond et des Edmonde. Ces « protecteurs du patrimoine » sont psychologiquement des « fonceurs » : brillants, entreprenants, réalisant impeccablement leurs projets, on s'accorde à reconnaître leur envergure intellectuelle, leur grandeur de vues, leur inventivité. Avec eux, il ne faut douter de rien : l'audace et le génie sont parmi leurs alliés. Mais pourquoi donc ne séduisent-ils plus aussi clairement qu'autrefois? Notre époque aurait-elle peur du génie?

ÉDOUARD

(Duarte, Eddy, Edoarda, Edoardo, Edouarda, Edouardik, Edouardine, Eduardo, Edvard, Edward, Edwarda, Edwardine, Ned, Otward, Ted, Teddy)

Couleur : le rouge.
Chiffre : le 5.
Signe associé : le Capricorne.
Fête : le 5 janvier.

Étymologie : du germain « ed », ***biens, richesse,*** **et « ward »,** ***gardien.***
A éviter avec un nom de famille commençant par Ou, A, R.
Célébrités : des rois – d'Angleterre (huit) – du Portugal (un); des princes de Galles; un comte de Savoie; le peintre Édouard Manet; le musicien Edward Grieg; le poète Edward Mörike; le peintre Édouard Vuillard; le musicien Édouard Lalo; l'homme politique Édouard Herriot; ainsi qu'une quantité de héros littéraires : dans *La Nouvelle Héloïse* (1761) de J.-J. Rousseau; *Edurad Rosenthal* (1784) de Vulpius; *Amanda et Eduard* (1803), de Sophie Mereau; *Les Affinités électives* (1809), de Goethe; le champion cycliste belge Eddy Merckx; le poète Eduardo Sanguineti; et le peintre Eduardo Arroyo.

Au Xe siècle, saint Édouard le Martyr fut assassiné à l'âge de seize ans par sa belle-mère; d'autres saints portèrent également ce prénom, notamment saint Édouard le Confesseur (XIe siècle), très pieux époux d'une pieuse Édith, et roi plutôt dépourvu d'esprit de rapine et de conquête. Pourtant, Édouard est, au caractère, le frère d'Edmond : du reste, l'étymologie des deux prénoms fait avoisiner fortement leur signification – Edmond « protège les biens », et Édouard en est le « gardien ». Il faut donc ici se reporter à Edmond, auquel il convient d'ajouter un trait spécifique en ce qui concerne Édouard : la disponibilité, la capacité à agir pour autrui; en plus des qualités d'Edmond, Édouard possède l'aptitude au dévouement et au commandement.

EDWIGE

(Edvige, Hedda, Hedel, Hedgen, Hedi, Hedy, Hedwig, Hedwiga, Hetti, Jadwiga, Wiegel, Wig, Wigge)

Couleur : le vert.
Chiffre : le 8.
Signe associé : le Taureau.
Fête : le 16 octobre.
A éviter avec un nom de famille commençant par I, J, V, ou toute consonne « chuintante ».

Étymologie : du germain « ed », ***biens, richesses,*** **et « wig »,** ***combat*** **(ou « wiha »,** ***sacré*****).**
Célébrités contemporaines : l'actrice Edwige Feuillère; la responsable politique (et ministre socialiste) Edwige Avice.

Edwige est un prénom de vieille souche germanique dont l'usage est resté constant, sans la moindre faille, et se poursuit actuellement. Sainte Edwige (1174-1243), épouse de Henri Ier, roi de Pologne, fut mère de sept enfants, dont sainte Élisabeth de Hongrie. Elle est la patronne de la Silésie. Edwige fut également le prénom de la mère de Hugues Capet, et celui de la sœur d'Otton le Grand, ainsi que de l'épouse de Guillaume Tell (dans le *Wilhelm Tell* de Schiller –1804). De l'étymologie du prénom vient sans doute le caractère parfois colérique, combattant d'Edwige; c'est une lutteuse qui va droit au but. Elle n'aime pas s'embarrasser d'arguties trop « diplomatiques » à son goût. On la voit souvent s'appuyer sur les valeurs sûres, éprouvées, avec un penchant marqué pour les traditions. Son sens de la beauté lui permet toutefois d'innover, de renouveler en direction de créations équilibrées et harmonieuses. Elle possède enfin une suavité, une émotivité intérieures qui en font une compagne étonnante d'intuition et de sensibilité.

EDWIN

(Edana, Edina, Edna, Eduin, Eduine, Eduino, Edweena, Edwina)

Couleur : le vert.
Chiffre : le 7.
Signe associé : les Gémeaux.

Étymologie : du germain « ed », ***biens, richesses,*** **et « win »,** ***ami.***

Prénom essentiellement utilisé en Angleterre, où il fut celui de saint Edwin, roi de Northumbrie au VIIe siècle, qui laissa trace de sa renommée dans le nom de la ville d'Edinburg *(Edwin's Burgh)*, Edwin est à peu près inconnu en France aussi bien qu'en Allemagne. Cet « ami du patrimoine » n'a pas intéressé le continent. Étrange. Au caractère, on le trouve proche d'Edmond, auquel on se reportera.

ÉGLANTINE

(Eglentyne)

Couleur : le vert.
Chiffre : le 2.
Signe associé : la Balance.
Fête : le 23 août.
Étymologie : du latin « aquentilum », à partir de « aculeus », *aiguillon.*

C'est la Révolution française qui, curieusement, a promu cette fleur au rang de prénom, qui connut une grande faveur durant le siècle dernier. Il est aujourd'hui tombé en désuétude. Églantine avait du charme, de la finesse, et du piquant; en somme, un bouquet vif et suave. Dommage.

ÉLÉONORE

(Alianore, Aliénor, Eleanor, Eleonor, Eleonora, Elenora, Elenore, Elinor, Ella, Ellinor, Elly, Leonora, Leonore, Leora, Leore, Liénor, Lora, Lore, Nora, Nore, Noor, Noortje, Norina)

Couleur : l'orangé.
Chiffre : le 8.
Signe associé : les Gémeaux.
Fête : le 25 juin.
A éviter avec un nom de famille commençant par O, R, Or, Nor.
Étymologie controversée : du grec « eleos », *compassion*, ou du latin « lenire », *apaiser* (une douleur, une souffrance), ou de l'arabe « ellinor », *Dieu est ma lumière*.

Quoi qu'il en soit, admettons que Dieu, lumière divine ou compassion sont censés être apaisants, et qu'Éléonore réunit toutes ces vertus. Reste qu'Éléonore est arrivée en Europe au XIIe siècle avec les Maures, et l'a séduite d'un coup, Angleterre comprise. Tenue pour sainte (mais non canonisée par Rome) sainte Éléonore de Provence eut une vie mouvementée. Mariée au roi d'Angleterre Henri III à l'âge de quatorze ans, en 1236, pieuse et artiste, elle souleva maladroitement le peuple contre la Couronne. En exil en France alors que son roi d'époux était prisonnier des insurgés, elle sut revenir à la tête d'une armée et rétablir la situation à son avantage. Par la suite, devenue veuve, elle entra en religion, et mourut en 1292 à l'abbaye d'Ambresbury comme simple Bénédictine. Il faut dire que les Éléonore eurent des destinées également royales et tout aussi « remuantes ». Déjà, Aliénor d'Aquitaine (1122-1204) fut reine de France comme épouse de Louis VII qui la répudia en 1152; elle se remaria avec Henri II Plantagenêt roi d'Angleterre, et resta ainsi reine en changeant de royaume. Eleanor de Castille sera reine de Navarre, épouse, à l'âge de dix ans, d'Édouard Ier

Éléonore de Habsbourg, sœur de Charles-Quint, épousera Manuel Ier le Grand, roi du Portugal, puis le roi de France François Ier : encore deux couronnes pour une Éléonore! Éléonore Teles de Meneses sera une autre reine du Portugal. A notre époque, Léonora Carrington saura être peintre et écrivain surréaliste, avec toute la royauté, mais celle-là, de l'esprit, qui sied aux Éléonore. Au caractère, il est dit qu'Éléonore est sujette aux mouvements en dents-de-scie des enthousiasmes et des dépressions. Son entourage la juge souvent imprévisible, mais connaît et subit le charme irrésistible et souverain qui émane de son sens hautain du caprice. Nul prénom peut-être ne fascine autant rien qu'avec sa sonorité. Les « longs cheveux d'Éléonore » sont à coup sûr des fils d'Ariane, mais chacun de ces fils est fil de l'égarement pour la raison raisonnante. Avec Éléonore l'intuition est véritablement reine, et c'est de l'intuition qu'il faut pour la suivre, à défaut de pouvoir la comprendre ou la deviner. Quant à la précéder... bien présomptueux qui croit pouvoir la guider, la prévoir, ou la vaincre!

ÉLIANE, ÉLIE

(Elia, Elias, Elie, Eliet, Eliette, Elina, Eline, Elyette, Lélia)

Couleur : le vert.
Chiffre : le 1.
Signe associé : le Cancer.
Fête : le 20 juillet (ÉLIE).
A éviter avec un nom de famille commençant par A, N.

Étymologie : de l'hébreu « Eli », ***Dieu.***
Célébrités : la responsable TV, Éliane Victor; l'homme d'État Élie Decazes; l'historien d'art Élie Faure; l'écrivain contemporain Élie Wiesel; le cinéaste Elia Kazan.

De fait, il est exclu d'évoquer Éliane sans évoquer Élie, le prophète hébreu du monothéisme, dont le prénom est de nos jours encore largement répandu dans les milieux israélites et protestants. Il vécut neuf siècles avant la venue de Jésus, et gagna le ciel, dit-on, sur un char de feu, non sans avoir abandonné sa toge à son disciple Élisée, qui sera prophète à son tour. Au caractère, Élie comme Éliane représentent la force clairvoyante, qui sait entreprendre sans se ménager ni se disperser, et qui a la passion de l'opiniâtreté. Pour Éliane, prénom élancé, évoquant irrésistiblement la souplesse et les feuillages traversés, l'image de la femme indépendante et libre s'impose, avec une nuance de rêverie et de nostalgie due à un certain culte de l'enfance qu'elle entretient par devers elle comme on écoute les sources, en secret.

ÉLISABETH

(Babette, Belita, Bella, Belle, Bess, Bessie, Betsey, Betsy, Bettina, Betty, Ealasaid, Eilis, Elisa, Elisabetta, Elise, Elisée, Eliseo, Elisha, Elizabeth, Elsa, Elsbeth, Else, Elsebein, Elseline, Elsie, Elsje, Elslin, Ilsabe, Ilsebey,

Ilse, Isa, Isabeau, Isabelle, Libby, Lillah, Lillibet, Lisbeth, Lise, Liselotte, Lison, Lissounia, Lysje)

Couleur : l'orangé.
Chiffre : le 9.
Signe associé : le Taureau.
Fête : le 5 novembre.

A éviter avec un nom de famille commençant par T, Et, B.
Étymologie : de l'hébreu « elischeba », ***Dieu est mon serment.***
Zacharie et Élisabeth, vieux époux trop âgés pour procréer, se virent tout de même gratifiés d'un enfant, annoncé par l'ange Gabriel; la cousine d'Élisabeth, la Vierge Marie, se retrouva dans la même situation. Ainsi naquirent Jean le Baptiste et Jésus. Fils d'Élisabeth et du Saint-Esprit, Jean annoncera la venue de Jésus. Le vieux Zacharie, d'abord perplexe, reconnut, et les siècles suivants également, la sainteté d'Élisabeth. Une douzaine d'autres saintes et bienheureuses portèrent le nom d'Élisabeth. Après avoir fait le tour de la Méditerranée orientale et de la Russie, le prénom s'est implanté dans toute l'Europe et jusqu'en Espagne et au Portugal (sous les formes, pour ces deux pays, d'Isabel et Isabela). C'est en France que, par la suite, Isabelle et Élisabeth connurent deux existences distinctes, alors qu'il s'agissait d'abord d'un seul et même prénom. Dès le XIIe siècle, Élisabeth fait partie des prénoms féminins les plus en vogue en Europe, et en Angleterre il s'impose définitivement à partir du XVIe siècle.
Célébrités d'envergure : une reine de France; une reine des Belges; deux reines de Hongrie; une reine de Roumanie; une impératrice d'Autriche; deux impératrices de Russie; quatre reines d'Angleterre, dont l'actuelle; enfin, la vogue européenne de ce prénom ne s'est nullement démentie avec le temps et se poursuit de nos jours, et Élisabeth est et reste un grand prénom, avec Élisabeth Couturier (TV), Élisabeth Schwartzkopf, la cantatrice d'Outre-Rhin et Élizabeth Taylor.

Par-delà son origine biblique, interrogeons Élisabeth et demandons-lui qui elle est.
« Moi? Eh bien j'incarne la majesté, l'émotivité et l'intelligence des relations sociales. Pour ce qui est de la majesté, disons que mon port de tête et mon endurance morale face aux revers du sort sont de premier ordre, et qu'à propos d'ordre je possède au demeurant l'art spontané du commandement : ce n'est nullement par hasard que ma lignée comprend une série de reines et d'impératrices. L'émotivité, en revanche, souvent envahissante, excessive et difficilement contrôlable, constitue mon point faible, qu'une volonté puissante et méthodique m'aide heureusement à surmonter. Très intériorisée, je cultive en secret cette maîtrise de soi sans laquelle l'être humain s'égarerait volontiers; au fond, j'ai plutôt confiance en ma bonne étoile, mais je sais n'en pas faire étalage et affecter la modestie et l'humilité. Je dois à mon intelligence un sens aigu de l'analyse, et à mon intuition un flair à toute épreuve. Curiosité, notamment dans le domaine artistique, dynamisme conquérant et séduction font partie de mes atouts sur le plan social, où j'excelle en matière de *public-relations.* Je m'empare sans difficulté des techniques nouvelles, et, par exemple, de tout ce qui touche à la communication, comme la radio, la télévision et toutes les gammes de l'électronique. Certes, je ne suis pas aussi experte sur le plan affectif, où je communique souvent comme à contretemps; j'observe sans doute trop froidement mes grands élans amicaux ou sentimentaux, et il s'en faut de beaucoup que je me sente véritablement comprise comme je souhaiterais l'être : c'est que la maîtrise de soi exige un répondant à sa hauteur, ce qui ne se trouve pas à la première occasion. De surcroît mon goût prononcé de l'indépendance ne facilite pas nécessairement les choses sur ce terrain. N'importe! Je réussis ce que j'entreprends, et je connais les arcanes de l'habileté. Faillirai-je à la modestie si j'ajoute que j'aime aller jusqu'au bout de mes projets et que, justement, j'y vais? Enfin, mon image archétypale,

selon les vieux grimoires, est celle de la reine de beauté... Je rougirais d'insister, évidemment! »

ÉLISE

(voir Élisabeth)

Couleur : l'orangé.
Chiffre : le 5.
Signe associé : les Poissons.
A éviter avec un nom de famille commençant par I, S, ou Z.

Étymologie : voir Élisabeth.
Célébrités : la *Lettre à Élise;* le roman de Claire Etcherelli, *Élise ou la vraie vie.*

On dit Élise romanesque et rêveuse, et parfois plus dévouée qu'efficace; mais si l'esprit de réalisation pratique lui fait souvent défaut, son exceptionnelle finesse intuitive vient à point contrebalancer cette faiblesse en donnant à son charme le parfum discret de la compréhension à demi-mot.

ELLA

(Aella, Ellie, Elly)

Couleur : le bleu.
Chiffre : le 3.
Signe associé : les Gémeaux.
Fête : le 1er février.
A éviter avec un nom de famille commençant par L, A, Al, ou La.

Étymologie controversée : de l'hébreu « elyah », *Seigneur Dieu,* ou de l'anglo-saxon « aelf », *elfe.*
Une célébrité contemporaine notoire : la chanteuse noire américaine Ella Fitzgerald.

Ella fut d'abord un prénom masculin, vers le VIe siècle, en Angleterre. Sur le continent, Ella, prénom féminin, se présente comme un diminutif d'Éléonore, de Hélène, ou d'Élisabeth. La Bienheureuse Ella, épouse de Guillaume dit Longue-Épée, comte de Salisbury, suivit son mari en Croisade; après son veuvage, elle fonda le monastère de Laycock et y rendit l'âme en 1226. Au caractère, Ella est une nature robuste capable d'audace comme de caprice; elle n'hésite pas à concurrencer les hommes sur leurs propres terrains d'élection; énergique aussi bien qu'éventuellement envoûtante, il est peu de situations qui puissent réellement la déconcerter.

ÉLODIE

(Dee, Ellie, Elodea, Elodia, Lodi, Lodie, Odie)

Couleur : le bleu.
Chiffre : le 5.

Signe associé : le Lion.
Fête : le 22 octobre.

A éviter avec un nom de famille commençant par Di, D, L.
Étymologie controversée : du latin « alodis », *propriété*, ou du grec « elodié », *fleur fragile*.

Célébrité : la chanson de Serge Gainsbourg, *Melody Nelson*, qui joue évidemment du prénom d'Élodie.

Sainte Élodie (IXe siècle) fut martyrisée sous le califat d'Abd Er Rahman, en Espagne, dans sa province natale de Huesca. Ce prénom, très musical, suggère une fine et ardente sensibilité. Son côté subtilement désuet semble paradoxalement le remettre en vogue de nos jours.

ÉLOI

Couleur : le jaune.
Chiffre : le 5.
Signe associé : le Cancer.
Fête : le 1er décembre.

A éviter avec un nom de famille commençant par A, Oi, La, Loi.
Étymologie : du latin « eligius », *élu*.

Le bon saint Éloi (588 660) aida bien sûr le roi Dagobert d'un point de vue vestimentaire et politique, après avoir été remarqué par Clotaire II pour ses qualités d'orfèvre. Il fonda nombre de monastères, dont celui de Solignac, et se signala par son infatigable activité d'évangélisateur. Il fut aussi évêque de Noyon, où ses reliques ont été ramenées en 1952. Il est le saint patron des orfèvres, évidemment, mais aussi de tous ceux qui travaillent du marteau, forgerons et métallurgistes, ainsi que de la ville de Limoges. Selon la légende, il ferra un cheval en lui tranchant d'abord la patte, posa le fer et remit la patte en place sans qu'aucune trace ne restât visible de son étrange procédé; on ne sait ce qu'en pensa le cheval. Au caractère, Éloi est la poésie même, avec un brin de fantasque humour, une fraîcheur d'esprit inentamable et paraît-il, une exemplaire étourderie quant à l'argent : de nos jours, voilà des qualités qui ne sont guère appréciées à leur juste mesure, et du reste Éloi a quasi-complètement disparu des registres d'état civil. Ainsi va la loi du sérieux!

ELSA, ELSE

(voir Élisabeth)

Couleur : le rouge.
Chiffre : le 1.
Signe associé : les Poissons.
« Elsa mon amour ma jeunesse », chante Aragon d'Elsa Triolet; et l'écrivain Marc Bernard d'évoquer également Else la Bien Aimée, elle aussi disparue. Nous reste heureusement leur vraie présence au-delà du temps, ainsi que l'actrice Elsa Martinelli. Comment oser en dire davantage sur l'un des plus émouvants prénoms qui soient?

ELVIRE

(Elvira, Elvera, Elvie)

Couleur : le jaune.
Chiffre : le 8.
Signe associé : le Sagittaire.
Fête : le 16 juillet.
A éviter avec un nom de famille commençant par I, Vi, R.
Étymologie : du germain « adal », *noble,* et « wart », *gardien.*
Célébrités : la Donna Elvira du *Don Juan* de Mozart (1787); et la grande Elvire Popesco.

Prénom d'origine wisigothe, Elvire fut d'abord adoptée en Espagne. Il y eut au XIIe siècle une sainte Elvire abbesse du monastère de Oerhen, en Allemagne. Au caractère, Elvire se caractérise par sa grande classe : haute tenue, allure racée, charme et port royaux; une conscience de soi affirmée l'incline à se revendiquer comme l'égale des hommes; elle est directe et volontaire, et sait équilibrer en elle l'intelligence pénétrante et l'émotivité passionnée. Un grand prénom, qui n'a toutefois pas réussi à s'imposer vraiment en France, peut-être à cause du jeu de mots possible sur le thème « elle vire, Elvire », mais qui sait où?

ÉMILE, ÉMILIE

(Aemilia, Emele, Emil, Emilda, Emeline, Emilia, Emiliaan, Emiliana, Emiliane, Émilien, Émilienne, Emilio, Emils, Emilius, Emily, Emlyn, Mel, Melia, Meliocha, Migeli, Mil, Milia, Millian, Milly, Milou)

Couleur : le bleu.
Chiffre : le 8.
Signes associés : les Gémeaux, le Cancer.
Fêtes : le 22 mai, le 24 août.
A éviter avec des noms de famille commençant par L, I, M.
Étymologie : du latin « aemulus », *rival,* ou du grec « haimulos », *ruse;* Aemilius fut le nom d'une grande famille romaine, la *gens Aemiliana,* d'où sont issus le consul Paul Émile et son fils Scipion Émilien, petit-fils adoptif de Scipion l'Africain. Le consul Émile Lépide laissa son nom à la via Emilia, qui relie le Pô à l'Adriatique, ainsi qu'à la province du nord de l'Italie, l'Émilie.
Célébrités : *L'Émile* (1762) de Jean-Jacques Rousseau, évidemment; *Der Kluge Emil* du poète allemand Gellert (1715-1769): *Emilia Galotti* (1772), de Lessing; l'écrivain Emily Brontë; Emmy Goering, épouse du dirigeant nazi; Émile Augier (1820-1889), l'auteur du *Gendre de M. Poirier;* Émile Littré;

Émile Zola (ci-contre); l'homme d'État Émile Loubet; le grand leader mexicain Emiliano Zapata; le grand bandit populaire russe du XVIIIe siècle, Emilian Pougatchev.

Saint Émile et saint Caste (IIIe siècle), soumis à la torture, durent abjurer leur foi; libérés, ils se proclamèrent de nouveau chrétiens et furent alors brûlés vifs. Sainte Émilie de Vialar (1797-1856) fonda la Congrégation de Saint-Joseph de l'Apparition. Nombre d'autres saintes et saints ont porté ces prénoms, notamment saint Émile de Cordoue, martyrisé en Espagne au IXe siècle, et sainte Émilie, compagne de sainte Blandine, et martyrisée avec elle. Au caractère, Émile se signale par son inentamable fraîcheur d'esprit, sa fougue spontanée, son émotivité perpétuellement jeune; il ne perd jamais le contact avec les sources profondes de l'enfance. Volontaire, très intuitif, actif, son affectivité est sans cesse à la recherche d'une compréhension forte dont il a besoin pour s'affirmer pleinement. Émilie, quant à elle, sait « materner » son entourage; à la limite, elle peut fournir la compagne idéale pour Émile; c'est sa façon à elle de rééquilibrer son psychisme enclin à la rêverie plus qu'à l'action directe. Elle rêve sa vie plus qu'elle ne la construit, quitte à s'inventer un univers de fable et de légende. Son dynamisme très introverti demande donc à s'épanouir dans le dévouement à autrui, ou dans une activité artistique. De nos jours ces prénoms semblent un peu en perte de vitesse, Ils ont toutefois connu une grande vogue littéraire.

ÉMILIEN, ÉMILIENNE

(voir Émile, Émilie)

Couleur : le bleu.
Chiffres : le 4, le 5.
Signes : le Lion, la Balance.
Fêtes : le 18 juillet, le 5 janvier.

Saint Émilien, au IVe siècle, s'attaqua à l'idolâtrie; on le brûla vif. Sainte Émilienne, au VIe siècle, fut canonisée par le pape saint Grégoire, son neveu. Ces deux prénoms, qui ne manquent pas de charme, sont un peu tombés en désuétude, mais la mode du « rétro » peut s'en emparer pour leur faire connaître une seconde jeunesse.

EMMANUEL

(Emanuel, Emmanouïl, Immanuel, Maan, Mandel, Mano, Manoel, Manolete, Manolo, Manu, Manuel, Mendel)

Couleur : l'orangé.
Chiffre : le 3.
Signe associé : la Vierge.
Fête : le 25 décembre, jour de Noël.
Étymologie : de l'hébreu « imm-el » ou « imanu-el », *Dieu est avec nous.*
A éviter avec un nom de famille commençant par U, E, El, L. Emmanuel est le nom sous lequel le prophète Isaïe, sept siècles avant Jésus, désigna le Messie.
Célébrités : les musiciens Emmanuel Chabrier (1841-1894), Manuel de Falla (1876-

1946); le philosophe de Königsberg Emmanuel Kant (1724-1804); l'écrivain et diplomate Emmanuel Delloye; l'écrivain Georges-Emmanuel Clancier; l'écrivain Emmanuel Leroy-Ladurie).

Hormis ce fait que « Dieu est avec nous », que nous dit-il, Emmanuel? Ou plutôt, comment se voit-il lui-même, ce prédécesseur du Christ?
« Moi? Eh bien, je suis l'homme de la réussite assurée, quoique patiente et tardive. Pensez donc! J'ai mis sept siècles à venir, et sous un autre nom, après la prophétie d'Isaïe. Mais ça, c'était l'histoire sacrée. Au profane, c'est la volonté qui me pousse et me soutient. Il n'est pas question que je lui fasse défaut, sinon j'y perdrais mon hébreu, mon latin, et ma confiance. Il n'y a rien qui m'irrite autant que le relâchement ou la démission. Du reste, je me dois, avec un nom pareil, de rester à sa hauteur. Le diminutif dont on m'affuble gentiment, Manu, ne saurait me faire perdre de vue l'essentiel, et si je suis fort émotif, c'est en fonction du sens de la rigueur et de la bonne nouvelle dont il me faut, coûte que coûte, rester porteur. D'où l'inlassable activité et la conscience professionnelle que je déploie comme le signe tangible et la justification, à mes propres yeux comme à ceux d'autrui, de mon existence. Ce qui ne m'empêche d'ailleurs pas de me distraire, mais avec application; c'est ainsi qu'il m'arrive d'exceller dans un sport, là où beaucoup ne voient qu'un divertissement agréable, alors que j'y trouve une nécessité : comment ne pas faire parfaitement ce que l'on fait? Je suis un perfectionniste, un amoureux de la minutie. Dans cette optique, je ne saurais me fier à ma seule intuition, mais d'abord à ma capacité d'effort et de travail. Il paraît, dit-on, que cela peut me jouer des tours par rapport aux femmes, que j'aurais ainsi quelque difficulté, parfois, à comprendre. Qu'importe : je les convaincs à la force de l'exemple! Certes, je ne suis pas de ceux dont l'intellect fonctionne à la vitesse de l'éclair, mais j'ai pour moi le temps de la profondeur, la mémoire, et le sens du retrait intérieur : une certaine timidité, du scrupule et de l'honnêteté intellectuelle ne valent-ils pas autant, sinon mieux parfois, que le brio et le brillant? Timide, oui, mais à l'occasion seulement. Au lyrisme spontané ou étourdissant je préfère assurément la tendresse, l'intimité affectueuse d'une cellule affective, qu'elle soit familiale, amicale ou amoureuse. S'il m'arrive çà et là de me montrer brouillon, c'est en raison d'une non-compréhension de ceux que j'aime, ou de ma colère éventuelle à voir l'immanente justice, ou justesse, bafouée par des concessions ou des « combinaziones » inadmissibles. Je suis évidemment très sensible à l'amitié vraie et sûre, ou à sa trahison. L'échec peut momentanément me faire souffrir, et durement, mais ma vitalité, quasiment inaltérable, me fera repartir de l'avant. Abuserais-je de mes forces ou de ma sensualité que mon dynamisme trouverait vite une parade secrète, et je peux battre froid le monde entier si nécessaire pour retrouver cette chaleur du cœur sans laquelle, selon moi, rien de sérieux ne peut s'accomplir. Alors, ne suis-je pas, en définitive, un être des plus solides et des plus fiables? Disons-le – et je le dis sans fausse honte ni modestie douteuse – Emmanuel est un apôtre de la fidélité, de la régularité, de la solidité. Quelles que soient les apparences, je le rappelle : Dieu, ou, plus sobrement, l'harmonie de la vie même, est toujours là, avec nous, avec moi, même si ça n'est pas de tout repos. Mais pourquoi faudrait-il à toute force se reposer? Mon prénom lui-même s'est-il d'ailleurs jamais reposé? Sa vogue n'a pratiquement jamais connu d'éclipses, et ceux qui prétendent qu'il est dur à porter, que savent-ils donc de la dureté ou de la douceur? La sécurité,

la seule sécurité qui soit, ne s'arrête jamais : elle va, et elle va de l'avant, que diable! – pardon : je me dois de dire, bien plutôt : que Dieu! Et avançons, que diantre! »

EMMANUELLE

(Emanuelle, Emma, Emmanuella, Mania, Manolita, Manouchka, Manuela, Manuelita, Mannuella)

Couleur : l'orangé.
Chiffre : le 2.
Signe associé : le Scorpion.

Étymologie et risque de consonance disgracieuse avec le patronyme : voir Emmanuel.

Célébrité contemporaine notoire : Emmanuelle Arsan, dont les romans érotiques et les films qui en sont tirés nuancent quelque peu l'aura biblique du prénom. Mais les caractéristiques psychologiques essentielles du prénom demeurent, et Emmanuelle ne perd rien au change, bien entendu.

ÉRIC, ÉRICA

(Air, Eirik, Eri, Erich, Erico, Erik, Erika, Erke, Erker, Erkina, Eriks, Eryck, Genseric, Jerk, Ric, Ricky, Rika)

Couleur : le rouge.
Chiffre : le 8.
Signe associé : le Scorpion.
Fête : le 18 mai.
A éviter avec un nom de famille commençant par une consonne « dure », ou par A, Ca.
Étymologie controversée : du germain « aina », *unique, total* et « rik », *roi*; ou bien de « ehre », *honneur,* et « ric », *riche, puissant.*
Célébrités : quatorze rois de Suède; six rois du Danemark; le Norvégien Erik le Rouge, pionnier scandinave au Groënland; un chef Wisigoth d'Espagne, Euric; le roman *Eric or Little by Little* (Éric, ou Petit à Petit) de Dean Farrar (XIXe siècle); Erik est le fiancé de Santa dans *Le Vaisseau fantôme* de Wagner (1843); le chef d'état-major allemand de la guerre de 14-18, Erich Ludendorff; l'acteur Eric von Stroheim; le musicien Erik Satie (ci-contre); Erik Ambler, maître incontesté du roman d'espionnage.

Éric est à l'honneur chez les peuples du Nord européen depuis la nuit des temps, aussi bien chez les Germains que chez les Scandinaves. Eric Jedvardsson, saint Éric, bien que non canonisé est tenu pour un saint en Suède, au point que l'anniversaire de sa mort y est pratiquement fête nationale; roi particulièrement désireux de ne pas contrarier le destin, il se laissa assassiner à la sortie de la messe par son rival à la Couronne royale, le Danois Magnus Henrikson, alors même qu'il était au courant de ce complot, en 1160. Au caractère, Eric comme Érica sont d'une intelligence profonde, aiguë, volontaire; beaucoup de flair et d'intuition les accompagnent, et ils savent exploiter efficacement toute occasion favorable qui peut se présenter à eux; Erica y ajoute l'art de la séduction, et le sens de la décision prompte et nette ne leur fait pas défaut.

ERNEST

(Aerna, Arnost, Arnst, Earnest, Erna, Ernestina, Ernestine, Ernesto, Ernestus, Ernie, Ernst, Erny)

Couleur : le jaune.
Chiffre : le 9.
Signe associé : le Scorpion.
Fête : le 7 novembre.

A éviter avec un nom de famille commençant par S, ou T.

Étymologie : du germain « ernst », sérieux, ou « ernust », *combat*.
Célébrités : quelques ducs de Saxe; le roi de Hanovre Ernest-Auguste Ier (1771-1851), qui combattit la France de la Révolution et de l'Empire; Ernest Renan; Ernest Hemingway; Ernst Jünger; Ernesto Che Guevara.

Mais le combat est toujours chose sérieuse, bien sûr. Au caractère, Ernest est un curieux mélange d'anarchiste et de traditionaliste qui vise la rigueur et l'harmonie à partir de son intuition, très fine, et de son goût affirmé de l'indépendance totale. Doté d'une vitalité et d'une sensorialité puissante, il est en même temps un contemplatif et un être d'une grande sociabilité; on conçoit qu'avec ces tendances si opposées, il ait le goût et les moyens de l'observation poussée et de la synthèse : les compromis ne l'intéressent pas, mais l'accord des contraires sur un plan supérieur. Ernestine n'y parvient pas toujours, et doit souvent se contenter de manier et cultiver les paradoxes. Cette forme féminine du prénom est d'ailleurs plus ou moins tombée en désuétude.

ERWIN

(Erwina, Irvin, Irvina, Irving, Irwin)

Couleur : le rouge.
Chiffre : le 4.
Signe associé : le Capricorne.
Fête : le 29 mai.

A éviter avec nom de famille commençant par N, Inn, ou W.
Étymologie : du germain « her », *armée*, et « win », *ami*. Prénom surtout allemand et alsacien, il se caractérise par la volonté, le dynamisme et une intuition très affinée. On le confond souvent avec le celtique Erwan, qui est une forme dérivée de Yves.
Célébrités : Erwin von Steinbach (XIVe siècle), bâtisseur de la cathédrale de Strasbourg; le musicien Irving Berlin; l'écrivain Irving Stone; le général Erwin Rommel.

Esmeralda

(Emerald, Emeralda, Emeraude, Esma, Esmeralde, Smerald, Smeralda)

Couleur : le bleu.
Chiffre : le 8.
Signe associé : le Scorpion.
Fête : le 29 juin.
Étymologie : de l'espagnol « esmeralda », *émeraude.*

Prénom immortalisé par Victor Hugo dans *Notre-Dame de Paris* (1831), Esmeralda est si magnifique que personne en France ne semble aujourd'hui oser le porter. Seule l'une des filles de l'ex-roi Léopold, en Belgique, s'y risque actuellement. Bravo pour elle, et dommage pour les autres.

Estelle

(Essie, Estela, Estella, Estelon, Estrella, Estrellita, Stella, Stelle, Stellin)

Couleur : le bleu.
Chiffre : le 6.
Signe associé : le Taureau.
Fête : le 11 mai.
A éviter avec un nom de famille commençant par L, El, ou Tel.
Étymologie : du latin « stella », *étoile.*
Célébrités : l'héroïne des *Grandes Espérances* (1861), de Charles Dickens; l'actrice Estella Blain.

Cette « étoile » a été d'abord utilisée en pays latins, puis est allée rayonner, comme prénom, jusqu'en Angleterre. Confondue avec la « stella maris » (étoile de mer), ou symbole pour évoquer la Vierge Marie, Estelle connaît de nos jours une fortune aussi discrète qu'élégante. Au caractère, elle est d'ailleurs très féminine, enjouée, et éprise de simplicité; il lui arrive d'être sujette à des sautes d'humeur, mais sans gravité; l'étoile ne resplendit plus quand passe quelque nuage, voilà tout.

Esther

(Eister, Essa, Ester, Ettie, Hester, Hesther)

Couleur : le rouge.
Chiffre : le 3.
Signe associé : la Balance.
Fête : le 1er juillet.
Étymologie : du perse, « ester », *étoile,* ou de l'hébreu, « ester », *étoile* encore.
Célébrités : la tragédie de Racine, *Esther* (1689); Esther Johnson, dont l'auteur des *Voyages de Gulliver,* Jonathan Swift, fut éperdument amoureux : il lui consacra ses *Lettres à Stella.*

Esther est donc une autre Estelle, avec laquelle elle est souvent confondue, sous la forme d'Ethel, en pays anglo-saxon. L'Ancien Testament consacre tout un livre à Esther, épouse juive du roi de Perse Assuérus (Xerxès), qui obtint de son époux la vie sauve pour le peuple juif. Son véritable nom, nous dit la Bible, était Hadassah. Esther était paraît-il incroyablement belle, et son nom est également l'équivalent d'Ishtar, la déesse babylonienne présidant, entre autres, à la volupté suprême. Étrangement, le prénom fut adopté en Angleterre par les puritains. Au caractère, l'intellect et la culture viennent seconder sa séduction et son opiniâtreté.

ÉTIENNE

(Esteban, Esteffe, Estevan, Estève, Estienne, Staffan, Staines, Steaphan, Stefa, Stefaans, Stefan, Stefani, Steffel, Steffert, Stepanida, Stephan, Stéphane, Stephania, Stéphanie, Stephanson, Stephen, Stevana, Steve, Steven, Stevena, Stevenje, Stevenson, Stiobban)

Couleur : le vert.
Chiffre : le 9.
Signe associé : la Vierge.
Fête : le 26 décembre.
A éviter avec un nom de famille commençant par N, Enn.
Étymologie : du grec « stephanos », ***couronne.***
Célébrités d'envergure : neuf papes, dont un saint (Étienne Ier) et un bienheureux (saint Étienne de Muret), ermite pendant cinquante ans; cinq rois de Hongrie (et le premier d'entre deux fut lui-même un saint); un roi de Pologne, Étienne Ier Bathory (1533-1586), vainqueur d'Ivan le Terrible; Étienne de Blois (XIIe siècle), petit-fils de Guillaume le Conquérant et roi d'Angleterre lui-même; l'industriel Étienne Montgolfier (1745-1799) qui, avec son frère Joseph, mit au point la première montgolfière; Étienne Marcel (1316-1358), prévôt des marchands de Paris et opposant au futur Charles V; Étienne Méhul, compositeur de la musique du ***Chant du Départ*****; et Stéphanie de Beauharnais, fille adoptive de Napoléon; le poète Stefan George; le compositeur Stefen Foster; l'écrivain Stefan Zweig; le philosophe Stéphane Lupasco; l'acteur Steve Mc Queen; sans oublier le poète Stéphane Mallarmé, la ville de Saint-Étienne et la cathédrale Saint-Stéphane, à Vienne.**

« Beau comme un ange », selon la légende, un jeune juif venu d'Alexandrie reçut la bonne parole et s'enflamma pour elle : c'était Étienne, que les Apôtres nommèrent diacre; il commença lui-même à propager la foi nouvelle, mais le saint n'eut guère le temps pour lui : arrêté sur ordre du Sanhédrin, il fut lapidé sous les yeux de Paul. Il y avait trente-trois ans à peine que le Christ était monté sur la croix. D'autres saints et bienheureux, dont certains seront papes et rois, porteront ce prénom, mais saint Étienne connut ce privilège très particulier d'être le premier de la longue liste des martyrs du christianisme. Patron des tailleurs de pierre, des carriers et des fondeurs, son véritable nom était Cheliel (« couronne », en hébreu), qui, traduit en grec, donna Stephanos. Comme prénom, Étienne est de nos jours un peu tombé en désuétude, mais Stéphane et Stéphanie ont pris et assuré sa relève. Toutefois la forme Étienne a joui d'un immense prestige durant des siècles en Europe, et notamment dans l'Est européen. Stéphanie s'est imposée au siècle dernier à partir de l'Allemagne. Au plan du caractère, Étienne présente tous les signes du chercheur; c'est un être équilibré, d'une curiosité inlassable, d'un dynamisme et d'une volonté sans faille. Efficace, précis, intelligent, doué d'une vaste mémoire, sa puissance d'analyse et de synthèse ne le laisse jamais pris au dépourvu. Il en faut beaucoup pour que ce logicien-né s'affole et perde le contrôle de lui-même. Sur le terrain de l'honnêteté intellectuelle et de la rigueur morale, on cherchera longtemps avant de trouver plus impeccable chercheur; quant au domaine affectif, là encore nous avons affaire à un oiseau rare : chez lui, l'amour, l'amitié et la confiance sont empreints de sérénité et de simplicité; la joie d'autrui le comble, et la stabilité le ravit! La rencontre d'un Étienne, ou, ce qui revient au même, d'un Stéphane, est chose précieuse; qu'on se le dise...

EUGÈNE, EUGÉNIE

(Eugen, Eugenia, Eugénien, Eugenio, Eugenius, Eujen, Evedni, Evguecha, Evgueni, Gene, Genia, Genie, Guecha, Ugenie)

Couleur : le bleu.
Chiffre : le 3.
Signe associé : les Gémeaux.
Fêtes : le 13 juillet, le 7 février.

A éviter avec un nom de famille commençant par Enn, N, I, J.
Étymologie : du grec « eugenios », *bien né, de noble race.*
Célébrités : quatre papes dont un saint, Eugène Ier, et un bienheureux, ami de saint Bernard, Eugène III. Le prince Eugène de Savoie, qui, plutôt que de mondaniser à la Cour de Versailles, s'en alla guerroyer contre les Turcs et se révéla grand général et habile stratège; Eugène Scribe; Eugène Delacroix; Eugène Labiche; l'épouse de Napoléon III, Eugénie de Montijo; *Eugénie Grandet,* héroïne du roman de Balzac (1833); le poète soviétique Evgueni Evtouchenko; le poète français Eugène Guillevic, le dramaturge Eugène Ionesco.

Saint Eugène (ve siècle) fut évêque de Carthage, et mourut en exil à Albi. Sainte Eugénie de Smet (1825-1871) prit le voile comme « sœur Marie de la Providence » et fonda, avec l'aide morale du curé d'Ars, la Congrégation des Auxiliaires du Purgatoire. Quantité d'autres saintes et saints furent également des Eugène et des Eugénie. Le prénom Eugène est toutefois tombé en désuétude de nos jours, sans doute à cause de sa sonorité sourde, et autorisant trop de plaisanteries sur le thème « où il y a de l'Eugène... pas de plaisir ». Eugénie en revanche a beaucoup mieux résisté, comme le génie, évidemment. Pourtant, Eugène a de la classe : il sait fort bien s'arranger de toutes les situations, et se montrer résolument novateur et non-conformiste; un solide optimisme, un esprit de recherche et d'indépendance : on le regrettera. Eugénie ajoute à ces qualités le goût du travail soutenu et de l'ordre; de surcroît, elle ne manque ni de charme ni d'intuition.

EULALIE

(Eula, Eulalia, Lallie, Lia)

Couleur : le rouge.
Chiffre : le 9.
Signe associé : les Gémeaux.
A éviter avec un nom de famille commençant par I, L, Li.
Étymologie : du grec « eulalos », *qui parle bien.*

Martyrisée en Espagne au IVe siècle, sainte Eulalie est la patronne de

Barcelone. Prénom quasi-inexistant en France, où sa sonorité ne fait pas précisément battre les cœurs. Il nous reste une *Cantilène de sainte Eulalie,* qui est le plus vieux poème en langue d'oïl connu.

EUSÈBE

(Eusébie, Eusebio)

Couleur : le jaune.
Chiffre : le 3.
Signe associé : le Verseau.
Fête : le 2 août.
A éviter avec un nom de famille commençant par B, ou, s'il s'en trouve, Z.
Étymologie : du grec « eusebes », ***pieux.***

Eusèbe est, dit-on, un inventeur-né, un passionné, un amoureux de la découverte. Il est, malheureusement pour lui, tombé en désuétude totale en France, et Eusébie bien davantage encore s'il se peut. Drôle de zèbre, évidemment, que ce pieux inventeur. Célébrités, car il y en eut : le favori de l'empereur Constantin, Eusèbe de Césarée; le disciple d'Arius, Eusèbe de Nicomédie, évêque de Constantinople; et le fougueux adversaire d'Arius et de ses disciples arianistes, saint Eusèbe, évêque de Vercueil (IVe siècle); ainsi qu'un pape, qui régna quatre mois et fut également un saint.

EUSTACHE

(Eustace, Eustacia, Eustasius, Eustatius, Eustazio, Stacey, Stacie, Stazio)

Couleur : le violet.
Chiffre : le 1.
Signe associé : le Bélier.
Fête : le 20 septembre (dans l'ancien calendrier romain).
A éviter avec un nom de famille à l'attaque chuintante.
Célébrités anciennes : l'un des bourgeois de Calais, Eustache de Saint-Pierre (1287-1371); Eustache Deschamps, poète du XIVe siècle; Eustache Le Sueur, peintre du XVIIe siècle; Eustache du Caurroy, musicien de Henri IV.

Saint Eustache eut une vie et un martyre final du style incontrôlable; la légende veut qu'il ait été grillé dans un taureau de bronze chauffé à blanc. D'autres saints suivirent, qui furent des Eustaches, et notamment le bienheureux Eustache guillotiné en 1792. Au caractère, Eustache est un persévérant, un opiniâtre; sa volonté, son audace, son amour de la vérité et de la justice le signalent comme un être épris de probité et de rigueur; gare à qui le trompe ou le déçoit : il n'a pas l'indulgence facile, et l'amitié est sacrée à ses yeux. Il faut constater cependant que la sonorité du prénom prête aujourd'hui le flanc à l'ironie, et qu'il est largement passé de mode.

ÉVARISTE

Couleur : le jaune.
Chiffre : le 9.
Signe associé : la Balance.
Fête : le 26 octobre (dans l'ancien calendrier romain).
A éviter avec un nom de famille commençant par S, T, Is.
Étymologie : du latin « evagor », *se propager, se répandre.*
Célébrités : le poète académicien français Évariste Désiré de Forges, vicomte de Parny (1753-1814); le génial mathématicien Évariste Galois (1811-1832), mort dans un duel à l'âge de vingt et un ans.

Saint Évariste, pape de 97 à 105, succéda à saint Clément, mais l'Église, faute de données biographiques précises, l'a évacué du calendrier. Évariste est d'une sensibilité subtile et délicate; son intuition très fine, sa gentillesse, sa sociabilité extrême, son sens de la conciliation en font un exquis personnage, mais il est bien oublié de nos jours.

ÈVE

(Éva, Evchen, Évi, Évie, Évita, Evka, Ewa, Ewe, Ieva)

Couleur : le bleu.
Chiffre : le 5.
Signe associé : le Bélier.
Fête : le 6 septembre.

Étymologie : de l'hébreu « havvah », *vie, source de vie.*
A éviter avec un nom de famille commençant par V, E, F.
Célébrités : Ève Curie; Évita Peron; Ève Lavallière; Eva Braun, Eva de Vitray-Meyerovitch, et nombre d'œuvres l'ont mise au premier plan, comme il se doit, entre autres *La Case de l'oncle Tom,* de Harriet Beecher Stowe, *Les Maîtres-Chanteurs de Nuremberg* (1867) de Wagner, ou *La Cruche cassée* de Heinrich von Kleist. Une ancienne croyance populaire voulait que les Ève jouissent d'une plus longue vie que les autres : tant mieux!

Qui ne connaît Ève, la première femme selon la Bible? Née d'une côte (ou d'un côté) d'Adam, croqueuse de la fameuse pomme, inauguratrice du fameux « péché originel », Ève est tout de même celle sans qui la suite n'aurait jamais eu lieu. Il y aurait quelque mauvaise grâce à ne pas rendre hommage à sa grâce. Comme prénom, elle a d'ailleurs connu, et connaît encore, un sort bien plus favorable qu'Adam, presque totalement tombé en désuétude de nos jours. Au profane, elle est sublimement équilibrée, même si de mauvais esprits voient dans son charme, sa séduction, sa volonté, son sens de l'action, sa tendresse profonde, sa recherche de l'Amour avec majuscule un reste de fascination pour les suggestions lointaines de l'ancien serpent. De surcroît, elle est poétiquement imprévisible, et sa popularité est éternelle.

ÉVELYNE

(Aileen, Eibhlin, Evaleen, Evalyn, Evelien, Evelina, Eveline, Evelino, Evelyn, Evlyn)

Couleur : le bleu.
Chiffre : le 7.
Signe associé : le Lion.
A éviter avec un nom de famille commençant par Inn, N, Ni, L, Li.
Étymologie discutée : soit comme pour Ève, de l'hébreu « havvah », *vie, source de vie,* soit du gothique « awi », *grâce, merci.*

Une célébrité inattendue : l'acteur américain John Wayne, qui s'appelle Evelyn Cyril Waine, dans la mesure où la forme masculine du prénom a eu quelque usage dans le monde anglo-saxon; et également la bisaïeule de Guillaume le Conquérant, qui fut une Aveline; de nos jours l'écrivain Evelyne de Smedt.

On rencontre Évelyne au IXᵉ siècle sous les apparences formelles de Aualun et Avilanus, ce qui la distinguerait radicalement de Ève. Ou encore, elle viendrait du latin « abellana », *noisette d'Abella* (de la région de la Campanie), d'où « aveline » et « avelaine » qui, en vieux français, sont des noisettes. La perplexité reste donc de rigueur, mais Évelyne est tout de même un prénom qui ne manque pas de prestance. On la dit pleine de fougue, d'un tempérament ardent et vif, encline aux grandes avancées idéalistes et généreuses, et peu orientée vers le relâchement ou le compromis dans la défense de ses principes et convictions. L'usage de ce prénom a connu une grande faveur depuis le siècle dernier, notamment en Angleterre et en France.

EVRARD

Couleur : le violet.
Chiffre : le 5.
Signe associé : le Taureau.
Fête : le 24 octobre.

A éviter avec un nom de famille commençant par A, R, Ar, Ra.

Étymologie : du germain « eber », *sanglier,* et « hard », *vigoureux.*
Célébrité : le premier porteur du titre de « peintre du roi », Evrard d'Orléans (XIIIᵉ siècle). Mais Evrard n'est pas, c'est le moins qu'on puisse dire, d'un usage courant.

Saint Evrard (XIIᵉ siècle), bénédictin et évêque de Salzbourg, eut maille à partir avec l'empereur Barberousse, et sut lui tenir tête. D'autres saints furent des Evrard, c'est-à-dire de « vigoureux sangliers », notamment un ermite endurci qui fonda le monastère d'Einsiedeln en Suisse. Mais au profane, Evrard est un épicurien savourant pleinement la vie et ses plaisirs, ayant le sens de la beauté et de l'harmonie, et sachant user d'un intellect puissant et équilibré pour se passer du superflu et du superficiel. Une forte nature.

ET L'ANGLETERRE?

Contrairement au vieux fonds des prénoms germaniques et scandinaves, la gamme prénominale britannique n'a pas été forgée en Angleterre, mais reflète fidèlement la fluctuation des mouvements historiques et des diverses invasions qui ont déferlé sur la grande île. On distingue aisément quatre périodes : avant la conquête normande : la conquête et ses suites; la Réforme; le romantisme, et quatre registres de prénoms leur correspondant respectivement.
Avec divers déferlements sur son sol (dans l'ordre : les Celtes, les Romains, les Angles et Saxons et autres Vikings), l'Angleterre a été pourvue de prénoms « anglo-saxons », qui, au XIe siècle, cédèrent le pas, par la conquête normande, à de nouveaux venus, germanico-scandinaves, celtiques et orientaux (ceux-là ramenés des lieux saints par les Croisades). Comme souvent, ces nouveaux arrivants éliminèrent jusqu'au souvenir des anciens, puis, l'influence chrétienne aidant, apparurent des prénoms d'origine biblique. Sur quoi survint l'événement de la Réforme, et un cortège de prénoms cette fois tirés de l'Ancien Testament, avec une vague puritaine (qui ne s'imposa pas durablement) où l'on vit surgir d'extravagants prénoms à résonance vertueuse impérative, du genre Tempérance,

Abstinence, Charity, ou... Sorry-for-Sin (Désolé-de-pécher); au XVIIe siècle le romantisme et les pré-raphaélites allaient, quant à eux, faire resurgir les prénoms médiévaux, d'origine germanique. Depuis, stabilité britannique aidant, plus aucune révolution n'eut lieu en ce domaine, et l'on peut noter également que les Anglais sont beaucoup moins sensibles que nous aux modes et engouements passagers relatifs aux prénoms.
La liste proposée ici rappelle, pour quelques-uns de ces prénoms, leur origine historique à l'aide d'abréviations. CN : Conquête Normande; BC : bibliques-chrétiens; RP : Réforme et Puritains; GM : germaniques-médiévaux (XVIIe siècle).

féminins

Alice (GM).
Ann, Anna (RP).
Amy (GM).
Agnès (BC).
Catherine (BC).
Clare.
Édith (GM).
Edwin (GM).
Elizabeth (BC).
Emma (GM).
Hilda (CN).
Jane (BC).
Judith (RP).
Louise (CN).
Lucy (BC).
Mary (BC).
Margaret (BC).
Muriel (CN).
Nicholas (BC - prénom masculin et féminin jusqu'au XVIIe siècle).
Sarah (RP).
Susanna (RP).
Tribulation (RP).
Victoria.

masculins

Alan.
Abraham (RP).
Alfred (CN).
Andrew (BC).
Aubrey (masc. et fém.).
Charles (CN).
Christopher (BC).
Damiel (RP).
David (RP).
Edgar (CN).
Edmund (CN).
Edward (CN).
Ethelbert (CN).
Gillian (GM).
Hugh (CN).
Isaac (RP).
Jacob (RP).
James (BC).
John (BC).
Michael (BC).
Mildred (CN).
Peter (BC).
Quentin (GM).
Ralph (CN).
Reynold (CN).
Richard (CN).
Robert (CN).
Roland (GM).
Simon (BC).
Simpson (CN).
Thomas (BC).
Walter (CN).
William (CN).

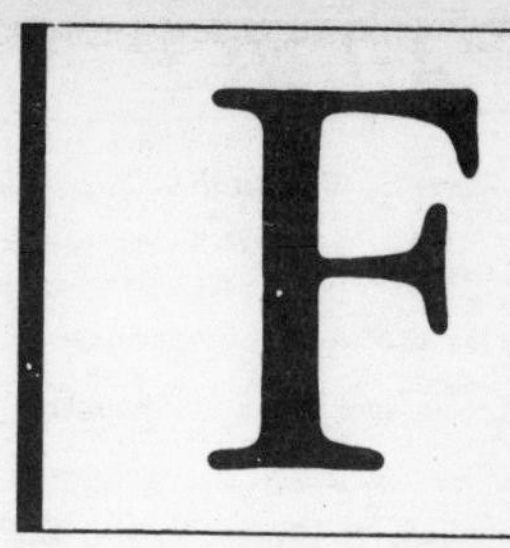

FABIEN, FABIENNE

(Faba, Fabia, Fabian, Fabiane, Fabiano, Fabianus, Fabie, Fabiola, Fabion, Fabis, Fava)

Couleur : le jaune.
Chiffres : le 1, le 2.
Signes associés : le Lion, la Balance.
Fête : le 20 janvier.
A éviter avec un nom de famille commençant par In, B, En, Enn.
Étymologie : du latin « faba », *fèvè;* Fabia était le nom d'une importante famille romaine; la femme de Cicéron se nommait Fabia.
Célébrité : le héros de *Vol de nuit,* de Saint-Exupéry.

Saint Fabien fut pape au IIIe siècle et fit établir, pour la première fois, les Actes des Martyrs, au rang desquels on dut l'inscrire à son tour, puisqu'il finit de la même façon en 250. Fabien et Fabienne se caractérisent par une intelligence profonde et synthétique; esprit d'analyse, vigueur de la pensée, sens des responsabilités, maîtrise de soi, voilà de solides atouts pour ces êtres rigoureux et vigoureux.

FABIOLA

(voir Fabien, Fabienne)

Couleur : le bleu.
Chiffre : 1.
Signe associé : la Balance.
Fête : le 27 décembre.
A eviter avec un nom de famille commençant par A, La, L.
Célébrité : l'actuelle reine des Belges, Fabiola de Mora y Aragon.

Sainte Fabiola, aristocrate romaine du IVe siècle, quitta son premier époux et se retrouva veuve du second; sur les conseils de saint Jérôme, elle alla en Terre sainte en pèlerinage et revint à Rome livrer son immense fortune au soulagement des pauvres et aux œuvres de charité.

FABRICE

(Fabri, Fabricia, Fabricien, Fabricio, Fabricius, Fabrizio, Favre)

Couleur : le rouge.
Chiffre : le 8.
Signe associé : le Verseau.
Fête ; le 22 août.
A éviter avec un nom de famille commençant par I, Is, S, Si.
Étymologie : du latin « faber », forgeron.
Une célébrité d'évidence : le héros de *La Chartreuse de Parme* (1839), de Stendhal, Fabrice del Dongo.

Fabrice a donné naissance à nombre de noms de famille comme Favre, Fèvre, Lefèvre, Lefébure, Fabry, etc. Au caractère, Fabrice est un esprit amoureux d'indépendance, franc-tireur et non-conformiste; il cultive l'amitié, la délicatesse; sensibilité et intelligence intuitive font partie de son charme, qui est parfois extrême.

FANCHON, FANNY

(voir Françoise)

FÉLICIE, FÉLICITÉ

Couleur : l'orangé.
Chiffres : le 4, le 6.
Signes : la Vierge, la Balance.
Fête : le 23 novembre.
A éviter avec des noms de famille commençant par I, Si, ou E, Té.
Une célébrité moderne : la maman du flic de charme, San Antonio, se nomme Félicie.

Sainte Félicité fut martyrisée avec ses sept fils au IIe siècle, pour avoir refusé de sacrifier aux divinités païennes. Une autre sainte Félicité, au IIIe siècle, fut livrée aux fauves sous Septime Sévère. Leur étymologie indique pourtant que ces prénoms, dérivés du latin « felicitas », signifient *chance, bonheur.* Au caractère, on les dit faites pour le mariage et la vie conjugale.

FÉLICIEN, FELIX

(Félice, Félicienne, Félise, Félizon)

Couleur : l'orangé.
Chiffres : le 9, le 2.
Signe associé : la Balance.
Fêtes : le 9 juin, le 14 janvier.

A éviter avec des noms de famille commençant par In, ou une consonne sifflante.
Célébrités : le dramaturge Félicien Marceau; le peintre Félicien Rops; le chirurgien de Louis XIV, Félix; Felice Lope de Vega; Felix Mendelssohn-Bartholdy, le compositeur allemand (1809 - 1847); l'homme d'État Félix Faure; le peintre Félix Vallotton; le chanteur Félix Leclerc; sans oublier Félix le Chat, bien sûr; et le champion cycliste Felice Gimondi.

Saint Felix de Nole (IIIᵉ siècle) quitta l'armée pour l'évangélisation, et subit mille avanies, persécutions et tortures, mais parvint à mourir de sa belle mort. De nombreux saints et bienheureux furent des Felix, ainsi que quatre papes et un antipape, Felix V. Au caractère, Félicien et Felix sont des êtres pleins de douceur, de délicatesse et de dévouement; minutieux et introvertis, ils ont le sens du retrait intérieur et de l'observation précise.

FERDINAND, FERNAND

(Ferd, Ferdie, Ferdinande, Ferdinando, Ferdl, Fernanda, Fernande, Fernando, Fernandina, Ferrante, Fertel, Friedenand, Hernando)

Couleur : le jaune.
Chiffres : le 3, le 8.
Signes associés : le Taureau, le Bélier.

A éviter avec des noms de famille commençant par An, ou Nan.
Étymologie : du germain « fried », *protecteur*, ou « frithu », *paix*, et « nant », *hardi, courageux*.
Célébrités d'envergure : trois empereurs germaniques; un empereur d'Autriche; deux rois d'Aragon et de Sicile; nombre de rois d'Espagne, du Portugal, de Roumanie; un tsar de Bulgarie; des comtes et des ducs en quantité : tous des Ferdinand! Ainsi que le maréchal Foch, également un Ferdinand, tout comme le diplomate français qui fit percer le canal de Suez et celui de Panama, Ferdinand de Lesseps. On relève, entre autres, chez les Fernand, le conquérant Fernando Cortez, le dramaturge Fernand Crommelynck, l'humoriste Fernand Reynaud, le peintre Fernand Léger, le dramaturge Fernando Arrabal.

Les Wisigoths répandirent Ferdinand en Europe, et principalement en Espagne. Fils d'Alphonse IX, saint Ferdinand III (1199-1252), roi de Castille et d'Aragon, reconquit la majeure partie de l'Espagne sur les Arabes; il fut canonisé en 1671 par le pape Clément X. Ferdinand et Fernand sont doués d'une grande puissance vitale, aussi bien pour le travail que pour les plaisirs; ce sont des amoureux de la vie, des jouisseurs raffinés, et de subtils observateurs, d'où leur sens de la méthode.

FIDÈLE, FIDEL

(Fidelio, Fidelia)

Couleur : le jaune.
Chiffre : le 5.
Signe associé : le Lion.
Fête : le 24 avril.

A éviter avec un nom de famille commençant par E ou L, El, Del.
Étymologie : du latin « fidelis », *croyant*.
Une célébrité marquante : Fidel Castro.

Saint Fidèle de Siegmaringen (XVIᵉ-XVIIᵉ s.), docteur en droit et en philosophie, avocat, rentra dans les ordres comme Capucin, et tâcha d'évangéliser et de convertir les protestants; il mourut assassiné. D'autres saints furent également des Fidèle. Au caractère, Fidèle est un être puissant, fascinant, volontiers dominateur; son sens aigu de l'idéal, sa générosité, son ardeur à convaincre et à combattre sont bel et bien à l'image de son prénom, dédiée à la fidélité et à la rigueur de ceux qui se sont voués à une croyance forte.

Firmin

(Fermin, Fermine, Firminan, Firminien, Firminienne, Frémin)

Couleur : l'orangé.
Chiffre : le 6.
Signe associé : le Bélier.
Fête : le 27 septembre.

A éviter avec un nom de famille commençant par In, Min.
Étymologie : du latin « firmus » ***ferme*** **(dans sa foi, ses convictions)**
Célébrité : l'imprimeur Firmin Didot.

Saint Firmin, évêque d'Amiens, fut martyr au IVᵉ siècle, et eut pour successeur un autre saint Firmin. Comme prénom, Firmin est de nos jours tombé en désuétude. Au caractère, c'est un être pratique, entreprenant, actif; son réalisme de base s'accommode cependant mal des compromis et autres compromissions; il est en effet intransigeant sur les principes, fidèle en cela à l'étymologie; rien ne l'agace autant que la versatilité ou le relâchement dans l'effort. Il fut, au siècle dernier, le prénom classique destiné aux domestiques des maisons bourgeoises. On l'a quelque peu oublié depuis.

Flavien, Flavienne

(Flavia, Flavianus, Flavie, Flavius)

Couleur : le jaune.
Chiffre : le 3.
Signes associés : la Balance, le Scorpion.

A éviter avec un nom de famille commençant par In, ou Enn.

Étymologie : du latin « flavius », qui était le nom d'une famille romaine, lui-même provenant de « flavius », ***blond.***
Ces prénoms connurent quelque faveur au XVIIIᵉ siècle, mais sont aujourd'hui tombés dans l'oubli.

Flora, Florence Florent

(Fleurance, Flore, Florenceau, Florencia, Florencio, Florentin, Florentine, Florentius, Florenty, Florenz, Florian, Floriane, Florinde, Florine, Flossie)

Couleur : l'orangé.
Chiffres : le 7, le 6, le 9.
Signes associés : le Bélier, le Cancer, le Cancer.

Fêtes : le 24 novembre, le 1ᵉʳ décembre, le 7 novembre.

A éviter avec des noms de famille commençant par A, Ar, Ra; S, En, Ens; En, An, Ran.
Étymologie fleurie : du latin « florens », ***en floraison, florissant.*** **Chaque année les Romains célébraient par des** ***floralies*** **la déesse Mère du Printemps, Flora.**

Ces prénoms florissants s'épanouirent dans toute l'Europe à partir de la Renaissance, et connurent une faveur ininterrompue depuis lors.
Célébrités : *Flora la belle romaine,* de François Villon; la féministe avant la lettre Flora Tristan; la romancière contemporaine Flora Groult; la ville de Florence elle-même; Florence Nightingale (1820-1917) dont la renommée fit de Florence un prénom très couru dans l'Angleterre du siècle dernier; le musicien Florent Schmitt; le fabuliste Florian, qui se fit un nom de ce prénom.

Sainte Flora (IXe siècle) fut martyrisée à Cordoue durant les persécutions arabes. Saint Florent (VIIe siècle) fut un évêque de Strasbourg que tenta la vie érémitique. Saint Florentin (VIe siècle) était disciple de saint Césaire, et nombre de saintes et de saints furent également des Fleur, Floria, Florence, Florentin et Florent. Quoique un peu en perte de renommée de nos jours, ces prénoms printaniers n'en ont pas pour autant perdu toute faveur, loin de là. Leurs caractères présentent toute la gamme de nuances des fleurs, et ont en commun la sensibilité, la délicatesse et l'intuition. Si Flora s'annonce d'emblée comme une fleur forte, non fragile, pleine d'endurance, de vitalité, de volonté, semblable à quelque emblème de rigueur et de droiture aimante et maternelle, Florence en revanche est une rêveuse, une contemplative que secouent de brusques et puissants élans d'action, relayée par une opiniâtreté étonnante. Florent, pour sa part, fait de ces qualités diverses un florilège : c'est qu'il a une passion de la poésie à travers toutes les situations de la vie; on le croit souvent « ailleurs », mais en vérité il est profondément ici, et sa vaste mémoire, sa subtilité active, sa finesse intellectuelle témoignent d'un surcroît de présence à lui-même qui ne va pas sans quelque risque de fragilité affective. Fragilité flagrante chez Florentin, très vulnérable aux plus légers troubles du corps ou du psychisme; Florentin est un méticuleux, un amoureux de la précision, et, en réaction avec la nuance générale rêveuse de tous ces prénoms, se veut l'attention même et l'organisateur de l'ordre dans les détails de l'existence comme dans ses grands projets. Florentine, Florian et Florine, en revanche, font revenir la tonalité « fleur » avec un maximum de parfum et de sens de la beauté : la grâce, le charme, la sensibilité de l'esprit sont ici totalement au rendez-vous avec, derrière les apparences de la nonchalance, une capacité à croître et à travailler ferme qui surprend ceux qui les connaissaient mal.

FRANCIS, FRANCK, FRANZ

(voir François, dont ces prénoms sont des diminutifs)

Couleur : le bleu.
Chiffres : le 7, le 8, le 2.
Signes associés : le Bélier, le Bélier, le Scorpion.
Célébrités : Francis Bacon (1561-1626), le philosophe; Francis Bacon, le grand peintre contemporain; le poète Francis Jammes; l'écrivain Francis Carco; les chanteurs Francis Lemarque et Francis Cabrel; le philosophe Francis Jeanson; le musicien Francis Poulenc; le peintre para-surréaliste Francis Picabia; Franck Sinatra; Franz Schubert; Franz Liszt; le poète contemporain Francis Ponge; et Francis Blanche.

FRANCE, FRANCINE

(voir Françoise, dont ces prénoms sont des diminutifs)

Couleurs : le bleu, l'orangé.
Chiffres : le 2, le 7.
Signes associés : les Poissons, le Taureau.

Célébrités : la journaliste TV Francine Bucchi; la chanteuse France Gall.

FRANÇOIS

(Fran, Francelin, Francesco, Francis, Francisek, Francisque, Franck, Franek, Frangag, Frankie, Frans, Franz, Fränze, Fercsi, Ferenc, Paco, Pancho, Ziskus)

Couleur : le bleu.
Chiffre : le 4.
Signe associé : le Bélier.
Fête : le 4 octobre.
Étymologie : du latin « Franci », *Francs,* ou « francus », *homme libre;* dès l'origine, le mot a été utilisé pour désigner les Francs. François coïncide donc exactement avec la France, pays des Francs : il est en quelque sorte le Franc originel lui-même. Il s'agit d'un de nos « grands » prénoms. Plus de soixante saints furent des François. Ainsi que deux rois de France (François Ier et François II le Petit), deux empereurs germaniques, l'empereur François-Joseph d'Autriche. Il y eut encore l'archiduc d'Autriche, François, assassiné à Sarajevo et quantité de ducs et rois ici et là, plus François Rabelais, François Fénelon, François Couperin, François Mauriac, François Mitterrand (ci-contre), Franz Fanon, l'éditeur François Maspero, sans oublier François Villon, Pancho Villa, ni Franz Kafka.

« Moi, François, qui suis-je? En observant bien – et je suis très observateur –, je suis le feu qui couve sous la cendre. Calme, mesuré, réservé, je cultive en fait la passion et l'ardeur; la froideur que je montre se réchauffe d'une ardeur à convaincre, d'une volonté d'action et d'un sens aigu du devoir qui me soulèvent et me portent en avant. Incisif, précis et prompt, intuitif et analytique, ironique et généreux, séduisant et plein de réserve, timide et entreprenant, tenace, obstiné même : tous ces épithètes, même contradictoires entre eux, au moins en apparence, je les vois comme accordés à ma nature. Certes, j'ai aussi mon lot de frustrations et de refoulements, mais je ne leur cède pas; l'obstacle me stimule, l'échec encourage ma persévérance, et par ailleurs je peux fort bien goûter aux longues retraites méditatives et à la contemplation de la nature. C'est que je suis aussi sociable que je suis retranché au fond de moi-même. Ai-je pour autant la maîtrise de cet équilibre difficile entre le dedans et le dehors, entre l'individuel et le collectif? Répondre oui d'emblée serait sans doute bien hasardeux, ou prétentieux : disons que cet équilibre m'importe, et qu'au moins je le cherche. Cet équilibre, il est possible que je le réalise au plan de la fidélité. Comme tout être un tant soit peu exigeant, je ne donne pas mon amitié, ni l'amour, à n'importe qui n'importe quand, mais lorsque règne à mes yeux la vraie confiance, alors je peux aller jusqu'au dévouement, et laisser passer au grand jour des élans de cœur que je m'applique d'ordinaire à contrôler. On me dit rusé, habile, manœuvrier : appelons tout cela pudeur, et perspicacité. J'incline volontiers à croire qu'il y a de la sagesse dans le monde, pourvu que l'on se donne les moyens de la reconnaître, et ces moyens, en effet, m'importent. D'où le fait que le pouvoir m'intéresse, et sous toutes ses formes, car il recèle une ambition suprême : la maîtrise, non pas des autres, mais de soi. Dans le domaine de l'esprit comme dans celui du cœur, ce n'est pas une foi que je cherche, mais une connaissance. Les grandes idées ne m'intéressent qu'en fonction de cette optique, qui est d'ordre pratique autant que spéculatif : plutôt que des rêves, j'ai de grands desseins, et plutôt que de dogmes et d'arbitraire, j'ai le goût de l'action. D'une certaine manière enfin, j'incline à la pédagogie, à l'enseignement : je crois à l'utilité de faire partager le savoir, et de le partager de façon ouverte et concrète, d'où le fait que je n'hésite guère à porter les plus lourdes responsabilités si l'occasion m'en est donnée, toute âme bien née acceptant les fardeaux que ses qualités mêmes lui présentent. Pour un Franc, n'est-ce pas la moindre des choses? »

FRANÇOISE

(Ciska, Fanchon, Fannies, Fanny, France, Franceline, Francesca, Francette, Francina, Francine, Francisca, Franka, Frankiska, Frannie, Franny, Franzine, Paquita, Soïzic, Ziska)

Couleur : le rouge.
Chiffre : le 9.
Signe associé : le Bélier.
Fête : le 9 mars.

A éviter avec un nom de famille commençant par S, Z, E.
Étymologie : voir François.
Neuf saintes et bienheureuses furent des Françoise, et notamment sainte Françoise (1384-1440), qui, mariée et mère de famille, manifesta une piété et un dévouement hors du commun; romaine, et chrétienne fervente, elle fut une diplomate et médiatrice avisée lors du Grand Schisme d'Occident; la vie de l'Église lui doit également l'ordre des Oblates de Marie; elle passait pour avoir des entretiens privés avec son « ange gardien », et son ardeur et sa profondeur mystiques étaient tenues en haute vénération.
Célébrités : Françoise Xénakis, Françoise Mallet-Joris, Françoise Giroud, France Gall.

Françoise, indiscutablement, est un prénom dont la vogue ne se dément pas. De surcroît, elle ne se limite pas à être la réplique féminine de François. Écoutons-la s'analyser elle-même :
« J'ai de la volonté, du nerf, et de l'action. Volonté parfois lente à s'affirmer pleinement, mais volonté sans faille. Du nerf : disons plutôt de l'émotivité, intense, liée à une nature profondément tournée vers l'intérieur; rien de ce

qui est introspection ne m'est étranger, et je sais plier la finesse de l'intuition à la rigueur de l'analyse méthodique. Quant à l'action, je m'y révèle spontanément studieuse et opiniâtre. Certes, la discipline n'est pas mon fort, et je ne m'y soumets que guidée par la raison, la conscience professionnelle, ou simplement par goût de l'ordre. A mes yeux, la droiture morale ne relève pas de l'exigence ou du devoir : elle va de soi, elle est nécessaire comme l'air que je respire. Sans aucunement me vanter, je peux avancer qu'on ne saurait s'attendre à un mauvais coup de la part d'une Françoise. On peut compter sur elle en toute confiance. Je dirais que c'est plutôt à elle-même que Françoise joue des tours : il lui arrive, par excès de scrupule, de se montrer pointilleuse et de manquer de confiance en elle. Ainsi j'éprouve un soulagement certain à me sentir comprise et épaulée. De fait, je jouis d'une intelligence trop fine et analytique pour ne pas éprouver quelque difficulté, quelque gêne, face aux élans affectifs, dont je mesure malaisément la comédie ou l'authenticité; en un mot, je ne me confie ni ne me livre que lentement, et tout d'abord avec plus de froideur et de discrétion que de passion. Je préfère l'émotion, l'attention douce et soutenue, la présence mesurée. On me dit volontiers susceptible, mais cela ne se voit pas toujours. En réalité, je n'aime pas voir bousculés mes rythmes, ni devoir disperser mon énergie. De grâce, une chose après l'autre, et rien qu'une! tel est mon principe en toute occasion. Je ne cours après nul miracle, je cherche seulement à connaître la force qui est en moi. »

FREDDY

(voir Frédéric)

Couleur : le jaune.
Chiffre : le 8.
Signe associé : le Verseau.

Freddy est un diminutif de Frédéric.
Célébrité : le champion cycliste Freddy Maertens.

FRÉDÉRIC, FRÉDÉRIQUE

(Fedder, Federico, Federigo, Fred, Frederica, Frederick, Frederik, Frederika, Frederike, Fredericus, Frederk, Fredric, Fredrick, Freek, Frerich, Frerika, Frerk, Fridichs, Frieda, Friedel, Friedl, Frika, Friedrich, Frigga, Rickel)

Couleur : le jaune.
Chiffres : le 5, le 9.
Signes associés : la Vierge, le Lion.
Fête : le 18 juillet.

A éviter avec un nom de famille commençant par C, K, I, Ic, Ric.
Étymologie : du germain « fried », *protecteur,* et « ric », *puissant,* ou « rik », *roi.*
Prénom médiéval germanique, Frédéric est parmi les prénoms les plus employés en Europe, et sa vogue s'est maintenue sans défaillance jusqu'à nos jours, où elle se porte plutôt bien. La forme féminine, Frédérique, est en revanche plus rare en France actuellement.
Célébrités considérables : trois empereurs germaniques; des rois (de Prusse, du Danemark et de Norvège), des princes, des ducs et grands-ducs, des comtes et tant d'autres

nobles; et puis Frédéric Chopin et Frédéric Mistral, Friedrich Nietzsche, Friedrich Schiller, Friedrich Hegel, Friedrich Schelling, Frédéric Schlegel, Friedrich Engels, et Federico Garcia Lorca et Federico Bahamontez, le champion cycliste « roi de la montagne »; la romancière Frédérique Hébrard; le musicien-poète Frédéric Jésu; Frédéric Dard, alias San Antonio; le cinéaste Federico Fellini.

Évêque d'Utrecht au IXe siècle, saint Frédéric se permit de jeter l'anathème sur la conduite, ou l'inconduite, de Judith, épouse de Louis le Pieux, empereur de son état; Judith n'hésita guère, et deux sbires à ses ordres occirent saint Frédéric. Amen. Mais comment se voit-il, au profane et au caractère, Frédéric?
« Moi? J'avance, je combats, je devine, et je papillonne. Entre imagination et volonté, coups de tête et indifférence, j'aime repartir de zéro et entretenir plusieurs activités de front. L'intuition aiguë, le sens de la psychologie, la générosité du cœur, tout cela fait mon efficacité toute particulière. et je dois dire que je cultive le dynamisme et l'instabilité et même, au risque de sembler paradoxal, le dynamisme de l'instabilité. Je dois veiller, et surveiller : le rêve de la rigueur, l'aspiration à la discipline sont pour moi du domaine de la nostalgie, et il me faut les conquérir; de fait, la fantaisie parfois débridée, l'étincelante chimère et le goût de la tendresse me guident plus spontanément que l'ardeur froide des austérités. Sans pour autant les revendiquer, je me fie à la chance, à l'intelligence, à la curiosité. L'étude me tente et me hante, et pour peu que je m'y consacre, me réussit. Je ne fais guère de différence entre la vie et le rêve de la vie, l'amour et son imaginaire. C'est ainsi : je suis à la fois diplomate et franc-tireur, je séduis et provoque, j'irrite et j'attendris. Enfin, je sais également me taire, et méditer. A bientôt... »

FRIEDA

(diminutif de Frederika, voir Frédérique – Frieda est également utilisé comme diminutif de prénoms germaniques comme Friedegunde, Friedeswind, Friederun)

FULBERT, FULBERTE

(Volbert, Volberte)

Couleur : le jaune.
Chiffres : le 6, le 8.
Signe associé : le Bélier.
Fête : le 10 avril.
A éviter avec un nom de famille commençant par Er, ou T.

Étymologie : du germain « folc », *peuple,* et « bert », *brillant.*
Une célébrité contemporaine toutefois : l'ancien président du Congo-Brazzaville, Fulbert Youlou.

Saint Fulbert (Xe-XIe siècle) bâtit la cathédrale de Chartres, et ce prénom eut une certaine faveur au Moyen Age. Il est, de nos jours, tombé en désuétude, ainsi que Fulberte, dans notre pays du moins.

FULVIEN, FULVIENNE

(Fulvi, Fulvia, Fulviah, Fulvian, Fulviane, Fulvie, Fulvius, Via)

Couleur : le jaune.
Chiffres : le 3, le 9.
Signes associés : la Balance, le Sagittaire.
A éviter avec un nom de famille commençant par In, Enn.
Étymologie : du latin « fulvus », *jaunâtre, fauve.*

Les Fulvius furent une célèbre famille romaine, et Fulvia, l'épouse du tribun Clodius, puis celle de Marc-Antoine. Ces prénoms eurent quelque vogue à la Renaissance, mais depuis...

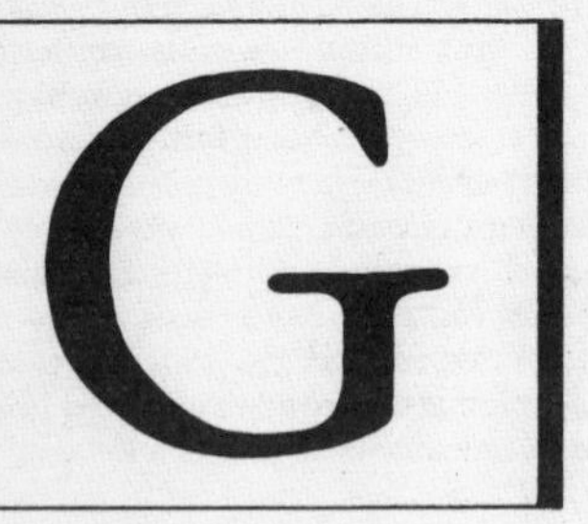

GABRIEL, GABRIELLE

(Gaaf, Gabay, Gabel, Gabin, Gabor, Gabrel, Gabriël, Gabriela, Gabriele, Gabriella, Gabrielo, Gabriello, Gabrio, Gabry, Gaby, Gavriil, Gavriouna)

Couleur : le bleu.
Chiffres : le 9, le 8.
Signes associés : le Sagittaire, le Capricorne.
A éviter avec un nom de famille commençant par L, El.
Étymologie : de l'hébreu « gabar », *force,* ou « gabri », *héros,* et de « el », issu de « Élohim », c'est-à-dire *Dieu.*
Avec saint Michel et saint Raphaël, saint Gabriel est l'un des trois saints extra-humains de la Bible, puisque ces trois-là sont des anges, et même des archanges, chefs des armées célestes. De surcroît, Gabriel est un messager chargé de missions très spéciales, puiqu'il vient annoncer au vieux couple d'Élisabeth et de Zacharie l'inattendue naissance de ce fils du bout des âges, le leur, qui sera Jean le Baptiste, qui, lui-même, annoncera la venue de Jésus... Mais Gabriel est encore venu jouer les télégraphistes de Dieu en annonçant à la Jeune Marie qu'elle sera la mère de ce Jésus, Fils de l'homme, Fils de Dieu. Ce rôle de messager parfait sera officiellement reconnu en 1951 par Pie XII, qui a consacré Gabriel comme saint patron des télécommunications.
Humaines célébrités : les Gabriel, familles d'architectes des XVIIe et XVIIIe siècles; le poète italien Gabriele d'Annunzio; les musiciens Gabriel Fauré, Gabriel Pierné; le philosophe Gabriel Marcel; l'écrivain Gabriel Matzneff.

Alors, Gabriel, « héros de Dieu », quelles nouvelles de Gabriel? Quel est le message du messager à son propre sujet?

« Celles-ci : comme prénom, Gabriel fut très en faveur au Moyen Âge, ainsi que Gabrielle, mais ne s'imposa en Angleterre qu'à la fin du XVIe siècle; depuis le siècle dernier toutefois, Gabrielle l'emporte sur Gabriel en popularité, et notamment en Allemagne (sous la forme *Gabriele*), au point qu'à la fin des années 1950, elle était le prénom féminin le plus employé en République fédérale; par ailleurs, les Noirs américains sont très attirés par Gabriel, prénom biblique s'il en est, mais outre l'archange, des humains furent des Gabriel, et des saints : ainsi saint Gabriel dell'Addolorata (1838-1862), rendant l'âme à 24 ans chez les Passionistes après une brève et intense ascèse dévotionnelle dédiée à Notre Dame des Sept Douleurs. Il sera béatifié par Pie X, qui prononcera ces mémorables paroles à son sujet : « Il n'a rien produit d'extraordinaire : son modèle est à la portée de tous ». Au XVIIe siècle, un autre Gabriel sera un saint : le jésuite français Gabriel Lalemant, torturé, martyrisé et occis par les Iroquois au Canada. Il faut dire que les Gabriel ne tiennent pas en place, physiquement comme intellectuellement. Le voyage, voilà leur vrai jardin secret – mais ils l'exportent volontiers à la lumière du jour. Ce sont des actifs, des rapides, des remuants. Le monde extérieur et la richesse de la vie, leur volonté les y précipite, et ils y mordent à belles dents, avec un sens très souple de la moralité. En fait, le plaisir leur va comme un gant, et ils en feraient volontiers leur idole si... si leur volonté, très saillante et ambitieuse, ne venait équilibrer un psychisme hyper-sensible, émotif, et raffiné. L'intuition d'un Gabriel peut l'égarer à force de subtilité : reste une poigne d'homme d'action agissant sur un coup de foudre, et changeant vite de registre. Une intelligence comme on en voit peu, à la fois instinctive et synthétique, une curiosité toujours en éveil, et, au plan affectif, les rois du divin Caprice, tels semblent le cœur et la tête chez Gabriel. Dynamiques, facilement égocentriques, un rien possessifs, les Gabriel ne séduisent pas leur entourage : ils l'enveloppent et le prennent d'assaut, mais... ça ne marche pas avec tout le monde. Peu importe : les Gabriel ont raison, ils en sont tranquillement certains, la confiance en soi ne leur faisant que rarissimement défaut. Ce qui ne les empêche pas, à l'occasion, de se révéler incroyablement superstitieux. Et ce qu'ils veulent, ils l'obtiennent. Ne me faites pas dire comment : c'est leur secret, notre secret, à nous, Gabriel, et il ne convient pas que le messager relise le message. »

– Mais... Gabrielle?

– Ah, Gabrielle! Elle nous ressemble, à sa façon. Imaginez les caractéristiques de Gabriel chez une femme : eh bien, vous avez un être exceptionnel, et une femme quasi invisible et, à tout le moins, d'une ténacité, d'une opiniâtreté, d'une envergure d'esprit exceptionnelles. A la fois inlassable et risque-tout, elle est courage et habileté, passion et lucidité, indépendance et séduction extrême – à en damner des hommes et consacrer un saint! Mais gare à sa colère, qui peut être plus vive que la foudre, et à son humour, plus piquant que la rose! Si Gabriel cherche et établit l'équilibre entre ses pulsions, Gabrielle pour sa part est cet équilibre même, c'est-à-dire l'énergie rare par excellence. Amen. »

(Voir Gabrielle)

GAËL, GAËLLE

(Gaëlla, Gaëla)

Couleur : le jaune.
Chiffre : le 2.
Signe associé : le Taureau.
A éviter avec un nom de famille commençant par L, El.
Fête : le 17 décembre.
Étymologie : du germain « Walah », *étranger,* et plus spécialement les Celtes.

Les Germains utilisaient ce mot pour désigner tout ce qui n'était pas eux, Celtes surtout, mais aussi Galates, Gaulois, Galiciens, Wallons, Gallois, etc., où l'on retrouve cette racine « gal / wal » en chaque nom de ces peuples. C'est en Bretagne que Gaël et Gaëlle s'implantèrent le plus profondément (dès le VIIIᵉ siècle), et en Angleterre (Gail, Gale, Gayle). Beaux prénoms qui bénéficient actuellement de la triple remontée des prénoms médiévaux, « celtisants », et régionaux. Au caractère, Gaël et Gaëlle se signalent d'emblée par une intelligence remarquable, empruntant les voies de l'intuition aussi bien que la règle à calcul. Ce sont par ailleurs des inquiets, des tendres, qui se montrent volontiers sous les auspices d'une certaine froideur. Actifs, sinon activistes, et organisateurs qualifiés, ils ont bien des traits communs avec Gabriel et Gabrielle, et doivent apprendre à mesurer aussi leur intrépidité. Une chance de haut vol, toutefois, les accompagne...

GAËTAN, GAËTANE

(Caetano, Cajetan, Gaetano, Kajetan)

Couleur : l'orangé.
Chiffres : le 3, le 8.
Signe associé : le Cancer.
Fête : le 8 août.
A éviter avec des noms de famille commençant par An, En, et N, ANN.
Étymologie : du latin « caietanus », habitant de Caieta (Gaète).
Célébrité : l'homme de lettres Gaëtan Picon.

Saint Gaëtan de Thienne (1480-1547), ayant fait vœu de pauvreté, dédia sa vie aux pauvres et fonda pour eux la congrégation des Théatins. Gaëtan est un rêveur, un tendre, un éternel enfant; avec Gaëtane, ils réinventeraient volontiers le monde aux couleurs de la fantaisie, de la spontanéité, voire de la féerie. Comme leur prénom les y convie, ils sont toute-intuition, sensibilité... et somatisent plutôt deux fois qu'une : la moindre contrariété leur arrachera quelque secrète souffrance, et des maux de tête et de cœur. Qui passeront dans quelque nouvelle vision. De merveilleux idéalistes.

GASPARD

(Caspar, Caspara, Casper, Gaspar, Gaspare, Gasparin, Gasparine, Gasparo, Gasper, Jasper, Kapp, Kaspar, Kasper, Käsper)

Couleur : le rouge.
Chiffre : le 3.
Signe associé : le Scorpion.
Fête : le 3 janvier.

Étymologie : riche et controversée : du latin « gaspardus », dérivé du sanscrit « gathaspa », *celui qui vient voir;* ou encore de l'hébreu « ghaz », *trésor,* et « bar », *gérer, administrer.*
Celui des trois mages qui apportait l'encens pour la naissance de Jésus se nommait Gaspard.

Célébrités : *Kaspar Hauser,* dont l'étrange histoire a fait l'objet d'un film de Werner Herzog; *Gaspard de la nuit,* d'Aloysius Bertrand; *La Fortune de Gaspard,* de la Comtesse de Ségur; *Kasperletheater,* en Allemagne, désigne le théâtre de marionnettes; le grand peintre allemand Caspar David Friedrich (1774-1840).

Du Moyen Âge au début de notre siècle, Gaspard fut un prénom très courant en Europe, et surtout en France. Actuellement, il est un peu tombé en désuétude, sans doute à cause du calembour possible sur ce gaz qui part, le roi mage ayant été lentement oublié. Pourtant Gaspard demeure, en particulier à travers les noms de famille qui en ont dérivé, comme Jaspard, Gasparin et autres Gasparoux. Saint Gaspard del Bufalo (1786-1836), ami de Pie VII, fut un évangélisateur lyrique et inlassable; il nous a laissé la congrégation des missionnaires du Précieux Sang, fondée par ses soins. Au caractère, Gaspard rougeoie et brûle : puissante affectivité, une volonté solide, un dynamisme ne s'avouant jamais fatigué ni vaincu, on voit ce psychisme comme étant celui d'un actif, d'un passionné de l'expérimentation constante. Gaspard aime les risques et en prend volontiers; l'obstacle ou l'échec même ne l'abattent guère, mais le défient, et Gaspard est là pour relever les défis. Son intelligence peut toutefois lui éviter les excès ou les erreurs, toujours possibles, résultant d'un trop-plein orgueilleux de confiance en soi.
« Ou t'en vas-tu, pauvre Gaspard? » Tu nous fuis quand nous approchons, et te fais discret quand le cinéma t'ouvre ses écrans. L'ancien roi mage est-il, reparti? « Celui qui vient voir » en a-t-il assez vu?

GASTON

(Gastâo, Gastone)

Couleur : le vert.
Chiffre : le 4.
Signe associé : le Cancer.
Fête : le 6 février.

A éviter avec un nom de famille commençant par On, ou Ton.
Étymologie : du germain « gast », *hôte,* et aussi *voyageur.*
Célébrités : plusieurs vicomtes de Béarn et comtes de Foix, dont Gaston de Foix, dit Phœbus, auteur d'un *Livre de la Chasse;* il légua toutes ses possessions à la France; le chef vendéen Gaston; l'homme d'État Gaston Doumergue; l'écrivain Gaston Leroux; sans oublier la rengaine de Nino Ferrer : « Gaston y a le téléfon qui son », ni le ministre Gaston Defferre; l'éditeur Gaston Gallimard; le philosophe poète Gaston Bachelard.

Évêque d'Arras, saint Gaston (saint Vaast) apprit le catéchisme à Clovis et évangélisa massivement les Francs du VIe siècle, semant nombres d'églises et d'actions pieuses sur son passage. A l'origine, la racine du prénom, *Gast,* désignait, (comme en français) l'hôte – à la fois le voyageur reçu et celui qui le recevait. On retrouve cette racine *Gast* dans plusieurs noms germaniques, dont Gaston serait le diminutif, ainsi *Gastram, Gastiwald, ou Hiltigast.* Dans le Sud-Ouest de la France, Gaston fut délibément confondu avec « gascon ». Gaston, au caractère, est un émotif tendu par une sensibilité très vive. Tout « en dedans », comme le « on » final du prénom, Gaston sait que les artères qui partent du cœur y retournent, et son affectivité l'envahit en force, aussi bien pour le hanter que pour l'enchanter, avec tous les prestiges mais aussi les terreurs d'une mémoire infatigable. Sa très robuste volonté, la finesse de son intellect et une sociabilité bon enfant sauvent heureusement Gaston de son propre tourbillon intérieur, et lui offrent l'occasion des dévouements amicaux. Évidemment, Gaston, actuellement, semble passé de mode et fait un peu « grand-père » – à moins qu'il ne soit devenu héros de bande dessinée et « roi de la gaffe ». Rira bien qui aura le dernier nom.

GAUBERT

(Gaudebert, Gaudeberte, Goberto, Gualber, Jaubert, Joubert, Jouberte)

Couleur : le rouge.
Chiffre : le 4.
Signe associé : le Sagittaire.
Fête : le 2 mai.
A éviter avec un nom de famille commençant par Er, Ber.
Étymologie : du germain « gault », *divinité*, et « bert », *brillant*.

Prénom très en faveur au Moyen Âge, Gaubert nous a largement quittés aujourd'hui, mais il fait cependant partie depuis peu de ces prénoms médiévaux qui reviennent discrètement à la mode. En fait, il n'avait pas totalement disparu, puisque sa trace restait visible à travers des noms de famille comme Gauberti, Gaubertin, Joubert, Jouberteix, Jobert, Jobart. Gaubert, ce « dieu brillant », est à la fois impétueux et méthodique, intuitif et raisonneur, amoureux et ne doutant de rien. Il va, et il sait où. Avec le sentiment intime de la confiance en son étoile. Gaubert est un preux, et ceci ne va pas, parfois, sans quelque raideur d'approche; il est bon, alors, qu'il déverrouille son armure : c'est qu'il va vers la chevalerie en cherchant encore sa maman. Mais Gaubert est armé, et bien armé; il arrivera.

GAUTIER

(Bhailtair, Galtier, Galtière, Gaultier, Gauthier, Gauthière, Gualtiero, Ualtar, Walt, Walter, Waltersje, Walterus, Walthera, Waly, Walz, Wat, Welter, Wolt, Wouter)

Couleur : l'orangé.
Chiffre : le 9.
Signe associé : le Sagittaire.
Fête : le 8 avril.
A éviter avec un nom de famille commençant par E, Er, ou T.
Étymologie : du germain « waldan », *gouverner*, et « her », *armée*.
Célébrités : Walter Scott; le poète américain Walt Whitman; Gautier sans Avoir, brigand qui partit à la première Croisade à la suite de Pierre l'Ermite; Gautier d'Arras, Gautier de Coincy, poètes des XIIe et XIIIe siècles, avec Gautier de Lille, auteur de *La Geste d'Alexandre le Grand*, poème qui enchantera tout le Moyen Âge.

Abbé à Saint-Martin de Pontoise, saint Gautier oubliait volontiers ses obligations sacerdotales pour aller courir sur les routes en ermite itinérant; on a toujours réussi à le rattraper en chemin, et il rendit l'âme en 1099, à l'abbaye. Walter, prénom germanique de choc, s'est transformé en France en Gautier. Le Moyen Âge, avec ce prénom, règne encore en maître. Du *Walthari-Lied* (Chanson de Gautier) d'Ekkehard, au Xe siècle, aux *Minnesänger* de Walther von der Vogelweide, qui se répandirent au XIIe siècle sur toute l'Europe, le succès de Walter est total. Après une éclipse, le XIXe siècle remet Walter en faveur, avec la grande vogue de Walter Scott et de ses romans. En France, Gautier semble amorcer un retour, et a laissé de nombreux noms de famille comme Gauthier, Gautrat, Wautier, Gautron. Au caractère, Gautier est un actif, un volontaire; il cherche à améliorer et à changer son monde, ainsi que le monde en général; il rêve d'amour et a soif d'être aimé et reconnu; son « progressisme » naturel lui vient de la certitude que si rien n'est vraiment parfait, rien non plus n'interdit d'essayer. Et il essaie. La mode actuelle des prénoms médiévaux peut redorer prochainement un blason qui s'ennuyait dans les poussières du semi-oubli.

GAUVAIN

(Galvane, Gauvin, Gauwe, Gavan, Gaven, Gavin, Gawain, Gawen)

Couleur : l'orangé.
Chiffre : le 4.
Signe associé : les Gémeaux.
A éviter avec un nom de famille commençant par N, V, Vain.
Étymologie : du vieux-gallois « gwalchmai », *faucon de la plaine.*

Toujours le Moyen Âge! Avec, cette fois, un héros de la légende du Roi Arthur, dont Gauvain est le neveu. Le retour de ce prénom au premier plan témoignerait avec vigueur du renouveau des prénoms médiévaux. Le « faucon de la plaine », de son œil perçant, guette-t-il notre fin de siècle pour fondre sur ses proies? N'y avait-il pas en germe, parmi nous, quelques futurs chevaliers pour se nommer Gauvain? C'est qu'il a le goût des visées profondes, Gauvain, et qu'il vise bien! Attendons son *piqué.*

GENEVIÈVE

(Genevièvre, Genovefa, Genovera, Geva, Ginette, Ging, Ginou, Guenia, Guenièvre, Guenovefa, Guenovera)

Couleur : le rouge.
Chiffre : le 4.
Signe associé : le cancer.
Fête : le 3 janvier.
A éviter avec un nom de famille commençant par V, F.
Étymologie : du germain « gen », *jeune,* ou « geno », *race,* et « wifa », *femme.*
Célébrités : Geneviève de Brabant (VIIIe siècle), accusée d'adultère par son époux, le prince Siegfried, elle passa six ans en exil avant d'être déclarée innocente. Son histoire est à l'origine de *Geneviève* (1843), l'opéra de R. Schumann. En plus de la ville

de Paris, Geneviève, ou Guenièvre, l'épouse du roi Arthur, est devenue la sainte patronne des gendarmes, policiers et hôtesses de l'air – on se demande encore pourquoi. Sans oublier la Passionaria de la poésie contemporaine, Geneviève Clancy.

Geneviève, la « jeune femme », est femme de classe, et de grande race. Ainsi, sainte Geneviève, née en 420 dans une noble maison, et qui fut une religieuse non cloîtrée, d'une dévotion et d'un dévouement extrêmes. On dit que par ses prières elle sauva Paris deux fois : l'une, d'Attila, et l'autre, des Francs; elle est la sainte patronne de Paris, qui lui voue encore un culte en l'église Saint-Étienne-du-Mont, et au Panthéon, érigé sur sa tombe. Geneviève, c'est la clarté, la ténacité, la recherche d'une cohérence. Elle est là comme pour conquérir sa propre volonté, volontiers fluctuante ou rêveuse. Elle prendra des responsabilités, sociales ou strictement maternelles, et gagnera ce combat, voilà tout! En fait, la « jeune femme » Geneviève est en quête de sa propre autorité, et de son assurance. D'où la séduction des douces incertitudes, et aussi le charme aérien de celle qui sait vouloir. Dame Guenièvre ne nous a pas quittés vraiment, et Geneviève, depuis son haut Moyen Âge, rayonne jusqu'à nous.

GEOFFROY

(Geoffrey, Goffert, Jeffe, Jefferey, Jeffrey, Jefie)

Couleur : le jaune.
Le chiffre : le 7.
Signe associé : le Taureau.
Fête : le 8 novembre.

A éviter avec un nom de famille commençant par A, Roi.
Étymologie : du germain « gaut », *divinité, Dieu,* et « frid », *paix,* ou « fried », *protecteur.*
Plusieurs saints et bienheureux furent des Geoffroy, prénom souvent confondu avec Godefroy (Gottfried), et nombre de noms de famille en dérivent, comme Jeffroy, Geoffroy, Jouffroy, Joffre, Joffrin.
Célébrités : six comtes d'Anjou, qui avaient fait de Geoffroy, leur nom héréditaire; un cardinal français; un prélat, Geoffroy de Monmouth, au Pays de galles; Geoffroy d'Auxerre, disciple de saint Bernard après avoir été celui d'Abélard; Geoffroy de Baulieu, Chancelier d'Angleterre et confident de Saint-Louis; le naturaliste Geoffroy Saint-Hilaire, à qui nous sommes redevables de la ménagerie du Jardin des Plantes.

Geoffroy est un prudent, voire un méfiant à l'égard de ses semblables; il les laisse venir de loin avant de se confier. C'est qu'il aime fermement la vie et le travail ainsi que le travail de la vie, et n'entend pas laisser gâcher l'ouvrage par l'éventuelle ignorance, toujours trop envahissante à son goût. De toute l'action qu'il peut déployer, Geoffroy, secrètement, n'attend d'autre gain ou gratification que la beauté. Amoureux de la cohérence harmonieuse, il est en revanche volontiers sociable et chaleureux dès qu'il a reconnu et admis quelqu'un. Laissons-le revenir en faveur avec la mode des prénoms médiévaux, et l'on verra comment Geoffroy s'impose : paisiblement, et activement. La force tranquille, il connaissait déjà.

GEORGES

(Egor, Geirgia, Georas, Georg, George, Georgene, Georgette, Georgia, Georgina, Georgine, Georgio, Georgius, Georgy, Gora, Göra, Gorch, Görch, Görgel, György, Inoulia, Jörg, Jorge, Jorick, Joris, Jörn, Jürg, Jürgen, Juris, Jurriana, Seiorse, Sior, Yorick, Youka, Yourassia, Youri, Youria)

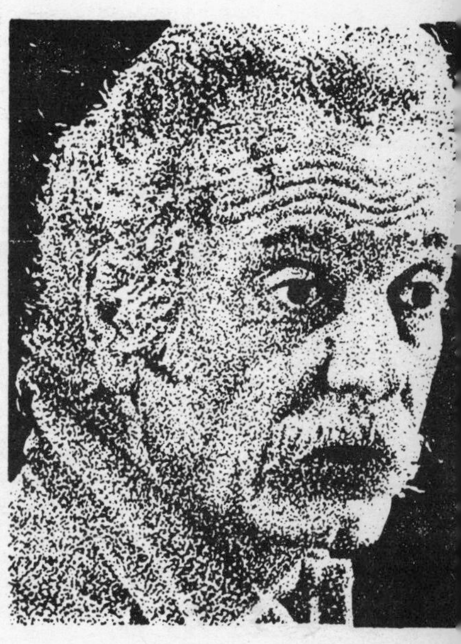

Couleur : le jaune.
Chiffre : le 4.
Signe associé : le Scorpion.
Fête : le 23 avril.
A éviter avec un nom de famille commençant par J, ou G.
Étymologie : du grec « gheorghios », *travailleur de la terre.*
A jamais saint Georges, comme saint Michel, terrasse le Dragon, et patronne l'Angleterre, et nomme depuis des siècles bien des grands de ce monde. Qu'on en juge : onze rois de... Géorgie; six d'Angleterre; deux de Bulgarie et de Grèce; un de Bohême; des ducs de Saxe et des grands-princes russes; des poètes, des écrivains, des savants, des hommes politiques : ainsi Georges Byron, le zoologiste Georges Cuvier; Georges Clemenceau; Georges Washington; Georges Marchais; Georges Fillioud; Georges Séguy; Georges Courteline; Georges Bizet; Georges Feydeau, Georges Bernanos; Georges Brassens (ci-contre); Georges Perec; Raymond Abellio, de son véritable nom Georges Soulès; Georges Ivanovitch Gurdjieff; Georges Pitoëff, Georges Henein, Georges Schéhadé, Georges Ribemont-Desssaignes, Georges Bataille, Iouri Gagarine, Iouri Tinianov, l'écrivain soviétique contemporain.

Georges? Il est celui qui détient la parole : laissons-la lui.
« C'est entendu : je terrasse le Dragon et, en un sens, je ne fais même que cela. Mais au profane, mon dragon à maîtriser, c'est l'émotivité puissante, instantanée, qui envahit d'un coup mes actes, mes pensées, ma parole. Rien parfois n'est plus embarrassant pour un homme de combat. Car je suis un lutteur, et toute situation me renvoie à la vieille contradiction de la guerre et de la paix. L'émotion ardente cependant est fille et mère de la sensibilité, de l'intuition, de la vision, et le fougueux, le zélé de l'action que je suis utilise ces qualités en les joignant à ce goût non moins précis de l'analyse rigoureuse et de la synthèse sans lesquelles la raison ne serait que sentimentalité floue. Certes, je dois admettre sans déplaisir que Georges est pourvu d'une intelligence à la fois immense et intense, ce qui constitue un sérieux atout en toutes circonstances. J'ai, comme en contrepartie de ce cadeau des dieux, besoin de beaucoup d'affection et d'amour pour pouvoir en donner un peu, besoin de beaucoup de chaleur pour un rai de lumière. Je peux en permanence me mettre en quatre pour réaliser une entreprise, un

raisonnement, un plan. Je suis un candidat tout désigné à la philosophie, et la métaphysique, si je m'y plonge, m'est transparente. Entre la rage de l'étude et la tentation des vocations supérieures, bien malin qui pourrait m'arrêter. Je vais, je déblaie, et je parle : j'invente la pensée à chaque instant, et cette parole réinvente le monde, origine et fin réunies. Je jette des défis que je suis souvent seul à pouvoir relever. J'ai encore des coups de foudre, de la passion explosive, et ma sagesse n'est pas quiétude, mais ardeur. Je veux bien admettre un certain côté abrupt de mes propos et faits et gestes, et que l'orgueil suprême me menace çà et là, mais qu'importe, puisque je suis imprévisible. Parfois je fuis toute compagnie, parfois je la bats froid, et parfois je m'y complais : cela peut sembler bizarre, mais indique seulement que je ne suis pas où l'on me croit, comme tout un chacun, bien entendu. »

GEORGETTE, GEORGIA, GEORGINA

Couleur : le jaune.
Chiffres : le 3, le 8, le 4.
Signes associés : le Bélier, le Lion, les Poissons.
Fête (Georgia) : le 15 février.
Étymologie : voir Georges.
Célébrités : la sœur d'Arsène Lupin, Georgette Leblanc; la chanteuse Georgette Lemaire; la chanson de Ray Charles, *Georgia* (on my mind).

Au caractère, Georgia et Georgette ont l'énergie et la force de Georges, et cet esprit capable des plus vives prouesses; Georgina ou Georgine sont plus rêveuses, et leur efficacité au travail est moins évidente que chez Georgette et Georgia. Mais leur séduction est plus directe, et leur charme, flagrant.

GÉRALD, GÉRALDINE

(Géraldina, Gerallt, Géraud, Gerrolt, Gerry, Gerwald, Giraud, Graald, Greelt, Jerry)

Couleur : le bleu.
Chiffres : le 2, le 3.
Signes associés : le Saggitaire, le Verseau.
A éviter avec des noms de famille commençant par L, D, ou I, N, Inn.
Étymologie : du germain « ger », *lance, pique* et « waldan », *commander, gouverner.*
Célébrités : l'historien Gérald de Barry (XIIe siècle); le jazzman Jerry Muligan; l'acteur Jerry Lewis; le poème de Coleridge, *Christabel* (1816) parle de Géraldine,

comme en parlait le poète Surrey, trois siècles plus tôt, pour vanter les charmes de Géraldine Fitzerald; les actrices Géraldine Page et Géraldine Chaplin (ci-contre).

Saint Gérald (IXᵉ siècle), moine à l'abbaye de Moissac, fut mandé par les Églises de France et d'Espagne, par les prêtres et les seigneurs, en raison de sa sagesse et de son habileté à éteindre les conflits. Il mourut en odeur de sainteté, évidemment, sur un linceul de cendres. Comme prénom, Gérald est parfois confondu, et à tort, avec Gérard. Gérald, depuis son lointain Moyen Age, nous a laissé des noms de famille comme Géraud, Giraud, Giraudat, Giraudoux, etc. Comme Géraldine, il revient en vogue de nos jours, le rétro ayant filé jusqu'au médiéval. Prénom de classe, Gérald vous a une sorte de ci-devant parfum aristocratique qui sied fort bien au « gouverneur à la lance » qu'étymologiquement il est. Et ce chevalier voyage, en Don Quichotte comme en astronaute, au physique comme au mental. Le sens de la découverte, le goût de l'absolu et l'intuition de l'immédiat : soyez sûrs que Gérald a de la ressource, et même : de la source. L'éternité, ici et maintenant, voilà son lieu de prédilection, et ce lieu est vivant. Bon retour à Gérald. Et bon retour à Géraldine, à ses explorations, à ses recherches de soi entre l'enfance et la rigueur, le caprice et la compassion, à sa connaissance de l'imprévu, et à son goût d'indépendance.

GÉRARD

(Gard, Garret, Garrit, Gearard, Geeraard, Geerhard, Geert, Geerte, Gera, Gerarda, Gerarde, Gérardin, Gérardine, Gerardo, Gerardus, Gerd, Gerhard, Gerharda, Gerhardina, Gerhart, Gersten, Gert, Gherardo, Girard, Jerta)

Couleur : l'orangé.
Chiffre : le 8.
Signe associé : le Taureau.
Fête : le 3 octobre.
A éviter avec un nom de famille commençant par R, ou Ra.
Étymologie : du germain « ger », *lance, pique,* et « herd », *dur, courageux.*
Célébrités : la légende du « bon Gérard de Cologne », au XIIIᵉ siècle, de Rudolf von Ems, a contribué à répandre le prénom; le traducteur d'Avicenne, Gérard de Crémone; le mystique Gérard Groot; le grand poète Gérard de Nerval (« Je suis le Ténébreux, le Veuf, l'Inconsolé/Le prince d'Aquitaine à la Tour Abolie... »); le général prussien Gerhard von Scharnhorst, le peintre Gérard Fromanger; sans oublier l'inoubliable Gérard Philippe, évidemment (page suivante).

Grand prénom du Moyen Age et grand prénom tout court, puisque Gérard a été utilisé sans interruption dans toute l'Europe jusqu'à nos jours, où il semble cependant légèrement marquer le pas depuis une vingtaine d'années. Gérarde, Gérardine ont en revanche quasiment disparu. Au Xᵉ siècle, on dut forcer saint Gérard, trop humble et contemplatif pour y penser lui-même, à devenir évêque de Toul. Ce qu'il accepta, après quoi il se livra à des prodiges et des miracles, dont certains encore visibles, puisqu'il fonda nombre d'écoles et de monastères. Un siècle après sa mort il fut canonisé. D'autres saints furent encore des Gérard, et par exemple saint Gérard Majella, au XVIIIᵉ, de la congrégation du Très-Saint-Rédempteur, qui, baignant dans l'extase, les prophéties, miracles et conversions

fulgurantes, fut mis en accusation par une femme, et souffrit en silence jusqu'à reconnaissance de son innocence; lui aussi fut canonisé.
Mais comment se comporte-t-il, Gérard? En amoureux du mouvement, du dynamisme transformateur, de l'imagination. Très sensible à la beauté, il sait jouir de l'existence et apprécier les situations rares au point qu'il peut lui arriver de céder à la tentation de vouloir réaliser plusieurs projets en même temps; qu'il y parvienne ou non lui importe finalement assez peu : précurseur souvent en avance sur son temps, il lui suffit d'ouvrir la voie. Au plan sentimental, si l'ardeur et la sincérité ne lui font guère défaut, il lui est en revanche assez difficile de se fixer; l'amour unique n'est pas précisément son fort. Son idéalisme naturel ne s'embarrasse pas de préceptes et de règles strictes : une grande volonté le guide, mais il n'apprécie que modérément la rigueur de l'opiniâtreté.

GERDA

(Gärd, Garda, Gardina, Gerdi, Gerdina, Gerta)

Couleur : le bleu.
Chiffre : le 2.
Signe associé : le Scorpion.

A éviter avec un nom de famille commençant par A, ou Da.

Étymologie : du germain « gerdr », protectrice.
Gerda sera aussi *La Reine des Neiges* d'Andersen. Thomas Mann, dans *Les Buddenbrook*, nomme Gerda l'épouse de son héros.

Gerdr, c'est-à-dire Gerda, est une délicieuse géante de la mythologie germanique, et le dieu Freyr en est follement épris. Prénom du Moyen Age tombé dans l'oubli, Gerda a été remis en vogue par le mouvement romantique.
Gerda n'est pas un diminutif de Gerarda ou de Gertrude, comme on le croit parfois à tort. Gerda, « la reine des neiges », nous revient : souhaitons-lui bon retour.

Germain, Germaine

(Garmon, German, Germana, Germanus, Germentsje, Germina, Guermana, Guermane, Guermoussia, Jermen)

Couleur : le jaune.
Chiffres : le 4, le 9.
Signe associé : le Verseau.
Fêtes : le 31 juillet, le 15 juin.
A éviter avec un nom de famille commençant par Ain, Main, ou E, Enn.
Étymologie controversée : du germain « gari », ***lance,*** **et « mundo »,** ***protection;*** **ou encore du latin « germanus » (« germen »),** ***issu de la même race, du même sang;*** **ou encore « germanicus »,** ***le germain.***
Célébrités : Germaine Necker (1766-1817), autrement dit Madame de Staël; Germaine de Foix (1488-1538), épouse de son grand-oncle Ferdinand II le Catholique; le sculpteur Germain Pilon (1537-1590), auteur des mausolées de François Iᵉʳ et d'Henri II, à Saint-Denis; Germain Nouveau (1852-1920), le grand poète méconnu et ami de Rimbaud.

Évêque d'Auxerre au IVᵉ siècle, saint Germain fut envoyé en mission en Angleterre et se révéla habile en théologie comme en politique. Au VIᵉ siècle, saint Germain de Paris fonda quant à lui le monastère de Saint-Germain-des-Prés. Sainte Germaine Cousin (1579-1601) fut le souffre-douleur de sa famille après la mort de sa mère; sa foi s'affermit face à toutes ses épreuves, et des miracles lui sont attribués; elle mourut à 22 ans en ignorant sans doute que la postérité allait faire d'elle une sainte; bergère, elle est même devenue la patronne des paysannes. Au caractère, Germain et Germaine ont le sens de l'idéal et de l'amitié. Ils savent également lutter, organiser, et vaincre. Lorsqu'ils donnent des ordres, ceux-ci ne manquent pas d'être exécutés. Une ténacité sans faille, une grande confiance en eux et une intelligence pratique et précise les accompagnent. Mais Germaine aspire à la quiétude sans y parvenir vraiment, et Germain peut aisément tempérer son dynamisme par des périodes de souveraine indifférence. Une manière d'inquiétude et de fébrilité les pousse : quoi qu'il en soit, ils ne s'arrêtent jamais, ils avancent.

Gertrude

Couleur : le bleu.
Chiffre : le 8.
Signe associé : le Cancer.
Fête : le 16 novembre.
A éviter avec un nom de famille commençant par U, D.
Étymologie : du germain « ger », « gari », ***lance,*** **et « trud »,** ***fidélité.***
Célébrités : Gertrude est l'une des Walkiries, c'est aussi l'actrice Gertrude Lawrence, et les écrivains Gertrud von Le Fort et Gertrude Stein.

Sainte Gertrude la Grande (1256-1301) vécut en Allemagne et se révéla une mystique et une théologienne exceptionnelle; elle priait et méditait si intensément, nous dit la légende, que les souris jouaient sur son chapelet sans qu'elle parût les remarquer; ainsi est-elle devenue la sainte patronne protectrice des chats... Sainte Gertrude de Nivelle (VIIᵉ siècle), en bonne fille de Pépin de Landen, est devenue la patronne des jardiniers. Prénom typique du Moyen Age, Gertrude est un peu oubliée de nos jours en France, mais reste en usage en Allemagne. Au caractère, Gertrude se révèle volontiers rêveuse, rebelle et non conformiste. C'est un curieux mélange de jalousie et de bonhomie, d'autorité et de laisser-faire, de dévouement et de contestation.

GERVAIS, GERVAISE

(Gerva, Gervaius)

Couleur : le rouge.
Chiffres : le 9, le 5.
Signe associé : la Vierge.
Fête : le 19 juin.

A éviter avec un nom de famille commençant par E, V.

Étymologie : du grec « gherazein », ***honorer.***
Célébrités anciennes : Gervais du Bus, poète au temps de Philippe le Bel; Gervais de Cantorbery, qui fut un chroniqueur du XIIe siècle; et enfin l'héroïne de ***L'Assommoir,*** **de Zola, Gervaise.**

Saint Gervais et son frère saint Protais furent martyrisés au IVe siècle; saint Ambroise découvrit leurs reliques, et saint Augustin fit de saint Gervais un parfait exemple de sainteté, mais on n'en sait guère davantage à son sujet. Gervais et Gervaise sont peu à peu tombés en désuétude, et ce sont pourtant des prénoms pourvus d'une forte personnalité : un goût de la perfection, de la correction, un sens du détail précis, de la rigueur logique et de la volonté les animent. Ce qu'ils entreprennent, ils ont à cœur de le bien réaliser. Prénoms d'ordre et de minutie, Gervais assume ses fortes exigences en cultivant l'amitié et recherchant l'amour, mais avec des A résolument majuscules, et Gervaise sait apaiser ses inquiétudes grâce au dévouement qu'elle manifeste envers ceux qu'elle aime.

GHISLAIN, GHISLAINE

(Gelijn, Ghilain, Gislain, Gislaine, Gisleno, Gislenus, Gleitje, Guillain, Guillaine, Guislain, Guislaine, Guylaine)

Couleur : le bleu.
Chiffres : le 7, le 3.
Signe associé : le Taureau.
Fête : le 10 octobre.

A éviter avec un nom de famille commençant par Ain, Lin, ou N, Enn, E, Lé.

Étymologie : du germain « ghil », ***otage,*** **et « hard »,** ***dur.***
Célébrité ancienne : saint Ghislain soi-même; venu de Grèce au VIIe siècle, il fonda le monastère qui porte son nom, et autour duquel s'agloméra la ville Saint-Ghislain, en Belgique, non loin de Mons.

Prénoms du Moyen Age, Ghislain et Ghislaine subsistent encore de nos jours, quoique relativement discrètement. La particule ne leur va pas mal. Le goût de la beauté, de l'émotion noble, de l'idéal les inspire et leur occasionne çà et là quelques déboires existentiels : c'est qu'il n'est pas simple d'aimer la simplicité sans parvenir à la concrétiser. Avec Ghislain et Ghislaine, la tentation de l'orgueil et du retrait dans quelque tour d'ivoire est toujours là; mais cet orgueil sera efficacement contré en eux par le dévouement qu'ils savent déployer à l'occasion. A noter que ces faux solitaires manifestent une soif de reconnaissance et de compréhension qui, apaisée, fait d'eux des êtres pleins de charme et de joie de vivre. Autrement dit, quand le cœur va, ils vont.

GILBERT, GILBERTE

Gielbert, Gielbertus, Gilberta, Gilberto, Gilbertus, Gilbrecht, Gillebert, Gilleberte, Gisbert, Gisberte, Giselbert, Gisilo)

Couleur : l'orangé.
Chiffres : le 1, le 6.
Signe associé : le Capricorne.
Fêtes : le 4 février, le 11 août.
A éviter avec des noms de famille commençant par R, Er, ou Ber, ou encore par R, T.
Étymologie : du germain « gisil », *descendant (de haute race)*, et « bert », *brillant*.
Célébrités : Gilbert aux Mains Blanches, l'un des compagnons de légende de Robin des Bois; Gilbert, le peintre anglais du XVe siècle; l'écrivain contemporain Gilbert Cesbron; le chanteur-compositeur Gilbert Bécaud (ci-contre); l'écrivain et critique d'art Gilbert Lascault; le poète Gilbert Vaudey.

Seigneur de Sempringham au XIIe siècle, saint Gilbert fut lié d'amitié avec Thomas Becket; devenu prêtre, il transforma ses domaines en lieux de prière et y fonda deux monastères. D'autres saints furent également des Gilbert, et notamment saint Gilbert de Neuffonts, seigneur d'Auvergne, qui, au retour de la seconde croisade, entraîna sa femme et sa fille dans une vie strictement pieuse. Au caractère, le calme, la sérénité, la sagesse impressionnent fortement Gilbert, qui vise à réaliser ces états sans toujours y parvenir; la maîtrise de soi qu'il montre, il ne l'acquiert qu'au prix d'une constante auto-surveillance; en fait, Gilbert est très dépendant de l'estime et de l'amour d'autrui; son dynamisme intellectuel, remarquable, gagnerait à s'accompagner d'une ténacité dans l'effort qui, souvent, lui fait défaut. Gilberte, pour sa part, ne se laisse pas affecter par trop d'esprit de sérieux : la sagesse, oui, mais avec l'humour! Ainsi, à défaut de sérénité, reste le rire qui balaie tout. En faveur jusqu'à la dernière guerre mondiale, ces deux prénoms semblent légèrement décliner actuellement en France.

GILLES

(Aegidia, Aegidius, Gil, Gildrina, Gilet, Gilia, Gill, Gilleske, Gillette, Gillis, Gillo, Egid, Egide, Egidio, Idzi, Ilian, Jilez)

Couleur : le vert.
Chiffre : le 1.
Signe associé : le Bélier.
Fête : le 1er septembre.
A éviter avec un nom commençant par I ou L.
Étymologie : du germain « gisil », *descendant (de haute origine),* qui se confondit avec Aegidius, *le protecteur* (du grec « aigidos », *bouclier* – celui de Zeus et d'Athéna).

Célébrités : le chroniqueur des XII XIIIe siècles, Gilles le Morveux; Gilles de Rais (XVe siècle), exécuté à Nantes en raison de ses scandaleux infanticides, et dont l'ombre portée populaire sera la légende de Barbe Bleue; l'écrivain Gilles Perrault; le spécialiste TV du cirque, Gilles Margaritis; le chanteur Gilles Vignault; le philosophe Gilles Deleuze; le peintre Gilles Aillaud.

Venu de Grèce au VIe ou au VIIIe siècle, saint Egide (saint Gilles), ermite en Provence, serait à l'origine de l'abbaye (puis de la ville) de Saint-Gilles du Gard; on l'invoqua au Moyen Age contre des maux aussi divers que la stérilité ou les épidémies. Une quinzaine de pays, en France, portent le nom de Saint Gilles. Au caractère, on dit de Gilles que c'est un être d'aventure et de générosité. Le cœur sur la main mais l'incertitude en tête, tel semble Gilles. Un certain manque d'opiniâtreté, de confiance en soi, et aussi de retenue, voilà sa grande hésitation – que vient contrer une chance incroyable, à laquelle il sait d'instinct s'en remettre si la situation lui échappe. C'est à la fois un timide et un entreprenant, toujours en quête de s'affirmer, et de s'affermir.

GINA, GINO, GINETTE

(voir Régine et Louis)

Couleur : le jaune.
Chiffre : le 4.
Signe associé : les Gémeaux.

A éviter avec un nom de famille commençant par N, A ou Na.
Célébrité : l'actrice Gina Lollobrigida.

GISÈLE

(Gisela, Gisella, Gisla, Gleitje, Silke)

Couleur : le jaune.
Chiffre : le 3.
Signe associé : le Verseau.
Fête : le 7 mai.

A éviter avec un nom de famille commençant par E, L.
Étymologie : voir Ghislain, Ghislaine, dont Gisèle est un dérivé.

Célébrités : la fille de Charles le Simple, Gisèle; l'avocate et femme politique contemporaine Gisèle Halimi; la poétesse surréaliste Gisèle Prassinos.

La bienheureuse Gisèle (X-XIe siècles) était née sous une haute étoile : fille de Henri II de Bavière, sœur du saint empereur d'Allemagne Henri, elle fut la femme d'Étienne de Hongrie, autre roi-saint. Après la mort de son fils et de son époux, elle entra au couvent de Niedernburg, où elle passa le reste de sa vie en prières et méditations. Une vie cousue de fil d'or. Au profane, Gisèle se caractérise par la fraîcheur d'esprit, la spontanéité et la rêverie. Très intériorisée, elle cache sous sa gaieté coutumière une inquiétude et une curiosité intellectuelles non négligeables; elle n'est pas ce qu'on appelle un esprit pratique, et aime à faire le point dans sa solitude, qu'elle affectionne tout particulièrement; elle a besoin de s'affermir à travers autrui, et son indéniable charme se teinte aux couleurs de l'enfance perpétuelle dont elle est l'avocate spontanée; en elle, tout paraît se jouer, parfois, entre émotivité et rigueur mentale. Une présence à protéger.

GLADYS

(Glad, Gladdie, Gleda)

Couleur : le bleu.
Chiffre : le 2.
Signe associé : les Poissons.

A éviter avec des noms de famille commençant par I, Is, S.

Étymologie : du gallois « gwladys », ***qui règne sur l'espace.***
Célébrités : ***Gladys,*** **d'Édith M. Dauglish et** ***Gladys of Harlech,*** **d'Anne Beale, héroïnes et romancières populaires de l'Angleterre du XIXe siècle.**

Vieux prénom remis en faveur au siècle dernier, son usage, même en Angleterre, a fortement décliné depuis cinquante ans. Le Pays de Galles l'affectionne encore. Celle qui règne sur l'espace voit le sien s'amenuiser; mais Gladys peut attendre, c'est une pensive.

GODEFROY

(Godefroi, Godel, Godfred, Godfroi, Godofredo, Goffert, Goraidh, Gotfridus, Gothfraith, Götschi, Gottfredo, Gottfriede, Gotti, Götz, Gotzi, Friedel)

Couleur : le vert.
Chiffre : le 5.
Signe associé : les Gémeaux.
Fête : le 13 janvier.

A éviter avec un nom de famille commençant par Oi, A.

Étymologie : voir Geoffroy.
Célébrités : Godefroy de Bouillon, qui mena la première Croisade jusqu'à Jérusalem, et n'admit pas d'en être sacré roi; le poète courtois Gottfried de Strasbourg (XIIIe siècle); l'érudit Godefroy de Viterbe; l'orfèvre Godefroy de Huy; le philosophe Gottfried

Wilhelm Leibniz (1646-1716); le *Götz von Berlichingen* (1773) de Goethe; le Götz de Sartre, dans *Le Diable et le bon Dieu*. Enfin Godefroy est à l'origine de noms de famille, comme Gottlieb, Godfrey, Godebert, Gotthelf.

Seigneur de Capdendberg, Godefroy fut touché par la Grâce et transforma ses domaines en lieux de prière, et son propre château en monastère de Prémontrés; ceci se passait au XIIe siècle, et Godefroy devint un saint. On dit que sa femme ne s'en est jamais remise. D'autres saints furent des Godefroy, ou d'autres Godefroy des saints, comme on voudra, et notamment saint Godefroy, prieur de Citeaux, également au XIIe siècle. C'est un prénom très en faveur avec les Croisades, et un peu désuet de nos jours. Mais Godefroy est, étymologiquement, sous « la protection divine »: ce n'est pas aux fluctuations de son usage qu'il se mesure, mais à sa propre rigueur. C'est un inquiet, qui s'observe sans cesse observant les autres en pensant qu'ils l'observent... De surcroît, Godefroy aime son labyrinthe et n'hésite pas à en corser le dédale, puisqu'il adore mettre en péril la sécurité qu'il recherche tant. Mais attention : cet équilibriste un peu pervers est puissant, hyper-intuitif et très intelligent. On ne le verra pas vaciller de si tôt!

GODELIÈVE

(Goda, Godelaine, Godeline, Godelieff, Godolefa, Godoleine, Godoleva, Godolewa, Godolieba)

Couleur : le vert.
Chiffre : le 6.
Signe associé : les Poissons.
Fête : le 6 juillet.
A éviter avec un nom de famille commençant par V, Ev.
Étymologie : du germain «gott», *dieu*, et « leiba », *fils*.

« Fille de Dieu » donc, Godelième est un prénom typiquement flamand, encore aujourd'hui en usage dans le Plat Pays. Épouse au XIe siècle d'un certain Bertholf de Ghistelle, elle eut fort à faire avec sa belle-mère, qui l'emprisonnait et la martyrisait à domicile, puis avec deux voleurs de passage, qui l'étranglèrent en 1070. La région de Bruges continue de lui vouer un culte très fervent, et un monastère ainsi qu'un « puits miraculeux » lui sont dédiés. Elle est bien peu connue comme sainte et comme prénom, au caractère comme aux apparences, dans les pays de France. Dommage.

GOLIATH

(Golia, Goliat, Goliato, Golio)

Couleur : le rouge.
Chiffre le 2.
Signe associé : la Vierge.
A éviter avec un nom de famille commençant par T, At.
Étymologie : *géant, guerrier puissant :* c'est l'un des grands de la Bible, dont on sait qu'il fut vaincu par la fronde du petit David (Livre de Samuel, 17, 4). En fait, il faut être bien hardi ou imprévoyant pour

affubler un bébé d'un tel prénom. Du reste, il n'a jamais été très utilisé – et beaucoup moins que David. Passons sur ce géant.

GONTRAN

(Gontram, Gontrana Gontrane, Gontrano)

Couleur : le bleu.
Chiffre : le 8.
Signe associé : le Taureau.
Fête : le 28 mars.
A éviter avec un nom de famille commençant par An ou Ran.
Étymologie : du germain « gund », *combat*, et « harban », *corbeau*.
Célébrités : Gontran Boson dit le Méchant, criminel que saint Gontran lui-même fit condamner à mort et occire.

Second fils de Clotaire Ier, saint Gontran fut un roi mérovingien de Bourgogne; en tant que roi, il guerroya comme il convient, et en tant que pieux homme, il protégea la religion et fonda des monastères; l'Église le canonisa, et dès le VIIe siècle sont culte se répandit en Bourgogne. Dans l'usage courant, son prénom est de nos jours devenu bien désuet. Au caractère, Gontran est un être jaloux de ce qui l'émeut, et opiniâtre, voire obstiné, à défendre ce qu'il entreprend ou ce qu'il croit; il peut lui arriver de s'entêter sur un projet perdu d'avance, mais cette rigidité d'esprit trouve en lui son revers : il aime trop les plaisirs de la vie, et son goût de la beauté est trop ardent pour qu'il ne lui soit pas interdit de goûter à la souplesse et à l'humour. En somme, un chevalier qui doit çà et là se débarrasser de son armure.

GONZAGUE

(Gonzaguette, Zaguette)

Couleur : le violet.
Chiffre : le 6.
Signe associé : le Lion.
A éviter avec un nom de famille commençant par G, C et toute autre consonne dure.
Étymologie : Gonzague fut le nom d'une famille princière d'Italie, originaire de la région de Mantoue.
Célébrités : la famille des Gonzague, et, aujourd'hui, le critique et journaliste Gonzague Saint-Bris.

Fille du duc de Mantoue Charles Ier, Anne de Gonzague (1616-1684) fut l'épouse du comte Édouard de Bavière; Bossuet en personne prononça son oraison funèbre. Saint Louis de Gonzague (1568-1591) fut un jésuite très pieux. Gonzague est devenu un prénom en France depuis le XVIIIe siècle, sans que son usage ait jamais été très marquant. Il est très rare de nos jours. Au caractère, Gonzague est réputé pour sa hauteur de vues souvent condescendante à l'égard d'autrui. Sa générosité est cependant réelle pour ceux qu'il aime, et il ne manque ni de chaleur ni de lyrisme, ni d'une absolue confiance en soi. Cet égocentrique de charme est en général très à l'aise dans l'existence, et s'il doit avoir quelque complexe, c'en sera un... de supériorité, évidemment!

GOULVEN

(Golven, Goul'chen, Goul'chennig, Goulvena, Goulvenez, Goulwen, Goulwena, Goulwenig)

Couleur : le rouge.
Chiffre : le 5.
Signe associé : la Vierge.
Fêté le 1er juillet.

A éviter avec un nom de famille commençant par Enn, N, V.
Étymologie : du gallois « gwoluch », *prière*, et « gwenn », *heureux, pur.*

Saint Goulven fut évêque du Léon au Xe siècle et son prénom, typiquement breton, a connu une grande fortune. Il est le saint patron de diverses localités bretonnes qui portent son nom, comme Goulven, Saint-Golven en Caurel, Goulien ou Saint-Voulc'hien. Au caractère, Goulven est intuitif, très intériorisé et souvent rêveur; émotif, indépendant et délicat, son intelligence apte à la synthèse immédiate lui permet cependant de savoir saisir l'occasion par les cheveux; ce tendre, qu'il faut cajoler et rendre confiant, est aussi un remarquable opportuniste. A preuve sans doute, son retour en force dans la vogue actuelle des prénoms d'origine régionale. Inutile de lui souhaiter bonne chance : il la connaît fort bien.

GRÂCE

(Gracia, Graciane, Gracieuse, Grazia, Grazilla, Graziella, Griselda)

Couleur : le bleu.
Chiffre : le 7.
Signe associé : le Sagittaire.
Fête : le 21 août.

A éviter avec un nom de famille commençant par S, As, Ras.
Étymologie : du latin « gratia », *grâce.*
Célébrités : l'ex-actrice Grace Kelly, devenue Grace de Monaco.

Charme et autorité, générosité et activité, voici, au caractère les atouts de Grâce. Sainte Grâce, de son nom d'origine Zaïde, avait un frère, Maure comme elle, Ahmed, qui touché par la grâce, était devenu moine cistercien : elle devint chrétienne à son tour, et se fit baptiser sous le nom de Grâce. Ceci se passait dans l'Espagne du XIIe siècle, et le frère et la sœur furent conduits au martyre. La vraie difficulté, avec ce prénom, réside dans la grandeur et le caractère d'obligation de son sens : comment oser nommer ainsi une enfant? Il ne faut pas être superstitieux...

GREGOIRE

(Greagoir, Greer, Greg, Greger, Gregh, Gregor, Gregoor, Gregori, Gregoria, Grégorine, Gregorio, Gregorius, Gregory, Grels, Grigor, Grigori, Grinia, Griogair, Grioghar, Jerina, Jorina, Joris)

Couleur : le violet.
Chiffre : le 3.
Signe associé : le Lion.
Fête : le 3 septembre.

A éviter avec un nom de famille commençant par A, R.
Etymologie : du grec « egregorien », *éveillé, qui veille.*
Saint Grégoire le Grand (540-605) fut pape durant ses quinze dernières années; patron des musiciens et des chanteurs, il fut à l'origine des réformes du chant liturgique qui aboutirent au *chant grégorien.* Dans sa jeunesse il avait, après de solides études, distribué ses biens aux pauvres et transformé en monastère sa propre demeure. Son influence et son œuvre sur l'Église furent non seulement musicales mais aussi sociales et spirituelles. Par ailleurs, vingt et un autres saints et bienheureux, dont seize papes, furent des Grégoire. Le calendrier actuel, dit « grégorien », est l'œuvre du pape Grégoire XIII (1582). Répandu dans toute l'Europe catholique, Grégoire est encore à présent un prénom courant en Russie, en Allemagne, aux États-Unis et jusqu'en Australie; même l'Angleterre protestante l'a adopté depuis une quinzaine d'années, et il jouit actuellement en France d'un renouveau certain.
Célébrités : seize papes; quatre patriarches d'Arménie; un prince d'Arménie, Grégoire Magistros; Gregori Raspoutine; Gregor Mendel (1822-1884), le religieux et botaniste autrichien, qui a dégagé les lois de l'hérédité; l'acteur Gregory Peck; le poète Gregory Corso.

Grégoire, Grégoire, qui êtes-vous?
« Nous, Grégoire, nous veillons. Nous veillons aux projets de vaste envergure, aux entreprises ambitieuses et parfois démesurées. Mais nous veillons. Notre dynamisme, notre volonté, notre puissance de travail s'exercent à entretenir et réalimenter l'esprit de réalisation et de conquête dont nous sommes porteurs. Nous veillons. Nous savons user du commandement, du jugement impeccable et vif, de la sévérité aussi, mais nous sommes terriblement tendres au plan affectif, c'est ainsi. Egocentriques et dominateurs, nous concédons cela, mais nous aimons trop passionnément la justice pour ne pas corriger la situation grâce à quelque profond et généreux idéalisme, et nous n'ignorons pas assez le doute pour refuser de nous l'appliquer à nous-mêmes. Alors, nous réussissons. Nous réussissons souvent. Et nous continuons de veiller. »

GUDRUN

(Guda, Gunda, Gundula, Guntrun, Kutrun)

Couleur : le violet.
Chiffre : le 7.
Signe associé : le Sagittaire.
Prononcer évidemment, « Goudroune ».
Étymologie : du germain « gund », *combat* et « runo », *magie, secret.*

Gudrun était l'oracle que les Germains allaient consulter avant les combats; elle consultait alors les écritures « magiques », les runes, et donnait le verdict. Ce très ancien prénom est encore très utilisé de nos jours en

Allemagne. Un récit épique du XIIIe siècle, très célèbre outre-Rhin, a pour titre *Gudrun,* et narre les aventures et mésaventures de son héroïne, qui, dans la tradition populaire, engendrera la légende de Cendrillon. Ainsi, Gudrun est une Cendrillon. Mais comment s'appeler Gudrun, ou même Cendrillon, en France? Elle détient pourtant le « secret du combat ».

GUILLAUME

(Bill, Billie, Elma, Guglielmo, Guillaumette, Guilelmina, Guillemet, Guillemette, Guillemin, Guillerme, Guillermo, Guilmot, Guillou, Minella, Viliam, Villerme, Vilma, Wiley, Wilhelm, Wilhelmina, Wilhelmine, Wilko, Willa, Willabelle, Willen, Willème, Willie, William, Williamson, Willis, Willy, Wilma, Wilmette, Wilson)

Couleur : le vert.
Chiffre : le 2.
Signe associé : le Lion.
Fête : le 10 janvier.
A éviter avec un nom de famille commençant par M, O, Om.
Étymologie : du germain « will », ***volonté,*** **et « helm »,** ***protection.***
Guillaume est un prénom fort courant depuis le IXe siècle, aussi bien en Allemagne (sous la forme Wilhelm) qu'en Angleterre (William) et en France, où il se fera plus rare après la guerre de 14-18, Guillaume ayant été le nom du Kaiser. Les « guillemets » de l'écriture sont dus à un imprimeur nommé Guillaume, au XVIIe siècle.
Célébrités très nombreuses : plus de cinquante saints et bienheureux; deux empereurs d'Allemagne; dix ducs d'Aquitaine; trois rois des pays-Bas; quatre rois d'Angleterre; trois rois de Sicile; des poètes, trouvères et chroniqueurs médiévaux; Guillaume d'Orange; Guillaume le Conquérant; Guillaume d'Occam; William Shakespeare; Guillaume de Machaut; Guillaume Apollinaire; sans oublier Guillaume Tel.

En 1171, à Bayeux, le soir de Noël, il fut demandé à tous les chevaliers présents dont le prénom n'était pas Guillaume de se lever : plus de cent restèrent rivés à leur siège. Ce Guillaume, on le voit, jouissait d'une faveur certaine. Avec une telle ascendance, comment Guillaume se voit-il?
« Un jour je m'attendais moi-même
Je me disais Guillaume il est temps que tu viennes », ainsi chantait Apollinaire. Et moi, Guillaume, je vous le dis : si nombreux dans l'histoire les Guillaume, en fait, sont des solitaires. Nous sommes à la fois des êtres du dedans et du dehors, introvertis et extravertis. Notre infaillible volonté seule nous permet de ne pas nous y perdre : grands travaux et entreprises d'envergure, voilà notre bonheur; notre intuition, notre sens de l'analyse aussi, font de nous également des gens d'esprit, idéalistes, fervents de justice et de rigueur. En sorte que nous sommes littéralement inarrêtables, notre activisme et notre vitalité tous terrains déployant à tout instant leur panache et leur efficacité. Exigeants en amitié comme en amour, nous sommes sans effort la fidélité même. A ce tableau sans ombre, notre honnêteté coutumière se doit d'en avouer une : nos colères sont à l'image de notre dynamisme, c'est-à-dire somptueuses et insupportables! Doués de réactions hyper-émotives, il nous arrive, à nous, Guillaume, rois de la volonté, de partir dans des rages fusantes que rien ne nous permet de contrôler. Par ailleurs, et comme pour adoucir ce trait, nous sommes des amoureux de la nature, et tout ce qui est faune et flore éveille en nous des effluves de sympathie profonde, ainsi qu'un tel sens de la protection et de la préservation respectueuse de l'univers naturel que nous sommes de toujours

des écologistes d'avant la lettre, et des religieux sans religion, ou sans église particulière. Il est vrai que notre vitalité ne s'accommode guère de la camisole des dogmes, et que nous visons bien ce qu'il nous faut viser. Ici, notre modestie nous interdit d'en dire plus, et nous nous effacerons discrètement avec Apollinaire : « J'ai tout donné au soleil / Tout / Sauf mon ombre ».

GUSTAVE

(Gösta, Gus, Gussie, Gust, Gustaf, Gustaphine, Gustav, Gustava, Gustaviane, Gustavine, Gustavo, Gustavus, Gustel, Staf)

Couleur : le violet.
Chiffre : le 5.
Signe associé : le Bélier.
Fête : le 7 octobre.
A éviter avec un nom de famille commençant par F, V.
Étymologie : du germain « gustav », *qui prospère.* Saint Gustave (VIe siècle), paralysé pieds et mains fut miraculeusement guéri; on dit que saint Martin passait par là; alors Gustave consacra entièrement sa vie à la foi, et fonda le monastère de Brives, dans la région de Bourges. Vieux prénom germanique, Gustave a connu une vogue ininterrompue depuis le Moyen Age, qui atteignit son point culminant dans tout le XIXe siècle européen.
Célébrités d'importance : la dynastie des Vasa, en Suède, donna six rois nommés Gustave; les peintres Gustave Courbet, Gustave Moreau; le graveur Gustave Doré; l'écrivain Gustave Flaubert; le compositeur Gustave Charpentier (1860-1956); le chansonnier du siècle dernier Gustave Nadaud; Gustave Malher, le grand musicien autrichien.

Et pourtant, Gustave est un prénom qui sonne désuet de nos jours; qui est-ce, Gustave?
« Moi? Je suis " celui qui lit dans les runes le sort des batailles ". Les runes étaient les anciennes écritures sacrées germaniques, et " gustav ", *celui qui prospère,* se décompose en " gund ", *combat,* et " stafr ", *baguettes.* Ces baguettes étaient des baguettes divinatoires, sur lesquelles était gravé l'alphabet runique. Cette précision faite, il apparaît que je suis un devin, étymologiquement parlant en tout cas. Mais je garde quelque trace de cela dans mon psychisme : j'ai pour moi une intuition royale, extrêmement subtile, une émotivité quasi-incontrôlable de vivacité, et un intellect apte aux plus vastes synthèses, et prompt à la vision globale. Avec tout ceci, je parviens à cultiver l'anxiété et le réalisme, la logique et la fantaisie. Volonté, courage, amitié, voilà des valeurs que j'aime, même si la vraie ténacité me fait parfois défaut, même si j'exige beaucoup de mes amis. Mon dynamisme est tel que, dit-on, j'en fais quelquefois un peu trop, surtout en paroles! Mais qu'importe : je rêve de stabilité, d'amour inaliénable et sûr, et d'avoir les deux pieds sur terre; il faut bien en parler, non? Et pour la réalisation concrète, elle finira par s'imposer d'elle-même, chance aidant! Enfin, s'il y a moins de Gustave aujourd'hui qu'hier, je vous parie vos statistiques contre un œil de devin que ce n'est là qu'apparences d'un moment. A demain. »

GUY

(Gui, Guido, Guyonne, Guyot Guyotte, Gurig, Veit, Vitus)

Couleur : le violet.
Chiffre : le 8.
Signe associé : les Gémeaux.
Fête : le 12 juin.

A éviter avec un nom de famille commençant par une consonne dure ou un I.
Étymologie : du germain « wid », ***forêt.***
Célébrités : Guy Fawkes voir (ci-dessous); deux ducs de Spolète; Guy de Lusignan, roi de Jérusalem; Guy de Dampierre, comte de Flandre; l'écrivain Guy de Maupassant; les poètes contemporains Guy Benoît, Guy Cabanel; Vitus (= Guy) Behring, à qui l'on doit la découverte du Détroit; Veit (= Guy) Stoss, (1440-1533), sculpteur polonais du retable de Notre-Dame de Cracovie; et tant d'autres, dont l'ineffable Guy Lux.

Saint Guy le Martyr fut mis au supplice au IVᵉ siècle sur ordre de Dioclétien, et son culte fut très marqué au Moyen Age; dans toute l'Europe on l'a invoqué pour la guérison des troubles et maladies des nerfs et des crises d'épilepsie, que l'on nommait « danse de saint Guy ». Il est devenu le saint patron de la Sicile, de la Saxe et de la Basse-Saxe, de la Poméranie et de la Bohême. D'autres Guy furent également des saints, et en particulier saint Guy Vignotelli (1187-1247), disciple de saint François d'Assise, qui se fit franciscain après avoir abandonné ses biens aux pauvres, et saint Guy (ou Guidon), sacristain belge des plus pieux qui est maintenant le saint patron des sacristains, mais aussi des laboureurs. En Angleterre, la « conspiration des poudres », dont le chef, Guy Fawkes, voulait faire sauter le Parlement, en 1605, n'a pas été favorable à la bonne renommée du prénom : le 5 novembre de chaque année on y brûle encore l'effigie grotesque d'un Guy pour stigmatiser l'action de Guy Fawkes. Quoi qu'en pensent les Anglais, Guy est un prénom de choix. Au caractère, Guy est l'indépendance et la fidélité réunies; une forte vie intérieure et affective le rend parfois vulnérable aux vives bouffées d'émotion qui assaillent les êtres de cœur, mais son intelligence mobile, directe et synthétique le tire aisément d'embarras. L'intuition, le goût de la beauté, le sens du paradoxe : ce franc-tireur a du charme et peut se montrer exigeant en amitié. En amitié comme en amour, c'est du reste la passion de la liberté qu'il exalte, et c'est à la liberté d'aimer qu'il est le plus fidèle; au demeurant, il tient toute forme de trahison en horreur tout en n'ignorant rien de la souplesse sur le plan de ses croyances. Il se méfie de la dispersion, et cherche la permanence, la stabilité, l'unité. Avec Guy, la forêt cache un arbre!

GWENAËL, GWENAËLLE

(Gwenal, Gwenel, Gwenhaël, Gwennaël, Gwennaële)

Couleur : le blanc.
Chiffre : le 2.
Signes associés : le Cancer, le Lion.
Fête : le 3 novembre.

A éviter avec des noms de famille commençant par E, L, El.
Étymologie : du celtique « gwenn », ***blanc, heureux,*** **et « hael »,** ***généreux, noble.***

Saint Gwenaël (VIe siècle) fonda un monastère à l'île de Groix, dans le Morbihan. Prénom typiquement breton, il redevient très en faveur de nos jours; on le retrouve du reste dans les dénominations de diverses localités bretonnes, comme Saint-Guinel en Mauron dans le Morbihan, ou Saint-Guénal, Saint-Vénal, Lanvenaël. Sociables, intuitifs, généreux, Gwenaël et Gwenaëlle ont en outre une riche sonorité et la mode pour eux. Qu'ils nous reviennent donc avec le vent et la lumière de l'Ouest!

GWENDOLINE

(Guendolen, Gwenda, Gwendaline, Gwendolen, Gwendolyn, Gwenna)

Couleur : le blanc.
Chiffre : le 8.
Signe associé : la Balance.
Fête : le 14 octobre.

A éviter avec un nom de famille commençant par I, L, Inn.
Étymologie : du celtique « gwenn », *blanc, heureux*, et « dolyn », *cercle*.

Ainsi l'ancienne divinité de la lune se nommait-elle *Cercle Blanc*, Gwendoline. Ce fut l'un des prénoms irlandais les plus populaires. Dans la légende le roi Arthur s'éprit d'une fée Gwendoline (Guendolen) et Gwendolyn fut la femme de Merlin l'Enchanteur. Guendoloena fut une reine mythique de l'ancienne Angleterre. On ne connaît toutefois pas de sainte à ce nom, mais enfin : une divinité lunaire, une fée aimée d'un roi de légende, une épouse d'enchanteur en chef et une reine incontrôlable : Gwendoline a de la ressource en fait de pureté! Qu'elle revienne donc, avec son intuition, son dynamisme, sa volonté! Avec sa fraîcheur et sa clairvoyance, qu'elle revienne!

GWENN

(Gwenna, Gwennaig, Gwennen, Gwennez, Gwennig)

Couleur : le blanc.
Chiffre : le 1.
Signe associé : le Cancer.
Fête : le 18 octobre.

A éviter avec un nom de famille commençant pas N.
Étymologie : du celtique « gwenn », *blanc, heureux*.

Encore un prénom breton, et androgyne ou presque, puisqu'il convient aussi bien aux garçons qu'aux filles. Il y eut un saint Gwenn, dont on ignore tout, et une sainte Gwenn, femme de saint Fragan et mère de saint Gwenolé. De nos jours, Gwenn est devenu cependant un prénom esentiellement féminin. Au caractère, Gwenn cherche son équilibre entre droiture, courage, volonté, et émotivité, sensibilité fragile et vive; très active, rayonnante et sociable, sa rigueur morale est évidente, et sa simplicité, protectrice. Ce prénom ne faiblit pas, et son actuel retour en vogue est une confirmation.

Gwenolé

(Guénola, Guénolé, Gwenola, Gwennolea, Gwennolé)

Couleur : le blanc.
Chiffre : le 3.
Signe associé : la Vierge.
Fête : le 3 mars.
A éviter avec un nom de famille commençant par E, Lé ou une voyelle.
Étymologie : du celtique « gwenn », *blanc, heureux,* et « gwal », *valeureux.*

Encore et toujours la Bretagne ancestrale! Saint Gwenolé (VIe siècle) fit des prodiges et des miracles et fonda l'abbaye de Landévennec, rasée en 1793. Dès le IXe siècle, Gwenolé devint un prénom courant en Bretagne, où il continue d'être à l'honneur de nos jours. Volontaire, actif, intelligent, Gwenolé se fie davantage à l'analyse minutieuse qu'à l'intuition. Maître de soi, équilibré, plutôt méfiant, Gwenolé se livre avec réticence, et seulement lorsqu'il a pleine confiance envers ses interlocuteurs. Très dynamique, on ne l'arrête pas une fois en route! On n'arrêtera pas davantage sa nouvelle vogue de prénom, qui participe également de l'actuel retour en force des prénoms régionaux de souche lointaine.

PRÉNOMS RÉGIONAUX, PRÉNOMS DE RETOUR AUX SOURCES

En retournant au terroir d'origine, c'est souvent à l'origine du terroir que l'on retourne, et la profonde vogue actuelle des prénoms régionaux témoigne de ce désir d'en revenir à l'identité originelle. Désir largement mythique certes, puisque langues et formes vivent et meurent, et, lorsqu'elles ressuscitent, ne sont pas nécessairement à l'image exacte de ce qu'elles furent auparavant. Disons tout de suite que bon nombre de prénoms réputés authentiquement bretons ou celtes, par exemple, ne sont bien souvent que des « celtisations » et « bretonneries », c'est-à-dire adaptations formelles, phonétiques, d'autres prénoms. Néanmoins, il est vrai que les prénoms normands, à base germanique et franque, ont aussi une origine scandinave, Viking, et que les noms de famille se terminant en *ouf* (Surcouf, Renouf, Osouf) viennent de cette direction-là. Au plan des prénoms, cette filiation scandinave se révèle avec les Balder, Harald, Hilda, Erik, Ingrid, Olaf, Solveig. Pour ce qui concerne les prénoms bretons (dont les « vrais » sont évidemment d'origine celtique), qui reviennent en force dans l'usage contemporain, nous prendrons soin d'en dresser une double liste, en précisant que les terminaisons en *a, ez, enn* sont féminines.

Prénoms bretons		**Prénoms « celtisés »**	
féminins	**masculins**	**féminins**	**masculins**
Aourgen.	**Aodren.**	**Aeal (Angèle).**	**Alan (Alain).**
Armelle.	**Brendan.**	**Aourell (Aurélie).**	**Andrev (André).**
Briagenn.	**Edern.**	**Aziliz (Cécile).**	**Benead (Benoît).**
Eogenez.	**Eozen.**	**Benniga (Benoîte).**	**Dahud (David).**
Gladez.	**Ewen.**	**Enora (Honorée).**	**Eliaz (Élie).**
Goulwena.	**Gall.**	**Erwanez (Yvonne).**	**Eroan (Yves).**
Gwenola.	**Glen.**	**Heodez (Aude).**	**Fañch (François).**
Hoela.	**Goulwen.**	**Jakeza (Jacqueline).**	**Jakez (Jacques).**
Jezekela.	**Gwendal.**	**Katell (Catherine).**	**Loeiz (Louis).**
Koulmez.	**Gwenn.**	**Mari (Mariel.**	**Mazhe (Matthieu).**
Levenez.	**Heneg.**	**Paola (Paule).**	**Nedeleg (Noël).**
Maelig.	**Hervé.**	**Soazic (Françoise).**	**Padrig (Patrick).**
Morgana.	**Konogan.**	**Yannez (Jeanne).**	**Per (Pierre).**
Morvane.	**Maodez.**		**Plezou (Blaise).**
Nolwenn.	**Morvan.**		**Roparzh (Robert).**
Predena.	**Nuz.**		**Samzun (Samson).**
Ronanez.	**Riwan.**		**Yann (Jean).**
Sterenn.	**Tadeg.**		
Tudalenn.	**Tristan.**		
	Tudal.		

Ces listes sont bien entendu purement indicatives, puisque l'étude des prénoms régionaux, et en particulier bretons, demanderait un ouvrage très dense à chaque fois. Il en va de même pour les prénoms occitans, à cette nuance près que ceux-ci, outre d'authentiques créations languedociennes, comprennent nombre de prénoms courants du reste de la France simplement « traduits » en provençal, bordelais, limousin ou toulousain. En voici également un aperçu significatif :

Prénoms occitans

féminins*		masculins	
Afrodisi.	Jacmeta.	Adrian.	Gaietan.
Aimada.	Miquela.	Alari.	Ivern.
Amelia.	Onorina.	Amanç.	Jóan.
Apollonia.	Prudencia.	Amfós.	Laurenç.
Atansi.	Renat.	Antóni.	Marçal.
Berengeria.	Sidónia.	Bernat.	Patern.
Blanca.	Vidalina.	Blase.	Ponç.
Celinda.		Breç.	Ramón.
Ceselha.		Ciriac.	Raols.
Colomba.		Cristól.	Sebastan.
Eleuteri.		Damian.	Tadeu.
Eufrasia.		Estanislau.	Ubert.
Eutrópi.		Estiu.	Valerian.
Felica.		Felician.	Vincenç.
Liveta.		Felip.	Wenceslau.

* (le o = ou, le ó = o)

Les prénoms à résonance « médiévale », parallèlement à la vogue des prénoms régionaux et se superposant en quelque sorte à celle-ci, jouissent également d'une grande faveur de nos jours. En voici quelques-uns, de ceux qui ont échappé à la désuétude :

Médiévaux

féminins		masculins	
Adélaïde.	Jodelle.	Adalbert.	Godefroy.
Adeline.	Ludivine.	Adémar.	Guillain.
Aldegonde.	Mathilde.	Aimeric.	Guillaume.
Aliénor.	Mélusine.	Aldwin.	Harald.
Allison.	Morgane.	Amalric.	Kevin.
Astrid.	Odeline.	Amaury.	Lambert.
Aude.	Valtrude.	Arnaud.	Lancelot.
Bathilde.	Winifred.	Arnold.	Ludovic.
Brunehaut.		Arthur.	Manfred.
Edeline.		Baldric.	Norbert.
Edith.		Bertrand.	Odilon.
Elodie.		Brice.	Renaud.
Eudeline.		Clovis.	Ronald.
Frédégonde.		Dietrich.	Tankrède.
Godelièvе.		Estève.	Thibaud.
Guenièvre.		Evrard.	Valdemar.
Hermine.		Fernand.	Wilfrid.
Iseut.		Gaudéric.	

Là encore, cette liste n'est nullement limitative, mais avouons que pour nombre de ces prénoms, il faut franchement oser...

Un autre cas intéressant de retour aux origines est fourni par les prénoms issus de l'empire romain. Ceux-ci, en tant que tels, étaient au nombre de dix-sept, mais les patronymes et surnoms, eux, étaient fort variés et intarissablement nombreux, de sorte que les prénoms « romains » passés dans notre usage dérivent principalement de cette catégorie. En voici un aperçu :

Prénoms romains

féminins		masculins	
Albanne.	**Pétronille.**	**Adrien.**	**Luc, Lucien.**
Antonia.	**Priscilla.**	**Anicet.**	**Marc, Marcel.**
Augusta.	**Quintilia.**	**Antoine.**	**Marin.**
Aurélie.	**Séréna.**	**Aurélien.**	**Marius.**
Camille.	**Séverine.**	**Caligula.**	**Martin.**
Césarine.	**Sylvie.**	**Calvin.**	**Maxime.**
Claude.	**Trajane.**	**Camille.**	**Octave.**
Cornélie.	**Valentine.**	**César.**	**Pie.**
Drusilla.	**Valérie.**	**Constant.**	**Pompée.**
Fabiola.	**Victoire.**	**Crispin.**	**Rufus.**
Flavie.		**Domitien.**	**Serge.**
Fulvie.		**Félicien.**	**Sévère.**
Julie.		**Félix.**	**Sylvain.**
Lélia.		**Florian.**	**Tacite.**
Lucie.		**Fulgence.**	**Valentin.**
Marcelle.		**Horace.**	**Valère.**
Marine.		**Jules.**	**Vespasien.**
Octavie.		**Justin.**	**Virgile.**

Il existe évidemment mille et un autres retours aux sources possibles, le fleuve des prénoms étant toujours fort étendu et puissant, et ses sources loin d'être taries pour peu qu'on veuille en remonter tous les flux et méandres, mais à trop pousser le risque d'originalité sous prétexte d'origine, on court celui de la bizarrerie gênante : il ne doit pas être facile tous les jours de s'appeler Frédégonde ou Vespasien.

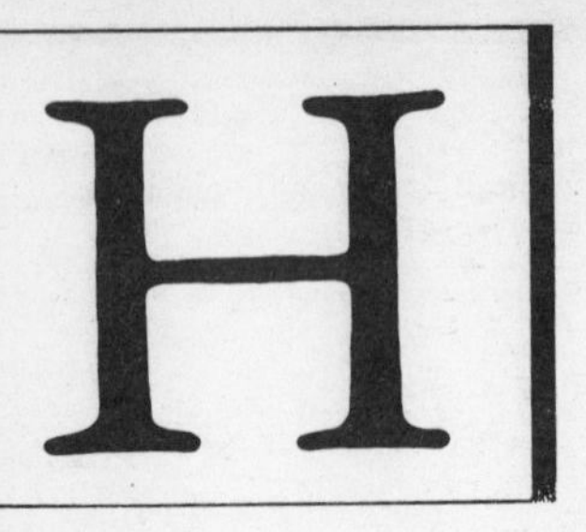

HANS

(Forme germanique et scandinave de Jean. Voir Jean)

Célébrité : le peintre Hans Bellmer.

HARALD, HAROLD, HEROLD

(Araldo, Aralt, Aroldo, Hal, Halle, Harailt, Haralds, Haraldus, Haroldo, Heroldo)

Couleur : le rouge.
Chiffre : le 3.
Signe associé : le Sagittaire (HARALD), le Verseau (HAROLD, HEROLD).
Fête : le 1er octobre.
éviter avec un nom de famille commençant par L ou D.

Étymologie : du germain « hari », ***armée,*** **et « waldan », gouverner.**
Célébrités : le fondateur, au Xe siècle, de l'État norvégien, Harald Harfgar, dit « Harald aux Beaux Cheveux »; plusieurs rois d'Angleterre et du Danemark.

Non pas inconnu, mais peu commun en France, ce prénom du Nord a de nombreux adeptes en Allemagne, en Norvège, en Angleterre, et jusqu'en Italie (Aroldo). Harald, par la Normandie, semble actuellement progresser chez nous. Herold, Harold, Harald, on les dit volontaires et actifs, entreprenants et doués de flair; cœur sensible et vaste intelligence les accompagnent et les soutiennent : de fortes personnalités; du reste, ne sont-ils pas, étymologiquement parlant, de ceux qui commandent aux armées?

HECTOR

Couleur : le jaune.
Chiffre : le 6.
Signe associé : les Poissons.
Aucun saint, donc pas de fête au calendrier, à ce prénom.
A éviter avec un nom de famille commençant par R Or.
Célébrités : Hector Malot; Hector Berlioz; et, bien sûr, la chanson de Brassens, *La Femme d'Hector*.

Hector est le héros troyen du siège de Troie; dix ans il tint en échec ses assiégeants grecs, jusqu'au jour où il occit Patrocle. Mal lui en prit, car Achille vola venger Patrole, et occit à son tour Hector. Mystérieux, souvent déconcertant, Hector est doué d'un sens aigu de la psychologie; il perçoit spontanément les grands courants de l'inconscient collectif. Intériorisé, sensible, très actif au plan intellectuel, il sait aussi se retirer dans la méditation et la solitude, bien qu'il manifeste des aptitudes égales au commerce de ses semblables. Comme prénom, il s'est un peu raréfié de nos jours

HÉLÈNE

(Aliona, Alionka, Eileen, Eilidh, Elaine, Elane, Elena, Eline, Elioussa, Ellen, Ellyn, Elna, Elyn, Hélaine, Helen, Helenius, Helenia, Hilchen, Ileana, Ilonka, Lana, Leentie, Lena, Lenaïc, Lenchen, Leni, Liengen, Nellchen, Nellette, Nelliana, Oliona)

Couleur : le jaune.
Chiffre : le 4.
Signe associé : le Cancer.
Fête : le 18 août.

A éviter avec un nom de famille commançant par N, Len.
Étymologie : du grec « hélê », *éclat du soleil*.
Célébrités : la mère de Constantin, et aussi sa fille, qui épousera Julien; Hélène Lécapène, aussi fille d'empereur (Romain 1er), et femme de Constantin VII, empereur toujours; la régente de Moscovie, Hélène Glinski; l'épouse du grand-duc Michel, Hélène Pavlovna; la reine d'Italie Hélène de Monténégro; l'écrivain contemporain Hélène Parmelin; la spécialiste d'art contemporain Marie-Hélène Montenay; l'écrivain Hélène Renon; cent trente cinq églises anglaises sont consacrées à Hélène, et Shakespeare utilise deux fois ce prénom dans son théâtre (*Le Songe d'une nuit d'été, Tout est bien qui finit bien*); l'île de Sainte-Hélène, où se termina l'aventure de Napoléon, doit son nom à la date de sa découverte : le 22 mai (1502) était alors le jour de la Sainte Hélène.

Fille du cygne Léda, sœur de Castor et Pollux, épouse de Ménélas, Hélène était vraiment trop belle, et Pâris l'enleva... et ce fut la guerre de Troie. Pour finir, Zeus, dit-on, mit Hélène aussi haut que les dieux afin qu'elle scintillât dans le ciel. Une autre Hélène célèbre fut la mère du premier empereur de Rome converti au christianisme, Constantin 1er; elle aurait découvert des reliques de la Sainte Croix, et l'Église la canonisa. Il semble que ses tribulations autour de la Sainte Croix soient à l'origine de l'expression « toucher du bois ». Et cette sainte était également très belle. Émotive, sensible, sentimentale, Hélène est, au caractère, une rêveuse douée des pouvoirs et des prestiges de l'imagination. En fait, elle est guidée par une affectivité extrême et tranchée; elle aime, ou elle n'aime pas, et le caprice, à ses yeux, passe pour une vertu souveraine. Son charme, son intuition, la profondeur de son intelligence lui valent cependant d'être recherchée, et cette chance l'accompagne toujours, d'où une sociabilité sans complexes, adroite et brillante. Coquetterie, habileté. curiosité à toute épreuve; il lui reste à maîtriser une émotivité passionnée qui l'entraîne çà et là aux coups de tête. « *Hélèné-Séléné!* nom de la lune en grec, lumière attirée dans les ténèbres, lumière immergée dans la *vraie* nuit! Je m'enchantais même du nom d'Hélène... » (R. Abellio, *Les yeux d'Ezéchiel sont ouverts.*)

HENRI, HENRIETTE

(Arrigo, Drickes, Eanruig, Enrico, Enrique, Enriqueta, Enzio, Enzo, Guenia, Guenrikh, Haain, Hank, Hanraoi, Harriet, Harry, Hattie, Heincke, Heinmann, Heino, Heinrich, Heinz, Henderkien, Hendrick, Hendricus, Hendrijke, Hendrina, Henke, Hennih, Henno, Henrietta, Henriette, Henrik, Henrika, Henry, Henschel, Hettie, Hetty, Hinderik, Hinnerk, Hinrich, Hinz, Netta, Nettie, Reiz, Riekie, Ritz)

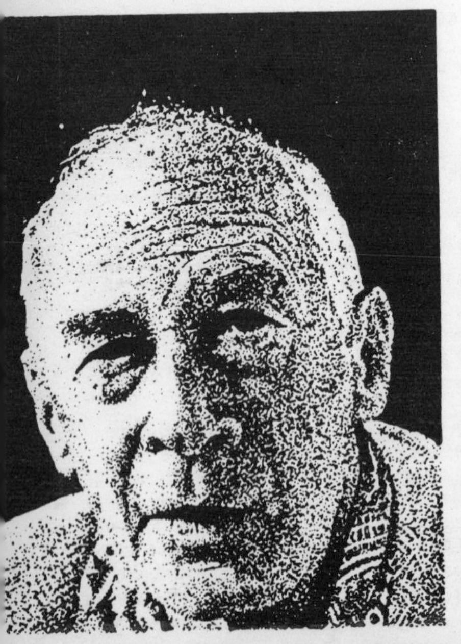

Couleurs : le violet, le rouge.
Chiffres : le 9, le 5.
Signes associés : le Sagittaire, le Bélier.
Fêtes : le 13 juillet, le 17 juillet.
A éviter avec des noms de famille commençant par I, Ri ou I.
Étymologie : du germain « heim » ***maison, foyer*** **et « rik »,** ***roi.***
Célébrités : sept empereurs germaniques; quatre rois de France; quatre rois de Castille; huit rois d'Angleterre et quantité de nobles, princes, ducs (de Guise, de Condé, des Pays-Bas, etc.); Heinrich von Kleist; ***Heinrich von Ofterdingen,*** **de Novalis;** ***Riquet à la houppe*** **de Perrault; Heinrich Heine, Henri Bergson; Henry James, Henri de Montherlant; Henri Matisse; Henri Michaux; Henry Miller (ci-contre); le photographe Henri Cartier-Bresson.**
Henriette-Anne de France (1727-1752), fille de Louis XV; Henriette-Anne Stuart, dite Henriette d'Angleterre (1644-1670); Henriette-Marie de France (1609-1669), fille de Marie de Médicis et de Henri IV, son oraison funèbre, prononcée par Bossuet, est un sommet de l'art oratoire; une Henriette est dans ***Les Femmes savantes,*** **de Molière.**

Prénoms d'origine saxonne, Henri et Henriette ont connu un grand succès médiéval en Europe, et du XIIe au XVe siècles furent parmi les prénoms les plus courants. Il faut dire que cette vogue a duré et dure encore, même si elle est moins intense actuellement, surtout pour ce qui concerne Henriette. Duc de Bavière, saint Henri se retrouva, par la grâce du pape, empereur du Saint Empire germanique; époux de sainte Cunégonde, il respecta le vœu de totale chasteté que celle-ci avait fait. Une vie fort pieuse en résulta, et Henri fit son métier d'empereur avec une sainte conscience professionnelle, guerroyant quand il le fallait, évangélisateur et protecteur du monachisme et de l'Église, et rendit l'âme en 1024. Huit autres saints et bienheureux furent des Henri, et notamment le bienheureux Henri Suso, dominicain mystique du XIVe siècle; fin penseur et illuminé authentique, il était proche de Maître Eckhart (1260-1327) et, comme lui, mourut en odeur de suspicion; il nous a laissés une *Horloge de la Sagesse.* Quant à la bienheureuse Henriette, elle était de ces Carmélites de Compiègne qui rencontrèrent la guillotine en 1794. Au caractère, Henri est à la fois secret et ouvert, timide et bondissant, intériorisé et extraverti, très volontaire et moyennement dynamique, direct, rapide, et n'agissant qu'à bon escient, solide, ardent, sociable et réservé à la fois, et à la fois sage et rude, confiant et ironique : il cherche, avec une certaine tranquillité intérieure, son point d'équilibre entre ses différents pôles, mais il a les pieds sur terre, et sait la terre inépuisable. Une heureuse et forte nature. Henriette, pour sa part, apporte au prénom une suavité, un charme, et une sorte de solennité très attachants. Extrêmement sociable, organisée et dévouée, elle semble verser à flots une activité généreuse et inextinguible. Cette passionnée sait cultiver l'idéal et le guetter longuement, et son intuition confine à la voyance. Comme de surcroît elle est très rigoureuse au plan moral et qu'elle tient l'amitié en haute estime, on peut être sûr qu'Henriette vise haut et loin.

HERBERT

Couleur : le vert.
Chiffre: le 4.
Signe associé : le Cancer.
Fête : le 20 mars.

A éviter avec un nom de famille commençant par R ou I, Er.

Étymologie : du germain « hari », ***armée,*** **et « behrt »,** ***brillant.***
Célébrités : Herbert de Cherbury (XVIe-XVIIe siècles), philosophe et diplomate britannique; les philosophes Herbert Spencer et Herbert Marcuse; le grand chef d'orchestre Herbert von Karajan.

Saint Herbert était l'ami de l'évêque Cuthbert et vivait sur une île au beau milieu d'un lac; ceci se passait au VIIe siècle et les deux compères prièrent intensément, dit-on, pour rendre l'âme ensemble : en 687, leur vœu fut exaucé. Au caractère, Herbert est marqué par la grâce et la vivacité de l'enfance. Intuitif, rêveur, philosophe, il est pourvu d'une intelligence aiguë et d'une mémoire sans faille. Mais cet aérien personnage est aussi un travailleur opiniâtre qui se voue à la minutie et à la perfection. Ce prénom est toutefois des plus discrets de nos jours en France.

HELMUT

(Helle, Helm, Helmi, Helmke, Helmo, Helmoed, Helmuts, Hellmuth)

Couleur : le rouge.
Chiffre : le 5.
Signe associé : le Lion.
A éviter avec un nom de famille commençant par I.
Étymologie : du germain « helm », *protection, heaume* et « mut », *courage*.

Prénom allemand en usage dès le IXᵉ siècle, Helmut semble rencontrer le plus de faveur avec notre siècle et le siècle dernier, avec Helmut von Moltke, grand chef militaire prussien de la guerre de 1870-71, et Helmut Schmidt, actuel homme d'État allemand. On voit toutefois assez mal ce prénom faire souche en France, mais tous les goûts sont dans la nature.

HERCULE

(Ercolano, Ercole, Herkules)

Couleur : le violet.
Chiffre : le 3.
Signe associé : le Capricorne.
A éviter avec un nom de famille commençant par L, ou une voyelle.
Célébrité : le détective belge Hercule Poirot, héros de l'œuvre d'Agatha Christie.

Célèbre pour ses fameux « Travaux », Hercule est d'abord le Héraklès grec, archétype mythique de la fonction du guerrier chez les peuples indo-européens; adopté par les Romains, il devient bel et bien Hercule, et recouvre le champ d'un ancien dieu domestique bénéfique aux biens et aux foyers. Comme prénom, il est rarement attribué de nos jours.

HERMANCE

(voir Hermann)

HERMANN

(Ermanno, Erminio, Harm, Harmina, Haro, Hemmo, Herm, Hermake, Herman, Hermance, Hermanis, Hermanna, Hermanne, Hermel, Hermen, Herminius, Hermjke, Herrmann, Hetze, Hetzel, Manes, Mannus, Meins, Menzel)

Couleur : l'orangé.
Chiffre : le 1.
Signe associé : les Poissons.
Fête : le 25 septembre.
A éviter avec un nom de famille commençant par N.
Étymologie : du germain « hari », *armée*, et « mann », *homme*.
Célébrités nombreuses : *Le Combat de Hermann* (1769), de Klopstock; le *Hermannschlacht* (1820) de Kleist; Hermann de Salza, grand maître de l'Ordre des Chevaliers Teutoniques (XII-XIIIe siècles); Hermann von Sachsenheim, poète des XIV-XVe siècles; le comte palatin Hermann de Saxe; Hermann Gœring, le sinistre chef de la Luftwaffe; les écrivains Herman Melville et Hermann Hesse.

Le bienheureux Hermann vécut au XIe siècle et laissa, quoique souffrant des suites d'une paralysie infantile. de nombreux écrits, chroniques, poèmes, et le très imposant « Salve Regina ». Prénom germanique courant, Hermann fut également usuel en France au Moyen Age; s'il a disparu depuis lors, il a laissé de nombreux noms de famille (Hermant, Hermani, Hetzel), et le féminin Hermance, quoique rare, existe encore de nos jours. Au caractère, Hermann est dit joindre le goût des honneurs et du pouvoir à de profondes tendances mystiques : qu'en résulte-t-il? Une capacité étonnante à créer des mouvements d'opinion, et une destinée forte, haute, et dure. Il serait toutefois étonnant que ce prénom revienne à la mode chez nous, comme au Moyen Age.

HERMINE

(Erminia, Herma, Hermien, Hermienne, Herminie)

Couleur : le blanc.
chiffre : le 4.
Signe associé : le Verseau.
Fêtée le 9 juillet.
A éviter avec un nom de famille commençant par N, Mi.
Étymologie : du germain « irmin », *immense, majestueux*.

Concentré de plusieurs noms d'origine germanique, Hermine est apparue en Allemagne au XVIIIe siècle, puis dans le reste de l'Europe. Ce prénom discret a d'ailleurs toujours été considéré, à tort, comme le féminin de Hermann. A la fin de la guerre de 14-18, Hermine connut son heure de gloire en Autriche et Vienne lui était ouverte. Il faut cependant constater que partout elle s'est faite rare depuis lors. Ce prénom à la belle fourrure n'est pas non plus apparenté à Hermione, comme on pourrait le croire. Il faut s'y faire : Hermine est l'indépendance même; souhaitons respectueusement à cette majestueuse et subtile image de l'émotion de revenir parmi nous sans attendre la fin d'une guerre.

HERVÉ

(Harvey, Hervea, Herveig, Herveline, Herveva, Hervey, Hervie)

Couleur : le bleu.
Chiffre : le 4.
Signe associé : le Scorpion.
Fête : le 17 juin.

A éviter avec un nom de famille commençant par V, E, Vé.
Étymologie : du celtique « haer », *fort* ou « houarn », *fer*, et « ber », *ardent*.
Célébrités : le chanteur Hervé Christiani; le romancier Hervé Bazin.

Aveugle de naissance, saint Hervé, fils d'un barde breton, portait la lumière en lui. Ermite, il fut très vite tenu pour un saint et rejoint par des disciples. Cette communauté lui fit fonder les monastères de Plouvien et de Lan-Houarneau. Sa vie remplie de miracles et de prodiges disparaît dans sa propre légende, puisqu'on ignore les lieu et date de son départ vers le Ciel. Ceci se passait au VIe siècle, et on assure que saint Hervé labourait lui-même son champ avec un loup : celui-ci avait mangé l'âne qui, avant lui, tirait son soc; mais, frappé par la grâce qui émanait du saint, le loup s'était spontanément offert, après avoir digéré l'âne, à le remplacer... Ainsi saint Hervé fut-il longtemps invoqué pour se protéger des loups et guérir les yeux malades. Il est en outre le patron des chanteurs ambulants. Prénom breton par excellence, Hervé a depuis longtemps débordé les frontières de la Bretagne. La volonté, la vitalité, la passion, la pénétration de l'esprit, voilà ce qui d'emblée marque le caractère d'un Hervé. Susceptible et jaloux à l'occasion, Hervé est mû par un puissant et radical désir : en tout, être premier. Une intuition, une intelligence étonnantes sont là pour lui permettre de s'affronter à un tel désir... et de réussir. Avec un peu de sagesse, il le vaincra.

HILAIRE

(Allaire, Hario, Harione, Hélier, Hilar, Hilaria, Hilarie, Hilario, Hilarion, Hilarius, Hilary, Hillary, Hillery, Guilarka, Ilari, Ilarka, Ilaria, Ilarione, Ilariouchka, Lariocha)

Couleur : le vert.
Chiffre : le 8.
Signe associé : le Sagittaire.
Fête : le 13 janvier.
A éviter avec un nom de famille commençant par R, Ler.
Étymologie : du latin « hilaris », *gai*.

Hilaire fut très courant dès les premiers siècles de l'ère chrétienne et cette gaieté exprimée par le prénom désigne en fait la joie de la montée spirituelle et de la fusion mystique. Saint Hilaire fut au IVe siècle évêque de Poitiers; ses écrits et méditations influencèrent grandement saint Augustin. Saint Hilarion fut quant à lui un disciple de saint Antoine. Il faut reconnaître que ce prénom est de nos jours largement tombé en désuétude. Au caractère, on prêtait à Hilaire un cœur généreux et une âme sensible, un dévouement, une bonne humeur native et un optimisme à toute épreuve. Enfin, sociable et bon enfant, Hilaire était un prénom aimable et estimé. La gaieté ne serait-elle plus de mise?

HILDA

(Hild, Hilde, Hildie, Hylda)

Couleur : le rouge.
Chiffre : le 7.
Signe associé : le Taureau.
Fête : le 17 novembre.
A éviter avec un nom de famille commençant par Da, A.
Étymologie : du germain « hild », ***combat.***

Princesse de Northumbrie, sainte Hilda (VIIᵉ siècle) choisit le monastère de préférence à la cour royale. Mais Hilda est par ailleurs le nom d'une Walkyrie dans l'ancienne mythologie germanique. L'Allemagne, l'Angleterre et la Scandinavie sont de nos jours encore très friandes de ce prénom, qui renvoie à une âme profondément enracinée dans la vie, paysanne, d'une solide et sûre simplicité; Hilda est la beauté robuste même, rurale, bucolique et spontanée. Pourquoi diantre en manquerions-nous en France?

HILDEGARDE

Couleur : le rouge.
Chiffre : le 1.
Signe associé : le Sagittaire.
Fête : le 17 septembre.
A éviter avec un nom de famille commençant par R, D.
Étymologie : du germain « hild », ***armée,*** **et « gardan »,** ***savoir.***

Sainte Hildegarde (1098-1179), née noble comme sainte Hilda, choisit comme elle la religion; elle fonda deux monastères (Ruppertsberg et Eibingen) et se distingua par la qualité et la vigueur de ses contemplations, puisqu'elle connut de foudroyantes visions de l'Antéchrist et de la Sainte-Trinité au cours de ses extases. Ce très vieux prénom, en France, fait sourire. Comme Hilda, Hildegarde exprime la santé triomphante, le débordement direct et simple de la vitalité; et avec ça tenace, opiniâtre, sérieuse et rigoureuse : vigoureuse Hildegarde! Elle a de surcroît un humour et un rire clair comme un chant d'oiseau qui corrigent à tout moment son image de stakhanoviste œuvrant dans les blés mûrs. Pourquoi sourions-nous d'elle? Nous en eûmes une comme impératrice, oui, rappelons-nous : la bienheureuse Hildegarde, qui fut l'épouse, ou l'une d'entre elles, de Charlemagne.

HILDEGONDE

Couleur : le rouge.
Chiffre : le 1.
Signe associé : la Balance.
Fête : le 20 avril.
A éviter avec un nom de famille commençant par D.
Étymologie : du germain « hild », ***armée, combat,*** **et « gund »,** ***combat.***

Sainte Hildegonde (XIIe siècle) se déguisa en homme pour pouvoir passer ainsi plusieurs années en prières incognito chez les frères cisterciens d'Allemagne, à Schönau. Hildegonde apparaît en Allemagne dès le VIe siècle; le Moyen Age, puis le Romantisme en furent amoureux. Elle est très proche de ses cousines Hilda et Hildegarde, et son sort actuel ne peut que nous inspirer de semblables réflexions.

HIPPOLYTE

(Hippol, Hippolyt, Ippolita, Ippolito)

Couleur : le vert.
Chiffre : le 9.
Signe associé : le Bélier.
Fête : le 13 août.
A éviter avec un nom de famille commençant par I, T.
Étymologie : du grec « hippos », ***cheval,*** **et « lutos »,** ***dompteur, qui délie.***
Une célébrité : Hippolyte Taine, l'historien et philosophe.

Ignorant les langoureuses et scandaleuses avances que lui faisait Phèdre, sa belle-mère, Hippolyte s'en fut vertueusement à la chasse, qu'il affectionnait par-dessus tout. Phèdre, furieuse et dépitée, manœuvra auprès de Thésée, accusant Hippolyte d'inceste, et celui-ci fit périr le pauvre Hippolyte par l'intermédiaire de Poséidon. Saint Hippolyte, quant à lui, eut un sort étonnant en religion. Grand érudit, prêtre, expert en écritures sacrées, il entra en opposition ouverte avec quatre papes et fut lui-même tenu pour un antipape. Finalement, les persécutions de Maximin envoyèrent en exil saint Hippolyte et le pape Pontien, ensemble, sur une île; là, touché par quelque grâce, le pape et l'antipape devinrent amis, saint Hippolyte se repentant de ses actions schismatiques. Ceci se passait au IIIe siècle, et saint Hippolyte, mort in extremis en odeur de vraie foi, fut canonisé par l'Église en compagnie de saint Pontien. Sept autres saints ou bienheureux furent des Hippolyte. Mais aujourd'hui Hippolyte est tombé en désuétude, et fait sourire. On le disait franc, droit, courageux; sincère et exigeant, dynamique et sociable. Homme fort qui porte haut le culte de l'action, Hippolyte est passé, son galop nous échappe.

HONORÉ, HONORINE

(Honor, Honorat, Honoratus, Honorius, Onorata, Onorato, Onorio)

Couleur : l'orangé.
Chiffres : le 3, le 8.
Signes associés : le Taureau, les Poissons.
Fêtes : le 16 mai, le 27 février.
A éviter avec des noms de famille commençant par E, Ré, ou N, I.
Étymologie : du latin « honoratus », ***honoré, digne d'honneurs.***
Célébrités : quatre papes; cinq princes de Monaco; d'Urfé; Balzac; Daumier; Fragonard.

Patron des boulangers, saint Honoré fut évêque d'Amiens au VIe siècle; on dit que le Christ lui-même lui serait apparu, lui présentant l'hostie, autrement dit le pain consacré, d'où cette ferveur boulangère et pâtissière qui accompagne saint Honoré. Un gâteau et un quartier de Paris portent toujours son nom. Pour sainte Honorine, martyre du IVe siècle, elle périt noyée dans la Seine; ses reliques, portées à Conflans, transformèrent le nom de la cité, depuis lors Conflans-Sainte-Honorine. Elle est devenue la patronne des travailleurs des fleuves, les bateliers. Prénoms désormais désuets, ils ont connu leur dernière heure de gloire au siècle dernier. Honoré organise, voit, commande et réalise. Honorine rêve, affabule, refait le monde dans sa tête. L'un touche au pur génie, l'autre l'invente; mais ils nous ont quittés. Dommage.

HORACE

(Horatio, Horatius, Horats, Horz, Oratio)

Couleur : le bleu.
Chiffre : le 2.
Signe associé : le Verseau.

A éviter avec un nom de famille commençant par A, As, S ou Ras.
Étymologie : du latin « Horatia », nom porté par une famille de Rome.

Le combat des Horaces contre les Curiaces et la victoire du troisième Horace constitue assurément l'origine de la célébrité, aujourd'hui éteinte, du prénom. Mais qui, à présent, se réjouirait d'en être affublé? Et pourtant Horace était un être de grande valeur, volontaire, très intelligent, dynamique et plein de santé. Et puis, n'y eut-il pas le grand Horace, poète ami de Virgile, et Horatio, confident de Hamlet chez Shakespeare? Et puis Lord Kitchener et l'amiral Nelson, qui furent des Horace. Mais les Curiaces aussi ont disparu. Alors...

HORTENSE

(Hortensia, Hortenz)

Couleur : le bleu.
Chiffre : le 5.
Signe associé : le Taureau.

A éviter avec un nom de famille commençant par S, En, Ens.
Étymologie : du latin « hortus », *jardin*.
Célébrités : Hortense de Beauharnais (1783-1837), épouse du roi de Hollande Louis Bonaparte et mère du futur Napoléon III; l'hortensia, comme fleur, honore Hortense Lepaute, femme d'un grand horloger du XVIIIe siècle : ce n'est donc pas un nom de fleur donné à une femme, mais un nom de femme donné à une fleur, ainsi qu'à Hortense Damiron, peintre contemporain.

Les Hortensius furent des patriciens romains et saint Hortense, évêque à Césarée. Le XIXe siècle fit un triomphe à ce prénom, qui s'est plutôt dissipé depuis. Fêtée le 11 janvier, Hortense l'est aussi le jour de la sainte Fleur. Hortense est, au caractère, un jardin épanoui; fraîche, intuitive, directe et spontanée, elle bénéficie d'un charme à la fois innocent et sensuel propre à faire regretter l'actuel repli de ce prénom.

HUBERT, HUBERTE

(Bertus, Breggie, Hauke, Hobard, Hoibeard, Hube, Huberdine, Huberta, Hubertine, Huberto, Hubertus, Hugibert, Huibert, Hukko, Huppel, Huprecht, Uberto)

Couleur : le bleu.
Chiffres : le 2, le 7.
Signes associés : le Bélier, le Sagittaire.
Fête : le 3 novembre.
A éviter avec des noms de famille commençant par R, Ber, ou I.
Étymologie : du germain « hug », ***intelligence,*** **et « behrt »** ***brillant.***

Célébrités : Hubert de Burgh, juge d'Angleterre et comte de Kent. et mentionné par Shakespeare ***(The King John);*** **le grand peintre flamand Hubert Van Eyck (1370-1426), l'un des premiers, avec son frère Jan, à peindre à l'huile; le héros d'aventures policières Hubert Bonnisseur de la Bat, dit « le Saint ».**

Pourvu, étymologiquement parlant, d'une intelligence brillante, saint Hubert fut touché par la grâce en voyant une croix de lumière lui apparaître parmi les bois et cornes d'un cerf; miracles et prodiges de légende l'accompagnent; on l'invoque contre la rage, dont son étole protégeait et guérissait; il fut évêque en Belgique, et évangélisa des peuplades entières; c'était au VIIIe siècle. La France, l'Allemagne, les Pays-Bas et l'Angleterre du Moyen Age connurent nombre d'Hubert. Par la suite, la vogue du prénom s'atténua, mais Hubert, depuis le début de notre siècle, a fait sa réapparition comme prénom relativement courant. La forme féminine Huberte, en revanche, est tenue pour désuète. Force de la nature, Hubert est largement tourné vers la vie et le monde; une volonté éclatante l'anime, qui confine parfois au goût de l'héroïsme, mais il agit lentement, opiniâtrement, et se méfie de tout coup de tête. Tout ce qui relève de l'intimité, du cœur, il a quelque difficulté à l'assumer comme à l'exprimer. Mais il est aussi fidèle que tenace, et sa vitalité inébranlable supplée à son manque d'intuition et de spontanéité. Un être de rigueur et d'ordre; un brûleur.

HUGO

(voir Hugues)

Couleur : le bleu.
Chiffre : le 7.
Signe associé : le Sagittaire.

Célébrités : l'orfèvre du XIIe siècle Hugo d'Oignies; l'écrivain Hugo von Hofmannstahl.

HUGUES, HUGUETTE

(Aodh, Haug, Hoege, Huey, Huglie, Hugly, Hugo, Hugolin, Hugoline, Hugolino, Hugorick, Huige, Huik, Ugolina, Uguccio)

Couleur : le violet.
Chiffres : le 9, le 8.
Signes associés : le Verseau, le Cancer.
A éviter avec un nom de famille commençant par O ou I.
Fête : le 29 avril.
Étymologie : du germain « hug », ***intelligence.***

Célébrités : Hugues Capet, bien sûr; quatre ducs de Bourgogne; quatre rois de Chypre; un roi d'Italie; le fondateur de l'Ordre des Templiers, Hugues de Payns; le théologien et philosophe Hugues de Saint-Victor; le prévôt de Paris Hugues Aubriot; le chanteur Hugues Aufray.

Saint Hugues (1024-1109), moine, prieur puis abbé de Cluny, eut un rayonnement européen et papes, rois et empereurs étaient friands de ses conseils et de ses arbitrages; durant plus d'un demi-siècle on sollicita sa sagesse. Quatorze autres saints et bienheureux, dont Hugues de Montaigu, évêque d'Auxerre au XIIe siècle, furent des Hugues. On ne connaît point, en revanche, de sainte chez les Huguette. Les « huguenots », ainsi qu'on appelait les protestants au moment de la Réforme, doivent leur nom d'une part à une adaptation de l'allemand « Eidgenossen », *les ligueurs, les confédérés,* et d'autre part aux Eidgenossen de Genève, dont le chef se nommait Hugues Bezançon. Hugues vint aussi, comme prénom, se superposer aux gaéliques Aodh, Uisdean, ou Eoghan. Hugues Capet (941-996), lui-même fils du duc de Bourgogne Hugues le Grand et fondateur de la 3e dynastie des rois de France, fut à l'origine de la popularité du prénom. De nos jours, Hugues est toutefois plus discret, quoique d'usage courant. Huguette est dans une situation similaire. Au caractère, Hugues est un indépendant, un franc-tireur subtil et déconcertant. Non-conformiste, ennemi des routines, il semble avancer dans la vie en se jouant des difficultés, des obstacles et des habitudes; ce n'est cependant ni un révolutionnaire ni un risque-tout de l'aventure. Plutôt prudent et mesuré, c'est généralement par la souplesse et l'amabilité qu'il opère; très sociable à l'occasion, il lui arrive çà et là de se laisser aller à un coup de sang fougueux, qui surprend et détonne. En fait, c'est un père tranquille et réaliste, qui juge les choses selon leur utilité, et écarte le superflu. A ces qualités ambivalentes de Hugues, Huguette apporte une nuance de rêverie, de fantaisie, voire de légère mythomanie, qui adoucit les rugosités précédentes; chez elle, l'intuition ne fait pas défaut, et de grandes possibilités de dévouement, maternel par exemple, ouvrent sa route à la générosité du cœur.

HUMBERT

Couleur : le vert.
Chiffre : le 6.
Signe associé : le Verseau.
Fête : le 4 mars.
A éviter avec un nom de famille commençant par R. Ber.
Étymologie : du germain « hun », ***géant,*** **et « behrt »,** ***brillant.***
Célébrités : deux rois d'Italie; trois comtes de Savoie; un archevêque de Sicile.

Saint Humbert (1136-1189) se vouait à la contemplation dans la prière et la solitude, lorsqu'il fut dérangé, et il le fut sa vie durant, par la guerre et les quatre mariages (suivis de quatre veuvages) qui lui furent imposés : c'est qu'en effet il était comte de Savoie, situation pleine d'obligations étranges pour un aspirant à la sainteté. Il finit par rendre l'âme comme un moine. Au caractère, Humbert (devenu assez rare de nos jours) est à la fois un timide et un utopiste; un esprit droit et simple, mais amoureux d'improvisation; un être retranché en lui-même et très intériorisé, mais très joueur à l'occasion, et même brillant, en société. Ce faux enfant a l'humour de son excès de sérieux.

HYACINTHE

(Hiacinth, Jacinte, Jacinthe, Jacynth)

Couleur : le blanc.
Chiffre : le 8.
Signe associé : la Vierge.
Fête : le 30 janvier.
A éviter avec un nom de famille commençant par I, ou une sifflante.
Étymologie : du grec « hyacinthos », ***jacinthe.***

Apollon, en jouant, tua par mégarde son ami Hyacinthe; pour se repentir, il le transforma en fleur, et plus précisément en jacinthe. Au Moyen Age, où le prénom fut très célèbre, la jacinthe désignait une pierre précieuse; c'est à partir du XVIe siècle que la jacinthe-pierre est devenue également jacinthe-fleur. Quant à saint Hyacinthe (1200-1257), il fonda le couvent de Gdansk (autrefois Dantzig) et son action évangélique en Pologne a fait de lui l'apôtre de ce pays. Sociable, affectueux, actif, dynamique, visionnaire, Hyacinthe semblait porter le monde – comme une fleur, à sa façon, peut porter le monde. Mais nous l'avons manifestement perdu en route. Hyacinthe, pas le monde.

LA SOURCE HÉBRAÏCO-BIBLIQUE

Si, dans la vieille Europe, le principal réservoir de prénoms fut d'abord constitué par le fonds germanico-scandinave, il est clair que la source chrétienne, qui finit par imposer son fleuve prénominal à partir des XIIe-XIIIe siècles, a très largement contribué à l'établissement du panorama moderne des prénoms. De prime abord pourtant, la lutte pouvait sembler inégale puisque l'ensemble des prénoms existant dans la Bible est au nombre de trois mille six cents (dont environ deux cents prénoms féminins seulement), contre près de quarante mille pour les germanico-scandinaves en usage, mais la puissance de la religion montante a balayé ce handicap apparent.

Avec ces prénoms bibliques arrivent donc des noms du sud – grecs, perses, égyptiens, latins – mentionnés dans le grand Livre, mais surtout hébreux bien entendu, qui sont l'écrasante majorité. Tous les courants chrétiens, outre les juifs, les utilisent, avec des différences évidentes bien connues, les juifs s'en tenant à l'Ancien Testament, rejoints en cela par les protestants, et ne remontant pas au-delà d'Abraham – de sorte que les Abel, Enoch, Adam et Ève sont du seul apanage chrétien. A l'origine, ces prénoms étaient en principe constitués de deux syllabes, qui composaient un sens : c'était encore un temps où l'on savait ce que nommer veut dire.

Fréquemment le nom de Iahvé y figurait grâce aux syllabes *ye, yô, yâh,* qui le désignent, ou de *el, eli,* qui signifient... Dieu – d'où certains prénoms étonnamment « absolus », comme Yô-el (Joël), autrement dit : « *Iahvé est Dieu* », ou Elijah, qui renverse et confirme le précédent : « *Dieu est Iahvé* ».

L'adaptation des formes et des langues a donc assimilé la plupart de ces prénoms, dont on ignore souvent de nos jours l'origine parfaitement hébraïque et sacralisante, notre recours à l'étymologie étant d'ailleurs le signe que nous avons perdu le sens premier : ainsi Jacques, Jean, Marie, Élisabeth, Gabriel, Paul, et tant d'autres, qui nous semblent « bien de chez nous ». Il serait du reste fastidieux d'en dresser une liste, tellement elle serait fournie et quasiment banale; on les retrouve tout au long du présent ouvrage, ainsi, donc, que leur sens d'origine.

C'est évidemment chez les juifs que la forme première de ces prénoms a été le mieux conservée, du fait même de la langue, mais la Diaspora, qui a dispersé le peuple hébreu en tous horizons, pays et cultures, les a également transformés au gré des prononciations et affinités locales : ainsi Menahem est-il devenu, en langue allemande, Menchen, Menke, Mendel. Notons qu'à l'inverse l'Etat d'Israël, actuellement, encourage à une clarification en forme d'authenticité, et qu'un nouvel arrivant nommé Mendel se retrouvera Menahem – retour à la Terre promise oblige! Enfin, s'il y a, en définitive, très peu de prénoms féminins dans la Bible, on continue d'en inventer en féminisant les prénoms masculins (Binyamin, Binyaminah); l'invention de nouveaux prénoms, du reste, se poursuit en référence au Texte sacré comme à l'histoire du peuple hébreu : il y a donc des Zohar, des Aliyah (« Venue en Israël »), Oshrat ou Sivanah. Des prénoms les plus répandus actuellement en Israël, retenons cette liste indicative :

féminins	**masculins**
Abishag.	**Adar.**
Ariellah.	**Amnon.**
Avital.	**Ariel.**
Aviva.	**Avner.**
Ephrat.	**Elad.**
Hagit.	**Gad.**
Michal.	**Iddo.**
Shlomit.	**Iftah.**
Yael.	**Oded.**
	Omri.
	Ram.
	Yoav.

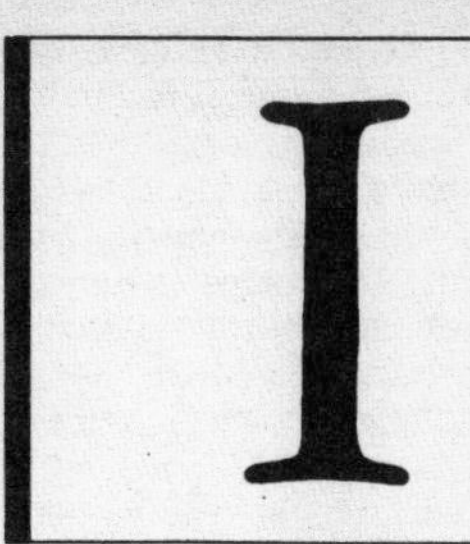

Ida

(Ide, Idchen, Iken, Ita, Itchen, Itte)

Couleur : le bleu.
Chiffre : le 5.
Signe associé : le Bélier.
Fête : le 13 avril.
A éviter avec un nom de famille commençant par A, ou D, Da.

Étymologie : du germain « idis », *femme.*
Célébrités : une sainte, mère de sainte Gertrude et de sainte Begge, et épouse de Pépin de Landen; la danseuse-mécène russe Ida Rubinstein.

Sainte Ida (1040-1113) eut une vie de dévotion et aida royalement l'Église : elle était en effet royale, Ida, puisque fille de Godefroy IV le Barbu, épouse du comte de Boulogne Eustache II, et mère des intrépides Godefroy de Bouillon et Baudouin Ier, roi de Jérusalem à la faveur de la première Croisade dont ils furent les chefs. A la fois orgueilleuse et généreuse, Ida ne s'impose plus guère chez nous aujourd'hui. Dommage; elle avait de l'envergure.

Ignace

(Gnacie, Gnazi, Ignacio, Ignatia, Ignatus, Ignatz, Ignaz, Ignazio, Nazerl, Natz)

Couleur : le jaune.
Chiffre : le 3.
Signe associé : le Taureau.
Fête : le 31 juillet.
A éviter avec un nom de famille commençant par S, As, et toute consonne sifflante.

Étymologie : du latin « ignis », *feu.*
Célébrités : Ignacy Paderewski, musicien et homme d'État polonais (1860-1941); le compositeur autrichien Ignace Pleyel (1757-1831); l'écrivain byzantin du IXe siècle, Ignace Magistros.

Disciple de saint Jean, saint Ignace fut évêque d'Antioche; il fut martyrisé en 107, à Rome, et mourut « froment de Dieu, moulu par la dent des bêtes pour devenir le pain immaculé du Christ », comme il l'écrivit lui-même avant son martyre. Saint Ignace de Loyola (1491-1556), était un gentilhomme basque espagnol; blessé au siège de Pampelune, il dut abandonner le métier des armes, et entama une nouvelle existence, mystique celle-là. Érudit, évangélisateur, il va fonder l'Ordre de la Compagnie de Jésus, dont il sera le Supérieur général. Ses Jésuites et lui-même auront une influence considérable dans la vie de l'Église. Parmi ses ouvrages, les *Exercices spirituels*, son *Journal spirituel* témoignent de l'avancée profonde de ses méditations. Longtemps en faveur en milieu catholique, Ignace, comme prénom, semble aujourd'hui appartenir à la génération des grands-pères ou grands-oncles d'antan. On ne voit plus grand monde aujourd'hui se dénommer Ignace, ou s'apprêter à nommer ainsi un bébé. De surcroît, la célèbre chanson de Fernandel, *Ignace,* a contribué à ridiculiser ce malheureux prénom. Au caractère, Ignace se révélait un travailleur acharné, méthodique et puissant; lent, réfléchi, il possédait une certaine finesse de sensibilité, et la beauté et l'harmonie lui étaient chères. A part ça cultivant le secret, l'apparté en lui-même, et enclin à la jalousie, Ignace était plutôt du genre possessif. La droiture le guidait, la trahison l'horripilait, et le voilà parti!

IGOR

(Igora, Ingvarr, Ingver, Ingwar)

Couleur : le rouge.
Chiffre : le 4.
Signe associé : le Capricorne.
Fête : le 5 juin.
A éviter avec un nom de famille commençant par R, Or.

Étymologie : du germain « ingward », ***fils protecteur.***
Célébrités : l'opéra inachevé de Borodine, ***Le Prince Igor*****; le compositeur Igor Stravinsky; le chef d'orchestre Igor Markevitch; l'homme de TV Igor Barrère.**

Grand duc de Russie, saint Igor fut contraint de quitter le trône et se fit moine; il fut assassiné ensuite; c'était au XIIe siècle. Prénom russe et scandinave, Igor n'a jamais vraiment conquis les Français, qui l'ont pourtant fréquemment rencontré. Au caractère, Igor est réputé puissant, entreprenant et orgueilleux; sa fougue nous effaroucherait-elle?

INÈS

Couleur : le rouge.
Chiffre : le 2.
Signe associé : le Bélier.
Fête : le 10 septembre.
A éviter avec un nom de famille commençant par S, E.

Étymologie : du latin « agnus », ***agneau,*** **ou du grec « agnos »,** ***pur.***
Célébrités : Inès de Castro, qui fut la maîtresse de Pierre de Portugal, et est devenue l'une des grandes figures de la pièce de Montherlant, ***La Reine morte.***

Sainte Inès Takeya, japonaise épouse d'un japonais chrétien comme elle, hébergea des missionnaires de passage : mal lui en prit, puisqu'elle-même, son mari et les missionnaires en eurent la tête tranchée; ceci se passait en 1622. Prénom ibérique type, Inès ne s'est pas maintenue en France. Active, tenace, solide, sa bonté et sa générosité ne peuvent que forcer l'admiration.

Ingmar

(Ingamar, Ingemar)

Couleur : le violet.
Chiffre : le 2.
Signe associé : le Verseau.
A éviter avec un nom de famille commençant par R, Ar.
Étymologie : du germain « ingmar », ***fils célèbre.***

Ce prénom rare, y compris en Allemagne, semble ne concerner que les Suédois. Il est très mystérieux chez nous, où on le connaît grâce à un boxeur et à un cinéaste de génie, à savoir Ingemar Johansson pour les poings et Ingmar Bergman pour l'image. Reste à voir ce que nous veut ce « fils célèbre » expert en *Fraises sauvages*, et il est probable que cela nous échappe, comme nous échappe Ingmar.

Ingrid

(Inger, Ingerid, Ingri, Ingrida)

Couleur : le vert.
Chiffre : le 7.
Signe associé : le Capricorne.
Fête : le 2 septembre.
A éviter avec un nom de famille commençant par D, I, Id, Di.
Étymologie : du germain « ingfridh », ***aimée, belle.***
Célébrité évidente : l'actrice Ingrid Bergman (ci-contre), aussi nordique et mystérieuse que son complice Ingmar.

Sainte Ingrid (XIIIe s.) était une descendante du roi Knut Lange de Suède; très populaire en Scandinavie aujourd'hui comme hier, comme sainte et comme prénom, Ingrid est également très appréciée en Angleterre, en Autriche et en Allemagne. La France et les pays latins, en revanche, lui résistent. C'est ainsi. Elle est, au caractère, l'image même de la robustesse intérieure; réfléchie, constante, solide, elle est fidèle au poste, elle veille au grain, elle calcule et sait voir. Il peut arriver qu'elle manque parfois de spontanéité vraie; l'humour l'agace un peu, et la fantaisie lui semble si futile! Par bonheur, sa stabilité profonde fait passer çà et là un voile de tendresse dans son regard.

INNOCENT

(Innocente, Innocenzo, Enzo, Nocenzio)

Couleur : l'orangé.
Chiffre : le 1.
Signe associé : le Capricorne.

Étymologie : du latin « innocens », ***qui ne nuit pas.***

Innocent : qui n'est pas blâmable, qui n'est pas coupable, qui ne nuit pas; il n'est pas souillé par le mal, il n'a pas encore appris à savoir – il ne sait pas. Il y eut pourtant un Innocent, qui, lui, avait l'air de savoir, et commandait ferme : Innocent III, pape entre 1198 et 1216, troisième de la lignée des onze Innocent-papes, rêveur actif d'une théocratie à sa main, qui croisa le fer contre Philippe Auguste, se battit contre Jean sans terre, lança la 4e Croisade, s'attaqua sans ménagements aux Albigeois... et sous la férule duquel l'action divine se fit Inquisition. Mais trois de ces papes, Innocent Ier, Innocent V et Innocent XI furent du nombre des dix saints et bienheureux à être des Innocent.
Les « Saints Innocents », fêtés le 28 décembre, sont les enfants juifs âgés de zéro à deux ans parmi lesquels, selon les Mages, devait naître le « roi des Juifs », Jésus : Hérode, pour empêcher la prophétie de s'accomplir, les fit massacrer en masse; la légende a grossi à des chiffres énormes, jusqu'à des dizaines de milliers de victimes, ce terrible forfait qui dut, selon les dires de l'Église elle-même, immoler involontairement à Jésus une vingtaine de bébés.
Quant à l'ancien cimetière des Innocents, à Paris (1186-1786), il céda la place après six cents ans d'existence au Marché des Innocents (1786-1855), qui, lui, vécut seulement soixante-neuf ans et se réincarna en « Square », où trône de nouveau l'ancienne fontaine des Innocents : un cimetière, un marché, un square avec fontaine, voilà le parcours de l'Innocent. Un de ses parcours du moins, puisqu'il s'agissait ici de Paris, où le prénom d'Innocent, comme dans toute la France, est tombé en désuétude, alors qu'on le rencontre fréquemment en Italie.

IRÈNE

(Eirena, Erena, Ira, Iren, Irena, Irenaeus, Irenca, Irénée, Irénion, Ireneo, Irina, Irinei, Irounia, Reni, Renia, Renie)

Couleur : le jaune.
Chiffre : le 6.
Signe associé : le Scorpion.
Fête : le 3 avril.
A éviter avec un nom de famille commençant par N, Ré.

Étymologie : du grec « eirênê », ***paix.***
Célébrités : trois impératrices d'Orient, dont une sainte orthodoxe; la dernière tragédie de Voltaire, *Irène* (1778); l'actrice Irène Pappas; la grande scientifique Irène Joliot-Curie; *Irène,* d'Aragon.

Persécutée en compagnie de ses sœurs Chionia et Agapê qui furent jetées aux flammes, sainte Irène fut exhibée nue dans un bouge avant d'être mise à son tour au bûcher, en Thessalonique, au IVᵉ siècle. D'autres saintes ou bienheureuses furent des Irène. Elle est, étymologiquement, la paix, et elle fut la déesse des Heures dans la Grèce ancienne. Avec sainte Agnès et sainte Catherine, sainte Irène est devenue la patronne des jeunes filles. Au caractère, Irène se révèle d'emblée la droiture et la volonté même; active, intelligente, passionnée, elle est de surcroît pourvue d'une intuition qui confine parfois à la voyance. Dynamique et rigoureuse, elle demeure un prénom fort.

Iris

Couleur : le vert.
Chiffre : le 1.
Signe associé : la Vierge.
Fête : le 4 septembre.

A éviter avec un nom de famille commençant par I, ou une sifflante.
Étymologie : du grec « iris », *arc-en-ciel.*

Iris, messagère des dieux de l'ancienne Grèce, développait ses messages aux yeux humains sous forme d'arc-en-ciel. Comme fleur, l'iris doit à ses couleurs irisées, comme celles de l'arc-en-ciel, de partager le nom d'une divinité. Fille de l'Apôtre Philippe, sainte Iris vécut au IIᵉ siècle, et cette vie se perd dans les sables de l'Asie Mineure, puisqu'on ne sait rien de plus sur elle. Prénom superbe, Iris est difficile à porter : n'est pas messagère des dieux, ni fleur, qui veut! Au caractère, c'est une anxieuse, peu assurée de soi, cherchant sa propre maîtrise; elle crée l'équilibre qui lui manque dans un surcroît d'énergie, d'observation attentive et de générosité; le dévouement l'épanouit. Mais elle est bien fragile. L'Angleterre, le Pays de Galles et l'Allemagne lui manifestent encore aujourd'hui une certaine ferveur.

Irma

(Emela, Imela, Irmchen, Irme, Irmela, Irmeline, Irmine, Irmo, Irmouchka)

Couleur : le bleu.
Chiffre : le 5.
Signe associé : le Sagittaire.
Fête : le 9 juillet.

A éviter avec un nom de famille commençant par A, Ma.
Étymologie : du germain « irmin », *énorme, majestueux.*

Missionnaire en Chine au siècle dernier, la bienheureuse Irma entra chez les Franciscaines, où elle devint Marie-Hermine de Jésus; elle fut massacrée par les Boxers en 1900. Au VIIIᵉ siècle sainte Irmine, fille du bon roi Dagobert, fut la bienfaitrice de saint Willibald. Irmin fut, plus au Nord, un dieu des anciens peuples germaniques. L'Irminsul, abattu par Charlemagne en 722, était un arbre sacré monumental, non loin de Detmod, qui symbolisait « l'arbre du monde ». Alors, avec de tels antécédents, Irma, au caractère, n'est pas facile; nervosité, refus de tenir en place, promptes colères : cette majesté, cet arbre en ont assez de l'immobilité. Et Irma va de l'avant et fonce droit devant elle; l'orgueil qui la soutient affine aussi sa démarche, et elle sait parfaitement se montrer affectueuse, souriante, sociable. C'est une énergie en route, à la recherche d'un sol affectif stable. Mais on n'en rencontre plus guère, d'Irma, dans nos régions, *Irma-la-Douce* ou pas.

ISAAC

(Isaak, Isacco, Ike, Ikey, Ikie, Itzaq, Izak)

Couleur : le rouge.
Chiffre : le 6.
Signe associé : les Poissons.
Fête : le 20 décembre.
A éviter avec un nom de famille commençant par A, ou une consonne dure.
Étymologie : de l'hébreu « yitschak », *qu'Il (Dieu) sourie.*

Célébrités : Isaac Newton; le violoniste Isaac Stern; l'homme politique israélien Itzaq Rabin; l'ancien président américain Ike Eisenhower; le héros littéraire d'Alexandre Dumas père, Isaac Laquedem, autrement dit le Juif Errant.

Lorsqu'il plut à Dieu de mettre Abraham à l'épreuve, Isaac, fils de Sarah et d'Abraham, faillit bien y laisser sa vie, n'eût été le geste divin qui, au dernier moment, retint le bras et le glaive d'Abraham. Isaac put donc vivre, épouser Rébecca sa cousine et en avoir deux fils, Jacob et Esaü. Comme ancêtre de Jésus, Isaac se voit fêté à l'approche de Noël. Sept saints et bienheureux portèrent ce prénom d'Isaac, encore largement répandu dans le monde juif et protestant. Au caractère, Isaac s'avère un mystique spontané; très intériorisé, hyper-intuitif, c'est un contemplatif qui voit et sent du dedans les phénomènes, et qui n'hésite pas à dériver vers l'inconnu. Volontaire, actif, il semble cependant se laisser guider davantage par le flair que par la rigueur logique, mais, de toute évidence, cette chance-là l'accompagne et lui réussit.

ISABELLE

(voir Elisabeth)

Couleur : le jaune.
Chiffre : le 2.
Signe associé : le Bélier.
Fête : le 22 février.
A éviter avec un nom de famille commençant par L, El, Le.
Étymologie : voir Élisabeth, dont Isabelle est une forme ibérique répandue.
Célébrités innombrables, et royales : une reine de France, Isabelle de Hainaut, femme de Philippe-Auguste; une reine de Chypre et de Jérusalem, Isabelle d'Anjou; une reine d'Angleterre, Isabelle d'Angoulême, qui sera enlevée par Jean sans terre;

une reine de France, épouse de Philippe le Hardi; Isabelle d'Orléans, reine d'Angleterre, femme de Richard II; Isabelle de Portugal; Isabelle de Lorraine; Isabelle la Catholique, reine de Castille; une seconde Isabelle de Portugal, épouse, celle-ci, de Charles-Quint (l'autre étant duchesse de Bourgogne et femme de Philippe le Bon); Isabelle d'Autriche; Isabelle II, reine d'Espagne; plusieurs héroïnes de Shakespeare sont des Isabel (*Henri V*-1599, et *Mesure pour mesure*-1604); la première femme de Rubens, Isabelle Brandt; la chanteuse Isabelle Aubret; la comédienne Isabelle Adjani (ci-contre); l'essayiste Isabelle Delloye.

Entre le XIIᵉ et le XIVᵉ siècle, on disait volontiers Élisabeth pour Isabelle, ou Isabelle pour Élisabeth. La couleur « isabelle », c'est-à-dire café au lait, nous vient d'un vœu d'Isabelle d'Autriche (1566-1633), qui tint et réussit le pari de garder la même chemise tant que son Albert d'époux et d'archiduc ne serait pas entré en vainqueur, toutes troupes déployées, dans la place de Liège. Sainte Isabelle de France (1225-1270), fille de Louis VIII et de Blanche de Castille et sœur de saint Louis, fut une Clarisse extrêmement pieuse de l'abbaye de Longchamps fondée par ses soins.

ISIDORE

(Isidor, Isidorius, Isidoro, Isidro, Izzy)

Couleur : le vert.
Chiffre : le 7.
Signe associé : le Scorpion.
Fête : le 4 avril.
A éviter avec un nom de famille commençant par O, R.
Étymologie : du grec « isidôros », *cadeau, présent d'Isis*.
Célébrités : l'architecte byzantin du VIᵉ siècle, Isidore de Milet; Isidore, archevêque de Kiev et métropolite de toutes les Russies au XVᵉ siècle; Isidore Ducasse, comte de Lautréamont; Isidore Isou, poète lettriste contemporain.

Né à Carthagène, saint Isidore (560-636) archevêque de Séville, grand érudit, grand organisateur, exerça une profonde influence sur l'Église d'Espagne. Conciles de l'Église, conseils aux rois et princes wisigoths, il marqua son époque au point que l'on a parlé de « renaissance isidorienne »; il a laissé une œuvre écrite, à la fois encyclopédique et théologique, considérable. Onze autres saints furent des Isidore. Le prénom eut une grande popularité en Espagne et au Portugal. Au caractère, on le dit entreprenant, tenace, et voyant grand; il sait placer son orgueil assez haut pour être susceptible d'abnégation et de dévouement à toute épreuve. Un esprit fort et droit, hanté par l'Absolu. La fidélité même. Mais il s'est fait assez discret de nos jours.

ISOLDE

(Isolda, Isolt, Isotta, Izild, Izolda, Yseult, Yseulte, Yseut, Ysolde, Zolda)

Couleur : le bleu.
Chiffre : le 3.
Signe associé : le Taureau.
A éviter avec un nom de famille commençant par L, D.
Étymologie : du celtique « essylt », *belle*.

D'emblée ce prénom légendaire est associé à celui de Tristan. Tristan et Iseut (ou Isolde, ou Essylt) sont en effet, avec Roméo et Juliette, des prénoms d'amour si renommés qu'il n'est point besoin d'insister. Notons toutefois qu'Iseut est totalement tombé en désuétude, et qu'Isolde, du moins en France, n'est guère plus répandu. Aurait-on peur de l'amour fou?

IVAN

(voir Jean – Ivan est une forme slave de ce prénom.)

Couleur : le rouge.
Chiffre : le 1.
Signe associé : les Gémeaux.
A éviter avec un nom de famille commençant par A, An, ou une voyelle.
Célébrités : six princes ou tsars russes, dont le fameux Ivan le Terrible, que S.M. Eisenstein a génialement immortalisé dans son grand film; le fabuliste Ivan Krylov; l'écrivain Ivan Bounine; le champion de tennis Ivan Lendel; l'entraîneur Ivan Curkovic (football); et le poète Yvan Goll.

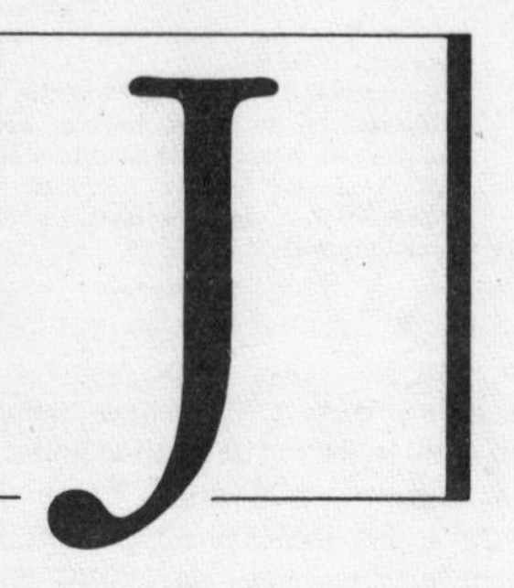

JACINTE

(voir Hyacinthe)

JACK, JACKIE

(voir Jacques)

Célébrités : les écrivains américains Jack London et Jack Kerouac, les ministres Jack Lang et Jack Ralite, et Jack Vattaire, premier « guru bourguignon », en France comme en Inde.

JACOB

(voir Jacques)

JACQUELINE

Couleur : le bleu.
Chiffre : le 7.
Signe associé : le Scorpion.
Fête : le 8 février.

A éviter avec un nom de famille commençant par I, ou N.

Étymologie : voir JACQUES.
Célébrités : la sœur de Blaise, Jacqueline Pascal; Jacqueline de Bavière, l'épouse de Jean de France, puis de Jean IV, duc de Brahant, puis du duc de Gloucester; la comédienne Jacqueline Maillan; Jacqueline Picasso, épouse du grand peintre.

La bienheureuse Jacqueline, noble et riche romaine épouse d'un riche et noble romain, vécut au XIIIe siècle et fut la bienfaitrice de saint François d'Assise à Rome; sa complicité avec le saint était telle qu'il l'appelait « Frère Jacqueline ». Veuve, elle finit ses jours à Assise, dans la proximité du tombeau du saint, et fut ensevelie dans la basilique qui jouxte le lieu où repose saint François d'Assise. Fraîcheur, spontanéité, vivacité, voici, au caractère, comment surgit Jacqueline. Son charme, sa séduction naturelle et son sens pratique font d'elle un personnage sociable, actif, et recherché. Ouverte à la vie et au monde, elle peut entreprendre et réaliser grand; elle est toutefois souvent victime de son affectivité fragile : sans confiance ni amour, elle peut perdre boussole et mesure, mais avec, rien ne lui résiste... ou presque.

JACQUES

(Cob, Cobb, Cobie, Diego, Giaccobe, Giacobo, Giacomina, Giacomo, Hamish, Iacovo, Iago, Iakov, Iakovkha, Joakje, Jaap, Jachimo, Jack, Jackaleen, Jackalene, Jackalyn, Jäckel, Jackie, Jacob, Jacobin, Jacobine, Jacobo, Jacobus, Jacolyn, Jacomus, Jacot, Jacotte, Jacqueline, Jacquelyn, Jacquette, Jacquine, Jacquot, Jacquotte, Jäggi, Joggi, Jago, Jaime, Jakez, Jakkie, Jakob, Jakobys, Jakoos, Jakou, James, Jamesa, Jamie, Jayme, Jem, Jeppe, Jim, Jimmy, Keube, Köb, Köbes, Koeeb, Kouig, Santiago, Schack, Seamus, Tiago, Tjakob, Yacha, Zjak)

Couleur : le rouge.
Chiffre : le 4.
Signe associé : les Gémeaux.
Fête : le 25 juillet.
A éviter avec un nom de famille commençant par une consonne dure.
Étymologie : de l'hébreu « ya'aqob », *que Dieu favorise.*
Fils d'Isaac et de Rébecca, Jacob dut fuir le courroux d'Esaü, son frère, assez niais pour avoir cédé à Jacob son droit d'aînesse contre un plat de lentilles; et Jacob s'en alla en Mésopotamie; il y eut deux femmes, Léa et Rachel. De retour vers Chanaan, Jacob dut affronter l'Ange qui le nomma « Israël », *celui qui lutte avec Dieu.* Les douze fils d'Esaü, enfin calmé, furent les douze patriarches d'où procédèrent les

douze tribus d'Israël. La Bible mentionne souvent le peuple hébreu comme étant « la maison de Jacob ».
C'est à partir du IXe siècle que le nom de Jacob, utilisé par les juifs comme par les chrétiens, disparaît devant Jacques, James (Angleterre), Diego et Jaime (Espagne).
Près d'une soixantaine de Jacques furent des saints ou des bienheureux, et d'abord saint Jacques le Majeur, frère de saint Jean l'Évangéliste, et comme lui pêcheur de son état, à Capharnaüm. Jacques, Jean et Pierre furent, parmi les Apôtres, ceux que Jésus estimait le plus.
Saint Jacques, présent lors de la Transfiguration et de la Crucifixion, était surnommé le « Fils du tonnerre » par Jésus, en raison de ses bouillonnantes colères. Décapité sur ordre de Hérode Agrippa en 42, il fut un des premiers martyrs chrétiens. Sa mort ouvre sur un miracle : une mystérieuse étoile suspendit sa course au-dessus d'un champ où son corps avait été enterré, révélant aux paysans la présence en ce lieu (« campus stellae », *le champ de l'étoile*) de la dépouille du saint; d'où la construction d'un sanctuaire en cet endroit (et l'affluence constante de pèlerins) qui deviendra Saint-Jacques-de-Compostelle (= campus stellae). La coquille « Saint-Jacques » vient de là, que les fidèles rapportaient avec eux comme témoignage de leur pèlerinage.
Saint Jacques le Mineur (le Mineur, parce que moins grand de taille que l'Apôtre) est désigné dans les Évangiles comme « le frère du Seigneur ». Il aurait été lapidé entre 62 et 66 par des juifs, et fut aux côtés de Pierre et de Jean lors de l'assemblée de Jérusalem.
Comme prénom, Jacques a connu une fortune constante, et n'a pas subi les atteintes ou défaveurs des temps, même s'il semble un peu en recul de nos jours.
Des prénoms, il est même descendu dans la langue : en France, un « Jacques » désigna longtemps un paysan (ce sont des paysans qui découvrirent le « champ de l'étoile »), d'où les « jacqueries » (et ce Croquant nommé Jacou), et les « jaquettes » (vestes traditionnelles des « Jacques »). Faire le Jacques est devenu synonyme de pitrerie débonnaire, et les « jacobins », dont les réunions se tenaient dans un couvent de la rue Saint-Jacques, lui doivent leur appellation.

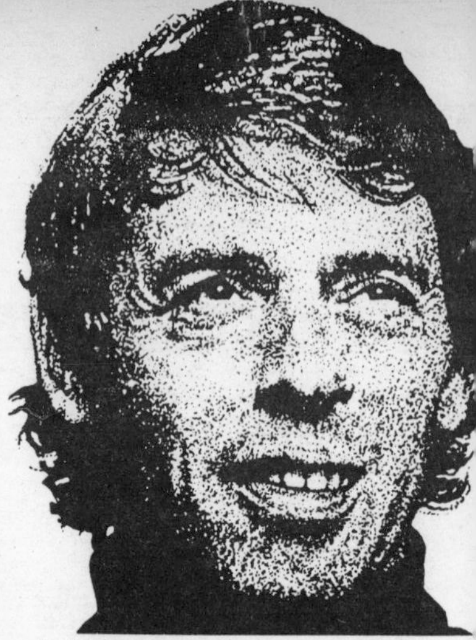

Célébrités nombreuses et fortes : sept rois d'Écosse; deux rois d'Angleterre, trois de Jérusalem, de Chypre et d'Arménie, et deux autres en Aragon; un empereur latin d'Orient, Jacques des Baux; un empereur d'Haïti; trois rois de Majorque; Jacques Cartier, qui mit la main sur le Canada au nom de la France de François Ier; Jacques Cœur, l'argentier de Charles VII; Jacques Callot, le graveur; l'humaniste Jacques Amyot; Bossuet, qui se prénommait Jacques-Bénigne; l'homme de main de Louis XVI pour les finances, Jacques Necker; Jacques Offenbach, le compositeur; et Jacques Lacan, le philosophe freudien; et Jacques Monod, le biologiste; Jacques Roubaud, Jacques Audiberti, Jacques Dupin, Jacques Prévert, Jacques Lacarrière et Jacques Sternberg, les poètes-écrivains et Jacques Brel (ci-dessus) bien sûr; et Jacques d'Arc, père de Jeanne; le sinologue Jacques Dars; les peintres Jacques Hérold et Jacques Monory; Jacques Anquetil, Jacques Chancel; Jacques Rivette.

– Jacques?
– Lui-même.
– On dit de vous que vous portez le feu, l'ardeur, l'élan. Exact?
– C'est bien possible.
– Mais encore?
– Eh bien... Je suis la volonté même. Et une volonté parfaitement dosée, adaptée à son projet. Je mûris soigneusement mes plans, et j'attaque. En fait, je suis l'efficacité en pensée et en acte. Émotif, mais maîtrisant l'émotion, je suis d'une vitalité débordante, et mon activité ne se connaît guère de limites. Je combats, je conteste, et mes colères ont grande allure, celle de la passion noble et chevaleresque, éprise de jugement clair et précis, et je ne me laisse pas influencer ni fléchir par le premier argument venu. Je

suis un bûcheur indépendant, voire intraitable, et mon sens de l'autodiscipline est assez puissant pour me faire détester tout ce qui ressemble à l'autorité extérieure des dogmes, des routines, que je tiens pour de vieilles rengaines sans charme. Mon intuition, fort vive, et mon intelligence, aiguë et vaste, sont à la base d'une inlassable et fertile curiosité, de sorte qu'imagination, fantaisie et séduction ne me font jamais défaut. C'est ainsi : en toute entreprise, je ne m'égare jamais dans les détails, et ne perds pas de vue l'objet de ma démarche. Certes, il m'arrive parfois, emporté par l'élan, de me surprendre en plein péché d'orgueil, mais mon inébranlable confiance en moi m'est aussi une occasion suprême de lucidité, et ma propre valeur ne saurait m'aveugler... Détestant les combines et autres basses manœuvres, je ne saurais me les jouer à moi-même! Cela dit, je contrôle également assez bien quelque tendance à l'autoritarisme, et je sais même transformer celle-ci en instrument de séduction, de sorte que je peux guider et commander autrui avec son plein accord – ce qui, n'est-ce pas, est une bonne façon de travailler correctement.
– Et les sentiments?
– Je les aime clairs, dépourvus de complications, et je me méfie de la possessivité.
– Ne seriez-vous pas vous-même quelque peu possessif?
– Justement! C'est pourquoi je n'apprécie pas qu'on le soit pour moi... D'ailleurs, je voue à l'amitié un culte réel, et je suis l'homme des plus grands dévouements et démonstrations de sympathie, à condition, bien entendu, que je sente en ce domaine une parfaite réciprocité. Je ne conseille à personne de me décevoir sur ce terrain. Les indécis, les tièdes ne m'intéressent pas, mais les êtres de rigueur et d'enthousiasme. Du reste, au plan moral et religieux, je ne fais pas de détail : je suis un croyant que le doute ne saurait atteindre, ou un athée absolument imperméable! De toute manière, j'ai le cœur sur la main dès que la confiance règne, et je me montre résolument sociable, ouvert et souriant, mais fermé à toute forme d'envahissement abusif. J'ai cette chance, du reste, que les importuns comprennent cela assez rapidement.
– Vous estimez-vous chanceux?
– Pourquoi non? J'entreprends, et je réussis. Je passionne, et on ne m'oublie pas. Je synthétise, et je vais droit au but. N'est-ce pas cela, la vraie chance?
– Ce n'en est pas une définition floue, ni vaguement rêveuse...
– Mais c'en est une, et absolument raisonnable!
– L'êtes-vous bien, raisonnable?
– Qui sait? Je suis rigoureux, voilà tout!

JASMINE

(Gelsomina, Gelsomino, Jasmin, Jasmina, Jessamine, Jessamyn, Yasmine)

Couleur : le blanc.
Chiffre : le 7.
Signe associé : le Taureau.

A éviter avec un nom de famille commençant par I, IN, N.

Étymologie : de l'arabo-persan « yâsimin », *jasmin.*

Jasmine, personnage des *Mille et Une Nuits,* nous est sans doute parvenue par Gelsomino, forme italienne du prénom. Ici, nous avons bien affaire à un nom de fleur devenu prénom. Un beau prénom d'ailleurs, marqué, au caractère, par la force de la volonté alliée à la finesse de l'intuition; dynamique et active, Jasmine n'est ni une frileuse ni une rêveuse, même si quelque nuance poétique s'attache à un pouvoir de séduction et à un charme évidents. Rarement utilisé chez nous, ce prénom mériterait de nous mettre au parfum. Souhaitons-lui de réussir.

JEAN

(Evan, Gian, Gianina, Gianna, Gion, Giovanna, Giovanni, Hampe, Hampus, Hanko, Hannele, Hannes, Hans, Hänsel, Hanselo, Hansi, Hansko, Haske, Henne, Henneke, Henschel, Iaian, Ian, Iban, Ivan, Ivanka, Ivanne, Ivassik, Jaine, Jane, Janet, Janetta, Janka, Janina, Janine, Janis, Janna, Janneken, Janney, Jannice, Janning, Jânos, Jantinus, Janyce, Jayne, Jeanette, Jeanie, Jeanine, Jeanna, Jeanne, Jeanette, Jeannie, Jeannine, Jehan, Jehanne, Jeng, Jengen, Jennegien, Jenneke, Jenny, Jens, Jent, Joan, Joanina, Joanne, Joâo, Jock, Joen, Joes, Johan, Johann, Johannes, Johanna, Johanne, John, Johny, Jon, Jonet, Jöns, Joop, Jovanka, Juana, Juanita, Juhans, Nanette, Netta, Nita, Seain, Sean, Seonaid, Shane, Shang, Shani, Sheenagh, Sheona, Shiona, Sine, Sinead, Sjang, Vanina, Yann, Yannick, Yoann)

Couleur : le jaune.
Chiffre: le 3.
Signe associé : les Gémeaux.
Fête : le 27 décembre.
A éviter devant un nom de famille commençant par An, En.
Étymologie : de l'hébreu « Yohânan », *Iavhé (Dieu) est miséricordieux.* Fils de Zacharie et d'Elisabeth, saint Jean le Baptiste s'en fut au désert méditer dans la solitude sur la venue et l'avènement du Messie, se livrant à l'ascèse et ne se nourrissant que de sauterelles grillées, après quoi il revint sur les rives du Jourdain annoncer avec force la prochaine arrivée de l'Agneau de Dieu, et invitant les foules à se purifier pour le recevoir. Prêcheur fougueux et famélique, il s'attira les foudres de la femme de Hérode Antipas, précédemment épouse du frère de ce roi, Hérodiade; Salomé, fille de celle-ci, séduisit par sa célèbre danse impudique le faible Hérode et lui réclama en échange la tête de Jean-Baptiste, qui lui fut en effet apportée sur un plateau.
Quant à saint Jean l'Apôtre-Évangéliste, il fut d'abord disciple du Baptiste, qui, ayant baptisé Jésus, enfin arrivé, le lui désigna comme étant celui dont il annonçait le

règne. Frère de Jacques, saint Jean fut, avec celui-ci et Pierre, l'un des préférés de Jésus, qui lui confia Marie, sa mère, avant d'être mis en croix. C'est encore lui, saint Jean, qui prépara avec Pierre le repas de la Cène, et lui, toujours, qui, vérifiant les propos de Marie-Madeleine, reconnut le premier le Christ après résurrection. C'est à Pathmos, en pleine mer Égée, où Domitien l'exila, qu'il écrivit son *Apocalypse*. Sa vieillesse nous demeure obscure, mais on sait qu'il mourut sous Trajan (entre 98 et 117), et qu'il nous laissa trois *Épîtres* d'une grande hauteur mystique, ainsi que le très puissant *IVe Évangile*.
Le prénom de Jean fut et demeure porté par des dizaines de millions d'Européens, et plus de 300 autres saints et bienheureux furent des Jean! Parmi eux, citons Jean Berchmans (1599-1621), Jean Bosco (1815-1888), Jean Chrysostome (345-407), la « bouche d'or », l'admirable poète mystique Jean de la Croix (1542-1591), et tant d'autres, tous magnifiques en vision, foi et intuition spirituelles.

Outre les saints, le prénom de Jean fut également l'apanage de nombreux grands de l'histoire et de l'esprit : vingt-trois papes, plus un antipape; sept empereurs d'Orient; deux rois de France; un roi de Jérusalem; quatre empereurs de Trébizonde; un roi d'Angleterre, Jean sans peur; deux rois de Hongrie; trois rois de Navarre; trois rois de Suède; quantité de ducs, comtes et autres grands nobles, et mille et un penseurs, artistes, écrivains qu'il est impossible de citer au complet, en toutes époques et tous lieux de la chrétienté; parmi eux le créateur de Mélusine, l'écrivain Jean d'Arras (XIVe); Jean le Bel, chroniqueur du XIVe siècle; le troubadour Jean Bodel (XIIe); Jean de Bruges, auteur de *La Tenture de l'Apocalypse;* Jean de Chelles (XIIIe), qui bâtit les portails sud et nord de Notre-Dame-de-Paris; Jean de Garlande (XIIIe), pionnier des théories de la musique; Jean de Holywood (XIIIe), qui rassembla la science astronomique arabe; le sculpteur des gisants Jean de Liège (XIVe); l'auteur, au XIIIe siècle, du second élan du *Roman de la Rose,* Jean de Meung; l'architecte de la cathédrale de Reims Jean d'Orbais (XIIIe); l'inventeur de la typographie, Johann Gensfleisch, autrement dit Gutenberg (XVe); Jean de La Fontaine; Jean-Baptiste Poquelin, c'est-à-dire Molière; Jean Racine; Jean de La Bruyère; Johann Strauss; Johannes Brahms; Jean-Sébastien Bach; et, plus près de nous dans le temps, Jean Cocteau, Jean Anouilh, Jean Giraudoux, Jean Rostand, Jean Giono, Jean-Paul Sartre, Jean Genêt, Jean Carteret, Jean Arp, Jean d'Encausse, Jean Paulhan, Jean Gabin (ci-contre), etc., et les footballeurs Jean Tigana, Jean Castaneda; Joan Miro, le peintre.
Toute la chrétienté a fait de ce prénom un grand entre les grands, et de France en Angleterre (où il est John), d'Amérique (où il est Yankee, c'est-à-dire Jeannot) aux Pays-Bas, d'Allemagne (Hans) en Italie (Giovanni), et d'Écosse en Hongrie (Jànos), il n'a cessé d'être à l'honneur. Il entre de surcroît en tête de liste de nombre de prénoms composés (Jean-Baptiste, Jean-Marie, Jean-Michel, Jean-Christophe, etc.), et au-delà de toutes les fluctuations de la mode, il arrive en faveur et en force partout, et continuera longtemps encore sur sa lancée.

– Jean?
– Présent.
– Présentez-vous.
– J'hésite.
– Et pourquoi cela?
– Je crains l'immodestie.
– Mais non, mais non.
– Mais si! Enfin, puisque vous y tenez... On s'accorde de toutes parts pour vanter le caractère exceptionnel de mon intelligence, et souligner qu'en règle générale je suis ce qu'on appelle « un cerveau »! Alors vous comprenez...
– Non.
– Ne m'énervez pas, je vous prie! Car tout intelligent et hyper-brillant que je sois du côté de l'esprit, j'ai quelque promptitude, également, du côté de la colère fulgurante et de la nervosité. Disons que je me méfie de l'orgueil, celui des autres évidemment, mais aussi du mien. Je fais bien tout ce que je fais, je pense impeccablement tout ce que je pense, et j'éprouve nécessairement quelque difficulté à accepter une éventuelle erreur de ma part. J'ai un psychisme de moine-soldat, actif et méditatif à la fois, et je commande, j'organise, je galvanise, j'entraîne à l'ardeur, à la lutte, à la réflexion et à la contemplation : comment voulez-vous que de puissantes bouffées émotives

ne me montent pas du fond de la poitrine face à la contradiction et à la contestation? Il arrive, c'est vrai, que la moindre réticence me mette hors de moi.
– Et le cœur?
– Ah, je suis un tendre qui répugne à s'ouvrir de ses sentiments. Trop de logique sans doute, trop de rigueur et de froideur, et le jugement prompt et implacable : comment voulez-vous que je me conduise comme un sentimental? Mes croyances sont abruptes et radicales, et je n'ai que mépris pour les gens du juste milieu; le compromis, à mes yeux, est une lâcheté. Mais quand je donne mon amitié, c'est intensément, totalement, et je ne supporte pas qu'on la déçoive, et encore moins qu'on la trahisse. Je vis vite, j'agis sans trêve, et ma sensibilité est suraiguë, magnétisante, et parfois surmenée. Mon dynamisme, apparemment inépuisable, est cependant soumis çà et là à quelques baisses de tension, et le doute peut m'assaillir violemment en plein cours de l'action. Je m'en tire évidemment à la force du poignet, grâce à une volonté inébranlable et à l'âpreté de ma rigueur morale.
– Vous êtes un solide!
– Plutôt, oui... Et je captive volontiers l'attention de l'entourage où je me trouve; toute conversation me voit prendre les commandes, et voyez : on ne m'arrête plus! Je séduis par excès d'intransigeance et de brio verbal. On dit aussi que j'ai une chance incroyable, mais j'ai trop de lucidité pour ne pas oublier que saint Jean est l'auteur de *l'Apocalypse,* et je sais que rien n'est jamais gagné d'avance... Du reste, j'alterne insolemment les succès et les échecs, et rien de ce qui est seulement humain ne me paraît aller de soi : j'ai la tiédeur et l'indolence en horreur, et je ne cherche pas seulement le plaisir, mais le bonheur, et pas seulement le bonheur, mais l'absolu! Je vous l'ai dit : ma compagnie est fascinante, mais harrassante. A vous de savoir en tenir compte...
– Quel charme!
– Oui... tranchant!

JEANNE

Couleur : le jaune.
Chiffre : le 4.
Signe associé : le Lion.
Fête : le 30 mai.
A éviter avec un nom de famille commençant par N.
Étymologie : voir JEAN.
Célébrités : plusieurs reines de France : Jeanne de Navarre, Jeanne de Boulogne, Jeanne de Bourbon, et quantités de hautes et nobles dames; deux reines de Naples; deux reines de Castille; trois reines de Navarre; deux reines d'Angleterre, etc..., ainsi que Jeanne Moreau (ci-contre) et Jane Fonda, reine de l'écran.

La Jeanne d'entre les Jeanne, celle qui a sans aucun doute fait le plus pour la renommée du prénom, née à Domrémy en 1412, brûlée vive à Rouen en 1431, est évidemment Jeanne d'Arc, mais plus d'une vingtaine de saintes et bienheureuses furent également des Jeanne. Au caractère, Jeanne porte royalement les qualités générales de Jean, auquel on se reportera, en y ajoutant une grande allure, une distinction naturelle, une classe et une ténacité hors de pair; elle est la fidélité même, et sait s'enthousiasmer pour de nobles causes. Son ardeur, son idéalisme et sa générosité n'ont d'égal que sa maîtrise de soi et son équilibre intérieur.

JEANINE

(voir Jeanne, et Jean)

JENNY

(voir Jeanne, et Jean)

JÉRÉMIE

(Geremia, Jeremias, Jeremy, Jerry)

Couleur : le rouge.
Chiffre : le 2.
Signe associé : le Capricorne.
Fête : le 1er mai.
A éviter avec un nom de famille commençant par I, Mi, M.
Étymologie : de l'hébreu « Yirmeyah », *Iahvé (Dieu) élève.*

Célébrités : Jeremy Taylor, prédicateur de l'Angleterre des Stuarts; Jérémie, le chancelier de Charlemagne; Jérémie II, patriarche de Constantinople; et Jerry (diminutif de Jérémie) des *cartoons* de *Tom et Jerry;* et Jerry Lewis, l'acteur, et Jérémie, le compagnon de Pinocchio.

Prophète d'Israël, Jérémie prophétisait au peuple hébreu les malheurs auxquels il s'exposait en préférant la lettre à l'esprit, l'institution à la voix du cœur; mystique puissant et déchiré, il se lamentait de ce qu'il entrevoyait des tourments futurs et du châtiment céleste, d'où la notion de « jérémiade ». Ceci se passait six bons siècles avant la venue de Jésus, et Jérémie serait mort par lapidation, certains n'ayant plus pu supporter ses observations et remontrances. Au caractère, on le dit apte à prendre et à assumer de grandes responsabilités; volontaire, actif, intelligent et sensible, il est capable d'entreprendre et de créer. On voit mal pourquoi ce prénom tend à se faire désuet ces temps-ci en France.

JÉRÔME

(Gerome, Gerry, Girometta, Hieronymus, Hyronimus, Ieronim, Jeromia, Jeromin, Jeronim, Jeronima, Jeronimo, Jeronimus, Olmes, Onimus, Ronimus)

Couleur : le rouge.
Chiffre : le 3.
Signe associé : le Verseau.
Fête : le 30 septembre.

A éviter avec un nom de famille commençant par M, N, Om, Mo.
Étymologie : du grec « hieros », ***sacré,*** **et « onoma »,** ***nom.***
Célébrités : l'auteur du plus ancien traité de musique que nous possédions, Jérôme de Moravie (XIIIe siècle); le disciple de Jean Hus, Jérôme de Prague, brûlé vif en 1416 à Constance; le très grand Jérôme Bosch (1450-1516), maître de la peinture hollandaise, et mondiale; l'historien Jérôme Carcopino; le critique Jérôme Garcin; l'éditeur Jérôme Lindon; l'écrivain Jérôme Peignot; et Geronimo, le grand chef indien de l'autre siècle.

Saint Jérôme (345-419), érudit, ermite, puis secrétaire du pape Damase, se vit confier la traduction, dite « Vulgate », de la Bible en latin. D'un caractère peu amène, il fut contraint de quitter Rome sous la pression de ses ennemis, et, accompagné de Paula, noble et pieuse, il s'en retourna au désert et à la Terre sainte, pour y fonder, à Bethléem, un monastère. Au caractère, Jérôme est avide d'absolu, d'inconnu, d'immensité : rien d'étonnant à ce qu'il se révèle comme un insatisfait chronique! Mais la volonté ne lui fait pas défaut, ni le dynamisme; intuitif, il préfère la vision à la logique, quoique cette dernière lui soit également donnée. Un prénom de grande allure, même s'il se raréfie un peu.

JESSICA

(Jessalynn, Jesse, Jessie, Jessy, Seasaidh)

Couleur : le bleu.
Chiffre : le 3.
Signe associé : le Capricorne.
Fête : le 4 novembre.
A éviter avec un nom de famille commençant par C, Ca, A, Ac.
Étymologie : de l'hébreu « Yishay », ***Iavhé (Dieu) regarde.***
Célébrité : Jessica, fille de Shylock dans ***Le Marchand de Venise,*** **de Shakespeare.**

Les pays anglo-saxons, presque exclusivement, utilisent ce prénom qui n'a guère d'adeptes en France. Il est pourtant plein de charme, et il sonne. Jessica est la volonté même, dynamique, stable, cohérente; active, sérieuse et généreuse, elle est tout le contraire d'une « tête en l'air ». Jessica : équilibre, vivacité, rigueur. Ne voudrions-nous plus de si tranchantes qualités ?

JÉSUS

(Josué)

Pour une fois, voici un « prénom » au-delà de la couleur, du chiffre et du signe, dépassant de très loin sa fête et sa musique.

Quotidiennement invoqué depuis près de deux mille ans, le nom du Fils contient celui du Père, puisque Jésus, Josué, procédent de l'hébreu *Yéshoua,* c'est-à-dire « Iahvé sauve ». Curieusement, ce nom qui hante le monde s'est réservé l'espagnol pour devenir prénom : l'Espagne donc, et l'Amérique latine, voient circuler tous les jours nombre de petits Jésus, quand le reste du monde chrétien et notamment l'Europe du Nord, s'en tiennent a l'unique, et se refusent pudiquement à l'usage de Jésus comme prénom. Josué, quant à lui, fut bien auparavant disciple de Moïse; il lui échut, selon le *Deutéronome*, d'initier le peuple hébreu à la Terre promise. Josué, Jésus, Yéshoua' « le Nom de Dieu sauve ». Toute « caractérologie », ici, doit se voiler la face : qui pourrait donc « analyser » la psyché du Sauveur?

JIM, JIMMY

(voir Jean)

Célébrités :
Jim Morrison; Jimmy Hendrix; Jimmy Garisson; Jimmy Carter; le film de Truffaut, *Jules et Jim*.

JOACHIM

(Joaquim, Joaquina, Jochem, Joakima, Achim, Jochen, Jochim, Juchem, Chim, Giacchina, Gioacchina)

Couleur : le bleu.
Chiffre : le 5.
Signe associé : la Vierge.
Fête : le 26 juillet.

A éviter avec un nom de famille commençant par I, In, Im, M.

Étymologie : de l'hébreu « Yehoyagim » *Iahé (Dieu) met debout.*
Célébrités : trois princes-électeurs de Brandebourg; deux rois de Juda (VIIe et VIe siècles avant J.-C.); Joachim de Flore; Joachim du Bellay (1522-1560); Joachim Sala-Sanahuja, l'écrivain catalan contemporain.

Epoux de Sainte Anne, Joachim était le père de la Vierge Marie, mais les évangiles n'en disent guère davantage à son sujet. Comme prénom usuel, il se répand en Europe à partir du 14e siècle. Il est désormais fêté le jour de la Sainte Anne, le 26 Juillet. Sept autres saints et bienheureux furent également des Joachim, et notamment Joachim de Flore (1130-1202), grand mystique italien. Au caractère, Joachim se signale par une intuition subtile, un puissant intellect et un goût sûr de la rigueur et de la cohérence; très dynamique et actif, une nervosité, une émotivité parfois excessives l'accompagnent sans parvenir à le perturber vraiment, et il s'en défait dans un surcroît de logique et de sociabilité; c'est un travailleur tenace et efficace. Il est cependant bien discret actuellement en France.

JOËL, JOËLLE

(Joèla)

Couleur : le bleu.
Chiffres : le 6, le 5.
Signes associés : le Cancer, le Lion.
Fête : le 13 juillet.

A éviter avec un nom de famille commençant par L.
Étymologie : de l'hébreu « Yô'el », ***Iavhé est Dieu.*** **Joël, l'un des douze « petits prophètes » de la Bible, vécut environ cinq siècles avant Jésus. C'est un prénom parfaitement biblique et non, comme on le croit parfois, breton.**
Célébrités : le chanteur Joël Holmès, le poète Joël Bousquet.

Au caractère, Joël est un être de volonté et d'intuition, qui passe également pour un merveilleux conteur; son imagination fertile et jaillissante, sa sociabilité, son dynamisme en font un compagnon agréable et sûr. Joëlle, pour sa part, ajoute à ce tableau l'ombre de l'anxiété, qu'elle surmonte habituellement par ses capacités de dévouement; trop livrée à son monde intérieur, il peut lui arriver de se montrer asociable et d'humeur difficile. C'est en se révélant capable d'ouverture et d'intérêt pour le monde extérieur qu'elle balaye ces inconvénients.

JOHN

(voir Jean)

Couleur : le jaune.
Chiffre : le 2.
Signe associé : le Lion.
Célébrités : John-Fitzerald Kennedy; John Ford; John Wayne; John Lennon; John Mc Laughlin, le grand guitariste de jazz-rock; John Giorno, le poète; et Coltrane, l'immense.

JOHNNY

(voir Jean)

Couleur le jaune.
Chiffre : le 5.
Signe associé: le Verseau.
Une célébrité non anglo-saxonne : Johnny Halliday.

JOSEPH

(Fiena, Fieneke, Fifine, Fina, Fine, Finie, Giuseppe, Giuseppina, Iosep, Jef, Jeke, Jo, Joap, Joe, Joette, Joey, Joop, Joos, José, Josée, Josef, Josefina, Josepha, Josèphe, Joséphine, Josephus, Josette, Josiane, Josie, Jossie, Joysiane, Jozie, Jozina, Jozsef, Jupp, Ossip, Pepita, Pepito, Peppi, Peppone, Phine, Säbel, Seb, Sebel, Seefke, Sefa, Seffi, Seosaimhtin, Sepp, Seva, Siene, Youssef, Youssouf)

Couleur : le rouge.
Chiffre : le 1.
Signe associé : le Cancer.
Fête : le 19 mars.
A éviter avec un nom de famille commençant par V, E.
Étymologie : de l'hébreu « Yôsephyâh », ***que Iavhé (Dieu) ajoute.***

Célébrités : les empereurs Josef I et II d'Autriche; un archiduc d'Autriche; un roi de Portugal; Joseph Bonaparte, nommé roi d'Espagne après l'avoir été de Naples par Napoléon; le musicien Joseph Haydn; l'écrivain Joseph de Maistre; le musicien Giuseppe Verdi; les romantiques Josef Görres et Joseph von Eichendorff; le fameux Peppone de *Dom Camillo* est un abréviatif italien de Giuseppe; l'écrivain Joseph Kessel; Joseph Staline; Marie Josèphe Rose, c'est-à-dire Joséphine de Beauharnais, épouse de Napoléon; Joséphine Baker, la chanteuse; Joseph Conrad, l'écrivain, Marie-José Lamothe, la photographe, Marie-José Parra-Aledo, poète et Joseph von Sternberg, Joseph Losey, cinéastes, Giuseppe Ungaretti, poète.

Joseph, charpentier à Nazareth, dut faire preuve d'une qualité d'esprit hors de pair, la confiance, pour accepter l'étrange et miraculeuse grossesse de sa fiancée Marie; un ange finit par lui apparaître pour lui faire admettre d'épouser celle qui était enceinte de Jésus : finalement, l'amour l'emporta, et Joseph éleva ce fils imprévu comme le sien propre. Joseph, depuis lors, est devenu le patron des métiers du bois. Une quarantaine d'autres saints et bienheureux portèrent ce prénom, dont saint Joseph d'Arimathie, qui s'arrangea pour que le Christ soit enseveli dans la tombe qu'il s'était fait aménager pour lui-même, ou saint Joseph de Copertino, fervent mystique porté à la lévitation par d'étonnantes extases : le poète Blaise Cendrars suggéra même que l'on en fît le saint patron des aviateurs... Curieusement, ce n'est qu'après 1870, date à laquelle Pie IX promut saint Joseph patron de l'Église universelle, que ce prénom connut vraiment une grande faveur, ainsi que son principal dérivé féminin, Joséphine; Josette, Josiane (ou Josyane) sont d'origine encore plus récente, puisqu'elles ne surgissent qu'à partir du début de notre siècle. Volontaire, actif, d'une moralité inflexible, Joseph est au caractère un être de fraîcheur et de pureté. On n'en fera jamais un cynique ou un machiavélique. Il passe, et porte l'amour, ou son appel, autour de lui : ni possessif ni égoïste, Joseph est un compagnon solide et sur lequel on peut compter, en amitié comme en amour. Il s'agit là bien entendu d'un portrait global, auquel mille et une nuances individuelles peuvent ajouter leur chatoiement. Les diminutifs de « Jojo » et autres « affreux Jojo » sont évidemment plus ou moins bien intentionnés.

Josette

(voir Joseph)

Josiane

(voir Joseph)

Joséphine, Josèphe

(voir Joseph)

JOSSELINE

(Joceline, Jocelyn, Jocelyne, Joscelyne, Josselin)

Couleur : le bleu.
Chiffre : le 3.
Signe associé : le Taureau.
Fête : le 13 décembre.

A éviter avec un nom de famille commençant par N, Inn.
Étymologie incertaine : vraisemblablement du germain « ing », *fils, fille de,* et « Gauz », *Dieu.*

Joscelin est attesté en Allemagne au VIIe siècle, et semble avoir été précédé des formes Gothling et Gauzelen. Avec la conquête normande, il s'est incorporé au prénom anglo-saxon de Josse (du celtique « jousse », *champion*), donnant la forme Joyce. Si Josselin se fait plutôt rare de nos jours, Josseline, ou Joceline, est en revanche un prénom fort courant. Active, intelligente, ferme sur ses principes, Joceline est fortement tiraillée par une affectivité secrète très puissante. Introvertie, hyper-intuitive, elle est dynamique par à-coups, et sociable tant que son monde intérieur n'est pas mis en cause; elle sait faire front, tenir tête, et se révolter : son indépendance, à ses yeux, est sacrée. A bon entendeur, salut...

JUDITH

(Ita, Jody, Jud, Judd, Jude, Judette, Judie, Judinta. Juditha, Judy, Jutta. Siobhan, Yehudin)

Couleur : le bleu.
Chiffre : le 9.
Signe associé : les Gémeaux.
Fête : le 29 juin.

A éviter avec un nom de famille commençant par T, It.

Étymologie : de l'hébreu « yehudit », *juive.*
Célébrités : une fille de Shakespeare s'appelait Judith; Judith de Bavière, mère de Charles le Chauve et épouse de Louis le Pieux; le violoniste contemporain Jehudi Menuhin, l'actrice Judith Magre.

Personnage biblique, Judith a sauvé le peuple hébreu assiégé par Holopherne, général de Nabuchodonosor, d'une manière non « orthodoxe » et bien peu « catholique » : elle séduisit fortement le général, et l'enivra si parfaitement qu'elle put lui trancher le col; les Juifs n'eurent qu'à exhiber la tête sanglante du chef de leurs ennemis pour que ceux-ci, épouvantés, lèvent le siège et s'enfuient. Sainte Judith, quant à elle, vécut au IXe siècle, sans ruse ni guerre à conclure, dans le même monastère d'Ober Altaich que sainte Salomé sa cousine, en prière permanente. Il y eut par ailleurs un Jude parmi les Douze Apôtres, (désigné encore comme Thaddée), et un cousin de Jésus nommé également Jude, auquel nous devons l'*Epître* dite *de saint Jude.* Au caractère, Judith est tournée vers le monde extérieur, la société; extravertie, elle ne s'attarde pas dans les méandres de l'introspection, et préfère agir dans le concret immédiat; sa volonté sans faille, son dynamisme ultra-tenace et « compétiteur », sa vitalité la prédisposent à l'action. Son intelligence dissèque et analyse les faits, et se méfie de l'intuition ou de l'imagination, qu'elle tient pour suspectes d'attentat à la rigueur. Tout le contraire d'une éthérée, Judith semble la force même.

JULES

(Giliane, Gillet, Gillette, Gillian, Gillie, Giulette, Giulia, Giulio, Gyula, Jill, Jillian, Julchen, Juli, Julia, Juliaantje, Juliana, Julie, Julien, Julienne, Juliet, Julietta, Juliette, Julina, Juline, Julio, Julius, Juluen, Juult, Ouliacha, Oulianke, Schüll, Sile, Sileas, Youli, Youliane)

Couleur : le rouge.
Chiffre : le 4.
Fête : le 12 avril.
Signe associé : le Verseau.
Risque de consonance disgracieuse avec un nom de famille commençant par O, Au. Prononciation malaisée avec un nom débutant par Le, Lu, Lou. « Gare au Jules », « C'est son Jules », « Tiens, voilà Julot » font partie de l'inévitable cortège ironico-affectueux dont les Jules sont aujourd'hui accompagnés. Ce prénom est en quelque sorte devenu grand-père. *« Oui qu'a fauché la bague à Jules? »*, cette chanson de Patachou illustre fort bien la perception actuelle de Jules comme « Apache » de la Belle Époque.
Nos IIIe et IVe Républiques en sont fortement marquées : Jules Grévy, Jules Ferry, Jules Moch, entre autres, mais on note également sa persistance de nos jours chez des artistes – par exemple des chanteurs tels Julio Iglesias, Julos Bocarne, ou encore le cinéaste Jules Dassin, réalisateur du célèbre *Jamais le Dimanche*. Enfin, les sportifs n'ont pas oublié Jules Ladoumègue. L'actuel président de la Tanzanie s'appelle Julius Nieyrere, Jules Verne poursuit ses explorations, et le philosophe Julius Evola sa *Métaphysique du sexe*.

« *Veni, vidi, vici :* Je suis venu, j'ai vu, j'ai vaincu ». Avec ce fier emblème du plus accompli des Jules de l'histoire, César, le petit Julot est sûr de soi. Humour aidant, il n'oublie pas le diagnostic d'Astérix : « Il est fou, ce Romain! » A quoi cela se voit-il? – A ceci : César porte à son front la couronne de lauriers, mais pas de moustaches. Le Gaulois, qui les affectionne, ne s'y est pas trompé : avec près de vingt siècles d'avance, il était dit que les Jules d'ici laisseraient le laurier à la cuisine, la troquant contre la casquette, et seraient des hommes de la moustache, des porteurs d'autorité. C'est qu'il a solide allure, Jules! Écoutons-le sonner, ce prénom, avec son coulé d'une seule syllabe, sa volonté sous le velours mouillé de la consonne d'attaque. Iule, le fils d'Enée, fut son lointain ancêtre : comment n'aurait-il pas quelque chose d'impérial dans sa trajectoire? Du haut de sa syllabe unique il organise, il commande, il est obéi. Astérix l'agace, certes, mais le stimule; qu'on ne s'y trompe pas : Jules, spontanément, domine le monde. C'est même cet aspect emphatique qui le rend vulnérable à l'ironie. Alors Jules devient le sympathique Julot, dont on accepte en souriant l'extravagante autorité. Les Julot comme les Jules voient la vie comme un combat dans lequel il convient de foncer généreusement, mais ce sont des stratèges : ils savent fort bien s'éloigner d'une situation, l'analyser, prendre de la distance, et reconsidérer leur tactique. Combattant donc, le Jules ne se livre pas tout de suite et organise longuement les préparatifs à l'amitié, qu'il cultivera toujours avec une sorte de retenue. Il ne montre pas son émotion. C'est que celle-ci fait partie de sa chaleur, qu'il préserve toute en vue de grands desseins, y compris l'assaut de quelques fantastiques et imprenables citadelles. Ainsi en va-t-il chez lui d'une soif de connaître qui veut que soit étanchée d'abord la soif de la puissance. Les Jules peuvent exceller en la matière. Parce qu'ils sont de ceux qui savent voir rouge, parfois, mais sans

colère : la simple justice, voilà leur pôle. Chevaliers, moines soldats, conquérants, oh Jules et Julot, sur le Trône comme sur le Zinc vous êtes en toute situation des notables. Vous résonnez dans le Verseau et sa passion de l'ordre neuf, son refus des routines, sa détermination. Mais c'est vrai qu'en cette fin de siècle vous voilà passés de mode, et qu'il y a peu de baptêmes dans vos rangs. Alors?
« Oui, nous fûmes, nous les Jules, de ceux à qui l'on ne vole pas leur bague, et des César et Mazarin, et jusqu'aux grandes moustaches de la République, Grévy, Ferry, Moch, nous le fûmes. Et nous fûmes encore des écrivains, des poètes, des esprits libres et curieux, tels les Barbey d'Aurevilly, Michelet, Romains, Laforgue et Verne et Supervielle, sans oublier Cortazar. On oublie, en revanche, on commence à en oublier d'autres, et par exemple saint Jules 1er, pape (337-352), et Julien dit l'Apostat, empereur (331-363), ennemi du précédent. Comme on a oublié que Jules fut en grande faveur au Moyen Age comme à la Renaissance, en Italie surtout, grâce à Jules II, pape, (1443-1513). Jules apparaît au Nord, en Suède, vers le milieu du XVIe siècle, mais Julian, puis Gillian, ont déjà conquis les îles britanniques depuis le IXe siècle. Et là, très « Jules », les formes féminines du prénom vont l'emporter peu à peu et se préserver intactes jusqu'à nos jours. Si nous, les Jules, sommes devenus des ancêtres, elles, celles qui nous ressemblent, sont à l'image de la fraîcheur, de la jeunesse, de l'ardeur. Ainsi Juliette attend-elle éternellement Roméo avec Shakespeare, *Mademoiselle Julie*, de Strindberg, ne cesse d'être adaptée pour les écrans des salles obscures, Juliana règne sur les Pays-Bas, et les Julie, Julienne et Juliette qui passent aujourd'hui devant nos yeux ont quelque chose de flatteur pour les Jules que nous sommes : vives, décidées, romantiques, elles sont dignes des lauriers qu'invisiblement nous portons toujours au front, casquette ou pas. Que Jules soit devenu un peu désuet, la belle affaire! Le rétro nous remettrait-il en vogue ou nous oublierait-il tout à fait que nous n'en serions guère affectés : notre lignée a fait ses preuves, et nos sœurs veillent. Nous sommes inlassables. Nous n'avons jamais rien perdu pour attendre, et nous savons attendre : nous vaincrons, évidemment. »

JULIA

(voir Julie)

Couleur : le rouge.
Chiffre : le 9.
Signe associé : le Taureau.

A éviter devant un nom de famille commençant par L, A.

JULIE

(voir Jules)

Couleur : le rouge.
Chiffre : le 3.

Signe associé : les Gémeaux.
Fête : le 22 mai.

A éviter devant un nom de famille com mençant par L, I.
Etymologie : voir JULES.
Célébrités : Julie de Lespinasse (1732-1776), amie de d'Alembert et des Encyclopédistes; Madame de Récamier, qui se nommait Julie Bernard; la musicienne et chanteuse Julie Dassin; l'écrivain Julie Montagard; les actrices Julie Christie, Julie Andrews.

Sainte Julie, au VIIe siècle, aurait été martyrisée en Corse, dont elle est devenue, avec sainte Dévote, la patronne. Onze autres saintes et bienheu reuses furent des Julie, et notamment sainte Julie Billiart (XIXe siècle), qui fonda l'institution des sœurs de Notre Dame, et Julie Louise de Jésus (XVIIIe siècle), qui fut carmélite à Compiègne. Au caractère, Julie se révèle fort sociable, avec une générosité du cœur où l'on peut déceler quelque chose de la fraîcheur et de la vivacité de l'enfance; une intuition très aiguë et une vitalité quasi inextinguible font d'elle un être d'une grande répartie d'esprit, volontiers opiniâtre, où charme et fantaisie se conjuguent à merveille.

JULIETTE

(voir Jules)

Couleur : le rouge.
Chiffre : le 3.
Signe associé : le Lion.
Difficile devant un T.
Étymologie : voir JULES.

Célébrités : l'actrice Giuletta Massina; la chanteuse Juliette Gréco (page précédente); et Juliette Drouet, bien sûr, l'amie de Hugo.

Sainte Juliette fut brûlée vive en 303, sur dénonciation de sa foi par un individu abject qui ne songeait qu'à s'emparer de ses biens, et qui y parvint. Au caractère, elle est très proche de Julie, avec toutefois cette nuance qu'elle fait preuve d'une grande détermination et d'une rigueur d'esprit tranchante; encore l'alliance du charme et de l'esprit.

JULIEN, JULIENNE

(voir Jules)

Couleur : le rouge.
Chiffres : le 8, le 9.
Signes associés : le Cancer, la Vierge.
A éviter devant un nom de famille commençant par In, ou N.
Étymologie : voir JULES.

Célébrités : l'empereur romain Julien l'Apostat; le défenseur du pélagianisme et ennemi de saint Augustin Julien d'Eclanum; le héros de Stendhal *(Le Rouge et le Noir)* Julien Sorel; Julien Green, le romancier, et Julien Gracq, l'écrivain.

Saint-Julien l'Hospitalier nous est connu par la légende : d'abord par la *Légende dorée* du bienheureux Jacques de Voragine (XIIIe siècle), reprise par Flaubert en 1877 dans sa *Légende de saint Julien l'Hospitalier.* Terrible et émouvante histoire, puisqu'un cerf à tête humaine lui prédit qu'il tuera ses parents – ce que fera Julien, par erreur. Parricide involontaire, il devient passeur sur la rive d'un fleuve tumultueux (d'où ce surnom d'*Hospitalier,* car il travaille bénévolement); lors d'une terrible tempête, il fait traverser un lépreux au péril de sa vie : ce lépreux mystérieux lui en saura divinement gré, puisqu'il était un Avatar du Christ. Trente-cinq autres saints et bienheureux furent des Julien. Sainte Julienne Falconieri (XIVe siècle), Servite ascétique et austère, fonda l'ordre des Mantellates, qui venait en aide aux enfants pauvres et aux malades; quinze autres Julienne furent des saintes, et parmi elles sainte Julienne de Mont-Cornillon (1192-1258), grande mystique visionnaire, qui fut à l'origine de la fête du Corps du Christ. Au caractère, Julien, actif, volontaire, dynamique, généreux, se révèle comme être d'imagination jaillissante et de poésie; une douceur aiguë et clairvoyante. Julienne se rapproche de Julie et Juliette, avec toutefois une résonance inquiète et un grand sens du dévouement.

Junien, Junon

(Giuniata, Giunone, June, Junette, Juni, Junia, Junie, Junine, Junius, Youna, Younona)

Couleur : le violet.
Chiffre : le 8.
Signes associés : le Lion, la Vierge.

Étymologie : du latin « Juno », nom d'une divinité, qui, fille de Saturne et femme de Jupiter, présidait célestement à la rencontre et à l'union sexuelle ainsi qu'aux maternités.
Junon signifie la force vitale, et est évidemment associée aú mois de juin.
Prénoms antiques, Junon et Junien ont pratiquement disparu de l'usage aujourd'hui, du moins en France.

Justin, Just, Justine

(Giusta, Giustina, Giustino, Giusto, Justa, Juste, Justina, Justinien, Justienne, Justino, Justis, Justus)

Couleur : le vert.
Chiffres : le 3 (Justin), le 8 (Justine).
Signes associés : le Taureau, les Gémeaux.
A éviter avec des noms de famille commençant par IN, ou N, I.
Étymologie : du latin « justinus » (de justus), *raisonnable, juste*.
Célébrités : Justinien Ier (VIe siècle), empereur byzantin en lutte contre Perses et Vandales; Justin Ier, empereur d'Orient (VIe siècle), oncle de Justinien, et Justin II, qui succéda au premier; l'historien latin du IIe siècle, Justin; sainte Justine, vierge et martyre au Ier ou au IIIe siècle; *Justine*, l'héroïne intrépide et scandaleuse du roman de D.A.F. de Sade; le footballeur Just Fontaine.

Ayant pratiqué toutes les doctrines philosophiques de son temps, saint Justin (IIe siècle.) se convertit au christianisme, et devint un fervent évangéliste... jusqu'en 166, où il fut martyrisé et décapité. A Rome. Il nous a laissé deux *Apologies*, un *Dialogue avec Tryphon*, et une doctrine consacrée au Verbe. Six autres saints furent des Justin, huit furent des Justine, et dix-sept furent des Just, ou Juste. L'« ange de la Révolution », Louis de Saint-Just, compagnon de Robespierre, porte le nom de saint Just qui vécut, lui, au VIIe siècle. Au caractère, cet optimiste amoureux de la vie et de la beauté, artiste et volontiers jouisseur, se montre parfois ombrageux et jaloux; possessif, volontaire et rigoureux, il voit ses qualités nuancées chez Justine d'une affectivité et d'une sensorialité débordantes, voire exaltées. Le dynamisme agressif, la finesse fantasque de Justine sont à la recherche d'harmonie et d'équilibre. Ces prénoms sont un peu passés de mode aujourd'hui. Reviendront-ils?

LES PRÉNOMS COMPOSÉS ET LA DUALITÉ EN MARCHE

Avec les Jean-Michel, Jean-Philippe, Jean-Christophe, Marie-Hélène, Anne-Lise et autres Marie-Claude, nous entrons en un domaine par définition inépuisable et extensible à merci. Aucun volume au monde n'y suffirait, puisqu'il semble qu'on en crée tous les jours de nouveaux, imagination et goût de l'originalité à tout prix aidant. En l'absence de certitudes définitives, on croit ici savoir que l'Espagne aurait été l'initiatrice de cette coutume, qui a ensuite conquis l'Europe. L'idée de départ, on le suppose, aura sans doute été de mettre deux chances au lieu d'une seule dans le berceau des nouveau-nés, en les gratifiant d'appellations favorables. Cette stratégie peut certes avoir du bon, à condition toutefois de connaître réellement la « charge » spécifique dont chaque prénom est porteur, et de ne pas accoler deux prénoms aux potentialités caractérielles antagonistes, de sorte que la personne qui les porte se voie tiraillée entre des aspirations contradictoires et doive, sa vie durant, résoudre des conflits parfois insolubles. Les rois et reines qui lancèrent ou reprirent cette mode n'étaient pas nécessairement de grands initiés, et ceux qui les imitèrent, non plus.

Nous ne ferons l'injure à quiconque de révéler le caractère inopportun ou franchement malencontreux de tels assemblages forcés, mais il est vrai que souvent des porteurs de prénoms doubles finissent par ne plus se faire appeler que d'un seul, ayant, consciemment ou non, pressenti l'incongruité cachée de leur nomination ambivalente ou ambiguë. Mis à part les cas douteux, précisons que nombre de ces compositions peuvent également être des réussites, l'un des deux prénoms venant équilibrer l'autre, et concourir à l'harmonie de la personnalité.
Notons que les usages allemand et français permettent de lier souvent, par contradiction, deux prénoms en un seul, de sorte qu'une dénomination double peut aboutir à la création d'un prénom unique, comme Anneliese (Allemagne), Maïté (Marie-Thérèse, France), ou Pierluigi (Pierre-Louis, Italie); mais l'usage le plus répandu, en France, est celui du trait d'union (qui n'assure pas nécessairement « l'unité » intérieure du prénom et du sujet qui le porte) tandis que l'Allemagne se contente d'aligner, sans trait d'union, les deux prénoms. L'Angleterre pour sa part a attendu le XVIIIe siècle pour se mettre à son tour à utiliser, quoique avec réticence, les prénoms doubles, alors que les États-Unis en usent volontiers, avec cette originalité de n'indiquer le second prénom qu'à l'aide d'une initiale (la *middle Initial*), souvent mystérieuse aux yeux des Européens, effaçant, tout en l'affirmant, la seconde part du prénom composé, comme pour John F. (Fitzerald) Kennedy, ou Lyndon B. (Baynes) Johnson.
Avouons que dresser une liste de prénoms composés relèverait de la gageure, et renvoyons lectrices et lecteurs qui en sont pourvus à l'analyse de chacun de leurs deux prénoms, telle qu'ils pourront la trouver dans cet ouvrage. A eux de vérifier l'accord profond, ou l'ambiguïté, du choix de leurs parents à leur naissance. En cas d'incertitude, il leur reste la possibilité de s'en tenir à l'un des deux prénoms, ou de s'en octroyer un autre! Une fois encore, l'originalité systématique, la fantaisie sans scrupules ne sont pas à recommander en matière de dénomination des enfants, pas plus que la force, souvent aveugle, de l'habitude ou de l'imitation.

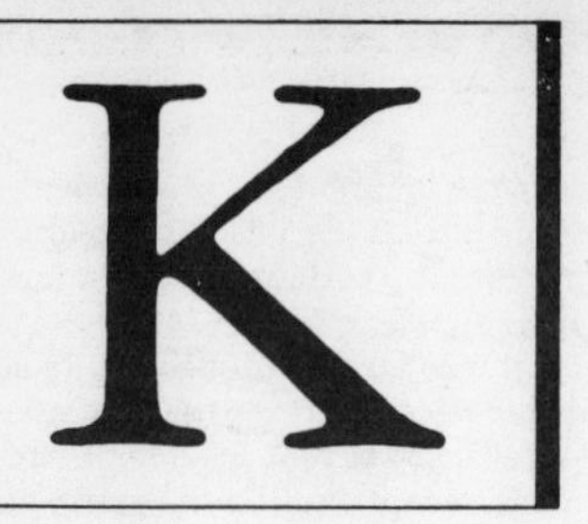

KARIN

(voir Carine)

Couleur : le vert.
Chiffre : le 8.
Signe associé : le Capricorne.

KATIA

(voir Catherine, Katia en étant un diminutif)

Couleur : le rouge.
Chiffre : le 6.
Signe associé : les Gémeaux.

KATY

(voir Catherine)

Couleur : le rouge.
Chiffre : le 3.
Signe associé : les Gémeaux.

KHAÏM

Couleur : le rouge.
Chiffre : le 2.
Signe associé : les Gémeaux.
Célébrité : Khaïm Seligmann, le flûtiste.

Le bienheureux Khaïm (IVe siècle après J.-C.) fut un ermite de Galilée qui consacra sa vie à la prière et à l'art de la flûte. Il parvint, dit-on, à charmer de sa musique les soldats venus l'arrêter lors d'une persécution anti-chrétienne au point que ceux-ci se convertirent sur l'heure et s'engagèrent à leur tour dans une existence érémitique. Lui-même juif converti, le bienheureux entretint des relations de compréhension et d'amour avec tous ceux qui l'approchaient, quelles que fussent leurs croyances. Selon la légende, il aurait rendu l'âme à l'âge de 105 ans, alors qu'il préparait un plat de sauterelles grillées pour saint Ariel venu lui rendre visite; en expirant, il aurait murmuré : « Que ce repas manquant soit à jamais béni! » On lui doit évidemment quelques miracles, prodiges et hauts faits dans le mystère, et la postérité a retenu de lui ce mot, qu'il aimait à répéter : « Silencieux silence, tu n'es pas le silence. »

KLÉBER

(Klébert, Kléberte)

Couleur : le bleu.
Chiffre : le 4.
Signe associé : le Sagittaire.
A éviter avec un nom de famille commençant par R, Er, ou Bé.
En dialecte alsacien, « kléber » signifie *maçon*.

Jean-Baptiste Kléber (1753-1800), chef militaire extrêmement populaire de la Révolution française, fut, comme Marceau, Hoche et Joubert, de ceux qui laissèrent leur nom comme prénom.
Hormis dans l'Est et le Nord de la France, il est bien passé de mode aujourd'hui.

KURT

(voir Conrad)

Couleur : le violet.
Chiffre : le 7.
Signe associé : le Sagittaire.
Ce prénom typiquement germanique ne risque guère de rencontrer d'adeptes de ce côté-ci du Rhin, mais qui sait?...
Célébrités : l'acteur Curd Jurgens; le compositeur de la musique de *l'Opéra de quat'sous*, de Brecht, Kurt Weill.

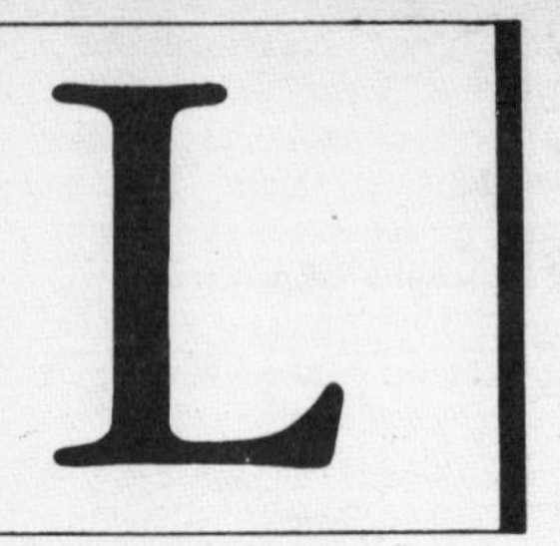

LAETITIA

(Laetoria, Laetus, Lalou, Léétice, Leta, Leticia, Letitia, Letizia, Leto, Lettice, Lettie, Letty, Levenez, Lié, Liède, Tish, Titia, Tizia)

Couleur : le bleu.
Chiffre : le 6.
Signe associé : le Lion.
Fête : le 18 août.
A éviter avec un nom de famille commençant par une sifflante, ou par A.
Étymologie : du latin « laetitia », ***allégresse, joie.***

Célébrités : la mère de Bonaparte, donc; le comte d'Essex, favori de la reine Élisabeth Iʳᵉ d'Angleterre, avait une épouse légitime, Lettice Knollys; Laetitia Ney d'Elchingen de la Moskowa, spécialiste d'art contemporain et découvreuse avisée de talents picturaux neufs.

On ne connaît pas (ou pas encore) de sainte portant ce prénom, que Letizia Ramolino (1750-1836), maman de Napoléon Bonaparte, rendit spécifiquement corse, du moins dans les croyances courantes. En fait, l'Angleterre et l'Écosse, dès les XIIᵉ-XIIIᵉ siècles, en étaient très friandes (Lettie, Lettice ou Letyce). Letitia jouit encore d'une certaine vogue en Écosse. Au caractère, Laetitia se révèle prompte à réagir, émotive, introvertie et généreuse. L'égoïsme n'est pas son fort, et elle rayonne souvent dans l'action altruiste. Dynamique, d'un charme indéniable et impressionnant, elle est tout à fait à son aise en société, mais peut tout aussi bien lui préférer la retraite, le temps de se ressourcer un peu. Affectivement, son désir de protéger plus que de prendre la fait parfois paraître possessive; son amitié est à la fois ouverte et sélective; elle déteste les importuns. Intuitive, mais préférant l'analyse détaillée à la vision fulgurante, dont elle se méfie vaguement, elle est dotée d'une puissante mémoire. Spontanément et chaleureusement maternelle, s'il lui arrive de rêver partir à l'aventure, elle sait toujours garder les pieds sur terre. Ce grand et beau prénom n'a jamais connu une aussi grande faveur en France que depuis la dernière guerre mondiale.

LAMBERT

(Lamb, Lambe, Lamberta, Lamberte, Lamberto, Lambertus, Lambrecht, Lamme, Lampe, Lamprecht, Landbert, Lando, Lanz, Lanza, Lanzo)

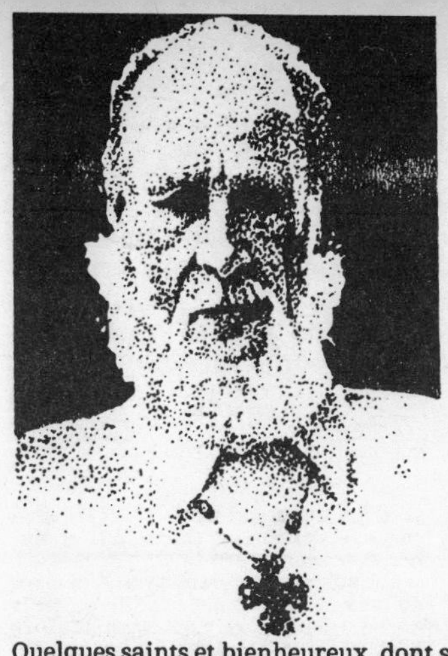

Couleur : le jaune.
Chiffre : le 8.
Signe associé : le Verseau.
Fête : le 17 septembre.
A éviter avec un nom de famille commençant par R, Er, B.
Étymologie : du germain « land », *pays*, et « behrt », *brillant*.
Célébrités : un marquis de Toscane; un roi d'Italie; un poète français du XIIe siècle, Lambert le Tort; un chroniqueur français des XIIe-XIIIe siècles, Lambert d'Ardres; le grand écrivain-philosophe mystique et pacifiste contemporain Lanza (forme italienne de Lambert) del Vasto (ci-contre).

Quelques saints et bienheureux, dont saint Lambert, évêque du VIIe siècle en Belgique, portèrent ce prénom, qui fut en usage jusqu'à la fin du siècle dernier, mais est tombé en désuétude depuis. On retrouve toutefois sa trace bien vivace dans de nombreux patronymes, comme... Lambert, précisément, ou Lambertot, Lambertin, Lamblot. Au caractère, Lambert est un indépendant, volontiers franc-tireur, original et paradoxal; une grande fraîcheur d'âme l'accompagne, et accompagne sa volonté d'expérimenter les choses par lui-même, et non par ouï-dire. Sa curiosité intellectuelle, sa soif de connaissance, sa pensée discursive et agile en font ce qu'on appelle un grand esprit.

LAURE

(voir Laurent)

Couleur : le vert.
Chiffre : le 3.
Signe associé : le Sagittaire.
A éviter avec un nom de famille commençant par R, O.
Étymologie : voir LAURENT.
Célébrités : Laure, l'inspiratrice et muse de Pétrarque; et l'écrivain contemporain, amie de Georges Bataille, Laure.

LAURENCE

(voir Laurent)

Couleur : le vert.
Chiffre : le 7.
Signe associé : le Capricorne.
A éviter avec un nom de famille commençant par En, Ren, ou S.
Étymologie : voir LAURENT.

Laurent

(Labhras, Labhruinn, Larrance, Larry, Lars, Laura, Laure, Laureano, Lauréat, Laureen, Laurel, Laurena, Laurence, Laurens, Laurentin, Laurentine, Lauretta, Laurette, Lauriane, Lauridas, Laurie, Laurenz, Lauritz, Lawrance, Lawrence, Lawry, Lewerentz, Lavr, Lavra, Lavrenti, Lavria, Löhr, Löns, Loren, Lorentz, Lorenza, Lorenzo, Lori, Lorin, Lorinda, Loritta, Lorna, Lorrie, Lortz, Laurens, Louwine, Louwra, Oretta, Renzo, Zengo)

Couleur : le vert.
Chiffre : le 1.
Signe associé : le Capricorne.
Fête : le 10 août.
A éviter avec un nom de famille commençant par En, Ren.
Étymologie : du latin « laurus », *laurier*.
Célébrités : le fleuve Saint-Laurent, découvert un 10 août, c'est-à-dire à la Saint-Laurent; les « larmes de saint Laurent » sont, çà et là en Europe, l'appellation populaire des gerbes d'étoiles filantes dans le ciel des nuits d'été; Laurent de Médicis, le Magnifique; Lawrence Durrel; Lawrence d'Arabie; *Lenz* (diminutif de Lorenz) est le héros et le titre de l'admirable livre de Büchner; le mathématicien contemporain Laurent Schwartz; l'homme politique Laurent Fabius; le poète Lawrence Ferlinghetti.

La Grèce antique faisait du laurier l'arbre d'Apollon, et le tressait en couronnes pour les vainqueurs des Jeux. Le christianisme, par la suite, avec les prénoms de Laurentius, Laurenius ou Laura, lui donna une coloration mystique, où ces prénoms se voyaient « couronnés »... par Dieu. Saint Laurent, diacre du pape Sixte, fut sommé par l'empereur Valérien de lui remettre tous les biens de l'Église, confiés à lui par Sixte. Au bout de trois jours, saint Laurent revint se présenter, escorté d'une foule de mendiants et de miséreux, expliquant que les trésors de l'Église appartenaient aux pauvres, et que ceux-là qui l'accompagnaient étaient précisément les plus authentiques trésors de la chrétienté. On le martyrisa... au grill. Jeté sur le fer chauffé au rouge, saint Laurent eut la bonne fortune de pouvoir encore lancer à Valérien : « Tu as cuit un côté! Retourne-moi donc, et mange! » Un saint aussi subtil et allègre ne pouvait manquer de susciter la ferveur populaire, et très tôt un culte lui fut consacré, ainsi que le patronage de la noble corporation des cuisiniers. Mais vingt-trois autres saints et bienheureux furent des Laurent, et notamment Laurent Justinien (1381-1455) et Laurent de Brindes (1559-1619). Au caractère, Laurent est sociable et affectueux; tourné vers le monde, il compense l'indécision de sa volonté par un goût d'entreprendre et de réaliser, un sens de la synthèse et de la rigueur intellectuelle, et une grande finesse, qui en fait un être charmant; plus désigné pour l'effort réitéré que pour la soumission confiante ou fataliste à la chance. Et cependant, Laurent est prêt à beaucoup de recherches pour se connaître; s'il lui arrive de se voir mystique, c'est à la force du poignet qu'il se hissera vers les hauteurs : intéressante et forte nature, mais trop incertaine pour croire à la grâce. Au quotidien, cet être très sociable et bon enfant affectionne l'amitié ainsi que les activités et réalisations communautaires, « faites ensemble ». Et cet excellent compagnon le reste, puisqu'il n'apprécie guère la solitude.

Léa

(Leah, Lia, Liah)

Couleur : l'orangé.
Chiffre : le 9.
Signe associé : le Taureau.
Fête : le 22 mars.

A éviter avec un nom de famille commençant par A.
Étymologie : de l'hébreu « lé'ah », *vache sauvage,* ou du latin « lea », *lionne.*

Dans la Bible, Jacob se voit imposer par la ruse Léa, sœur aînée de Rachel, comme première épouse. Par ailleurs, les Virgile, Ovide et Lucrèce exaltèrent à Rome une Lea dite lionne. Lionne ou vache sauvage, sainte Léa, riche veuve romaine, fut une disciple de saint Jérôme; elle rendit l'âme sans martyre préalable apparent à Ostie en 384. Au profane, Léa est réputée spontanée, directe et vive; cette simplicité, cette fraîcheur campagnarde ne vont pas cependant chez elle sans un brin de mystère; de l'absence de secret elle sait faire un secret. Elle n'aime pas se sentir coupée de ses racines. Moqueuse, piquante face aux conventions, elle devient grave en matière de tradition. Elle ne perd jamais le fil.

Léo

(voir Léon)

Couleur : le vert.
Chiffre : le 5.
Signe associé : le Cancer.
A éviter avec un nom de famille commençant par E ou O.

Célébrités : Léo Lagrange (1900-1940), le bienfaiteur du sport populaire; le compositeur Léo Delibes (1836-1891); l'écrivain Léo Mallet, et Léo Ferré.

Léon

(Leâo, Lee, Léo, Léonce, Léone, Leonia, Leonila, Leonilla, Léonille, Leonina, Léonine, Léonne, Leons, Léontin, Léontine, Leontyne, Lev, Levounia, Lonni, Nilla)

Couleur : le vert.
Chiffre : le 1.
Signe associé : la Vierge.
Fête : le 10 novembre.

A éviter avec un nom de famille commençant par On, Un, An.
Étymologie : du latin « leo », *lion.*

Célébrités : treize papes; six empereurs de Constantinople; six rois et princes d'Arménie; le savant byzantin Léon de Thessalonique (IXe siècle); le géographe arabe Léon l'Africain (XVIe siècle); les écrivains Léon Daudet, Léon Bloy, Léon Tolstoï; les hommes d'État Léon Gambetta, Léon Blum, et Léon Trotsky.

Six empereurs de Constantinople et treize papes furent des Léon, et notamment saint Léon Ier le Grand qui sut, par la persuasion, convaincre Attila d'épargner les habitants de Rome et de quitter l'Italie. Pasteur universel, ce grand Léon vécut au Ve siècle. Vingt-sept autres saints et bienheureux portèrent le prénom de Léon. Autrefois fier et digne prénom, notre Lion (Léon) est aujourd'hui un peu passé de mode. Si Brassens l'évoquait encore affectueusement (dans sa chanson *Mon Vieux Léon*), Jeanne Moreau, quant à elle, le ridiculise quasi-ouvertement en chantant « J't'ai dans la peau Léon » : à l'instar des héros, ce lion serait-il fatigué? Pourtant, Léon est pourvu d'une forte personnalité, et d'un calme méthodique et sûr. Plein d'énergie, affectueux et sociable, c'est un être de rigueur et de patience. La logique, la cohérence et la précision ne lui font jamais défaut. Amoureux d'ordre et de stabilité, il se méfie de l'improvisation et de la hâte. Léo, en revanche, manifeste une aptitude poétique à tenir son auditoire sous le charme de ses récits. Léonce, Léone, Léonie, Léontine semblent pour leur part vraiment tombés en désuétude.

LÉONARD

(Leent, Lehar, Lehrd, Leindel, Leinhard, Len, Lendel, Lennard, Lennart, Leonarda, Leonarde, Leonardo, Leonerd, Leonhard, Leonharde, Lernet, Liénard, Lienet, Liert, Linnert, Lionardo)

Couleur : le vert.
Chiffre : le 6.
Signe associé : les Poissons.
Fête : le 6 novembre.
A éviter avec un nom de famille commençant par R, A, Ar, Nar.

Étymologie : du latin « leo », *lion*, et du germain « hard », *fort*.
Célébrités : Léonard de Vinci; le mathématicien italien Léonard de Pise (XIIe-XIIIe siècles); le poète espagnol Léonard de Argensola (XVIe-XVIIe siècles); le poète Léonard Cohen.

Saint Léonard, ermite du Limousin, offre sa vie à la légende. On ignore à quelle époque précise il a vécu. Les Croisés le vénéraient tout particulièrement. Comme disciple de saint Rémi, il serait à l'origine du pèlerinage de Saint-Léonard-de-Noblac (Haute-Vienne), dont il aurait fondé le monastère. Clovis fut peut-être son parrain. C'est l'ermite de l'énigme. Plus de cent cinquante églises d'Angleterre lui sont consacrées, et sept autres saints et bienheureux furent des Léonard. Mais la grande gloire de Léonard de Vinci illumine encore plus puissamment le prénom. Au caractère, Léonard est réputé brillant et solide; il voit loin, entreprend intensément, et réalise avec audace. Hardi, volontaire et subtil, il manifeste un sens exigeant de l'amitié. Mais même les Léonard se font rares.

LÉONORE

(voir Éléonore)

LÉOPOLD, LÉOPOLDINE

(Bolbi, Lebold, Leibold, Leodebald, Leopolda, Leopoldino, Leopoldo, Leppe, Leupold, Liutbald, Luitpold, Lupold, Lutbald, Polde, Poldie, Polte)

Couleur : le vert.
Chiffres : le 7, le 8.
Signes associés : le Capricorne, les Poissons.
Fête : le 15 novembre.

A éviter avec des noms de famille commençant par L, D, T, ou I, N, Ni.

Étymologie : du germain « liut », ***peuple,*** **et « bald »,** ***courageux.***
Célébrités : deux empereurs germaniques; un prince de Bavière; des ducs d'Autriche; un grand-duc de Toscane; le poète et chef d'État sénégalais Léopold Sédar Senghor; Léopoldine Mozart; Léopoldine Hugo; et trois rois des Belges.

Saint Léopold (XIIe siècle), était marié à la sœur de l'empereur d'Allemagne, et ils eurent quelque dix-huit enfants; margrave d'Autriche, le saint n'en gouverna pas moins pieusement, fondant des monastères et protégeant les humbles. On l'appelait le Père des Pauvres; il est devenu le saint patron de l'Autriche. Dynamique, intelligent, Léopold voit grand et entreprend à long terme; tâches ardues, obstacles, longueur de temps et contradictions ne le découragent nullement : plus c'est difficile, mieux c'est. Son amour du passé lui permet en quelque sorte d'annuler le présent. Léopoldine pour sa part cultive volontiers l'écoute de son monde intérieur. Elle « ajoute » à Léopold une intuition aiguë des choses et des êtres. Ces deux prénoms ont toutefois perdu la faveur de notre époque.

LILIANE

(diminutif d'Élisabeth; voir Élisabeth)

Célébrité : la cinéaste Liliane de Kermadec.

LINE

(voir Adeline)

Célébrité : la chanteuse Line Renaud.

LISE

(voir Élisabeth)

LIONEL

(Leonel, Leonello, Leonila, Leonilo, Linnel, Lionello, Lionnel, Lionnella, Lionnello)

Couleur : le jaune.
Chiffre : le 3.
Signe associé : la Balance.
Fête : le 10 novembre.

A éviter avec un nom de famille commençant par L, El, N.

Étymologie : du latin « leo », *lion.* Lionel est un prénom directement forgé à partir de « lion », avec le sens de *petit lion, lionceau,* au Moyen Age.
Célébrités : le fils du roi Edward III, Lionel; les responsables politiques Lionel Stoléru et Lionel Jospin.

De nos jours, Lionel tend à se substituer à Léon. Intellect et intuition, rigueur et charme : c'est un lion plus souple et plus subtil que Léon, dont il possède l'énergie, la cohérence et la patience.

LOÏC, LOÏS

(voir Louis, dont Loïc est la forme celtique)

Célébrité : l'écrivain Loïs Masson.

LOLA, LOLITA

(voir Dolores)

LOUIS

(Alabhaois, Aloisa, Aloisia, Aloisus, Aloys, Aloysia, Aloysius, Alvise, Clodwig, Clovis, Clovisse, Eloisa, Eloise, Heloïse, Labhaoise, Ladewig, Lajos, Lew, Lewie, Lewis, Liusadh, Lluis, Lodewijk, Lodovico, Loeiza, Loïc, Loig, Loïs, Loïse, Looi, Lotz, Lou, Louie, Louisa, Louise, Louisette, Louison, Lowik, Lozoïc, Lu, Ludel, Ludovic, Ludovico, Ludovicus, Ludovika, Ludovique, Ludvig, Ludvik, Ludwig, Ludwiga, Lugaidh, Luigi, Luigia, Luigina, Luis, Luisa, Luisita, Luisito, Luiz, Lulu, Luthais, Lüwisi, Viki, Vikli, Visen, Wickel, Wigg, Wiggl, Wisie, Zaig)

Couleur : le rouge.
Chiffre : le 4.
Signe associé : le Taureau.
Fête : le 25 août.
A éviter avec un nom de famille commençant par I.

Étymologie : du germain « hold », *illustre, glorieux,* et « wig », *bataille, combattant.* Clovis s'appelait en fait Chlodowig, et, de père en fils et de Chlodouis en Hludouuivus et Hlodovico, le prénom alla bon train jusqu'à Ludovic et Louis. Ainsi le chef des

Francs annonçait-il la longue cohorte dynastique des dix-huit Louis, rois de France.
Le Moyen Age européen exalta ce prénom, et longtemps les Français furent désignés comme les « fils de Saint Louis » : Saint Louis (IX) (1214-1270) est en effet notre roi saint par excellence; fils de Louis VIII et de Blanche de Castille, il étonna et subjugua par sa piété, sa sagesse, sa justice et son chêne. L'Hospice des Filles-Dieu, les Quinze-Vingts, la Sainte-Chapelle, et l'invention du Parlement, voilà ce dont nous lui sommes, entre autres bienfaits et bénédictions, toujours redevables. Mais ce Saint voulut guerroyer, croiser le fer et se faire Croisé. Dommage : une croisade manquée, où il fut fait prisonnier et réexpédié en France contre une rançon monumentale; et une seconde croisade, où la peste l'emporta (Tunis, 1270).
Plus d'une trentaine d'autres saints et bienheureux, dont Louis de Gonzague (XVIe siècle) furent des Louis.

Célébrités : dix huit rois de France; quatre empereurs d'Occident; quatre rois de Sicile; deux de Hongrie; un d'Espagne; un d'Etrurie; deux comtes de Flandre; deux rois de Bavière, et deux ducs; le mystique liégeois Louis de Blois; Louis David; Louis Pasteur; Louis Braille; Louis Jouvet (ci-dessus); Louis Armstrong; Ludwig van Beethoven; Louis Pauwels; Louis Aragon; Lewis Carroll; Louison Bobet; Louis Lumière; le romantique allemand Ludwig Thieck (1773-1853); le dramaturge Luigi Pirandello.

S'il nous disait, Louis, comment il se voit, que dirait-il?
« Quelque chose à chanter peut-être... car je suis, moi, Louis, celui qui chante la vie, une manière de rossignol qui se prendrait pour le Roi-Soleil. Pour les rois, je n'insisterai guère : j'ai eu largement ma dose. Disons que je

conçois et que je réalise, et que je réalise toujours un peu moins que je ne conçois. Je suis curieusement plus dynamique qu'actif, plus intuitif que volontaire. Pourvu de l'intuition du poète, de l'intellect du philosophe, de la souplesse du diplomate, j'excelle à illuminer, analyser finement et rigoureusement, et séduire. On dit de moi que la chance m'accompagne, que je maîtrise les émotions les plus vives, et que je suis, à l'occasion, une source jaillissante d'esprit; que j'invente, imagine et suggère des merveilles : je souscris à ce jugement, ayant quelque peu observé tout cela moi-même. En un mot, la poésie m'enlève et le travail m'élève. Il est vrai, devant tant de prodigalités de l'inspiration, que j'ai parfois la tentation, et la faiblesse, de baisser les bras : les choses sont si fabuleuses à l'état natif, à peine conçues et imaginées – pourquoi se donner la fatigue de les réaliser? Ma volonté, parfois, s'octroie de ces aises... Bien entendu, brillant en société, habile dans tous les mondes, je ne manque pas de me trouver de bons et ingénieux réalisateurs pour mener à bien quelques-unes de mes plus claires visions. En fait, je suis de plain-pied avec ce qui vit, avec l'instant, et tout est là tout de suite – ou n'est pas. Les morales passent, le mystère reste : sur le plan religieux, je me vois mieux en épicurien mystique qu'en ascète rigide. Pour finir, *j'aurai dit tradéridéra comme personne.* »

LOUISE

(voir Louis)

Couleur : le vert.
Chiffre : le 9.
Signe associé : les Gémeaux.
Fête : le 15 mars.
A éviter avec un nom de famille commençant par I, S, Z.
Étymologie : voir LOUIS.
Célébrités : Louise de Lorraine, femme de Henri III; une reine de Prusse, Louise de Mecklembourg-Strelitz; une reine du Portugal, Louise de Guzman; une reine de Pologne, Louise-Marie de Gonzague, femme du débile Ladislav IV, puis de Jean-Casimir; la fille de Louis XV, Louise-Marie de France, qui se fit carmélite; une reine des Belges, Louise-Marie d'Orléans, femme de Léopold Ier; Louise-Ulrique, femme d'Adolphe-Frédéric, donc reine de Suède; l'une des premières passions de Louis XIV, Mlle Louise de La Vallière; la poétesse Louise Labé; la poétesse Louise de Vilmorin; la militante révolutionnaire Louise Michel; l'actrice Louise Brooks, la mystérieuse.

Sainte Louise de Marillac (1591-1660) eut deux maîtres spirituels de première grandeur : saint François de Sales et saint Vincent de Paul; elle fonda la Congrégation des Filles de la Charité, vêtues en paysannes, qui ont laissé un long sillon dans la vie de l'Église. Trois autres saintes furent des Louise. Au caractère, Louise a les pieds sur terre, la volonté bien amarrée, et un sens scrupuleux de la morale. Elle se replie facilement sur elle-même et n'ignore rien de la rumination intérieure, avec une gamme de sentiments allant de la bouderie hargneuse au martyrologue en passant par le sacrifice. Louise est ainsi capable d'une violence soutenue, excercée continûment contre elle-même : c'est sa manière d'être vigilante à tout prix. Vigilante pour « achever l'ouvrage », c'est-à-dire « achever » le monde... ou elle-même. C'est l'intelligence pratique d'une perpétuelle enfance, qui se méfie de l'intuition et veut atteindre à la pure et dure logique. Reconnaissons-le : Louise est une austère femme-enfant, à la fois possessive et fuyante, soulevée de caprices et immensément sérieuse. Est-ce ce dernier trait qui la raréfie de nos jours?

LOUISETTE

(voir Louis)

LOUISON

(voir Bobet Louis)

LOUP

(Ellula, Leu, Lobo, Lope, Louve, Lovell, Lowell, Lua, Lupo, Uffe, Ulf, Wilf, Wolf, Wölfel, Wolfilo)

Couleur : le jaune.
Chiffre : le 9.
Signe associé : la Vierge.
Fête : le 29 juillet.

A éviter devant un nom de famille commençant par Ou, Lou.

Étymologie : du latin « lupus », ***loup,*** **renvoyant au germain « wolf », de même signification.**
Célébrités : Jean-Loup Dabadie; l'écrivain Jean-Loup Trassard; les photographes Jean-Loup de Sauverzac, Jean-loup Sieff; le premier spationaute français, Jean-Loup Chrétien.

Saint Loup (ou Leu) (383-478), époux de la sœur de saint Hilaire, se sépara de celle-ci après six ans de mariage et avec son plein accord afin d'entrer au monastère de Lerins après avoir distribué tous ses biens aux pauvres. Évêque de Troyes à partir de 426, saint Loup eut à faire à Attila, ses invasions, ses hordes ravageuses : il se proposa lui-même en otage pour éviter la mise à sac de Troyes, et Attila, touché par la grâce de Loup, épargna la cité et libéra son prisonnier en lui demandant de prier pour lui. Treize autres saints, dont un évêque de Sens (VIIe siècle) furent également des Loup. Au caractère, Loup est réputé intransigeant sur les principes et la morale, d'une intelligence vive, d'une intuition extrêmement fine; jouisseur et bon vivant, il cède çà et là à l'emportement colérique dès qu'il lui paraît que les principes auxquels il tient ont été peu ou prou bafoués. Homme d'action et de cœur, il est très vigilant sur le chapitre de l'amitié. Une belle sensibilité. A noter que Lupus était un nom fort en faveur à Rome, et la légende de Romulus et de Remus, allaités par une louve (lupa) y est vraisemblablement pour beaucoup, même si le latin *lupa* signifiait aussi bien *louve* que *prostituée* (sens que l'on trouve dans *lupanar*). Mais il se trouve que Loup, quant à lui, ne badine pas avec les principes, et que la fête des Lupercalia célébrait, toujours à Rome, la fin de la période d'hiver, et n'avait rien à voir avec des bacchanales, mais relevait au contraire de vieilles traditions sacrées. On ne trouve plus guère ce prénom que sous la forme composée de Jean-Loup, du moins en France, puisque Wolf, en Allemagne, est toujours un prénom usuel. Notons qu'au IVe siècle, la Bible y fut traduite pour les Goths en un savant mixage des écritures latine et runique, qui donna naissance à l'écriture dite gothique; l'auteur de cette traduction créatrice fut justement un certain Wulfile Ulfila.

Luc

(Laux, Louka, Loukama, Louki, Loukia, Loukina, Loutsi, Loutsian, Luca, Lucas, Luce, Lucetta, Lucette, Lucia, Lucian, Luciana, Lucide, Lucie, Lucien, Lucienne, Lucija, Lucile, Lucillien, Lucinda, Lucinde, Lucinien, Lucille, Lucio, Luciole, Lucius, Luck, Lucy, Lucyna, Lukas, Luke, Lux, Luz, Luzia, Luzei, Lutzele, Lützel, Zeia, Zeiete).

Couleur . l'orangé.
Chiffre : le 9.
Signe associé : le Taureau.
Fête : le 18 octobre.
A éviter avec un nom de famille commençant par une consonne dure, ou U.

Étymologie : du latin « lux », *lumière*.
Célébrités : le marquis (et écrivain) de Vauvenargues, qui s'appelait en réalité Luc de Clapiers; le poète Luc Bérimont; et le fameux Lucky Lucke, et l'incroyable Luc Balbont.

A Rome, les enfants nés avec l'aurore étaient souvent des Lucia, des Lucius. Quant à Lucifer, il est aussi de la famille, puisque également relié à *lux*, la lumière (étymologiquement parlant, il est l'ange « qui apporte la lumière »). Saint Luc, pour sa part, apporta le Troisième Évangile. Médecin païen d'Antioche, la rencontre de saint Paul bouleversera sa vie. On n'est pas sûr, en revanche, de sa mort : il aurait peut-être été martyrisé à Patras. Neuf autres saints et bienheureux furent des Luc, et parmi eux saint Luc le Jeune, ermite grec du xe siècle. Au caractère, Luc est un heureux personnage, qui livre au-dedans des combats tourmentés, mais qui sait vaincre et afficher beau fixe; c'est un doux, un tendre, un flegmatique. A chaque heure suffit sa peine, et demain n'est que demain – telle est sa philosophie implicite, et sa morale de chaque jour. Il affectionne l'amitié fraternelle et chaude, et se montre extrêmement sociable, affable et charmeur. Un tyran de tendresse.

Lucas

(voir Luc)

Luce

(Lucie, Lucette, Lucile, etc... voir Luc)

Couleur : l'orangé.
Chiffre : le 5.
Signe associé : les Gémeaux.
Fête : le 13 décembre.
A éviter devant un nom de famille commençant par U, S.

Étymologie : voir LUC.
Célébrités : l'opéra de Donizzetti, tiré du roman de Walter Scott *Lucie de Lammermoor; Lucinde,* du romantique allemand Friedrich Schlegel (1772-1829).

On sait seulement de sainte Lucie qu'à Syracuse on la mit à mort, mais dix-huit autres saintes et bienheureuses furent des Lucie et des Luce. Au caractère, Luce se révèle piquante et vive, avec un humour acéré, une intelligence aiguë. Elle respire le charme, sait se battre pour ses amitiés, ses choix, ou ses désirs. En dépit de quelques sautes d'humeur, elle sait garder cette élégance de l'esprit qui fait toute sa classe. Une grande dame, qui tend à disparaître de nos jours, avec Lucette, Lucile et même Lucie. Avec elles, avec leur éloignement, c'est un peu de la lumière qui se voile.

LUCIEN

(Lucian, Luciano, Lucienne, Luciana, etc... voir Luc)

Couleur :l'orangé.
Chiffre : le 1.
Signe associé : le Lion.
Fête : le 7 janvier.
A éviter devant un nom de famille commençant par In.
Étymologie : du latin « lux », ***lumière, comme*** **Luc.**
Célébrités : trois papes; le philosophe grec du IIᵉ siècle Lucien de Samosate; ***Lucien Leuwen*** **(1855), de Stendhal; Lucien Bonaparte; Lucien Guitry; le coureur cycliste Lucien Aymar, vainqueur d'un Tour de France, le dessinateur Lucien Sempé.**

Saint Lucien (III-IVᵉ siècles) fut le premier traducteur de la Bible en grec; il fut mis à mort sous Dioclétien, tandis qu'un autre saint Lucien évangélisait la Gaule, toujours sous Dioclétien, qui fit décapiter également celui-là. Et sept autres saints et bienheureux furent des Lucien. Au caractère, Lucien a l'art, sans paraître y toucher, de ramener la couverture à soi : cet homme de cœur a besoin d'attention, de compréhension, d'amour. C'est qu'il voit large, et généreusement; calme, attentif au monde, d'une intelligence lente mais profonde, curieux et doué d'une puissante mémoire, il a du flair et rêve d'harmonie sur terre. Une pointe d'anxiété, un dynamisme plutôt retenu constituent ses points faibles, mais cet être terrien et sociable sait se resourcer à la campagne, où il est plus à l'aise. Lucienne (orangé, 2, Balance) est réputée pour être l'élégance même, danse du corps et feu de l'esprit; elle séduit, évidemment! Ou plutôt elle séduisait, puisqu'elle se fait discrète de nos jours, plus encore que Lucien.

LUCIENNE

(voir Lucien)

LUCRÈCE

(Crezia, Loukretsia, Lucrecia, Lucrecio, Lucretia, Lucrezia, Lucrezio, Lukretia)

Couleur : le bleu.
Chiffre : le 4.
Signe associé : le Capricorne
Fête : le 15 mars.

A éviter devant un nom de famille commençant par S, Ré.

Étymologie : du latin « lucrator », *qui gagne.*

Lucrèce, la vertueuse épouse de Tarquin Collatin célébrée par Shakespeare, se poignarda magistralement : il en résulta un soulèvement des Romains, qui balayèrent les Tarquins. Revenu en faveur avec la Renaissance, ce prénom s'éclaire de la grande figure de Lucrèce Borgia (1480-1519), fille du pape Alexandre VI, toute en beauté, charme et intelligence, qui protégea et encouragea les lettres, les sciences et les arts. Il faut dire qu'au caractère, cette Borgia est une Lucrèce-type : la séduction même, au cœur comme à l'esprit, et avec ça opiniâtre et ne répugnant pas au travail et à l'effort soutenu; étrangement, cette séductrice est très sérieuse, et son humour, par contraste, désarçonne souvent. La femme ultime? Elle est rare, nécessairement.

LUDMILLA

(Ludmila, Ludmille, Mila, Milena, Milina, Militza)

Couleur : le violet.
Chiffre : le 3.
Signe associé : la Vierge.
Fête : le 16 septembre.
A éviter devant un nom de famille commençant par A, L, La, Al.
Étymologie : du vieux slave « ljudumilu », *aimé de son peuple,* ou encore du germain « liut », *peuple,* et « mundo », *protection* - ce qui revient sensiblement au même.

Sainte Ludmilla (859-921, ou 927) fut la grand-mère de saint Wenceslas; elle mourut assassinée par les soins de sa belle-fille, mais est devenue la sainte patronne de la Bohême. Prénom porté essentiellement en Europe centrale et en Russie, Ludmilla, pour nous, est évidemment la sublime Tchérina (ci-contre). Ludmilla, prénom si rare qu'il est le seul, peut-être, dont il ne faille rien dévoiler, afin de ne pas troubler l'ascension de sa danse.

LUDOVIC

(voir Louis, dont Ludovic est une forme ancienne)

Couleur : le bleu.
Chiffre : le 5.
Signe associé : le Lion.

A éviter devant un nom de famille commençant par une consonne dure.
Étymologie : voir Louis.
Célébrités : un duc de Milan, Ludovic Sforza dit Le More; les écrivains Ludovic Halévy, Ludovic Janvier.

LUTGARDE

Couleur : le violet.
Chiffre : le 7.
Signe associé : le Capricorne.
Fête : le 16 juin.
A éviter devant un nom de famille commençant par D, R.
Étymologie : du germain « liut », *peuple*, et « gard », *maison*.

Ainsi ce prénom médiéval évoque-t-il une maison du peuple. Sainte Lutgarde, elle, eut des visions du Christ en Croix et une vie de silence et d'humilité chez les cisterciennes d'Aywières, en Belgique – et sainte Lutgarde n'entendait point le belge. Au caractère, c'est une sérieuse-née. De ce sérieux, elle tire sa faculté de distance, et du haut de cette distance, elle voit, et elle voit loin. Parfois, inexplicablement, elle sourit.

LES PRÉNOMS EN URSS

Si la Révolution d'octobre a fait tomber en désuétude l'appellation de *Monsieur, Madame,* au profit de *Camarade* ou *Citoyen,* elle n'a rien changé au plan de l'usage des prénoms. A ceci près toutefois qu'une vogue de prénoms « politiques » y est apparue, qui a eu ses heures de gloire jusqu'à la dernière guerre mondiale avant de céder définitivement le pas à un retour aux prénoms traditionnels. Ainsi, entre 1917 et 1940, on a pu voir des Marlen qui n'étaient pas une contraction de Marie-Hélène, mais de *Mar*xisme-*Lén*inisme, des Vilen (*V*ladimir *Il*litch *Lén*ine), ou des Mélo (Marx-Engels-Lénine-Octobre). En fait, l'attribution des prénoms est là-bas semblable à ce qui se passe chez nous, si ce n'est que les Russes ont un seul prénom, suivi d'un patronyme et du nom de famille. Ainsi :

Ivan	**Nikolaïevitch**	**Popov :**
prénom	**patronyme (nom du père + suffixe evitch/ ovitch)**	**nom de famille**

sa sœur : Natacha Nikolaïevna Popov.
son fils : Vladimir Ivanovitch Popov.

Certains prénoms sont d'usage traditionnel dans une même famille, qui souvent n'en utilisent que deux ou trois au fil des générations. Combinés avec les patronymes, ils aboutissent ainsi à de curieux « retours d'identité », l'arrière petit-fils se confondant avec son grand ancêtre :

fils : Alexandre Alekseïevitch.
père : Alekseï Petrovitch.
grand-père : Piotr Alexandrovitch.
arrière grand-père : Alexandre Alekseïevitch.

Il est intéressant de noter que la forme la plus polie, et même la plus respectueuse, pour s'adresser à quelqu'un, est de l'appeler par son prénom et son patronyme; les élèves appellent ainsi leur professeur. De surcroît, dès qu'une relation un tant soit peu intime ou affectueuse s'établit entre deux personnes, le prénom se voit immédiatement modifié grâce à un système de diminutifs (à l'aide de suffixes et d'autres transformations) qui marquent le degré de familiarité ou d'affection :
Ivan devient Vania, puis Vanioucha, Vanetchka, Vaniok.
Vladimir devient Volodia, Dima.
Nikolaï devient Nikolka, Kolia, Nikolacha, Nikoussia, etc.

Il peut y avoir ainsi plus d'une quinzaine de dérivés, dont certains à nuance ironique (Ivanouchka pour Ivan). Enfin, il existe une forte tendance à russifier les prénoms étrangers au moyen de ce genre de suffixes : Bernard deviendra Bernardtchik, Danièle, Danilka.

Mais les racines des prénoms russes sont de quatre origines principales, à savoir : latine (Modest, qui vient de Modestus); grecque (Piotr, venant de Petra; Vassili, venant de Basileus; Nikolaï, de Nikolaos; Fiodor, de Theos); hébraïque (Ivan, de Ioann, Iahve; Issaï, de Isaïe); et slave (Vladimir, « le Maître du Monde »; Mstislav, « le Vengeur »; Sviatoslav, « le Glorieux »). La liste suivante donne un aperçu des prénoms russes les plus courants (on remarquera que les prénoms féminins ont des terminaisons en *a*, de même que les diminutifs des prénoms masculins : Vassili devient, affectueusement employé, Vassia).

féminins	**masculins**
Arina.	**Afanassi (Athanase)**
Arkadia.	**Boris.**
Bella.	**Dimitri, Dmitri.**
Daria.	**Fedor, Fiodor (Théodore).**
Emma.	**Foma (Thomas).**
Galina.	**Gavrila (Gabriel – rare).**
Ksenia.	**Georgi (Georges).**
Lidia.	**Grigori (Grégoire).**
Ludmilla.	**Iaroslav (en désuétude).**
Marina.	**Igor, Egor.**
Nadejda.	**Ilya (Elie).**
Nikita.	**Innokenti (Innocent).**
Natacha (Nathalie).	**Youri (Georges).**
Nina (Ninotchka).	**Ivan.**
Olga.	**Kondrati (du latin quadratus).**
Poulkheria.	**Konstantin.**
Praskovia.	**Liev (Léon).**
Sonia (Sophia).	**Matvéi (Matthieu).**
Varvara (Barbara).	**Modest.**
Vera (la foi).	**Mstislav (le Vengeur).**
Zinaïda.	**Nikita.**
Zoïa (Zoé).	**Oleg.**
	Ossip, Iossif.
	Ovidi.
	Pavel (Paul).
	Prokhor.
	Semion.
	Sviatoslav (le Saint).
	Vassili (Basile; diminutif Vassia).
	Viatcheslav (Wenceslas).
	Vladimir.
	Vladislav.
	Vsevolod (l'Omnipotent).
	Zakhar (Zaccharie).

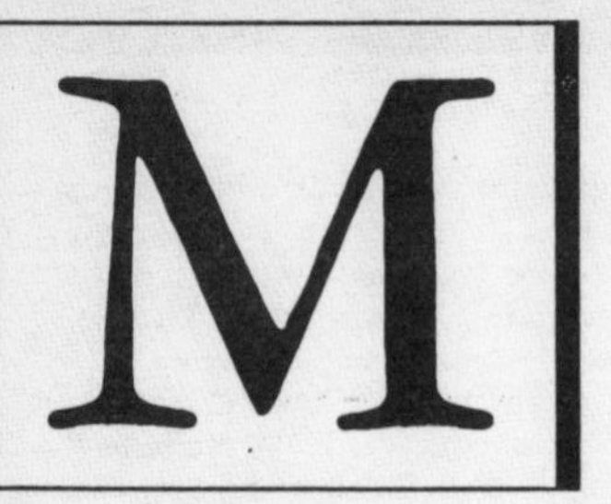

Madeleine

Alena, Mada, Madalen, Madalena, Maddalena, Maddie, Maddy, Made, Madel, Madelaine, Mädeli, Madelin, Madeline, Madella, Madelle, Madelon, Mädi, Mädli, Madlen, Madlin, Mado, Magda, Magdala, Magdalen, Magdalena, Magdalene, Magdelaine, Magdelène, Magel, Maggeline, Maggy, Magl, Maighdlin, Mala, Malena, Malina, Marleen, Marlène, Marline, Marylène, Maud)

Couleur : le violet.
Chiffre : 5.
Signe associé : le Lion.
Fête : le 25 mai.

A éviter devant un nom de famille commençant par un N.
Étymologie : de « Magdala » (aujourd'hui Medjel – de l'hébreu « migdal », *tour),* au nord de Tibériade; Magdala était le village d'où venait Marie la Magdaléenne, autrement dit Marie-Madeleine, la célèbre prostituée qui, repentie, fut une disciple assez fervente de Jésus pour être la première à le voir et lui parler après sa résurrection. Si une vingtaine de saintes et de bienheureuses furent des Madeleine, c'est assurément Marie-Madeleine qui est la figure de proue de ce prénom. La vogue de celui-ci ne s'est pratiquement jamais démentie depuis le XIᵉ siècle, et dans toute l'Europe. La forme allemande Magdalena (ou Magda), plus proche de l'étymologie, s'est répandue au XIXᵉ siècle grâce, notamment, à la pièce de Hebel *Maria Magdalena* (1844).
Le petit gâteau qui illumina Proust, la fameuse madeleine, porte le nom de la cuisinière qui l'a conçu, Madeleine Paulmier, il y a un siècle.
On « pleure comme une madeleine » en référence aux larmes qui assaillirent Marie-Madeleine à la vision de ses égarements d'antan, qu'on essaie d'oublier de part et d'autre du Rhin en entonnant d'une guerre à l'autre *La Madelon* et *Lili Marleen.*
Célébrités : Madeleine de France, régente de Navarre; la marquise de Parabère, Mademoiselle de Scudéry, Madame de la Fayette furent des Madeleine, tout comme les actrices Madeleine Robinson et Madeleine Renaud.

Et qu'en dit-elle, Madeleine, de Madeleine?
« Que je suis une bombe, excessive, affectueuse, possessive, orgueilleuse, colérique, avec une intuition de pythonisse et une intelligence à l'emporte-pièce, à la hussarde, à l'émotion violente, au dynamisme intarissable, et ma chance fait la cour à mon charme, de sorte que, pour tout dire, j'ai ce qu'on appelle de la santé! Tellement sociable que j'ignore les limites de la séduction et de la volonté – pour moi c'est la même chose –, tellement passionnée, démon ou ange, c'est parfois tout comme, tellement généreuse que mes dévouements sont ma réussite, et je suis celle qui réussit. Je danse et je mesure, je vibre et je calcule, je ris et je me tais. Voulez-vous vivre la vie des volcans? Alors rencontrez-moi. J'ai l'énergie du séisme, et la pureté du vent. Je vous bouleverserai. »

MAGALY

(forme provençale de Marguerite – voir Marguerite)

Couleur : le vert.
Chiffre : le 7.
Signe associé : les Gémeaux.
A éviter devant un nom de famille commençant pat I, L, Il, Li.
Étymologie : voir Marguerite.
Célébrité : l'actrice Magali Noël.

MAÏTÉ

(voir Marie)

MAËL, MAÏLYS

(Maëla, Maëlan, Maëlennig, Maëlezig, Maëlig, Maëliss, Maÿliss)

Couleur : le bleu.
Chiffre : le 2.
Signe associé : les Gémeaux.
Fête : le 13 mai.
A éviter devant un nom de famille commençant par L, El.
Étymologie : du vieux-breton « maël », *chef, prince,*

Saint Maël vécut au vᵉ siècle entre la Bretagne et le Pays-de-Galles, où un culte lui est spécialement consacré dans le comté de Marioneth, à Corwen. Il fut l'ami de Saint Cadfar (ou Kavan) et c'est le dimunitif breton de Maël, Maëlig, qui est à l'origine de Maëliss et Maïlys, qui passe ainsi à tort pour un concentré de Marie-Lise. Beau prénom, qui nous revient du fond des âges avec la vogue actuelle des prénoms régionaux bretons, il a donné lieu au magnifique livre d'Yves Buin, *Maël.*

MALCOLM

(Malcolmina, Malcomle)

Couleur : le rouge.
Chiffre : le 7.
Signe associé : le Sagittaire.
A éviter devant un nom de famille commençant par M, L, Ol, Om.
Étymologie : du gaélique « maol Colium », *disciple de Colomban.*

Prénom parfaitement écossais, Malcolm maintient vivace le souvenir de saint Colomban (VI-VIIᵉ siècles). Des souverains d'Écosse portèrent ce prénom, et notamment Malcolm III, dit « Canmore », c'est-à-dire « Grosse tête » (XIᵉ siècle). Courant de nos jours encore en Écosse, Malcolm est fortement soutenu par le génie d'*Au-dessous du Volcan*, l'écrivain Malcolm Lowry, et le poète visionnaire de l'Ile Maurice, Malcolm de Chazal.

MANUEL

(voir Emmanuel)

MANUELLE

(voir Emmanuelle)

MARC

(Celina, Céline, Célinie, Ianka, Marceau, Marcel, Marceli, Marcelia, Marcelin, Marcella, Marcelle, Marcellin, Marcellina, Marcellino, Marcello, Marcellus, Marchetto, Marchitta, Marcia, Marciana, Marciano, Marcie, Marcien, Marcienne, Marcile, Marcille, Marcio, Marcion, Marcionille, Marcius, Marco, Marcos, Marcus, Marcy, Marck, Mark, Marke, Markei, Markel, Markell, Markelline, Markian, Marko, Markoussia, Marks, Markus, Marquita, Marselis, Marsha, Marx, Marzel, Marzell, Marzella, Marzelline, Massia)

Couleur : le rouge.
Chiffre : le 8.
Signe associé : le Sagittaire.
Fête : le 25 avril.

A éviter devant un nom de famille commençant par une consomme dure.
Étymologie : du prénom latin « Marcus », lui-même renvoyant au grec « martikos », *consacré au dieu Mars.* Cette étymologie de Marc commande d'ailleurs toute la gamme des Marcel, Marcelle, Marcellin, Marcelline et autres Markos, Marcus ou Céline (diminutif de Marcelline).
Célébrités : Marc-Antoine; Marc-Aurèle; Marco Polo; Mark Twain; Marc Chagall; Marcus Tara; et les écrivains Marc Bernard, Marc de Smedt.

Saint Marc nous a laissé un Évangile; il n'était pas du nombre des Apôtres, mais Pierre le protégeait, et il semble qu'il ait assisté à la scène du jardin de Gethsémani où Jésus fut arrêté; plus tard, il rencontra saint Paul et saint Barnabé, et évangélisa en leur compagnie; on le vit entre Rome et Alexandrie répandre sa parole; Trajan l'a peut-être envoyé au martyre; ses reliques furent rapportées par des Vénitiens, et Saint-Marc de Venise, dont il est le patron, lui est consacré. Une trentaine d'autres saints et bienheureux dont un pape du IVᵉ siècle, furent des Marc. Au caractère, il est par excellence celui qui se jette des défis, et les relève. Très intelligent, exigeant, tenace, il expérimente et approfondit sans trêve, qu'il s'agisse de métaphysique ou d'action « sur le terrain ». « Toujours plus avant » pourrait être sa devise, et il sait faire reculer ses propres limites. Une volonté lumineuse.

MARCEL

(voir Marc)

Couleur : l'orangé.
Chiffre : le 7.
Signe associé : le Capricorne.
Fête : le 16 janvier.

A éviter devant un nom de famille de famille commençant par L, El, Cel.
Étymologie : voir Marc.
Saint Marcel Ier fut pape au III-IVe siècle, sous le règne de Maxence, qui l'envoya en exil. Dix-huit autres saints et bienheureux furent des Marcel.
Célébrités : deux papes; Marcel Proust; Marcel Pagnol; Marcel Aymé; Marcel Jouhandeau et Marcel Carné; Marcel Amont; Marcel Cerdan; Marcello Mastroianni; Marcel Duhamel, initiateur à la Série Noire; et l'auteur de *La Mariée mise à nu par ses Célibataires, même,* le peintre joueur d'échecs Marcel Duchamp.

A la lumineuse volonté de Marc, Marcel ajoute la secrète angoisse, l'affectivité aux aguets, la crainte de l'abandon, du rejet, de l'oubli : sans doute n'en forge-t-il que mieux l'art de se rendre indispensable. Fin, intuitif, il sait se faire entendre avec force, dominer ses colères, et user d'une insolente réserve d'énergie. Sa chance aussi est insolente, et notre homme est infatigable, même si les Marcel se font plus rares depuis une vingtaine d'années en France.

MARCELLE

(voir Marc)

Couleur : l'orangé.
Chiffre : le 6.
Signe associé : les Poissons.
Fête le 31 janvier.

A éviter devant un nom de famille commençant par L, El, Cel.
Étymologie : voir Marc.
Célébrité : le peintre Marcelle Loubchansky; la *Lettre à Marcella,* de Porphyre.

Jeune et riche veuve romaine, sainte Marcelle fut une disciple de saint Jérôme, sous les conseils duquel elle fonda une communauté charitable de pieuses femmes romaines, aux IVe-Ve siècles. Avant de rendre l'âme, elle fut témoin de la mise à sac de Rome par les Goths du terrible Alaric. Deux autres saintes furent également des Marcelle. Emotive, anxieuse, et tellement désireuse de dévouement, d'harmonie, d'amour, Marcelle est pourvue d'une volonté inentamable, et sa vigilance est permanente. Sa vitalité est plus forte qu'elle ne le croit elle-même, ainsi que sa raison, synthétique, rapide; très sociable ou très peu, selon des dispositions qui n'appartiennent qu'à elle, elle va au plus précis en posant, par l'attitude comme par la parole, la question du bonheur à ceux qui l'approchent. « Êtes-vous heureux? » est sa première préoccupation; pour elle, c'est selon, mais elle agit.

MARCELLIN

(voir Marcel et Marc)

Couleur : l'orangé.
Chiffre : le 6.
Signe associé : le Bélier.
Fête : le 6 avril.
A éviter devant un nom de famille commençant par In, Lin.

Saint Marcellin fut exorciste; mais Dioclétien était impie; et saint Marcellin eut le chef tranché, en 304.
Célébrité : l'écrivain contemporain Marcelin Pleynet.

MARCELLINE

(voir Marcelle et Marc)

Couleur : l'orangé.
Chiffre : le 2.
Signe associé : le Taureau.
Fête : le 17 juillet.

A éviter devant un nom de famille commençant par Inn, Lin.

Sœur de saint Ambroise, sainte Marcelline (IVe siècle) fut un modèle de pureté, de piété et de vertu; le pape Libère ne s'y trompa nullement, et lui remit le Voile des Vierges.
Célébrité : la poétesse Marcelline Desbordes-Valmore (1786-1859).

MARGUERITE

(Daisy, Greda, Gredel, Greet, Greta, Gretchen, Grete, Gretel, Grethel, Gretus, Grietje, Guite, Madge, Mag, Magali, Maggi, Maggie, Maggy, Maguelone, Maidie, Mairead, Mairghread, Maisie, Maka, Marga, Margalo, Margaret, Margareta, Margaretha, Margarethe, Margaretus, Margaretta, Margarette, Margarita, Margaritka, Marge, Margerie, Margery, Marget, Märget, Margette, Margie, Margit, Margo, Margotton, Margory, Margouchka, Margrethus, Margrieta, Margrit, Marguerie, Marguerita, Marhaïd, Marharid, Marjorie, Marjory, Meg, Meta, Mog, Pegg, Peggie, Peggy, Rita, Ritocha)

Couleur le vert :
Chiffre le 9.
Signe associé : le Capricorne.
Fête : le 16 novembre.
A éviter devant un nom de famille commençant par T, D, Id, It.
Étymologie : du persan « margiritis » au latin « margarita » en passant par le grec « margiritis », Marguerite est une *perle* et non une fleur. C'est ensuite que cette fleur fut appelée « marguerite », puisque, fermée, elle ressemble à une perle.
Sainte Marguerite d'Antioche, qui suscita une grande ferveur populaire dans tout le Moyen Age européen, est supposée avoir proprement étranglé un dragon à l'aide de sa ceinture. Près d'une vingtaine de saintes et bienheureuses furent des Marguerite, dont sainte Marguerite, reine d'Écosse, épouse de Malcolm III, au XIe siècle, sainte Marguerite de Cortone (1247-1297), ex-débauchée qui expia volontairement ses errements dans une ascèse d'une terrible austérité, et sainte Marguerite-Marie Alacoque (1647-1690) visionnaire du Cœur de Jésus.
Dès l'époque des Croisades, le prénom de Marguerite a déjà fait le tour de tous les pays d'Europe, où, de Margarete et Gretel, Gretchen (Allemagne), à Griet (Pays-Bas) ou

Margaret, Marjorie (Écosse) ou encore Magali (Midi Méditerranéen) et autres Margit (Suède), Margot et Margotton (France), elle n'a cessé de s'imposer.
Célébrités vraiment royales : une reine de France, Marguerite de Provence, épouse de Louis IX, c'est-à-dire de Saint Louis; une duchesse de Bourgogne, épouse de Charles le Téméraire, Marguerite d'York; une reine de Danemark; une impératrice d'Allemagne; une impératrice latine d'Orient; trois comtesses de Flandre; deux reines d'Écosse; deux reines d'Angleterre; une reine d'Italie; deux reines de Navarre; deux gouvernantes des Pays-Bas; l'héroïne du *Faust* de Gœthe; et les écrivains contemporains Marguerite Duras et Marguerite Yourcenar.

Qu'en dit-elle, d'elle-même, Marguerite?
« Marguerite a beau être un prénom fort courant, je n'en suis pas moins insaisissable. J'ondoie, j'ondule, je charme, je suis une femme-enfant à la psyché électrisée : timide et colérique, instable et fulgurante, rêveuse et dévouée, prompte à l'action comme à la parole, je cultive une intuition aiguë et un monde idéal où je suis la détentrice des secrets perdus. J'aime que l'on m'aime et me dorlote, ma volonté est capricieuse, et j'ai besoin d'amis, de famille et de sécurité. Qui sait, sans cela, où mes coups de tête m'emporteraient! Quand je pense que vingt Marguerite ou presque furent des saintes, vraiment, vraiment!...»

MARIANNE

(Marian, Mariana, Mariane, Marianna, Mariano, Marien, Marianka, Marius, Marjan)

Couleur : le bleu.
Chiffre : le 3.
Signe associé : le Verseau.
Fête : le 17 février.
A éviter devant un nom de famille commençant par N, Ann.
Étymologie : du nom d'une famille romaine, Marius, ou de celui de Marianne, épouse infortunée d'Hérode le Grand, qui occit sa femme; on avance également l'hypothèse selon laquelle Marianne serait un précipité de Marie-Anne.
Si Marianne, chez les Anglais, désigne familièrement la guillotine, elle est chez nous le nom de la République : grâce à Mazzini et Ledru-Rollin, qui, après le coup d'Etat de Louis-Napoléon Bonaparte du 2 décembre 1851, créèrent une société secrète d'inspiration républicaine : son mot de passe : « Marianne ».

Au caractère, Marianne est réputée virtuose de la contradiction interne, et farouchement décidée à ne pas se laisser dominer, ni par les hommes ni par quoi que ce soit. Tout un programme.
Célébrités : la République, donc, et sainte Marianne, sœur de saint Philippe, peut-être mise au martyre au Ier siècle.

MARIA

(voir Marie)

MARIE

(Maai, Maaia, Mae, Maei, Mair, Maja, Mall, Mally, Manioussa, Manon, Mara, Marei, Mareïa, Mari, Maria, Mariam, Marica, Marichka, Marie-

del, Marieke, Mariella, Marielle, Marietta, Mariette, Marig, Marija, Marinella, Marinette, Mariola, Mariouchka, Mariquita, Marisa, Marise, Marita, Marjelle, Maroussia, Maruja, Maruska, Maryse, Marzel, Maureen, May, Maya, Mia, Miempie, Minnie, Miriam, Mirzel, Mitzi, Moïra, Moll, Molly, Moyra, Miureall, Muire, Myra, Myriam)

Couleur : le bleu.
Chiffre : le 1.
Signe associé : le Sagittaire.
Fête : le 1er janvier.
A éviter devant un nom de famille commençant par I, Rie.
Étymologie : de l'hébreu « mar », *goutte*, et « yâm », *mer;* ou encore de l'hébreu « myriam », *voyante, dame.*
Célébrités innombrables, où l'on rencontre huit reines de France et une impératrice (Marie-Louise), huit reines d'Espagne, une reine des Belges, deux reines d'Écosse, deux impératrices byzantines, trois reines d'Angleterre, cinq reines du Portugal, deux impératrices de Russie, deux reines de Sicile, une reine de Naples, une reine de Hongrie, une reine de Pologne et Marie de France, poétesse du XIIe siècle, Marie Mancini, passion folle de Louis XIV, mise à l'écart par Mazarin, et Marie de Rabutin-Chantal *alias* Marquise de Sévigné, ainsi que Marie Noël, la poétesse d'Auxerre, et Marie Curie, la chercheuse du radium; Maria Callas, la cantatrice; Marie Susini, l'écrivain; Maria Schell, l'actrice.

Qui ne connaît, dans nos régions, croyant ou pas, la Vierge Marie? Pourtant, l'étymologie n'est pas sûre, et une bonne soixantaine de traductions furent proposées pour l'énigmatique Myriam, et Marie, pendant ce temps, rayonne toujours. Devant elle baissons les yeux, ainsi que devant les cent dix saintes et bienheureuses Marie qui lui ont succédé, et allons droit à ce prénom si hautement célèbre et répandu qu'encens et anecdotes n'ajouteraient rien à sa gloire.
Prénom puissant et beau, Marie, au caractère, défie les épithètes : émotive, rapide, active et aussi colérique, incisive, susceptible et décidée, tenace à l'effort, mais aussi à la tendresse, à l'amour, à la volonté inflexible; introvertie, intelligente, réaliste, discrète et protectrice, possessive, attentive, maternelle; pleine de fraîcheur et de foi, rayonnante, voire magnétique et avec ça simple et fidèle, courageuse, forte, généreuse : tous ces qualificatifs montent vers elle, qui les domine de haut.

MARIELLE

(voir Marie)

Couleur : le bleu.
Chiffre : le 3.
Signe associé : le Verseau.
A éviter devant un nom de famille commençant par L, El.
Étymologie : voir Marie.
Célébrité : à défaut de sainte Marielle, inconnue chez les bienheureux, Marielle Goitschel, ex-championne de ski connue chez tous les autres.

MARIETTE

(voir Marie)

Couleur : le bleu.
Chiffre : le 1.
Signe associé : les Poissons.
A éviter devant un nom de famille commençant par E.

Marin, Marine

(Marina, Marinette, Marini)

Couleur : le bleu.
Chiffres : le 2, le 7.
Signe associé : le Verseau.
A éviter devant un nom de famille commençant par In, Inn, Rin.
Étymologie : du latin « marinus », marin.

Marin, en évocation ou en actes, a fait son apparition comme nom avec les Romains. Saint Marin (IVe siècle) taillait la pierre en toute limpidité d'esprit lorsqu'il dut se résoudre à se retirer sur la montagne, histoire d'échapper aux assauts encombrants d'une femme qui se disait son épouse. Sur l'ermitage de saint Martin fut érigé un monastère et autour de celui-ci une ville, Rimini, ainsi que la plus petite république possible, celle de San Marin précisément. Marina, Marine, Marinette peuvent aussi être reliées à Marie; la Bourgogne apprécia longtemps Marine. Au caractère, Marin se signale par sa volonté, son intellect, son goût de l'action et sa générosité; Marine est émotive, hyper-intuitive, affectueuse et chipie, sociable et ironique et son élan lui jaillit du cœur. Ces prénoms, assez rares de nos jours (surtout Marin) se retrouvent dans de nombreux patronymes.

Marion

(voir Marianne)

Couleur : le bleu.
Chiffre : le 7.
Signe associé : le Bélier.
Célébrité : Marion Delorme.

Marius, Mario

(voir Marianne)

Couleur : le bleu.
Chiffre : le 9.
Signe associé : la Balance.
A éviter devant un nom de famille commençant par U, S, Us.
Étymologie : voir Marianne.

Saint Marius (IIIe siècle) fut, selon la légende, un noble persan passé au christianisme; installé avec sa famille à Rome, il aurait été conduit au martyre avec les siens sous Claude II le Gothique. Le général romain Marius fut sept fois consul, et l'ami d'Olive affirme que ce n'est pas une histoire marseillaise ou pagnolesque; et puis, il y a maintenant le footballeur Marius Trésor.

MARJORIE

(voir Marguerite)

Couleur : le vert.
Chiffre : le 8.
Signe associé : la Vierge.

A éviter devant un nom de famille commençant par I, Ri.

MARLÈNE

(voir Madeleine)

Couleur : le jaune.
Chiffre : le 5.
Signe associé : les Poissons.

A éviter devant un nom de famille commençant par N, Enn.
Célébrités : Marlène Dietrich, Marlène Jobert.

MARTHE

(Mara, Marfa, Marfenia, Marfoucha, Mart, Martella, Martha, Martie, Martita, Marty, Mat, Mattie, Matty)

Couleur : le bleu.
Chiffre : le 2.
Signe associé : le Capricorne.
Fête : le 29 juillet.

A éviter devant un nom de famille commençant par I.

Étymologie : de l'araméen « mâr , *seigneur* ou encore de l'araméen « marta », *dame, maîtresse.*
Célébrités : Marthe Richard, Marthe Mercadier, Martha Washington, épouse de George. Sainte Marthe, enfin, est devenue la patronne des hôteliers et aubergistes.

Sœur de Marie-Madeleine et de Lazare, sainte Marthe aurait passé la fin de ses jours en Provence, du moins selon la légende. Reste qu'à Tarascon, et bien avant Tartarin, puisqu'au XIIᵉ siècle, on aurait découvert les reliques de sainte Marthe, qui est restée longtemps très populaire dans le Midi. Il est vrai que sainte Marthe aurait quasiment été à l'origine de la ville de Tarascon, puisque sa renommée lui attribue également la victoire, en ces lieux, sur un dragon nommé Tarasque. Au caractère, Marthe est une patiente, une calme, une attentive; elle observe et médite, elle tient ses distances et *sa* distance, et ne se laisse que très fugitivement distraire de son sérieux – mais alors, quelle fraîcheur, quel pétillement, quelle ironie! Elle se fait cependant rarissime de nos jours en France.

Martial

(Mars, Marsal, Mart, Martiane, Martialis, Martieh, Marziale)

Couleur : le vert.
Chiffre : le 2.
Signe associé : le Verseau.
Fête : le 30 juin.
A éviter devant un nom de famille commençant par L, Al.
Étymologie : du latin « martialis », ***consacré au dieu Mars,*** **ou encore du latin « martius »,** ***guerrier.***
Célébrités : le peintre contemporain Martial Raysse; le jazzman Martial Solal.

Évêque de Limoges au IIIe siècle, saint Martial, porteur, dit-on, du bâton miraculeux de saint Pierre, y évangélisa. Six autres saints et bienheureux furent des Martial, mais quant à eux martyrisés. Un poète latin du Ier siècle fut aussi un Martial, tout comme l'écrivain des XV-XVIe siècles Martial d'Auvergne. Des fouilles ont, il y a peu, mis à jour à Limoges, dont il est le patron, la tombe de saint Martial. Longtemps tombés en désuétude, les Martial et Martiane retrouvent de nos jours quelque faveur. Au caractère, ce « guerrier », ce « disciple de Mars » est un esprit vigoureux, indépendant, ennemi des habitudes et conventions sclérosantes et sclérosées. Sociable, généreux, infatigable, il passe et il nettoie, comme le grand vent.

Martin, Martine

(Maartina, Marcin, Martainu, Martel, Märtel, Märten, Märti, Marti, Martie, Martijn, Martina, Martinian, Martiniana, Martiniano, Martinianus, Martinien, Martinienne, Martino, Martinus, Martl, Marton, Martsen, Marty, Matten, Mertens, Mirtel)

Couleur : le jaune.
Chiffres : le 3, le 8.
Signe associé : les Poissons.
Fêtes : le 11 novembre, le 30 janvier.
A éviter devant un nom de famille commençant par In, On ou Inn.
Étymologie : du latin « martinus », ***petit Mars,*** **ou « martius »,** ***guerrier.***
Célébrités : cinq papes; le roi d'Aragon Martin l'Humaniste; le roi de Sicile Martin le Jeune; Martin Luther (ci-contre), bien sûr; le leader noir américain assassiné Martin Luther King; le philosophe contemporain Martin Heidegger; et Martine Carol.

Sainte Martine, patronne de Rome, fut conduite au martyre au IIIᵉ siècle. Saint Martin, quant à lui (315-397), vint de Hongrie, où il naquit, à Tours, où il officia en sa qualité d'évêque. C'est à Amiens qu'il donna la moitié de son manteau à un miséreux. Immensément vénéré, patron de tout le royaume mérovingien, sa popularité battit tous les records au Moyen Age, et plus de trois mille chapelles et églises de France lui sont dédiées. Son tombeau, à Tours, est devenu lieu de pèlerinage. Vingt-six autres saints et bienheureux portent son nom. Le mot de « chapelle » vient droit de son manteau : c'était le lieu où on conservait celui-ci, la « chape » (en latin populaire « capella » signifie *manteau).* L'île de la Martinique doit son nom à la date de sa découverte, le jour de la Saint-Martin de 1493, par Christophe Colomb. D'innombrables noms de famille, tels les Martineau, Martinez, Lamartine et autres Marti, Martinat, Martini ou Martens, témoignent de sa présence persistante dans toute l'Europe, même si Martin, comme prénom, est un peu passé de mode. Comme nom de famille pur et simple, on sait qu'il concurrence sérieusement les Dupond et Durand. Martine, elle, n'a pas perdu les faveurs des mairies et fonds baptismaux. Au caractère, Martin se signale par une intelligence subtile, une intuition frôlant spontanément la mystique et la vision puissante; on le dit fait pour une vie d'ermite, mais aussi, à cause de son aptitude à deviner quiconque, capable d'assumer un rôle brillant, dans une Église ou ailleurs. Martine, toute concentrée à l'intérieur d'elle-même, confirme cet aspect contemplatif et l'égaye çà et là d'un sens ludique souverain.

MARYLÈNE

(voir Madeleine)

MARYLIN

(voir Marie et Line)

Couleur : le bleu.
Chiffre : le 2.
Signe associé : les Poissons.
A éviter devant un nom de famille commençant par I, Inn.
Célébrité : Marylin Monroe.

MARYLISE

(voir Marie et Lise)

MARYVONNE

(voir Marie et Yvonne)

MARYSE

(voir Marie)

MATHILDE

(Machthild, Mafalda, Magteld, Mahaud, Mahault, Mahaut, Maitilde, Matelda, Mathida, Matilda, Matilde, Mattis, Matty, Mechte, Mechtelt, Mechthil, Meckele, Mectilde, Megtilda, Mektilde, Mettelde, Mettild, Metze, Telia, Tilda, Tillie)

Couleur : le jaune.
Chiffre : le 9.
Signe associé : le Lion.
Fête : le 14 mars.
A éviter devant un nom de famille commençant par L, D.
Étymologie : du germain « math », *puissance, honneur,* et « hild », *combat.*
Célébrités : une reine d'Angleterre, Mathilde, femme de Henri Ier; l'épouse d'un conquérant de l'Angleterre, Guillaume II le Bâtard, duc de Normandie : Mathilde (Mahaut) de France; l'épouse successive de l'empereur germanique Henri V, puis de Geoffroi V le Bel Plantagenêt, Mathilde; le fils de Geoffroy V et de Mathilde sera Henri II et cette Mathilde (qu'on appelait Mahaut) fut ainsi reine d'Angleterre après avoir été impératrice d'Allemagne; c'était au XIIe siècle; Mathilde (ou Mahaut) de Toscane (1046-1115) fit don d'une partie de ses états au pape Grégoire VII; c'est elle qui accueillit, à Canossa, le pape Grégoire VII et l'empereur germanique Henri IV, venu faire amende honorable aux pieds du pape; Mahaut de Flandre (XIe siècle) devint reine d'Angleterre et duchesse de Normandie par son mariage avec Guillaume Ier le Conquérant; la comtesse d'Artois, Mathilde, au XIVe siècle; la fille de Jérôme Bonaparte, la princesse Mathilde; *Heinrich von Ofterdingen,* l'ouvrage de Novalis (1802), *Mathilde Möhring,* le roman de Theodor Fontane, *Maud* (1855), le grand poème de Tennyson ont mis à l'honneur le prénom de Mathilde; ainsi que Wagner, avec Mathilde Wesendonek, et Jacques Brel, avec sa chanson, *Mathilde.*

Sainte Mathilde (890-968), épouse de Henri l'Oiseleur, roi de Germanie, consacra sa vie à ses cinq enfants, à la charité et à la prière. Son fils Otton Ier devenu le premier empereur germanique, et qui n'aimait guère sa mère, la contraignit à se réfugier dans un monastère de Westphalie, dont elle était d'ailleurs la fondatrice. Elle en fonda d'autres. Avant de rendre l'âme, elle connut le grand bonheur de pouvoir partir en paix, Otton revenu à de meilleures dispositions s'étant réconcilié avec elle. Comme prénom, Mathilde est en vogue depuis le haut Moyen Age européen, principalement en Allemagne et en France, et jouit de nos jours d'un notable succès. Mahaut, ancienne forme populaire de Mathilde, donnera naissance à Maud ou Maude. Au caractère, Mathilde est volontaire et dynamique, soucieuse de perfection dans ses réalisations; fort intelligente et fort sociable, active et avide de connaissance, c'est un être puissant et équilibré; on peut compter sur elle.

MATTHIAS

(voir Matthieu)

Couleur : le jaune.
Chiffre : le 2.
Signe associé : les Gémeaux.
Fête : le 14 mai.

A éviter devant un nom de famille commençant par A, S.
Étymologie : voir Matthieu.
Saint Matthias, disciple sans fêlure, remplaça Judas dans les rangs des Apôtres du Christ.

Célébrités : Mathias Ier Corvin, roi de Hongrie (1440-1490); un empereur germanique; Matthias Sandorf, héros de l'œuvre de Jules Verne.

MATTHIEU

(Maciej, Mades, Mat, Mata, Mateo, Mateusz, Matfrei, Mathias, Mathijs, Mathis, Matiaz, Matt, Mattalus, Matteo, Mattew, Matthaeus, Matthäus, Matthew, Matti, Mattias, Matvei, Mâtyâs, Mazé, Thiess, Tewis)

Couleur : le jaune.
Chiffre : le 7.
Signe associé : le Lion.
Fête : le 21 septembre.
A éviter devant un nom de famille commençant par U, Eu.
Étymologie : de l'hébreu « mattaï », *présent, don,* et « yâh », pour Iahvé, *Dieu.*

Célébrités : l'empereur byzantin Matthieu Cantuzène; le cardinal français Matthieu du Rémois; un chroniqueur arménien, Matthieu d'Edesse; le théologien italien Matthieu d'Acquasparta; l'évêque de Worms Matthieu de Cracovie; les poètes contemporains Matthieu Bénézet et Matthieu Messagier.

Saint Matthieu, auteur du premier Évangile, était publicain (collecteur d'impôts, percepteur) lorsque Jésus, à Capharnaüm, s'adressa à lui : « Suis-moi » dit-il, et Matthieu ferma son officine et le suivit; avant de s'engager définitivement avec Jésus, il donna un grand banquet pour les siens où Jésus n'hésita pas à se rendre; moyennant quoi les pharisiens grognèrent que Jésus fréquentait de drôles de gens, à quoi le Fils de l'Homme répondit ces mots célèbres : « Ce ne sont pas les bien-portants qui ont besoin du médecin, mais les malades; je ne suis pas venu appeler les justes, mais les pécheurs ». L'apôtre Matthieu serait mort martyr après avoir prêché en Palestine et en Éthiopie. Ce prénom est à l'origine de multiples noms de famille (Mathé, Mahieu, Matisse, Mathelin, etc.). Il pénétra en Angleterre avec la conquête normande (Matthew), alors que l'Allemagne lui a préféré Matthias. Au caractère, Matthieu est la rigueur patiente et sûre; il a le goût de l'ordre, de l'harmonie, de l'ingéniosité; sociable, affectueux et sensible, il ne se laisse pas décourager facilement. Une bonne nature.

MAUD, MAHAUT

(voir Mathilde)

Couleur : le vert.
Chiffre le 3.
Signe associé : le Taureau.

MAURICE

(Maur, Maura, Maurelius, Mauricia, Mauricette, Mauricio, Maurie, Maurilia, Maurin, Maurita, Maurits, Maurizia, Maurizio, Mauro, Maurus, Maury, Mavr, Mavra, Mavriki, Meurig, Meurisse, More, Moric, Moritz, Moris, Morrell, Morris, Seymour)

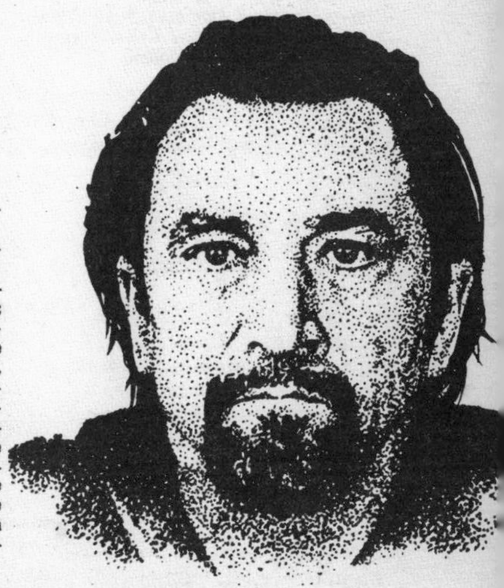

Couleur : le violet.
Chiffre : le 7.
Signe associé : le Capricorne.
Fête : le 22 septembre.
A éviter devant un nom de famille commençant par S, Is.
Étymologie : du latin « maurus », de Maurétanie, *Maure, Africain.*
Célébrités : un électeur de Saxe; un empereur byzantin; Maurice, Maréchal de Saxe; Maurice de Nassau, Stadhouser de Hollande; un poète du XIIIe siècle, Maurice de Craon; l'évêque de Paris Maurice de Sully, responsable de la construction de Notre-Dame; Maurice Maeterlinck; Maurice Ravel; Maurice Barrès; Maurice Thorez; Maurice Chevalier; Maurice Biraud; Maurice Genevoix; Maurice Blanchot; Maurice Béjart (ci-contre); Maurice Utrillo; Maurice Nadeau; Maurice Herzog, vainqueur de l'Annapurna en 1951, et premier homme à dépasser les 8 000 mètres en haute montagne.

Saint Maurice (IIIe siècle), vénéré par les Croisés, était un officier romain passé au christianisme; il fut massacré avec sa légion sur ordre de l'empereur Maximien : il avait refusé tout net de persécuter des chrétiens. Ce martyre ayant eu lieu dans le Valais donna naissance à la ville de Saint-Maurice; le saint est aussi le patron de la Savoie. Toute l'Europe a largement usé de ce prénom, et continue. Seymour, aussi bien nom de famille que prénom, est le résultat de l'adaptation anglaise de Saint-Maur. Au caractère, Maurice est un introverti qui cultive en secret la passion, la tendresse et l'amour, qu'il met au-dessus de tout. Mais quel remue-ménage intérieur! Vulnérable à sa propre émotivité, qu'il ne maîtrise guère, une volonté prompte à s'absenter, un dynamisme hésitant, attentiste, voilà les revers de sa médaille. Cependant sa séduction, son intelligence appliquée et inarrêtable, une intuition fulgurante lui font beaucoup d'amis; toute réunion amicale ou mondaine lui convient à merveille, et exalte en lui une générosité, une disposition à rendre service, à se dévouer, qui en font un être extrêmement sociable. Enfin, Maurice est un prudent attiré par le mystère, et peut aller jusqu'à un mysticisme un tantinet marqué de superstition, mais c'est un apprenti-sorcier craintif qui a presque peur de croire à sa chance. Finalement, son tact, sa diplomatie finissent par lui réussir. Et c'est un conteur-né. Alors on se prend à l'écouter, évidemment.

MAX

(voir Maxime)

Couleur : l'orangé.
Chiffre : le 2.
Signe associé : le Cancer.
A éviter devant un nom de famille commençant par S, K.
Étymologie : voir MAXIME.
Célébrités : Max Jacob; Max Ophüls; Max Linder; Max Reger; Max Gallo; Max-Pol Foucher; Max Ernst (ci-contre).

MAXIME

(Maksim, Maksima, Maksis, Massimiliana, Massimiliano, Max, Maxie, Maxim, Maxima, Maximilian, Maximiliana, Maximiliano, Maximilianus, Maximilien, Maximilienne, Maximille, Maximin, Maximino, Maximo, Maximus)

Couleur : l'orangé.
Chiffre : le 2.
Signe associé : la Vierge.
Fête : le 13 août.

A éviter devant un nom de famille commençant par M, Im.
Étymologie : du latin « maximus », *le plus grand.*
Célébrités : Maximus étant à Rome le titre honorifique dont on décorait les généraux victorieux, il y en eut un certain nombre, évidemment, puis il y eut l'empereur Maxime, maître de l'Espagne et de la Gaule du IVe siècle, et Maxime Pétrone, empereur d'Occident au Ve siècle, sans oublier les philosophes grecs du IVe, Maxime d'Ephèse et Maxime de Tyr, pour bondir jusqu'à Maxime l'Haghiorite, le moine russe humaniste du XVIe, et Maxime Gorki (1868-1936), le non moins russe écrivain, et Maxime Bossis, le footballeur français.

Saint Maxime de Chrysopolis dit le Confesseur (580-662), secrétaire de Héraclius, quitta tout pour entrer au monastère de Chrysopolis; sa foi et son ardeur à pourchasser les hérésies lui firent des ennemis; on le tortura sous l'accusation d'une prétendue trahison, lui coupant la main droite et la langue; il ne survécut pas. Trente-quatre autres saints et bienheureux portèrent également le prénom de Maxime. Au caractère, notre homme est l'exactitude même, et mérite bien là son étymologie; précis, exigeant en toutes choses, en travail comme en amitié ou en amour, hyper-intuitif, flairant l'événement avant qu'il ne se produise, méticuleux, intègre, sa vivacité d'esprit, sa vitalité, son allant, font bien de Maxime « le plus grand » dans tous les domaines de l'action rigoureuse, rigoureusement mûrie, conçue, exécutée. Il vise juste.

MAXIMILIEN

(voir Maxime)

Couleur : l'orangé.
Chiffre : le 1.
Signe associé : le Scorpion.
Fête : le 12 mars.

A éviter devant un nom de famille commençant par In, Lin.
Étymologie : voir MAXIME.
Saint Maximilien (IIIe siècle), militaire et fils de militaire, devint chrétien et se fit objecteur de conscience : on le décapita. Il avait vingt ans.

Célébrités : deux électeurs et deux rois de Bavière; deux empereurs germaniques; l'archiduc d'Autriche Maximilien, qui commit l'erreur d'être également empereur du Mexique : il y fut proprement fusillé; le duc de Sully, Maximilien de Béthune, avait eu quant à lui plus de chance, ou de flair, puisque tout protestant qu'il était, il passa au travers de la sinistre nuit de la Saint-Barthélémy; et puis le plus énigmatique, le plus incandescent des Maximilien, Robespierre, bien sûr.

Au caractère, il ajoute aux qualités de Maxime une maîtrise intérieure suraiguë, et il joue incomparablement du secret : c'est qu'il est lui-même comme branché sur l'absolu. Il écoute vraiment le silence.

MÉDÉRIC

(Matrich, Mède, Medrich, Merry)

Couleur : le violet.
Chiffre : le 5.
Signe associé : le Capricorne.

A éviter devant un nom de famille commençant par une consonne dure.

Étymologie : du germain « maht », ***vigueur,*** **et « ric »,** ***puissant.***
La forme Merry provient de l'altération de Medericus, nom latin de saint Médéric (IVe siècle), qui fut évêque d'Autun. Merry revient en vogue, mais Médéric?...

MÉLANIE

(Malania, Mel, Mélaine, Melania, Melanija, Melanio, Melanius, Melany, Mélas, Mélina, Mellie, Melloney, Mellony, Melltje)

Couleur : l'orangé.
Chiffre : le 5.
Signe associé : le Lion.
Fête : le 31 décembre.
A éviter devant un nom de famille commençant par N, I, Inn, Ni.

Étymologie : du grec « melas », « melanos », ***brun, noir.***
Célébrité : la psychanalyste Mélanie Klein; l'actrice, chanteuse et ministre grecque Melina Mercouri.

Aux IVe-Ve siècles, il y eut une grand-mère et sa petite-fille qui s'appelaient toutes les deux Mélanie, mais la petite promettait, et ce fut sainte Mélanie la Jeune, petite-fille de Mélanie l'Ancienne. Sainte Mélanie donc s'en alla l'ascèse, après avoir distribué leur gigantesque fortune aux pauvres; veuve, sainte Mélanie alla au rendez-vous de son dernier souffle, dans un monastère du mont des Oliviers, en 439. Intelligente, loyale, droite, généreuse, Mélanie, devant l'obstacle ou la difficulté, n'hésite pas : elle agit. Elle ne manque ni de cran ni de panache, et l'adversité même augmente son énergie. Charmante, attirante et rieuse, c'est un être assez sociable pour ne pas céder au caprice ou à l'enfantillage. Une souple force. Elle tend à revenir en France actuellement, après une bien longue éclipse.

MÉLISANDE, MÉLUSINE

(Melicent, Melisenda, Mellicent, Mil, Millicent, Millie, Millisent, Milly)

Couleur : le bleu.
Chiffre : le 9.
Signe associé : les Gémeaux.
A éviter devant un nom de famille commençant par D, An ou I, Inn.
Étymologie : du germain « amal » (en résonance avec la famille des rois Amali) et « swintha », *énergique, travailleur*.

Beau prénom du Moyen Age, Mélisande fut employée parfois pour Mélusine, la fée fille de fée qui pouvait se changer en demi-serpent, et que les romans de chevalerie et les légendes du Poitou célébrèrent tant et tant qu'ils en firent la protectrice de la maison de Lusignan, Mélusine, donc (en anglais Melesina), n'est tout de même pas Mélisande (qui, en même anglais, se dit Millicent). Le grand retour de Mélisande date de 1902 : Maeterlinck-Debussy, et le triomphe d'un drame lyrique, *Pelleas et Mélisande.* Au caractère, Mélisande, Mélusine, c'est Moyen Age et Compagnie : fraîcheur et mystère. Et surprise : car elles reviennent, elles reviennent.

MERCÉDÈS

Couleur : le jaune.
Chiffre : le 9.
Signe associé : le Scorpion.
Fête : le 15 août.
A éviter devant un nom de famille commençant par Es, S.
Étymologie : de l'espagnol « Maria de los mercedes », *Marie des remerciements.*
L'envoûtante Mercédès, la passionnée Mercédès, la courageuse, la directe, l'habile et volontaire Mercédès!

MERRY

(voir Médéric)

MICHEL

(Micaela, Micarla, Michaël, Michaela, Michaelina, Michaëlla, Michal, Michée, Micheil, Michela, Michèle, Micheline, Michelle, Michou, Michouka, Michoulia, Mickaël, Micke, Mickey, Miguel, Miguela, Migueka, Miguelita, Mihaly, Mikahilina, Mikal, Mikaly, Mikattilina, Mike, Mikkiel, Mikko, Miklos, Mikosch, Mikus, Mischa, Mitchel)

Couleur : le rouge.
Chiffre : le 5.
Fête : le 29 septembre.
Signe associé : le Verseau.
Disgrâce éventuelle avec le nom de famille : peu de risques; les noms commençant par L ou El, Al, Il, Ol, Ul... et encore ne s'agirait-il ici que de très légères dissonances.
Avec Michel, les surnoms ou sobriquets procèdent franchement du diminutif affectueux, quoiqu'un tantinet infantilisants, tels les Mimi, Michou ou, plus anglo-saxon, Mick, Michy, voire Mickey.
La version féminine du prénom, Michèle, est une des plus célèbres chansons des Beatles. Nombre de chanteurs et artistes portent ce prénom, qui connut dans les années 50 sa grande période d'engouement.
Il se maintient fermement de nos jours avec, entre autres, Polnareff, Fugain, Platini, Hidalgo, Drucker, Poniatowski, Rocard, Jobert, sous la haute protection de leur sœur et fée de l'écran, Michèle Morgan (ci-contre), bien sûr, et de l'incomparable Michel Simon, évidemment tout en partant à l'aventure avec le navigateur Michel Malinowski; les écrivains Michel Picar, Jean-Michel Varenne, Michel d'Encausse, Michel Butor, Michel Foucault, Michel Leiris, Michel Bulteau, Mikhail Boulgakov, le cinéaste Michelangelo Antonioni.

L'image-clé, avec Michel, est celle de l'Archange terrassant le Dragon, et par là il sera vénéré au même titre que saint Georges. D'emblée voici un prénom porteur de droiture et de fougue au service de la vérité. Mais on sait moins que saint Michel est aussi... Gargantua, qu'humanisa Rabelais. Comment cela? Eh bien ce même Gargantua provenait du dieu de la guerre gaulois, Apollon-Belenos. A ce Gargantua-dieu étaient consacrés des lieux saints... Or saint Michel crut bon d'apparaître surnaturellement par deux fois, en 492 et en 709, d'abord en Italie, au mont *Gargan,* puis au « mont de *Guargant* », c'est-à-dire sur les lieux de l'actuel mont Saint-Michel. On voit comment le saint chrétien aura « récupéré » son prédécesseur en s'appropriant deux sites sacrés portant son nom. Le point commun entre saint Michel et l'ancien dieu gaulois : le guerre sainte, c'est-à-dire bien menée. Par ailleurs, en Allemagne, le culte de saint Michel incorpore également d'anciennes traditions wotaniques et revêt une solennité toute particulière. Mais qu'importe : saint Michel est le « Patron protecteur » de la France, même s'il orna longtemps les étendards des armées allemandes... C'est

ainsi. Au point où nous en sommes, posons-lui directement la question : « Enfin, Michel, qui êtes-vous? »
« Moi? Mystère! Disons que je suis celui qui porte une étymologie en forme de question, et en hébreu s'il vous plaît : *Mi Kha 'El?,* autrement dit : *Qui* est comme Dieu? Voilà mon lot secret : je cultive une interrogation à laquelle nul ne peut raisonnablement répondre, et je dois livrer bataille et vaincre le Dragon dans l'Apocalypse. Qui est comme Dieu? Quelle question, vraiment... Pour y échapper peut-être, ou y chercher réponse, je me suis manifesté çà et là dans l'Histoire : à des saints, à de simples bergers, et, bien sûr, à Jeanne d'Arc. Depuis le mont qui porte mon nom, battu par les flots et les vents dans la lumière du couchant, je protège en effet la France. Mais je fus aussi huit fois empereur chez les Byzantins, deux fois grand-duc et une fois tzar de toutes les Russies, roi en Pologne, en Roumanie, au Portugal, prince en Serbie, peintre italien en Michel Ange, penseur français en Michel Eyquem de Montaigne. Et je fus le génie de l'Espagne, le grand Miguel de Cervantès, et duc d'Elchingen de la Moskowa, moi, Michel Ney, maréchal de Napoléon, et encore moi, Michel Lermontov, poète russe, et toujours moi, Michel Leiris, poète français, disant : « Le monde manque d'une pâture ardente / Pour nourrir ses troupeaux enchantés », aussi bien que : le grand Simon (Michel) : « – Vous avez dit : Bizarre. – Moi, j'ai dit Bizarre? Comme c'est bizarre » (Michel Simon donnant la réplique à Jouvet dans la célèbre scène de *Drôle de drame*). Et pourtant, je ne suis pas l'Ange du Bizarre...

Comme vous voyez, le registre de mon action est fort étendu. Et, comme prénom, j'ai plutôt le moral. Il paraît que je bénéficie, disent les anciens grimoires, de la longévité de l'orme, de la promptitude du tigre, et avec ça, j'ai de sérieuses propensions à prendre les commandes, et même : le commandement. Ma sonorité file dans le rouge, et ma volonté, parfois, est presque illimitée. Je sais, il peut m'arriver de céder à la tentation d'être tyrannique... Mais l'intensité de ce que je veux se tempère toujours d'une intelligence analytique, froide et lucide, qui ne se laisse pas aisément abuser, et fonctionne posément. Que nul ne se méprenne : je suis le gardien désigné de très loin pour protéger et imposer la probité et la rigueur. La diplomatie me paraît rourie, et je tiens que la meilleure défense est encore l'attaque. Aussi vais-je droit au but, sans m'attarder trop aux « problèmes » psychologiques, de second ordre à mes yeux. Je n'ai pas à être sociable, mais positif. Comme je suis en correspondance avec le Verseau, ma vitalité a ce quelque chose d'irrésistible qui emporte l'adhésion en évitant les arguties. J'enlève Dulcinée avant de la séduire, et la séduis donc... à la ravir. C'est ainsi, sur la terre comme aux cieux, qu'il m'est échu de procéder. Beaucoup de discipline, que diantre! Et, dans la discipline, de la fougue, de l'ardeur! Voilà comment l'on commande aux généraux des Armées Célestes. »
Tant de vigueur, de dynamisme... que pourrait-on lui objecter? Mettez un tigre dans votre droiture, c'est-à-dire un Michel dans votre amitié, et vous aurez un ami solide, et un allié sans faille. Prenez soin, aussi, de lui confier la direction du jeu, et il excellera, pourvu qu'il se sente apprécié et aimé. L'opiniâtreté d'une nature pudique (n'y est-on pas contraint quand on s'appelle « *Qui-est-comme-Dieu?* ») se cache sous sa fougue. Il ne se dévoile pas au cœur, qu'il a cependant immense autant qu'intense. L'archange flamboyant est aussi capable d'humaine et secrète souffrance : combattre,

même victorieusement, suppose la douleur intérieure, et le feu. Du reste, observons les statues de Michel : s'il terrasse le Dragon, il n'en est pas moins homme.

MILÈNE

(voir Marie et Hélène)

Couleur : le jaune.
Chiffre : le 4.
Signe associé : le Lion.
A éviter devant un nom de famille commençant par N, Enn, E.
Célébrité : l'actrice Milène Demongeot.

MICHÈLE, MICHELINE

(voir Michel)

Couleur : le rouge.
Chiffres : le 2, le 6.
Signes associés : le Cancer, la Vierge.
A éviter devant un nom de famille commençant par L, E, El, ou I, N, Inn.
Étymologie : voir MICHEL.
Célébrités : Micheline Presles, Micheline Dax, Michèle Mercier, le regard de Michèle Morgan,.

Au caractère, Michèle rêve, et Micheline s'angoisse. Michèle, mythomane innocente, s'embellit le monde à peu de frais et vit dans les parfums de sa rêverie, quand Micheline exerce toute sa vigilance intérieure à s'inquiéter de chaque seconde, afin de mieux voir en face l'insupportable – moyennant quoi elle sait hausser les épaules et se lancer dans quelque action généreuse, altruiste, où ce dévouement fera son effet de rééquilibrage : alors Micheline sourit. Quant à Michèle, elle est entre-temps devenue maman, et sa rêverie a fait place à un profond sentiment de responsabilité. Ainsi passent les courants psychiques, et ainsi vivent les prénoms.

MIREILLE

(Mirèio, Mirella, Mireya, Miriella)

Couleur : le rouge.
Chiffre : le 2.
Signe associé : le Verseau.
A éviter devant un nom de famille commençant par L.
Étymologie : du latin « miracula », prodige.
Célébrités : Mireille, Mireille Mathieu, Mireille Darc, et le poème de Mistral.

C'est Frédéric Mistral lui-même qui devrait être tenu pour « saint Mireille », puisqu'il a superbement imposé ce prénom à partir du provençal « Mirèio », qu'il avait probablement forgé de sa malice, en faisant admettre à son curé que Mirèio était une forme provençale de Marie, et que donc, Mireille, c'était quasiment Marie. Son poème *Mireille* (1859) a fait le reste, et Mireille, oubliée depuis le Moyen Age, refit sa réapparition. Simple, directe, intuitive, rieuse et droite – on ne peut pas la manquer.

MONIQUE

(Mika, Mona, Monca, Mone, Moni, Monica, Monico, Monika)

Couleur : le bleu.
Chiffre : le 4.
Signe associé : le Capricorne.
Fête : le 27 août.
A éviter devant un nom de famille commençant par une consonne dure.
Étymologie : du grec « monos », *seul.*
Célébrités : l'écrivain Monique Wittig; l'actrice Monica Vitti.

Sainte Monique, Berbère chrétienne du IVe siècle, avait bien des déboires avec son dépravé de fils, un certain Augustin, qui, de surcroît, se flattait d'être un adepte du manichéisme. La grâce frappa : Augustin devint saint Augustin et sainte Monique ne se sentit plus de joie lors du baptême de celui-ci, et ce fut ce fils sublime et deux fois né qui l'assista à Ostie, elle, Monique, pour son dernier soupir. En 387. Hormis cette maman sainte et comblée, on ne signale, curieusement, aucune autre sainte Monique. Ah, Monique! Volontaire, active, travailleuse et tendre Monique, piquante et dynamique, fraîche, drue, incisive Monique... Chut. On pourrait vous entendre.

MOÏSE

(Moe, Moisés, Mose, Moses, Moshé, Mosie, Moss, Mozes)

Couleur : le violet.
Chiffre : le 1.
Signe associé : le Verseau.
Fête : le 4 septembre.
A éviter devant un nom de famille commençant par I, Is.
Étymologie : de l'hébreu « moshèh », *tiré des eaux*.

Sauvé des eaux par la fille du Pharaon, accomplissant mission reçue de Dieu et ayant entrevue avec Lui, finissant par sortir le peuple hébreu de l'esclavage, Moïse, on le voit, est un homme tous terrains. D'abord porté par les juifs, Moïse est également devenu courant chez les protestants, de même que Rébecca ou Aaron. Et comment oser esquisser le profil psychologique d'un prénom qui nous a laissé les Dix Commandements? Salut, Moïse.

MORGAN, MORGANE

(Mirganez, Morgain, Morgaine, Morgana, Morganenn, Morrigaine, Morrigane, Muirgen)

Couleur : le bleu.
Chiffres : le 3, le 1.
Signe associé : le Bélier.
Fête : le 18 octobre.
A éviter devant un nom de famille commençant par An, A.

Étymologie : du gallois « mawr », ***grand,*** **et « can »,** ***brillant.***
Célébrités : la Fée, bien sûr, et le théologien breton Pélage (IVe siècle), qui fut condamné au Concile d'Ephèse, et qui fut un Morgan.

Le Pays-de-Galles, la légende du roi Arthur, l'île enchantée d'Avalon, la fée Morgane enfin, la Bretagne éternelle, un prénom on ne peut plus enraciné dans la lumière de l'Ouest : Allez les Celtes!

MURIEL

(Merriel, Muireall, Muirgheal, Murial, Murielle)

Couleur : le vert.
Chiffre : le 6.
Signe associé : le Capricorne.
A éviter devant un nom de famille commençant par L, El.
Étymologie : du gaélique « muir », ***mer,*** **et « gheal »,** ***brillant.***

Célébrités : une demi-sœur de Guillaume le Conquérant; la maman de Thomas s'appelait aussi Muriel (Thomas de Bayeux, le fiston, était archevêque d'York au XIIe siècle); Muriel Rosé, responsable audiovisuelle de la culture.

Un roi de Dublin fut un certain Myrgjol; il fut suivi, en Normandie et en Bretagne, vers le XIe siècle, de Muriel. Et la conquête normande, en retour, allait imposer Muriel en Angleterre. A la fin du XVe siècle, oubli. Jusqu'au XIXe siècle, où il resurgit en force. Ce prénom est désormais très fréquent chez nous. Et quel charme. Avec ça, l'esprit, l'action, et l'esprit de l'action. Distante et spontanée, rieuse et sérieuse – Muriel en étonnera plus d'un. C'est ainsi.

MYRIAM

(forme hébraïque de Marie – voir Marie)

Couleur : le bleu.
Chiffre : le 7.
Signe associé : le Verseau.

A éviter devant un nom de famille commençant par M, Am.

Voir Marie, songer aux dizaines de traductions différentes proposées pour élucider le sens exact de « Myriam », et entendre de loin chanter Myriam Makeba. Myriam, son, souffle, éclairage vocal premiers de Marie. Voir Marie, donc.

LES PRÉNOMS DES LOINTAINS : LA CHINE

En Chine, le nom de famille est un Xing, et comporte en général une seule syllabe, mais il y a deux sortes de prénoms : le Ming, et le Hao.

Le Ming, choisi par les parents à la naissance de l'enfant, est destiné à influencer favorablement la destinée future de celui-ci; il est constitué de deux syllabes, et n'est utilisé qu'à l'intérieur du cercle familial. A l'extérieur, on interpelle quelqu'un par son patronyme (son Xing), sous les formes « Vieux Li », « Vieux Tchen ».

Le Hao, prénom social, est utilisé par les non-intimes; il est choisi par les parents, ou, plus tard, par l'individu concerné lui-même, qui peut ainsi changer de Hao pour marquer un événement important de sa vie – une fête, une richesse soudaine –, ou répudier l'ancien à cause d'une maladie, par exemple, ou de faits malheureux survenus durant l'époque de ce Hao.

A noter que les lettrés ont quant à eux un Hao en rapport avec leur art, plus un surnom lié à l'endroit où ils vivent.

Les choses n'étant jamais nécessairement simples, il peut arriver que le patronyme (le Xing) comporte deux syllabes au lieu d'une, comme c'est généralement la coutume. Dans ces conditions, on s'arrangera pour que le prénom n'ait qu'une seule syllabe; mais comment attraper quelqu'un dans la rue avec une seule syllabe? Il faut donc lui en trouver une seconde, d'où le recours à des jeux de mots : ainsi, Song sera interpellé comme Song-Lin, c'est-à-dire « Forêt de pins ».

Cheng-Yi (aussi bien Ming que Hao) signifie « Qui devient Un ».

Li Eai-Bo (Li = Patronyme) : Li, Grand Eclat.

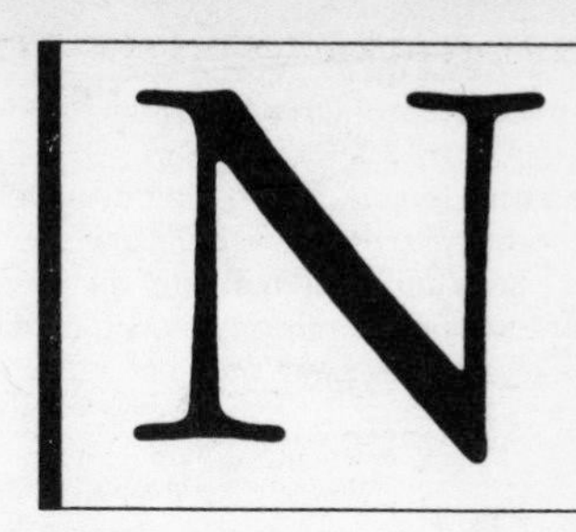

NADEGE, NADIA NADJA

(Nada, Nadejda, Nadeschda, Nadina, Nadine, Nadiona, Nadioucha, Nadiouna, Nadioussa)

Couleur : le rouge.
Chiffre : le 2.
Signe associé : les Gémeaux.
Fête : le 18 septembre.
A éviter devant un nom de famille commençant par J, E ou A.
Étymologie : du russe « nadesjda », ***espérance.***

« Elle me dit son nom, celui qu'elle s'est choisi : Nadja, parce qu'en russe c'est le commencement du mot espérance et parce que ce n'en est que le commencement » : ainsi se présente Nadja dans le célèbre ouvrage, *Nadja*, d'André Breton. Pour sainte Nadia, elle fut mise à mort sous Hadrien. L'espérance, vertu cardinale, avec la foi et la charité, dans le christianisme, a donc donné naissance à des prénoms, et les Nadège, Nadine, Nadia font résonner cette mystique espérance à travers la simple interpellation, d'autant que l'influence du roman russe au siècle dernier a beaucoup fait pour les répandre. Mais peut-on décemment dresser un état ou un profil psychologique de « l'espérance »? Renvoyons donc pudiquement à la lecture de « Nadja », et constatons la persistance et l'accroissement de cette haute gamme de prénoms.

NARCISSE

Couleur : le vert.
Chiffre . le 2.
Signe associé : la Vierge.
Fête : le 29 octobre.
A éviter devant un nom de famille commençant par S, I, Is.
Étymologie : du grec « narkissos », ***narcisse.***

La légende grecque de Narcisse, tombé amoureux de sa propre image mirée dans l'eau, trouve sa conclusion dans la transformation du héros en fleur, celle-là même qu'on appelle narcisse depuis lors. Encore un coup des dieux, qui savaient fort bien y faire puisque le « narkissos » d'origine n'est pas sans évoquer la racine « narké », qui signifie *engourdissement* et nous renvoie, dans notre langue, à la notion de « narcotique ». Les fleurs de narcisse, en infusion, passent en effet pour un puissant calmant. La Révolution française s'éprit un moment du prénom de Narcisse, puis, narcotique aidant, sans doute, Narcisse est tombé dans l'oubli. Y aurait-il des parents assez téméraires pour nommer ainsi leur enfant?

NATHALIE

(Nacha, Natacha, Natal, Natala, Natalène, Natalia, Natalicio, Natalie, Nataline, Natalio, Natalis, Natoulia, Nattie, Nelig, Noël, Noëla, Noëlle, Noëllie, Nouel, Novela, Tacha)

Couleur : le bleu.
Chiffre : le 7.
Signe associé : le Lion.
Fête : le Ier décembre
A éviter devant un nom de famille commençant par I, Li.
Étymologie : du latin « natalis », *natal* (dans « natalis dies », *le jour de la naissance* (du Seigneur).
Célébrités : la Natacha de *Guerre et Paix* (1886), de Tolstoï; celle du *Prince de Hambourg* (1821), de Kleist; l'écrivain Nathalie Sarraute; les actrices Nathalie Wood, Nathalie Delon et Nathalie Baille (ci-dessus); la chanson de Gilbert Bécaud, *Nathalie*.

Avec le prénom de Noël, Nathalie renvoie donc directement au jour où Jésus est né. Les Évangiles restant muets sur cette question, l'Église s'est donc efforcée, dès le IIe siècle, de déterminer ce jour, et ces prénoms-là s'ensuivirent. Au Moyen Age, il était même de coutume de ne les attribuer qu'aux enfants nés le 25 décembre. Sainte Nathalie (IVe siècle) a popularisé son prénom dans le monde orthodoxe russe, et Nathalie a progressivement conquis l'Europe. Au caractère, Nathalie est l'équilibre même; l'esprit très vif et clair, une excellente mémoire, volontaire, active, sensible et subtile, elle apprend sans cesse, et elle enchante plus qu'elle ne séduit. Il est vrai qu'elle témoigne d'une bonne étoile, sur laquelle se guidèrent les Rois Mages.

NATHANAËL

Couleur : le bleu.
Chiffre : le 4.
Signe associé : la Balance.
A éviter devant un nom de famille commençant par L, El.
Étymologie : de l'hébreu, pour nous dire : *Dieu donne.*

Saint Barthélémy s'appelait probablement Nathanaël. Prénom intéressant par sa sonorité, Nathanaël est surtout porté dans le monde juif. Il est paraît-il la diplomatie même, conciliant et conciliateur; intelligent, généreux, volontaire, il sait agir et prendre son temps – celui de la réflexion.

NELLY

(voir Hélène)

Couleur : le rouge.
Chiffre : le 5.
Signe associé : le Lion.
A éviter devant un nom de famille commençant par I, Il, Li.
Étymologie : voir HÉLÈNE.
Célébrité : la cinéaste Nelly Kaplan.

NESTOR

(Stora, Nestora)

Couleur : le bleu.
Chiffre : le 1.
Signe associé : le Verseau.
Fête : le 28 février.
A éviter devant un nom de famille commençant par R, Ro, Or.
Étymologie : du grec « Nestor », nom de personne issu d'un idiome signifiant *celui qui rentre chez soi sous de bons auspices.*
Célébrités : Nestor, roi de Pylos, de connivence avec les dieux, et auquel Apollon

accorda de vivre si vieux qu'on le retrouve chez les Grecs durant la guerre de Troie; Nestorius, hérésiarque chrétien du ve siècle, déposé lors du Concile d'Éphèse (428).

Évêque de Magydos (Turquie), saint Nestor (IIIe siècle), crucifié durant les persécutions de Dèce, trouva moyen, sur sa croix, d'appeler la foule présente à la prière et de l'exhorter tant et si bien que même les mécréants, dit-on, tombèrent à genoux. Trois autres saints furent des Nestor. Courant encore au siècle dernier, ce prénom se fait rarissime de nos jours. Au caractère, c'est un indépendant, un non-conformiste, un original, l'ennemi des routines, et le voyageur de l'inconnu. On comprend qu'il soit passé de mode à l'ère de la robotisation générale.

NICOLAS

(Claes, Clos, Claus, Colas, Colette, Collette, Cosette, Cozette, Colin, Klaasina, Klasie, Kleiske, Kolaig, Nichol, Nichola, Nicholas, Nick, Nickie, Nicky, Niccolo, Niclaus, Nicol, Nicola, Nicolaas, Nicolaï, Nicolasa, Nicolau, Nicole, Nicoletta, Nicolette, Nicoli, Nicolin, Nicolina, Nicoline, Nicolo, Nicou, Nik, Nikki, Niklas, Niklaus, Niklavs, Nikol, Nikolia, Nikolaï, Nikolajs, Nikolaz, Nikoucha, Nils)

Couleur : le rouge.
Chiffre : le 9.
Signe associé : le Lion.
Fête : le 6 décembre.

A éviter devant un nom de famille commençant par A, Al, La.
Étymologie : du grec « niké », *victoire*, et « laos », *peuple*.

Célébrités : cinq papes; un antipape; deux tsars; un roi du Monténégro; le théologien et philosophe Nicolas de Cuse; Nicolas Flamel; Nicolas Boileau; Nicolas Copernic; Nicolas Poussin; Nicolas Fouquet; Nicolas Chamfort; Nicolas Gogol; Nicolas Machiavel; Nicolas Mignard; Nicolas Soult; Nicolas de Stael, Klaus Kinski; et Niki de Saint Phalle.

Évêque de Myre, en Asie Mineure, au IVe siècle, saint Nicolas mourut dans une prison de son diocèse durant la persécution de Dioclétien. Sa popularité et son culte furent immenses dans tout le Moyen Age européen, et mille et une légendes sont évidemment venues se surimposer à sa biographie proprement dite. Ayant paraît-il ressuscité trois enfants assassinés et mis au saloir par un infâme aubergiste, il est devenu le patron des écoliers; il est aussi celui des marins-pêcheurs, des marchands, et de la Russie. Il a ensuite été assimilé au père Noël. Comme il était encore le patron des avocats, sa crosse (son bâton) intervient jusque dans la magistrature en souvenir de lui : ainsi, le vocable de « bâtonnier », qui désigne le chef élu de l'ordre des avocats. Et il y eut enfin une bonne trentaine de saints et de bienheureux à être des Nicolas, dont l'ascète suisse Nicolas de Flue (XVe siècle). Loyal, volontaire, dynamique, actif, Nicolas, au caractère, a en horreur bassesse et médiocrité; il voit large, loin et grand; il sait qu'il ne pourra pas tout réaliser de ce qu'il voit et entreprend, mais qu'importe : il voit et il va; le reste à ses yeux n'est que littérature.

NICOLE

(voir Nicolas)

Couleur : le rouge.
Chiffre : le 3.
Signe associé : la Balance.

A éviter devant un nom de famille commençant par L, O, Ol.
Étymologie : voir NICOLAS.
Célébrités : l'actrice Nicole Courcel; la chanteuse Nicoletta; le ministre Nicole Questiaux.

Au caractère, Nicole est d'emblée tournée vers l'action, avec une volonté et un dynamisme intéressants; intelligente, elle doit cependant composer çà et là avec un sens spontané du caprice qui lui joue parfois des tours. Elle est réputée entretenir un culte fervent de l'amour, du couple, du mariage : selon elle, le plus important est là.

NOÉ

Couleur : le violet.
Chiffre : le 7.
Signe associé : le Lion.
Fête : le 10 novembre.
A éviter devant un nom de famille commençant par E, O.
Étymologie : de l'hébreu « noah », ***repos.***
Célébrités : le patriarche pacifiste et mystique contemporain Lanza del Vasto avait baptisé « l'Arche » sa communauté, et écrit un vaste poème dramatique, « Noé ».

Noé avait senti venir le Déluge; comme c'était un juste, Dieu lui laissa construire son Arche et embarquer avec lui, outre sa famille, tous les animaux, et Noé traversa le Déluge et aborda au mont Ararat, où ses premiers soins furent pour la vigne qu'il planta. Il était tout désigné pour être le patron des vignerons et des armateurs. Prénom toutefois difficile à porter lorsqu'il n'y a pas de Déluge en vue, mais il s'imposerait sans doute par les temps qui courent. On le dit taillé pour réussir ce qu'il entreprend, fait pour commander, et d'une intelligence aiguë.

NOËL

(voir Nathalie)

Couleur : le rouge.
Chiffre : le 1.
Signe associé : la Vierge.
Fête : le 25 décembre.

A éviter devant un nom de famille commençant par L, El.
Étymologie : voir NATHALIE.
Célébrités : les acteurs Noël-Noël et Noël Roquevert.

Trois saints furent des Noël, dont Noël Chabanel (1613-1649), qui s'en alla trouver martyre chez les Hurons du Canada, et le bienheureux Noël Pinot, qui se contenta de rencontrer la guillotine à Angers (1794). Prénom portant l'hiver en lui et la naissance du Christ, Noël est, au caractère, un silencieux, un doux, un réservé; amoureux de la cohérence, de la perfection, du dépouillement, il sait se montrer ferme et d'une grande exigence pratique et morale; ce silencieux n'a guère besoin de hausser le ton pour se faire entendre.

NOÉMIE

(Naemi, Naemia, Naomi, Néhémiah, Néhémie, Noami, Noémi)

Couleur : le bleu.
Chiffre : le 7.
Signe associé : la Vierge.
A éviter devant un nom de famille commençant par M, I Mi.
Étymologie : de l'hébreu « na'omi », *ma douceur*.

Prénom devenu grand-mère, sinon franchement désuet, Noémie a quasiment disparu de nos jours. Aurait-on peur de l'intelligence, de la souplesse, de la grâce? Aurait-on peur de Noémie?

NOLWENN

(Gwennig, Gwennoal, Nolwennig)

Couleur : le blanc.
Chiffre : le 3.
Signe associé : le Sagittaire.
Fête : le 6 juillet.
A éviter devant un nom de famille commençant par N, Enn.
Étymologie : du breton « gwenn », *blanc, heureux*.

Sainte Nolwenn (ou Gwènnoal) aurait été une vierge martyre décapitée à Bigman au VIe siècle, et une sainte Gwenn, de Noyal (d'où le prénom Gwennoal) aurait également illuminé l'âme de la Bretagne profonde. Beaux prénoms, qui reviennent en force en ce moment. Ah, Brocéliande!

NORA

(voir Éléonore)

NORBERT

(Norberis, Norberta, Norberte, Norberto, Norbertus, Nordbert)

Couleur : le violet.
Chiffre : le 2.
Signe associé : la Balance.
Fête : le 6 juin.
A éviter devant un nom de famille commençant par Er, Ber.
Étymologie : du germain « north », *nord*, et « behrt », *brillant*.

Saint Norbert (1080-1134), jeune noble plutôt frivole, vit un jour le ciel lui tomber sur la tête : désarçonné par la foudre, il devint, du coup, un religieux fervent et se fit moine itinérant. Il évangélisa, fonda le monastère des Prémontrés de Laon, fut évêque de Magdebourg, démêla un conflit entre Anaclet II et Innocent II, qui se voulaient papes en même temps (ce fut Innocent II qui fut le seul), et rendit l'âme pieusement. Au caractère, Norbert est d'ailleurs réputé pour ses qualités de diplomate : prudence, justice, volonté. Mais il se fait rare.

NOUR

En arabe, Nour c'est la Lumière, avec un grand L, et c'est aussi un très beau prénom, porté notamment par l'héroïne du somptueux roman de JMG Le Clezio, *Désert*.

OCTAVE, OCTAVIE

(Octavia, Octavian, Octaviana, Octaaf, Octavien, Octavienne, Octavius, Octavus, Oktav, Oktavi, Ottavia, Ottaviano, Ottavio, Tava, Tavie)

Couleur : le bleu.
Chiffres : le 3, le 2.
Signes associés : le Lion, la Vierge.
Fête : le 20 novembre.
A éviter devant un nom de famille commençant par A, V, E ou L, Vi.
Étymologie : du latin « octavius », *huitième*.
Célébrités : Octavie, l'épouse de Néron; Octavie, sœur d'Auguste et femme du triumvir Antoine; Octave Mirbeau; le grand poète mexicain contemporain Octavio Paz; Octave est le protagoniste de Roberte dans l'œuvre de Pierre Klossowski, *« Les Lois de l'hospitalité »*

Au caractère, Octave se révèle volontaire, dynamique et sociable; esprit fin et délié, Octave respecte la justice et aime à être lui-même respecté; sa hauteur de vues, sa noblesse naturelle, son calme et sa maîtrise de soi en imposent. Pourvue de qualités similaires, Octavie, avec sa personnalité discrète, sérieuse et opiniâtre, sa capacité de dévouement généreux et appliqué, ne brille pas par la fantaisie. Est-ce leur relative austérité qui a éloigné de nous ces prénoms?

ODETTE

(Od, Oda, Odde, Oddone, Odel, Odelia, Odelin, Odelinda, Odet, Odilas, Odile, Odilia, Odilie, Odille, Odilo, Odilon, Odina, Odinette, Odita, Odon, Otello, Otha, Othilia, Othilio, Otho, Othon, Ottania, Ottel, Ottelien, Ottilie, Otto, Otton, Ude, Udo, Tillie)

Couleur : le jaune.
Chiffre : le 6.
Signe associé : le Lion.
Fête : le 20 avril.

A éviter devant un nom de famille commençant par T.

Étymologie : du germain « odal », « odo », *richesse*, patrimoine.
Célébrités : les délires de Charles VI le Fou furent enchantés et adoucis grâce à la présence d'Odette de Champdivers, sa favorite; l'actrice Odette Joyeux; la mystérieuse Odette Delmas.

La bienheureuse Odette de Brabant (XIIe siècle) se trancha le nez lorsque ses parents décidèrent de la marier : c'est que, dans sa prime jeunesse, elle avait fait vœu d'absolue chasteté; elle se retira dans un monastère et y mena une vie de pieuse méditation. Au caractère, Odette maîtrise de sang-froid une psyché et une émotivité qui sembleraient, à d'autres, incontrôlables; son intuition confine à la voyance, et il ne sert à rien de lui mentir ou cacher quelque chose : elle sait immédiatement, ou à tout le moins elle pressent qu'il y a a du louche dans l'air; son intelligence, apte à l'analyse détaillée comme à la synthèse, est souple, aussi bien directe que diplomate; extrêmement dynamique et active, elle peut également se retirer en elle-même pour la rêverie profonde, la méditation sans objet préconçu, ou l'affermissement de la fraîcheur du cœur. Tant qu'elle aime et qu'elle croit, elle est invulnérable, mais rien n'est plus dangereux pour elle que l'hésitation, le doute, la perte de la confiance. N'importe : elle est trop exigeante en amitié comme en amour pour ne pas s'appliquer à elle-même cette exigence et surmonter, à la force de la volonté, oppositions, obstacles et échecs. Puissant prénom, qui profite peut-être de sa raréfaction actuelle pour affronter une nouvelle naissance.

ODILE

(Voir Odette)

Couleur : le vert.
Chiffre : le 9.
Signe associé : le Cancer.
Fête : le 14 décembre.

A éviter devant un nom de famille commençant par L, I, Il.
Étymologie : voir *Odette*.
Célébrités : l'actrice Odile Versois; le peintre Odilon Redon.

Née aveugle, sainte Odile (660-720) faillit être supprimée par son père; sa mère put confier l'enfant à l'évêque bavarois Ehrard, un saint, qui lui rendit la vue avec un peu d'eau bénite. Sur quoi sainte Odile grandit dans la foi, et fonda un monastère sur le lieu d'un ancien sanctuaire germanique, devenu désormais le mont Sainte-Odile. Sainte Odile est la patronne de l'Alsace. Prénom du Moyen Age, Odile a donné naissance à Ode, puis Odet et Odette. Au caractère, ce prénom très voisin d'Odette, donc, présente bien des similitudes avec celle-ci, à une nuance importante près : l'activité d'Odile est un peu en retrait, et l'ombre portée de l'enfance plane sur elle de telle sorte qu'elle rêve davantage « en arrière » qu « en avant » et qu'elle phantasme plus qu'elle n'agit; elle idéalise le monde, et part à la recherche de l'idéal; avec beaucoup d'énergie et de constance ça marche... parfois. Mais elle est armée d'une volonté, d'un désir de bien faire si efficaces! Les résistances l'aiguillonnent, et l'idéal flamboie.

ODIN

Couleur : le violet.
Chiffre : le 1.
Signe associé : le lion.
Fête : le 4 avril.
A éviter devant un nom de famille commençant par In, Din,
Étymologie : du nom de la divinité Odin, chef des dieux Ases dans l'ancienne religion germanique, où l'on décèle la racine « odhr », ***colère sacrée, fureur inspirée.*** **Père universel et ancêtre des premiers rois nordiques, Odin est également Wotan. Prénom plutôt nordique, on trouve Odin çà et là, de nos jours, en Normandie. Les vieux dieux Ases ne sommeillent donc pas tout à fait.**

OLAF

(Ola, Olaus, Olav, Ole, Olof, Oluf,)

Couleur : le violet.
Chiffre : le 7.
ne associé : la Balance.
Fête : le 29 juillet.
A éviter devant un nom de famille commençant par V, E, Af, Av.
Étymologie : du germain « anu », ***ancêtre,*** **et « laib »,** ***descendant.***

Saint Olaf II Haraldsson, Viking converti au christianisme, restaura le royaume de Norvège et voulut l'amener à sa foi : il fut contraint par l'opposition à s'exiler chez les Russes. De retour chez lui, il guerroya contre Knud le Grand (1030) et y laissa la vie. Quatre autres rois de Norvège et deux du Danemark furent également des Olaf, et ce prénom est toujours fréquent dans les pays scandinaves. On le dit intelligent et très sociable.

OLGA

(Elga, Helga, Helge, Helgo, Helko, Hella, Helle, Ilga, Oleg, Olegouchka, Olgounia, Olgoussia, Oliacha, Olva)

Couleur : le rouge.
Chiffre : le 8.
Signe associé : le Cancer.
Fête : le 11 juillet.

A éviter devant un nom de famille commençant par une consonne dure, et A.
Étymologie : du german « heil », *chance, bonheur.*
Célébrités : une princesse de Russie; une héroïne d'*Eugène Onéguine* (1879) de Tchaïkovski.

Sainte Olga (890-969), épouse puis veuve du prince Igor, fut une très pieuse régente qui éleva son fils Sviatoslav et son peuple en bons chrétiens. Au caractère, rêverie et imagination la parent de leurs charmes, et Olga vit d'autant mieux dans un univers poétisé qu'elle laisse aller sa volonté. Il lui faut souvent revenir à soi, et se reprendre en main; son dynamisme, son intelligence déliée, son aptitude à agir et réagir le lui permettent d'ailleurs aisément.

OLIVIA

(voir Olivier)

OLIVE

(voir Olivier)

OLIVIER

(Ol, Olier, Olive, Oliver, Oliveiros, Oliverio, Oliverius, Oliverus, Olivette, Olivia, Ollie, Ollier, Ollivier)

Couleur : le jaune.
Chiffre : le 9.
Signe associé : les Poissons.
Fête : le 12 juillet.
A éviter devant un nom de famille commençant par V, E.
Étymologie : du latin « oliva », *olive.*
Célébrités : Olivier de Serres; Olivier Cromwell; Olivier Hardy; Olivier Messiaen; Olivier Todd; Olivier Kaeppelin.

Le bienheureux Olivier Plunket (1626-1681), évêque d'Armagh et primat d'Irlande, fut, sous l'accusation de complot contre l'Angleterre, « pendu, vidé et démembré », selon la chronique, en place de Londres. Mais la *Chanson de Roland*, au XIIe siècle, et auparavant, la dernière veille de Jésus au Mont des Oliviers ont beaucoup plus largement encore contribué au succès de ce prénom, puis de ceux qui s'y rattachent, comme Olivia ou Olive. Ce dernier, Olive, n'en finit pas, avec son ami Marius, d'alimenter la verve marseillaise. Ce sont, au caractère, des êtres d'une grande moralité, très intelligents, dynamiques, et d'une surprenante intuition.

OMBELINE

Couleur : le bleu.
Chiffre : le 9.
Signe associé : le Scorpion.
Fête : le 21 août.

A éviter devant un nom de famille commençant par L, Inn.
Étymologie : du latin « umbella », *ombrelle.*

Sainte Ombeline (XIIe siècle), sœur de saint Bernard, fut la prieure du couvent de Jully-les-Nonnains (Yonne), après avoir été l'épouse d'un noble bourguignon. C'est avec grâce et douceur qu'elle se manifeste aujourd'hui çà et là, discrètement, après des siècles d'oubli.

OMER

(Odemar, Odomar, Oomke, Oomer, Ommar, Ommo, Opper, Opperli, Otmar, Ottmar, Ottli, Ummo,)

Couleur : le rouge.
Chiffre : le 6.
Signe associé : le Verseau.
Fête : le 9 septembre.
A éviter devant un nom de famille commençant par M, R.
Étymologie : du germain « odo », *richesse,* et « mar », *célèbre.*

Saint Omer, moine originaire de Normandie, fut nommé évêque de Thérouanne par le roi Dagobert; il évangélisa et christianisa à tour de psaumes, et fonda, sur l'Aa, le monastère de Sithiu, autour duquel s'est agglomérée la ville de Saint-Omer. Il rendit l'âme en 670, aveugle et la lumière au cœur. Au caractère, les Omer sont paraît-il des esprits forts, intelligents, ennemis des routines, et avides de connaissance; ces exigeants, de surcroît, n'ignorent rien de l'humour. Ils se font rares de nos jours.

ONESIME

Couleur : le vert.
Chiffre : le 8.
Signe associé : le Cancer.
Fête : le 16 février.
A éviter devant un nom de famille commençant par M, Im, Mi.
Étymologie : du grec « onesimos », *utile.*

Esclave en fuite, saint Onésime trouva, sur sa route, saint Paul; il fut son disciple, et celui-ci le fit affranchir par son ancien maître; saint Onésime fut peut-être évêque par la suite, avant de devenir le saint patron des domestiques. Au caractère, c'est un fervent et profond idéaliste, intelligent et droit. Mais nous avons un peu perdu de vue ses bonnes manières et son gilet à rayures.

OSCAR

(Anschaine, Ansgaine, Ansgar, Ocky, Osgar, Oskar, Ossy)

Couleur : le jaune.
Chiffre : le 2.

Signe associé : le Scorpion.
Fête : le 13 février.
A éviter devant un nom de famille commençant par R, A, Ar.
Étymologie : du germain « Os », *Ase (divinité)*, « gari », *lance*.

Célébrités : deux rois de Suède et de Norvège; Oscar Wilde; Oscar Niemeyer, l'architecte de Brasilia; le jazzman Oscar Peterson; le peintre Oscar Dominguez; l'éthnologue américain Oscar Lewis.

Saint Oscar, ou plutôt Anschaine, comme on appelait alors Oscar, fut au IXᵉ siècle un évangélisateur, heureux, du Danemark et de la Suède, puisqu'il réussit; ce simple moine devint ensuite évêque de Hambourg, et s'éteignit en 865 archevêque de Brême. Prénom lointain, répandu dans tout le Moyen Age européen, Oscar est aujourd'hui un symbole-vedette de l'industrie du cinéma : la « lance de l'Ase » a de ces trajectoires... Tenace, coriace, obstiné, travailleur, Oscar est un intuitif qui déploie toute son énergie après s'être assuré que c'est nécessaire; mais une fois là, il est irrésistible.

OSWALD

(Answald, Ostrald, Osvald, Osvaldo, Osweald, Oswell, Ozzie, Walde)

Couleur : le bleu.
Chiffre : le 2.
Signe associé : le Taureau.
Fête : le 5 août.
A éviter devant un nom de famille commençant par L, D, T.

Étymologie : du germain « osth », *est* et « wald », *forêt*.
Célébrités : le philosophe Spengler (1880-1936; *Le Déclin de l'Occident*), fut un Oswald; Oswaldo Piazza, le grand footballeur argentin de Saint-Étienne.

Saint Ostwald, roi de Northumbrie au VIIᵉ siècle, évangélisa et guerroya contre les Gallois, lesquels l'occirent à la bataille d'Oswestry (642). Prénom courant dans les pays germaniques et anglo-saxons, Oswald est plus que rare en France. On dit de lui que c'est un être d'une grande moralité, ce qui ne l'empêche pas d'aimer la vie et d'en jouir, pourvu qu'il y trouve la beauté qu'il révère; sans souci de l'adversité, selon lui purement apparente, il peut fort bien faire face aux difficultés du sort avec une manière d'ascétisme tranquille. Cette heureuse nature a des racines profondes.

PABLO

(voir Paul)

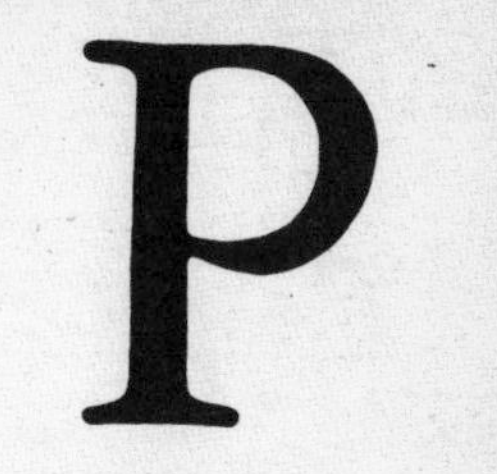

Couleur : le jaune.
Chiffre : le 1.
Signe associé : la Balance.
A éviter devant un nom de fam
mençant par L, O.
Étymologie : voir PAUL, dont Pab
forme ibérique.
Célébrités
d'envergure :
le musicien
Pablo Casals,
le poète
Pablo Neruda,
et le grand
Pablo Picasso (ci-contre).

PACO

(voir François)

PAMÉLA

(Pam)

Couleur : le bleu.
Chiffre : le 4.
Signe associé : la Vierge.
Fête : le 16 février.
A éviter devant un nom de famille commençant par A, L, Al, La.
Étymologie : du grec « pan », *tout,* et « meli », *miel.*

Prénom qui évoque l'Angleterre du début du siècle, où il était à la mode, Paméla nous a sans doute parue un peu trop « toute-miel ». *Exit* Paméla. Elle était pourtant fraîche et droite, fine d'esprit et de cœur, Paméla, dans ses mousselines. Ainsi passe le miel.

PAOLA

(voir Paule et Paul)

PÂQUERETTE

(voir Pascale et Marguerite)

PASCAL, PASCALE

(Pascalin, Pascaline, Pascalis, Pascasia, Pascasio, Paschal, Paschalis, Paschase, Paschasie, Paschasius, Pascoal, Pascoe, Pasqua, Pasquale, Pasqualino, Pasquot, Pascual, Pascuala)

Couleur : l'orangé.
Chiffres : le 7, le 3.
Signe associé : le Taureau.
Fête : le 17 mai.
A éviter devant un nom de famille commençant par L, A.
Étymologie : de l'hébreu « pesakh », *passage,* puis du latin « pasqualis », *relatif à la fête pascale.*
Célébrités : Pascale Audret; Pascal Lainé; deux papes et un antipape; les actrices Pascale Petit, Pascale Audrey.

Si Pâques célèbre, chez les chrétiens, la résurrection du Christ, la Pâque juive, elle, rappelle le *passage* du peuple hébreu au désert, hors de la captivité égyptienne. Passage, résurrection : Pascal et Pascale ont de grands antécédents symboliques. Saint Pascal de Torre Hermosa, simple berger du XVIe siècle, consacra sa vie à la prière et à la méditation. Ce prénom a connu un succès constant en Angleterre du Moyen Age au siècle dernier, et a resurgi en France depuis les années 50 de notre siècle. Au caractère, Pascal est un esthète amoureux de la beauté et il jouit de la vie à belles dents, là où Pascale affiche une intelligence vive et logique, directe et volontaire; Pascal est intuitif là où Pascale raisonne, émotif quand elle est ferme, et ils ont tout de même en commun d'être plutôt sociables et amicaux.

PATRICIA

(voir Patrick)

Couleur : l'orangé.
Chiffre : le 5.
Signe associé : le Bélier.
A éviter devant un nom de famille commençant par S, A.

Étymologie : voir PATRICK.
Célébrités : l'écrivain Patricia Highsmith; l'une des petites filles de la reine Victoria, Patricia de Connaught, surnommée populairement Pate.

PATRICE

(voir Patrick).

Couleur : l'orangé.
Chiffre : le 9.
Signe associé : les Poissons.
A éviter devant un nom de famille commençant par I, S.

Étymologie : voir PATRICK.
Célébrités : les poètes Patrice de la Tour du Pin, Patrice Covo; le génie théâtral Patrice Cherreau.

PATRICK

(Paddy, Padraig, Padrig, Padriguez, Padruig, Pat, Patric, Patrice, Patricia, Patricio, Patrik, Patrikei, Patriki, Patriz, Patrizio, Patsy, Patty, Tricia, Trick)

Couleur : l'orangé.
Chiffre : le 6.
Fête : le 17 mars.
A éviter devant un nom de famille commençant par une consonne dure.

Étymologie : du latin « patricus », ***patricien, noble.***
Célébrité : le journaliste TV Patrick Poivre d'Arvor; l'acteur Patrick Dewaere.

Saint Patrick (385-461), patron de l'Irlande, fut enlevé d'Angleterre par des pirates irlandais à l'âge de seize ans. Devenu berger, il trouva dans la prière le moyen de fuir en Gaule six ans plus tard et d'y devenir le disciple de saint Germain d'Auxerre. Il retourna en Irlande en qualité d'évêque fougueusement évangélisateur, fondant et créant églises et institutions religieuses; il passa la fin de sa vie dans une retraite méditative intense. A sa mort, son tombeau devint immédiatement un lieu de pèlerinage, et sa faveur dure toujours : la feuille de trèfle, symbole traditionnel de l'Irlande, vient tout droit d'une métaphore de saint Patrick, qui avait vu dans cette feuille une image de la Trinité. Patricia en revanche voit son terrain d'élection et de faveur se situer plutôt du côté de l'Ecosse et des États-Unis où elle fut très à la mode dans les années 60; Patrice et Patricia gagnent peu à peu la France où Patrick continue d'avoir la préférence. Au caractère, c'est un solide, un dur, comme la finale du prénom, un dynamique; il agit, il se bat, il sait vouloir et il sait ce qu'il veut; viril et forte tête, explosif et fidèle, timide caché capable de mettre les autres en confiance, Patrick est, au sens noble du terme, un bon garçon. Patrice ajoute à cette silhouette un goût du mystère qui peut aller jusqu'à l'élan spirituel, et Patricia est la générosité incarnée; rien de ce qui se dévoue ne lui est étranger.

PATTY

(voir Patrick)

Célébrité : la grande Patty Smith, évidemment.

PAUL

(Paavo, Pablito, Pablo, Pachata, Pachouchka, Paola, Paoli, Paolina, Paolino, Paolo, Paula, Paulat, Paule, Paulette, Paulien, Paulienne, Paulille, Paulin, Paulina, Pauline, Paulino, Paulinus, Paulita, Paulot, Pauls, Pauw, Pauwel, Pauwels, Pavla, Pavlik, Pavlina, Pavline, Pavlinka, Pavlounia, Pawl)

Couleur : le rouge.
Chiffre : le 5.
Signe associé : le Cancer.
Fête : le 17 mars.
A éviter devant un nom de famille commençant par O, L.

Étymologie : du latin « paulus », *petit, faible.*
Comme prénom, Paulus était déjà courant à Rome avant l'ère chrétienne et s'imposa vraiment en Europe à l'époque de la Réforme; les Anglais, pour leur part, lui préférèrent Pierre. Il continue d'ailleurs d'être porté de nos jours, et a fait une percée remarquable en Allemagne dans les années 1900. Si la forme féminine Paulette semble aujourd'hui un peu désuète, Paule et surtout Pauline bénéficient en revanche d'un regain de faveur.
Célébrités : six papes; soixante-sept saints; un empereur de Russie; un roi de Grèce; Véronèse, qui s'appelait Paolo Caliari; Paul Gauguin; Paul Cézanne; Paul Verlaine (ci-contre); Paul Valéry; Paul Claudel; Paul Morand; Paul Guth; Paul Rebeyrolle; Paul Klee; Paul Eluard; Paul Newman; Paul-Émile Victor; Paul McCartney; Paolo Rossi.

Avec saint Paul, ce « petit » est un grand, et ce « faible », fort. Saül, né à Tarse (Turquie), entre 5 et 15 après J-C, juif et citoyen romain, fut d'abord un pharisien convaincu qui alla jusqu'à trouver nécessaire la persécution des chrétiens. Il était là lorsque saint Etienne fut lapidé (en 36) et se fit lui-même persécuteur, lorsque, sur le chemin de Damas, la grande illumination survint; Jésus lui apparut et lui dit : « Saül, Saül, pourquoi me persécutes-tu? » Dès lors, tout changea, et Saül devenu Paul se mit à prêcher et évangéliser avec plus d'ardeur encore qu'il n'en avait mis à pourchasser la foi des chrétiens. Il rencontra Pierre à Jérusalem et devint, avec Barnabé, « l'apôtre des Gentils »; il consacra désormais sa vie à répandre, auprès du monde non juif, le message du Christ : à ce titre, il est en quelque sorte le second fondateur du christianisme; ses voyages missionnaires eurent un retentissement considérable et lui attirèrent disciples et... persécutions, dont il se sortit indemne jusqu'en 67, date à laquelle on lui trancha la tête, à Ostie, sur ordre de Néron. Ses quatorze *Epîtres* constituent des monuments de la pensée chrétienne, et son action d'organisateur, sa foi, son rayonnement spirituel furent déterminants pour la chrétienté. Soixante-six autres saints et bienheureux furent des Paul, et parmi eux l'ermite Paul (IVe siècle), dont saint Antoine indique que les oiseaux venaient lui apporter à manger; à sa mort, saint Antoine n'ayant nul outil pour creuser la terre et y ensevelir Paul, deux lions se présentèrent et, avec leurs pattes, creusèrent eux-mêmes sa tombe. Paul de la Croix (1694-1775) propagea le culte de la Passion et fonda la Congrégation des Passionistes; saint Paul Miki (XVIe siècle) fut quant à lui un japonais missionnaire qui fut crucifié à Nagasaki avec vingt-six de ses compagnons.
Mais qui est-il, Paul, au caractère? Interrogeons-le :
– Au caractère? Eh bien, au caractère je suis Paul, voilà tout!
– Mais encore?
– Je suis la passion, la fougue, l'action et le triomphe. Ce que j'entreprends, généralement je le réussis : je n'ai pas le choix d'avoir le choix, donc j'avance. Bouillonnant au-dedans de moi comme je bouillonne, émotif et révolté, je n'ai d'autre ressource que d'agir, et d'agir à fond, si je ne veux pas perdre la tête. Il est vrai qu'avant de me lancer à corps perdu dans l'action, je l'ai parfaitement évaluée et jaugée; c'est que je pense aussi, et que je suis même plutôt efficace en ce domaine. Mon intelligence, lente, secrète, efficace, profonde, s'associe en effet à une intuition fulgurante, à une révélation immédiate des êtres et des situations. Certes, je suis exigeant en amour et en amitié, et peu apte à la tendresse déclarée, un peu figé dans l'expression des sentiments, mais si affectueux en fait, et si fidèle! Evidemment, ma vigilance suppose aussi un fond de pessimisme latent, qu'elle a pour tâche de combattre et de transformer, si possible, en élan de foi et d'enthousiasme – auquel cas, tout simplement, j'excelle. Rigoureux et soucieux de discernement en toutes choses, je le suis aussi dans le choix de

mes relations, mais ceux que j'aime, je crois les gâter et les choyer convenablement; en fait, en bon passionné, je les passionne, au point qu'ils acceptent même les remarques parfois abruptes dont je les gratifie, et qui vont jusqu'à la remontrance morale pure et dure. C'est vrai que, croyant ou non, je ne badine jamais avec les principes : on aime la perfection, ou on ne l'aime pas! Evidemment, les échecs ne me plaisent guère, puisqu'ils sont le signe que la perfection a été battue en brèche. Dites, si vous voulez, que j'en fais parfois un peu trop, mais vous ne m'empêcherez pas d'alimenter le feu de la vérité et de la justice!
– Mais... je ne comptais nullement...
– J'aime mieux ça! Et puis, je vais vous dire : Paul n'est pas si important, oubliez-moi un peu, et partez vous-même vers votre Damas!
– Grand dieu!...
– Comme vous dites.

PAULA

(voir Paule)

Couleur : le rouge.
Chiffre : le 6.
Signe associé : le Cancer.
A éviter devant un nom de famille commençant par A, La.

PAULE

(voir Paul)

Couleur : le rouge.
Chiffre : le 1.
Signe associé : le Lion.
Fête : le 8 octobre.
A éviter devant un nom de famille commençant par Au, L, Lo.

Au caractère, Paule est infiniment plus souple que Paul. C'est que Paule, même si elle agit avec une grande efficacité lorsqu'elle l'a décidé, affectionne les zones flegmatiques et sentimentales de l'existence, de sorte que son sens de l'action est sujet à quelques éclipses méditatives. Une manière de versatilité rêveuse, une volonté à la fois tendue et suspendue, une intelligence du détail tournant volontiers à l'analyse minutieuse, elle est celle qui observe et parle à l'intérieur. D'une manière générale d'ailleurs, elle joue d'une sorte de lenteur apparente pour mieux écouter, deviner, percevoir. Elle sait s'offrir ce luxe intime et rare du scrupule, et de la souveraine hésitation. Veut-elle, ne veut-elle pas : c'est dans ce suspens intérieur, dans cette distance cachée, qu'elle puise les ressources de son extrême sociabilité, en même temps qu'elle sonde la scène primitive, l'enfance secrète, et l'éternel jardin. L'ouverture du cœur, et un charme royal.

PAULETTE

(voir Paule)

Couleur : le rouge.
Chiffre : le 1.
Signe associé : la Balance.
A éviter devant un nom de famille commençant par I.
Célébrités : l'actrice Paulette Godard; la chanson d'Yves Montand, *A Bicyclette* (avec Paulette).

PAULINE

(voir Paule)

Couleur : le rouge.
Chiffre : le 6.
Signe associé : la Balance.
A éviter devant un nom de famille commençant par I, N.
Célébrités : Pauline, dans le *Polyeucte* de Corneille; Pauline Bonaparte; Pauline Carton; l'héroïne du beau livre de Pierre Jean Jouve, *Paulina 1880.*

PEGGY

(voir Marguerite)

PÉLAGE, PÉLAGIE

(Pelagia, Pelagien, Pelagienne, Pelagius)

Couleur : le bleu.
Chiffres : le 2, le 4.
Signe associé : le Lion.
Fête : le 8 octobre.
A éviter devant un nom de famille commençant par A, J ou I.
Étymologie : du grec « pelagios », *de haute mer.*

Sainte Pélagie se jeta dans le vide, du haut du toit de sa maison d'Antioche, pour échapper à ses persécuteurs; saint Jean Chrisostome a magnifié son geste dans un important sermon; ceci se passait sous le règne du sinistre Dioclétien. La première monarchie ibérique fut fondée, au VIIIe siècle, par le roi des Asturies, Pélage. Il y eut également un théologien celte, Pélage (360-420), dont la pensée (pélagianisme) fut condamnée par l'Église. Volontaires, actifs et loyaux, les Pélage et Pélagie nous ont toutefois bien abandonnés.

PETRONILLE

(voir Pierre)

PHILIBERT

(Filiberta, Filiberto, Philbert, Philberte, Philiberta, Philiberte)

Couleur : le vert.
Chiffre : le 2.
Signe associé : le Bélier.
A éviter devant un nom de famille commençant par R, Er, Ber.
Étymologie : du germain « fili », *beaucoup*, *et* « *behrt* », *brillant*.

Saint Philibert (VIIe siècle) fonda l'abbaye de Jumièges et un monastère sur l'île de Noirmoutier. Deux ducs de Savoie furent également des Philibert. Au caractère, c'étaient des actifs, des volontaires et des gens très sociables, les Philibert; intelligents et de bon conseil, mais ils nous ont quittés, et davantage encore les Philiberte.

PIA, PIE

(Piat, Piato, Piatus, Pio, Pius)

Couleur : le rouge.
Chiffre : le 1.
Signe associé : le Cancer.
A éviter devant un nom de famille commençant par I, A.
Étymologie : du latin « pius », *pieux*.
Douze papes, bien sûr, et Pia Colombo.

PHILIPPA

(voir Philippe)

PHILIPPE

(Felipa, Felipe, Filia, Filiouchka, Filip, Filipa, Filipka, Filipp, Filippa, Filippina, Filippo, Fippe, Fliep, Flippie, Fülop, Fulp, Lipa, Lipp, Lipperle, Lippo, Lippus, Lips, Phil, Philipe, Philipp, Philippine, Philippus, Phillie, Philp, Pilib, Pippa, Pippo)

Couleur : le vert.
Chiffre : le 1.
Signe associé : le Verseau.
Fête : le 3 mai.
A éviter devant un nom de famille commençant par B, P, Ip.
Étymologie : du grec « philo », *ami* et « hippos », *cheval*.

Cet « ami du cheval » fut d'abord, en saint Philippe, disciple de Jean-Baptiste avant d'être l'un des premiers Apôtres de Jésus. Il naquit à Bethsaïde, à proximité du lac de Tibériade, et fut à l'origine du miracle de la multiplication des pains, et également de la conversion de saint Barthélémy. C'est lui, qui, lors du repas de la Cène, adressa à

Jésus la célèbre supplique : « Seigneur, montre-nous le Père, et cela nous suffira. » Il aurait évangélisé la contrée des Scythes, c'est-à-dire la Roumanie, et aurait été mis à mort à Hiérapolis; il est devenu le saint patron du Luxembourg, du Brabant, et de l'Uruguay.

Une vingtaine d'autres saints et bienheureux furent des Philippe, et parmi eux saint Philippe l'Évangéliste qui fut, au Ier siècle, l'un des sept premiers diacres de l'Église et convertit Simon le Magicien; ou encore saint Philippe Néri (1515-1595), dit « Bon Pippo » ou « le saint gai », apôtre de Rome, qui fonda la communauté de l'Oratoire.

Si le prénom de Philippe fut courant chez les Grecs, ce n'est qu'à partir du XIIe siècle qu'il se répandit vraiment en Europe, avec les rois de France Philippe-Auguste et Philippe le Bel, l'empereur germanique Philippe de Souabe, ou encore Philippe II le Hardi (1342-1404), chef de la seconde Maison de Bourgogne, et son petit-fils Philippe III le Bon (1396-1467), qui créa l'Ordre de la Toison d'Or.

Le prénom connut également une grande faveur en Allemagne, et Philipp Melanchton y fut le bras droit de Luther, ainsi qu'en Angleterre, où « Philip » désigna le moineau tandis que « Robin » y était le rouge-gorge.

L'Espagne, avec Felipe, lui fit également un accueil des plus favorables, et les îles Philippines, que Magellan découvrit en 1521, furent ainsi baptisées en hommage au roi Philippe II. La vogue de ce prénom ne s'est pas démentie, et il reste aujourd'hui fort en usage aux quatre coins de l'Europe.

Célébrités : six rois de France; cinq rois de Macédoine, dont Philippe II, père d'Alexandre le Grand; quatre empereurs latins; cinq rois d'Espagne; le Régent Philippe d'Orléans; Philippe, le duc d'Édimbourg, époux de la reine d'Angleterre; Philippe Fabre d'Églantine; Jean-Philippe Rameau, le compositeur; Philippe Pétain; Philippe Clay; le poète Philippe Soupault, co-fondateur du mouvement surréaliste; les écrivains contemporains Jean-Philippe Domecq, Philippe Sollers, Philippe Boyer et Philippe Sergeant; le responsable socialiste espagnol Felipe Gonzalès; le pré-romantique allemand Karl-Philipp Moritz; le peintre romantique allemand Philipp-Otto Runge (1777-1810).

– Mon cher Philippe, parlez-nous un peu de vous.
– De moi?
– De vous!
– Rien de plus simple : je viens d'une autre planète.
– Ah oui?
– Vous n'avez pas remarqué? Je suis un passionné, un émotif un chef à l'allure mystérieuse, et mon action présente souvent les caractéristiques de l'initiation. On dit de moi que je suis celui qui brille, et je ne me sens jamais à l'aise qu'au milieu d'un entourage que je séduis et électrise. J'ai pour moi la confiance, la volonté, la moralité, et la chance m'accompagne partout.
– Eh bien!
– Oh, bien sûr, ce n'est pas si évident tous les jours, mais enfin je vibre à l'amitié, à la sensibilité, à l'élégance, à la générosité, et généralement les obstacles et les échecs me stimulent plus qu'ils ne m'abattent. La maîtrise de soi, voilà qui me paraît la moindre des choses, même si ma patience n'est pas sans limites. Il me semble que la rigueur et la clarté d'esprit sont des conditions indispensables à toute action bien conduite, et j'agis inlassablement, avec l'intuition suraiguë de qui est guidé de très loin par le souci de l'exactitude. Mémoire et intelligence, celle-ci vive et transparente, apte à l'analyse détaillée comme la synthèse globale, me sont échues avec la passion, le rayonnement et la foi. Et comme je déborde de dynamisme et d'inspiration, vous conviendrez aisément de la puissance de mon magnétisme; qui m'a une fois rencontré n'est pas près de m'oublier.
– En effet! Mais j'en connais cependant, des Philippe, qui semblent plutôt différents, sinon même le contraire de ce que vous dites...
– Ah, mais c'est qu'ils se sont eux-mêmes oubliés...
– Comment cela?
– En sacrifiant leur maîtrise de soi à de faux dieux, à des idoles de pacotille. Cela arrive quand « l'ami du cheval » préfère ses véhicules à sa course solaire. Alors il perd confiance en lui, et confond rêverie secondaire et

intuition. Qu'il se reprenne, qu'il fasse appel à l'ardeur intacte de sa curiosité, et toute sa puissance lui est instantanément restituée. Je vous le dis : Philippe, c'est l'énergie venue de haut, et le cheval dont il est étymologiquement l'ami est la pureté même, ailée, lumineuse, et libre!
– Puisque vous le dites...
– C'est l'évidence!
– Ainsi soit-il.

PIERRE

(Paitje, Pär, Peadair, Peadar, Pedrinka, Pedro, Peer, Pekka, Per, Perez, Perico, Perig, Pero, Pernette, Perrette, Perrin, Perrine, Perrinette, Peta, Petar, Pete, Petie, Peter, Peterina, Peterus, Petey, Petia, Petoussia, Petr, Petra, Petrine, Petrinka, Petronia, Petronella, Petronille, Petrus, Petrusa, Petter, Petz, Pierig, Pierke, Piero, Pierrette, Pierrick, Pierrot, Piers, Piet, Pieter, Pietro, Pita, Pitrah, Pitt, Protia, Protz)

Couleur : le jaune.
Chiffre : le 8.
Signe associé : le Lion.
Fête : le 29 juin.
A éviter devant un nom de famille commençant par R.
Étymologie : du grec « petros », ***pierre, rocher.***
Célébrités évidemment fort nombreuses, et parmi elles trois tsars de Russie, quatre rois d'Aragon, deux empereurs du Brésil, deux rois de Jérusalem et de Chypre, un roi et un tsar de Bulgarie, deux rois de Sicile, le prédicateur Pierre l'Ermite, l'architecte Pierre de Chelles (XIVe siècle), maître d'œuvre de Notre-Dame-de-Paris, le compositeur Pierre de la Croix (XIIIe), l'architecte de Saint-Louis-Pierre-de-Montreuil, l'auteur du ***Roman de Renard*** **Pierre de Saint-Cloud, le poète Pierre Ronsard, Pierre Corneille, Pierre Caron de Beaumarchais, Pierre Benoît, Pierre Curie, Pierre Loti, Pierre Louys, Pierre-Paul Rubens, Pietro Scarlatti, Piotr Illitch Tchaïkovski, Pierre Teilhard de Chardin, Pierre Klossowski, Pierre Jean Jouve, Pierre Mac-Orlan, Pietr Mondrian, Pierre Seghers, Peter Ustinov, Peter O'Toole, Pierre Desgraupes, Pierre Dumayet, Pierre Desfons, Pierre Mauroy, Pierre Mendès-France, Petrus Borel, Pierre Goldmann, Pierre Guyotat et tant d'autres... Et puis, mentionnons Jean-Pierre Duprey, grand poète de ce temps, et les poètes Pierre Dhainaut, Pierre Vandrepote, Petr Kral, sans oublier Jean-Pierre Faye ni Pierre Dac.**

Simon bar Iona, c'est-à-dire Simon fils de Jean, fut ainsi interpellé par Jésus, qui l'appela (en araméen) Képha (pierre) : « Tu es Pierre et sur cette pierre je bâtirai mon église ». Ainsi fut fait, et Simon le pêcheur devint Pierre, l'Apôtre et premier chef de la chrétienté – premier évêque et premier pape. Témoin de la Transfiguration et des miracles de Jésus, torturé par ses reniements (« Avant que le coq ait chanté trois fois... ») lors de la persécution du Messie, saint Pierre, avec Jean et Jacques disciple préféré du Sauveur, fut le premier à annoncer la Résurrection. De Jérusalem à Antioche, il évangélisa et annonça la bonne nouvelle, avant d'être crucifié tête en bas à Rome, en 64, sous Néron. Sur son tombeau fut érigée la basilique du Vatican. Il nous laisse, outre l'Église elle-même, deux *Épîtres,* et près de 200 autres saints et bienheureux portèrent son nom. Le prénom de Pierre fut jusqu'au XIIe siècle le plus en faveur en France, où il fut ensuite concurrencé par celui de Jean, et le Pierrot y est depuis le Moyen Age une désignation du moineau, tandis que le perroquet, de toute évidence, se rattache également au nom de l'Apôtre. Peter, que les Normands

introduisirent en Angleterre, marqua le pas avec la Réforme, celle-ci le tenant pour un nom « papiste », avant de resurgir au XXe siècle grâce à la vogue de *Peter Pan* (1904), roman de l'Écossais Barie. Toute l'Europe, de l'Allemagne à l'Espagne, a fait un accueil plus que favorable à Pierre, et des Pays-Bas à la Russie et à la Suède, le prénom fut et reste des plus répandus. A noter toutefois que le respect dû à saint Pierre a retenu l'Église d'utiliser Pierre comme dénomination des papes; une tradition remontant à saint Malachie précise d'ailleurs que l'avènement éventuel d'un pape sous le nom de Pierre II annoncerait la fin du christianisme. Per, Perig, Pierrick sont des formes bretonnes de Pierre.
– Pierre?
– Oui.
– Présentez-vous, c'est l'heure.
– C'est l'heure de l'homme de cœur, donc. Car je suis ainsi : exubérant et tendre, mais à prendre avec tact : aimez-moi élégamment sinon je me sauve, et ne m'imposez rien, sinon je me sauve aussi. J'aime le mystère et l'indépendance, pas les dogmes. J'ai des principes, certes, mais je ne cultive pas le conformisme ni les croyances obligées.
– Mais encore?
– Eh bien, disons que je suis un bouillonnant, un impulsif, et que ma fantaisie, parfois, est sans limites. Tantôt je privilégie l'imagination, et tantôt la force de la volonté. J'aime faire le point par la politique de la table rase, et tout recommencer à partir de rien. On ne me convainc pas facilement, et j'ai le coup de tête facile et fonceur. Personne ne me persuadera aisément des mérites de l'action continue, où j'ai tendance à ne voir que routine et vieillerie de l'habitude. En revanche, je tiens en haute estime l'improvisation neuve et l'innovation fulgurante; je suis tout à la fois rêveur et curieux de savoir, indiscipliné et professionnellement responsable, instable et super-intuitif. A ce sujet, il faut dire, tout simplement, que j'excelle, et je devine les ressorts secrets des situations et des êtres avec le naturel et la promptitude d'une pythonisse inspirée. Ceci me permet d'ailleurs de me révéler efficace, et même remarquable, en société : je joue, je conte, je séduis et j'entraîne. Comme de surcroît on s'accorde à me reconnaître une générosité certaine, les relations sociales et amicales n'ont pas de secret pour moi... à cette réserve près que cette sociabilité n'a d'égale que mon insolence : encore faut-il que la circonstance me convienne, sinon je peux me fermer et me montrer fort aisément rebelle aux sourires et aux avances les plus engageants. Ainsi, je peux me montrer timide, indifférent, et jouer les refoulés fatalistes, alors que j'ai manifestement une âme d'aventurier volontiers bluffeur et bon vivant. Je laisse croire que je suis de ceux qui commandent et règnent, mais au fond je n'ai pas la vocation d'un chef. A vrai dire, je me demande parfois si saint Pierre n'a pas légèrement bluffé Jésus en le lui laissant croire... Moi, fonder une Église?... Avec mes désirs souvent débridés et mon papillonnage toujours latent! Enfin...
– Peut-être, mais la discipline a des vertus constructives, non?
– Oui, c'est vrai. Pour peu que je m'y soumette, pour peu que je rêve de stabilité, de cohérence, d'action étincelante; alors en effet la chance vient à moi. Du reste, il me semble qu'elle vient sur le tard, avec la sagesse qui descend sur les ex-impulsifs et bourlingueurs impénitents. Ah, retenez-moi, je crois que je vais fonder un ordre! C'est si beau soudain, un ordre, pour qui n'en a jamais reconnu d'autre que celui du cœur et de l'éblouissement sans garde-fou. Enfin, qui vivra verra.

(voir Paul)

Couleur : le rouge.
Chiffre : le 7.
Signe associé : la Vierge.
A éviter devant un nom de famille commençant par O, L.
Célébrités : le sculpteur Pol Bury; l'éditeur Pol Otchakovsky.

Priscilla

(Illa, Pris, Prisca, Priscillian, Priscilliano, Priscillien, Priscillienne, Priscilo, Prisco, Priscus, Prisk, Priskilla, Prissie)

Couleur : le bleu.
Chiffre : le 1.
Signe associé : le 16 janvier.
A éviter devant un nom de famille commençant par A, La.
Étymologie : du latin « priscus » *antique.*

Une catacombe de Rome est au nom de sainte Priscilla, dont on ne sait rigoureusement rien d'autre. Le prénom est mentionné dans la seconde lettre de saint Paul à Timothée ainsi que dans les Actes des Apôtres, et plut aux puritains anglo-saxons. Volontaire et intuitive Priscilla! Dynamique et sensuelle Priscilla! Dommage que sa sonorité, en français, ne soit pas très harmonieuse.

Prosper

(Prospera, Prospero)

Couleur : le vert.
Chiffre : le 8.
Signe associé : le Scorpion.
Fête : le 25 juin.
A éviter devant un nom de famille commençant par R, Per.
Étymologie : du latin « prosperus », *florissant, prospère, auspicieux.*
Célébrités : l'écrivain Prosper Mérimée.

Saint Prosper (ve siècle), laïc marié défenseur de saint Augustin et lettré cultivé, fut secrétaire du pape. Rien à voir avec le Prosper Youp la Boum de Maurice Chevalier, qui a pourtant contribué tout à la fois à ridiculiser et à répandre le prénom. Il est cependant pratiquement tombé en désuétude de nos jours. Et pourtant, il était royal dans l'action, Prosper, et intelligent et grand cœur, main de velours dans une volonté de fer. Ainsi s'en vont les gloires.

PRUDENCE

(Prew, Prewdence, Prudent, Prudentia, Prudentius, Prudenz, Prudie)

Couleur : le bleu.
Chiffre : le 6.
Signe associé : le Bélier.
Fête : le 6 avril.
A éviter devant un nom de famille commençant par S, An.
Étymologie : du latin « prudens », *prudent*.

Saint Prudence, évêque de Troyes au IXe siècle, fut un théologien important, annonciateur du jansénisme par ses écrits sur la prédestination, et sainte Prudence fut la pieuse supérieure d'un couvent des Ermites de saint Augustin. Originellement, « prudens » est une contraction de « providens », *prévoyant;* la providence est donc, étymologiquement, une prévoyance. Mais on ne voit plus guère ces prévoyants, ces prudents, ces Prudence, qui eurent leur heure de gloire anglaise et puritaine avec d'autres prénoms du genre abstrait-vertueux, comme Abstinence, Obédience Tempérance, Charity, etc. Y a-t-il quelque danger à raviver Prudence?

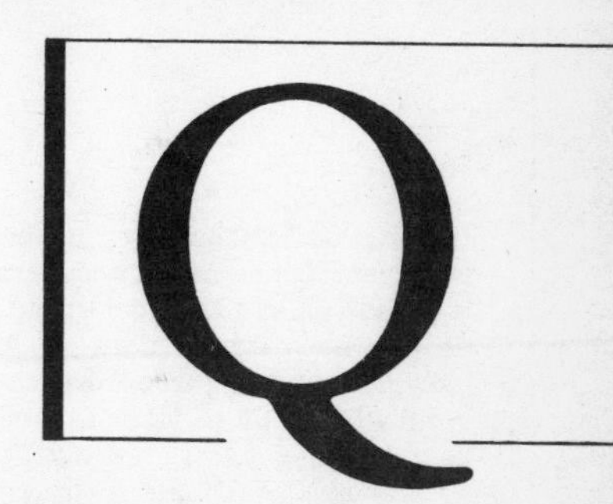

QUENTIN

(Quentilien, Quinta, Quintien, Quintila, Quintiliano, Quintilien, Quintilienne, Quintilius, Quintin, Quintina, Quinton)

Couleur : le bleu.
Chiffre : le 1.

Signe associé : le Sagittaire.
Fête : le 31 octobre.

A éviter devant un nom de famille commençant par In, Un, Tin.

Étymologie : du latin « quintus », *cinquième*.
Célébrités : Quentin Durward, le livre (et le héros du livre) de Walter Scott; le pastelliste Maurice Quentin de La Tour (né, d'ailleurs, à Saint-Quentin (1704-1788); le peintre flamand Quentin (ou Quinten) Metzys (ou Matsys).

Quintus était, à Rome, la dénomination des enfants nés en cinquième place dans une fratrie. Saint Quentin (IIIe siècle), évangélisateur d'Amiens et de sa région, y fut peut-être décapité; selon la légende, saint Éloi aurait retrouvé la dépouille de Quentin à Vermand (Augusta Vermandorum), où résidait Quentin; et l'ancienne cité de Vermand est devenue Saint-Quentin. Quentin est un prénom typique du nord de la France, et « le P'tit Quinquin », c'est lui. Et les Belges, les Anglais, les Écossais le connaissent également fort bien. Au caractère, c'est un intuitif, très fin et sociable, spontanément ouvert et dévoué; et cet être intelligent et raffiné est la générosité même. Ainsi dure Quentin, prénom du Nord venu du Sud; un grand Chtimi.

LES PRÉNOMS AU PAYS DU SOLEIL LEVANT

Une liste, au demeurant purement indicative, de prénoms japonais et de leurs significations, nous permettra d'aborder ici aux rives de la grande île de l'Extrême-Orient. Précisons simplement, afin de ne pas nous égarer dans la forêt de cette langue, que les terminaisons en *ko,* très souvent utilisées, indiquaient, à l'origine, la situation, l'état social de la personne, et constituent de nos jours un diminutif pour les prénoms des enfants, et la marque féminine du prénom (les femmes n'ont de prénom que depuis cinq cents ans). Pour le R, il se prononce, tant bien que mal, entre L et D.

féminins

Eri (Je suis de Edo, nom ancien de Tokyo).
Hanako (Fleur).
Hiroko (Générosité du Grand Espace).
Ichiko (la Première Fille).
Keiko (Grâce).
Mari (Réalité-Raison).
Masako (Certitude).
Michiko (Beauté de l'Intelligence).
Midori (Lieu de l'Ascension vers la Beauté).
Ogawasan (Honorable Ruisseau, également nom de famille).
Sachiko (Servante de l'Intelligence).
Teruko (Eclat du Soleil).

masculins

Chiro (le Quatrième homme, ou fils).
Goro (le Cinquième).
Hitoshi (Bénévole).
Ichiro (le Premier homme).
Jiro (le Deuxième).
Jyungi (le Pur, Innocent).
Jyunpei (Obéissant).
Katsutoshi (Victorieux, Excellent).
Makoto (vrai).
Masahito (Homme Exact).
Saburo (le Troisième).
Shinichi (Vérité).
Taizou (Possesseur du Large)
Takashi (Intention Haute).
Taro (Homme Vaste).
Tooru (Transparent).
Yukio (Origine de la Raison).

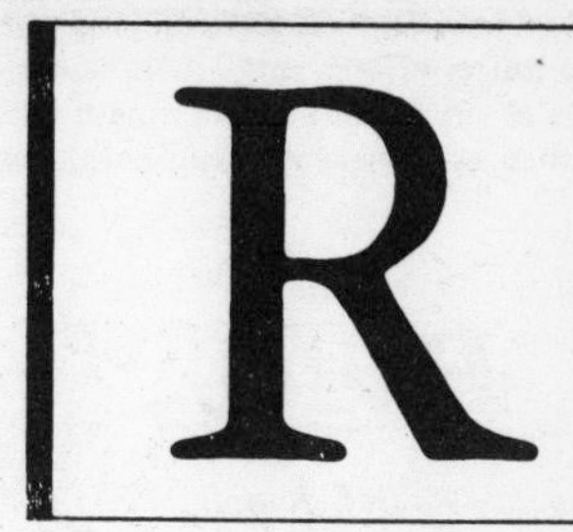

RACHEL

(Rachael, Rachela, Rachelle, Rachie, Rachile, Rae, Raquel)

Couleur : l'orangé.
Chiffre : le 2.
Signe associé : le Sagittaire.
Fête : le 15 janvier.
A éviter devant un nom de famille commençant par L, El, Ch, J.

Étymologie : de l'hébreu « rahel », ***brebis.***
Célébrités : la tragédienne Rachel (1821-1858); l'actrice Raquel Welsch; Richelle Dassin, poète, parolière de Ray Charles comme de Vangelis.

Rachel, sœur cadette de Léa, fille de Laban l'Araméen, était aimée de Jacob : celui-ci travailla sept ans pour obtenir... la main de Léa, que le vieux Laban lui imposa; alors Jacob travailla sept ans encore et put également épouser Rachel. Le Moyen Age vit ce prénom employé par les juifs, puis le puritanisme anglais l'adopta et, depuis le XVIIe siècle, c'est un prénom anglo-saxon courant. Au caractère, Rachel incarne la générosité, l'ouverture du cœur et le charme profond; une volonté sûre, une intelligence synthétique, un sens de l'action auspicieuse, voici des qualités indéniables, voici le raisonnement avec la résonance, voici Rachel.

RAINIER

(Rackner, Ragnar, Rainer, Raneiro, Raniera, Réginar, Regner, Regnerus, Régnier, Reignier, Reiner, Renner, Rinner, Neres)

Couleur : le rouge.
Chiffre : le 3.
Signe associé : le Cancer.
Fête : le 17 juin.
A éviter devant un nom de famille commençant par I, E.

Étymologie : du germain « ragin », ***conseil,*** **et « hari »,** ***armée.***
Célébrités : trois princes de Monaco; et le très pur Rainer Maria Rilke, grand poète autrichien de notre siècle (1875-1926).

Prénom germanique du Moyen Age, Rainier a donné de nombreux noms de famille, comme Régnier, Raynier, Reiner, Regner. Le bienheureux Rainier (XIIe siècle), joueur de lyre de son état, fut touché par la grâce et accorda son instrument sur la solitude et le miraculeux, puisqu'on le trouve ermite en Palestine et faiseur de prodiges à Pise, où il n'a cependant pas touché à la tour. C'est, au caractère, un être puissant, intelligent, maître de soi; actif, volontaire, et très intuitif, il sait mettre son entourage à l'aise et devine êtres et situations en profondeur. Volonté de fer, énergie quasi-tellurique : Rainier est assurément un solide prénom.

RAOUL

(Radeke, Radlof, Radola, Radolf, Radolphe, Radulf, Raff, Ralf, Ralph, Raoulet, Raoulin, Ratolf, Rauf, Raul, Reel, Relef, Rowl)

Couleur : l'orangé.
Chiffre : le 4.
Signe associé : le Verseau.
Fête : le 21 juin.
A éviter devant un nom de famille commençant par Ou, L.
Étymologie : du germain « rad », *conseil*, et « wolf », *loup*.

Célébrités : Raoul (ou Radolphe), duc de Bourgogne, puis roi de France au xe siècle; le chroniqueur du xiie siècle Raoul de Caen; le chanson de geste de *Raoul de Cambrai* (xiiie,) un poète du xiiie, Raoul de Houdan; le peintre Raoul Dufy (1877-1953); l'acteur Raff Vallone.

Très vieux prénom qui eut ses grandes heures de gloire en France du VIIIe au Xe siècles et dans tout le Moyen Age, Raoul est arrivé en Angleterre avec la conquête normande; la forme Ralph, apparue au XVIIe siècle, l'y a ensuite remplacé; l'allemand Ralf est utilisé depuis le début de notre siècle. Patriarche des Aquitaines et évêque de Bourges, saint Raoul fut, au IXe siècle, le fondateur de plusieurs monastères. Cinq autres saints et bienheureux furent également des Raoul. De nos jours, le prénom est un peu passé de mode. Au caractère, Raoul est l'homme du mystère et de l'équilibre; à la fois très intériorisé et tout en pulsions émotives, Raoul use d'une indéniable intelligence pour mener sa barque au-delà des routines et des contraintes; c'est un franc-tireur, un indépendant, et un travailleur opiniâtre. Généreux et déconcertant, il se révéle d'une inflexible moralité.

RAPHAËL

(Faila, Falia, Falito, Rafa, Rafael, Rafaella, Rafaelle, Rafaelli, Rafaello, Rafaïl, Rafaïla, Raff, Raffaele, Rafil, Rakha, Raphaela, Raphel)

Couleur : le jaune.
Chiffre : le 7.
Signe associé : le Verseau.
Fête : le 29 septembre.

A éviter devant un nom de famille commençant par L, El.

Étymologie : de l'hébreu « repha'él », *Dieu a guéri*.
Célébrités : le très grand Raphaël Sanzio, c'est-à-dire Raphaël; les hommes de lettres contemporains Raphaël Puividal et Raphaël Billetdoux; le coureur cycliste et entraîneur Raphaël Géminiani.

Dans le Livre de Tobie, où il est mentionné à plusieurs reprises, l'Archange Raphaël intervient pour guérir Tobie de sa cécité. Saint Raphaël est ainsi devenu le patron des pèlerins des malades et mutilés de guerre. Ce prénom, qui se fait discret, est encore en notable faveur dans le midi de la France. Au caractère, Raphaël est un intuitif au grand cœur; dynamique, vif, prompt à réagir en toutes situations, il garde une fraîcheur et un enthousiasme qui font de lui un naïf souriant et noble – un vrai naïf, pas un niais. Raphaëlle, de son côté, ajoute à cette limpidité quelque chose de plus volontaire, de plus concerté; une vive intelligence, un flair des plus habiles, et « de la classe », voici Raphaëlle.

RAYMOND

(Raimo, Raimond, Raimondo, Raimund, Raimunda, Raimonde, Raimundo, Raimunds, Ramon, Ramona, Rajmund, Ramuncho, Ray, Raymonde, Reamonn, Reim, Reime, Reimund, Reinmund, Remus, Reum)

Couleur : le bleu.
Chiffre : le 9.
Signe associé : le Bélier.
Fête: le 7 janvier.
A éviter devant un nom de famille commençant par On, Non, Mon.
Étymologie : du germain « ragin », ***conseil,*** **et « mund »,** ***protecteur.***

Célébrités : sept comtes de Toulouse; cinq comtes de Barcelone; deux princes d'Antioche; quatre comtes de Tripoli; Raymond Poincaré; Raymond Radiguet; Raymond Roussel; Raymond Abellio; Raymond Rouleau; Raymond Pellegrin; Raymond Kopa; Raymond Poulidor; Raymond Bussières; Raymond Queneau; Ray Charles.

Prénom du Midi et du Moyen Age, Raymond fut très en faveur à Toulouse, dont sept comtes furent des Raimond, et en Espagne, où Ramon continue d'être très courant. L'Angleterre et l'Allemagne, depuis le siècle dernier, l'ont également adopté ou remis en usage. Saint Raymond (1180-1275), théologien et dominicain très humble, fonda l'ordre de Notre-Dame-de-la-Merci. Il naquit et vécut à Barcelone et dans sa région. Dix autres saints et bienheureux furent des Raymond, et notamment Raymond Lulle (1235-1315), autre excellent Catalan, poète mystique et alchimiste d'envergure; il nous a laissé son *Ars magna* (Grand Art), et fut surnommé fort respectueusement « le Docteur illuminé ». Au caractère, Raymond est un viril, un volontaire, un dynamique; ouvert au monde et y participant spontanément, il contrôle ses émotions et pulsions vitales avec la maîtrise et l'obstination de qui connaît l'échec comme un aiguillon; solide et stable dans ses principes, il est l'intelligence et la rigueur même; fidèle et fort, il a néanmoins une tendance un peu macho à se méfier de tout ce que la vie offre de féminin : l'intuition, la zone des sentiments, la psychologie immédiate, mais il sait offrir un dévouement puissant et inaltérable.

RAYMONDE

(voir Raymond)

Couleur : le bleu.
Chiffre : le 5.
Signe associé : le Bélier.
A éviter devant un nom de famille commençant par On, D.

Raymonde? Elle est l'image de l'énergie, de la ténacité, mais aussi de la séduction et de l'intuition. Contrairement à Raymond, dont elle a bon nombre des très viriles qualités, elle ne redoute rien de la spontanéité, de la nuance du sentiment, et elle charme par ces grâces de l'esprit plus que par l'allure extérieure, que, d'ailleurs, elle a généralement avenante. Ce n'est pas une faible femme, mais elle se fait un peu rare ces temps-ci.

REBECCA

(Beck, Beckie, Becky, Bekki, Reba, Rebe, Rebeca, Rebekah, Rebekka)

Couleur : l'orangé.
Chiffre : le 3.
Signe associé : le Sagittaire.
Fête : le 23 mars.
A éviter devant un nom de famille commençant par A, C, Ca.
Étymologie : de l'hébreu « ribgah », *vache.*
Célébrités : une héroïne de l'*Ivanhoé* (1819) de Walter Scott, et de *Rosmersholm*, drame d'Ibsen.

Femme d'Isaac, mère de Jacob et d'Ésaü, Rebecca l'Araméenne nous vient droit de la Bible, et connut, comme prénom, un succès certain chez les puritains anglais, puis américains. Au caractère, on la dit volontaire et dynamique, plutôt sociable et enjouée. On la rencontre assez rarement en France. Outre les puritains, les communautés juives cultivent aussi, bien évidemment, des Rebecca.

RÉGINE

(voir Régis)

Couleur : le rouge.
Chiffre : le 4.
Signe associé : le Capricorne.
Fête : le 7 septembre.
A éviter devant un nom de famille commençant par I, N.
Étymologhie : voir *RÉGIS.*
Célébrités : Régine Crespin, la cantatrice; l'éditrice et écrivain Régine Deforges; l'actrice Gina Lollobrigida (ci-contre).

Il y eut une sainte Reine (ou Régine) dont la légende affirme que, jeune et pieuse bergère, elle aurait été conduite au martyre à Alésia après s'être soustraite aux convoitises d'un mécréant païen; si la légende est invérifiable, le culte de sainte Régine est authentifié, puisqu'une basilique et un monastère, à Alésia même, en témoignent. Une autre sainte Reine, dont nous savons, celle-là, qu'elle vécut au VIIIe siècle, est tenue pour la fondatrice de la cité de Denain. Au caractère, Régine, intelligente, dynamique, est réputée pour être la droiture même; loyale et fidèle, elle laisse penser que ce sérieux en elle est de nature à susciter l'ennui, mais il n'en est rien, et Régine peut manifester, en ne perdant rien de sa rigueur, un salubre sens le l'humour.

RÉGIS

(Gina, Gino, Raina, Regan, Reggie, Régina, Régine, Regino, Reginus, Reine, Rina)

Couleur : le rouge.
Chiffre. le 4.
Signe associé : la Vierge.
Fête : le 16 juin.
A éviter devant un nom de famille commençant par I, S, Jis.

Étymologie : du latin « regere », ***gouverner,*** **et « rex, regis, regina »,** ***roi, reine.***
Célébrités : l'écrivain François-Régis Bastide; l'écrivain et expert politique Régis Debray.

Saint Jean-François-Régis (1597-1640), jésuite de son état, fut un évangélisateur fervent et infatigable des campagnes du Velais et du Vivarais. Au caractère, ce « roi » est également un infatigable, un tenace; volontaire et dynamique, son intelligence aiguë et son amour de la minutie et du détail font de lui un de ces êtres d'exactitude et d'ingénieuse rigueur dont on dit qu'« il ira loin ».

RÉMI

(Remey, Rehm, Remies, Remigio, Remigius, Remy, Miek)

Couleur : l'orangé.
Chiffre : le 9.
Signe associé : le Sagittaire.
Fête : le 15 janvier.
A éviter devant un nom de famille commençant par I, Mi, ou Fa.

Étymologie : du latin « remigius », ***rameur,*** **souvent confondu avec « remedius »,** ***remède.***
Célébrités : le théologien du IXe siècle Rémi d'Auxerre; l'écrivain Rémy de Gourmont (1858-1915)

Saint Rémy (437-533) signait du reste aussi bien Remegius que Remedius. En 498, il fut amené à baptiser d'un coup trois mille Francs, dont Clovis, après la victoire de celui-ci sur les Alamans. Quatre autres saints furent des Rémi. Prénom courant au Moyen Age en Allemagne et en France, Rémi se fait aujourd'hui assez rare. Au caractère, Rémi doit concilier son intuition et sa passion intellectuelle avec ses puissants élans vitaux; en lui l'aventure et l'harmonie cherchent leur point d'équilibre. Son exigence morale et sa sociabilité l'y aident, d'autant que ce n'est pas une nature spécialement triste ou mélancolique, au contraire.

RENATE

(voir René)

RENAUD

(Naldo, Rael, Raghal, Ragnvald, Rainald, Ravel, Reg, Regg, Reggie, Reginal, Reginaldo, Regnaud, Regnault, Reinald, Reinalda, Reinaldo, Reinhold, Reinold, Reinout, Reinwald, Renaude, Renault, Renaut, Renout, Rinalda, Rinaldo, Reynold, Reynolds, Ron, Ronald, Ronnie, Ronny)

Couleur : le bleu.
Chiffre : le 9.
Signe associé : le Sagittaire.
Fête : le 17 septembre.
A éviter devant un nom de famille commençant par O, No.
Étymologie : du germain « ragin », *conseil,* et « waldan », *gouverner.*
Célébrités : l'un des quatre fils Aymon, Renaud de Montauban; l'aventurier un peu corsaire et prince d'Antioche de son état, Renaud de Châtillon; Renaud, personnage de *La Jérusalem délivrée* (1575), du Tasse; et Renaud, le chanteur.

Prénom typique du Moyen Age, on retrouve Renaud avec *les Quatre Fils Aimon* (XIIe siècle), dont il est l'un des quatre, et dans toute la littérature de chevalerie. Arrivé en Angleterre par la conquête normande, le prénom prit des formes locales (Reynold, Regnault, Reginald). Saint Renaud, moine de Soissons au XIe siècle, se fit ermite dans la forêt de Craon, puis dans une forêt de la Sarthe, préférant sans doute le bruissement divin de la nature aux divins offices du monastère. Au caractère, Renaud est un homme surdynamisé, volontaire, et d'une énergie débordante; l'œil critique et aigu, il décèle immanquablement « ce qui cloche »; comme de surcroît ce grand insatisfait cultive la passion d'« autre chose », d'« ailleurs » et de « lendemains », on peut être assuré d'avoir affaire à tout le contraire d'un endormi. Un grand remuant.

RENÉ

(Nata, Rena, Renaat, Renat, Renata, Renate, Renatka, Renato, Renatus, Renée, Renelle)

Couleur : le bleu.
Chiffre : le 6.

Signe associé : le Sagittaire.
A éviter avec un nom de famille commençant par E, Né.
Étymologie : du latin « renatus », *né une seconde fois, re-né.*

Célébrités : *René* (1802, *Le Génie du christianisme*), le roman de Chateaubriand (lui-même François René vicomte de); *Renate Fuchs* (1901), roman de Wassermann; le populaire « bon roi René Ier » (1409-1480); le duc de Lorraine René II; René Descartes: René Laënnec; René Réaumur; René Clair, le cinéaste; René Coty, le président; René Depestre, René Char, René Crevel, René Daumal, les poètes; René Magritte, le peintre; René Guénon, l'ésotériste; René Etiemble, l'universaliste; René Caillé, l'explorateur français du XIXe siècle, premier étranger à pouvoir entrer (clandestinement) à Tombouctou; Renata Tebaldi, la cantatrice; René Clément, le cinéaste.

Le thème de la « seconde naissance » occupe une part-clé de l'ésotérisme chrétien, et le prénom de René entretenait, dans les premiers siècles du christianisme, cet écho religieux et métaphysique. Ce très vieux prénom, même s'il semble aujourd'hui moins porté, n'a cependant jamais cessé d'être utilisé, surtout en France et en Allemagne, où la forme de Renate et Renata (Renée) continuent d'avoir cours. Le culte de saint René, évêque d'Angers, se manifesta en Anjou, mais aussi en Campanie, où saint René fut évêque à Sorrente – on ignore s'il s'agit du même saint... Il y eut sept autres saints et bienheureux qui furent des René, et notamment saint René Goupil (XVIIe siècle), jésuite au Canada, martyrisé par les Iroquois en 1642. Au caractère, René est aux prises avec « l'homme ancien » et « l'homme nouveau » qui se manifestent en lui; sceptique, il peut devenir l'homme de la conviction ardente; efficace et logique, d'une intelligence concrète, il confond parfois l'intuition et l'impulsivité; passionné, il est cependant capable de suspendre son geste, ou d'attendre un moment plus favorable à l'action. Volontaire, mais par à-coups et éclipses, René cherche la droiture. la justice, l'autorité, et les trouve le plus souvent en lui et par lui. S'il aime, c'est à fond, fidèlement, avec toute la foi et l'excès, même, qui sommeillaient en lui. Gare, cependant, à qui trahit son amitié ou son amour! En société, sa dualité psychique se révèle sans fard : René peut aussi bien se révéler agréable, affable et disert, que franchement indifférent, sinon désagréable. Il sème et il récolte, ardemment, fortement, avec une sincérité entière. L'échec ne l'atteint pas.

RENÉE

(voir René)

Couleur : le bleu.
Chiffre : le 6.
Signe associé : le Sagittaire.
A éviter devant un nom de famille commençant par E, Né.
Étymologie : voir RENÉ.
Célébrité : la fille d'Anne de Bretagne et de Louis XII. Si Renée tend à se faire plus rare en France actuellement, Renate continue en revanche de faire des adeptes nombreuses en Allemagne.

Au caractère, Renée ajoute à René le charme et l'élégance, la souplesse de l'esprit et l'intuition. Ouverte, curieuse, avide de savoir, Renée montre une grande soif de culture et d'innovations intellectuelles, et elle sait se donner les moyens d'étancher cette soif.

RICHARD

(Dick, Dickie, Dicky, Karda, Reich, Reichard, Reichardt, Rhisiart, Ricard, Ricarda, Ricardo, Riccarda, Riccardo, Ricciardo, Richarda, Richarde, Richardine, Richart, Richenza, Richerd, Richie, Richly, Rick, Rickert, Ricky, Ricordino, Ridsert, Ridzard, Riek, Rikkard, Rikitza, Riocard)

Couleur : le rouge.
Chiffre : le 7.
Signe associé : les Gémeaux.
Fête : le 3 avril.
A éviter devant un nom de famille commençant par R, Ar, ou Ch.
Étymologie : du germain « rik », *roi*, et « hart », *fort*.

Célébrités : Richard Iᵉʳ Cœur de Lion, ainsi que deux autres rois d'Angleterre d'où deux tragédies de Shakespeare, *Richard II* (1595) et *Richard III* (1592); trois ducs de Normandie; Richard Wagner; Richard Strauss; le philanthrope Richard Wallace; l'écrivain Richard Wright; l'explorateur Richard E. Byrd; Richard Nixon.

Saint Richard (1197-1253), étudiant pauvre puis grand érudit, fut évêque de Chichester; pieux et résolu, il sut tenir tête au roi Henri III pour défendre l'Église et l'action de celle-ci. Dix-neuf autres saints et bienheureux furent des Richard.
Ce prénom fut extrêmement courant dès avant le Moyen Age en France, en Allemagne, en Angleterre et en Écosse.
En Écosse, on use du diminutif Dick, ou Dickie. Ce prénom est toujours tout à fait courant actuellement.
Au caractère, Richard est réputé volontaire, mais un peu instable, actif et entreprenant, mais soucieux de rigueur. Une grande énergie, qui sait se mettre en doute pour mieux s'affermir, et s'affirmer.

RICHELLE

(voir Rachel)

Prénom rarissime, forgé à partir de Rachel et de Rivka, Richelle (ou Richel) se voit, en pleine fantaisie analogique et librementassociative, donc au-delà de toute rigueur étymologique, comme « deux coquillages qui sourient », ou comme un grand oiseau planant (Richaile) qui se souvient d'avoir volé.

Ce prénom est si clandestin que nulle Richelle, semble-t-il, n'en a rencontré d'autre. Une boutique de fleurs avec enseigne portant ce nom est signalée à Londres, mais pas, ou pas encore, de sainte Richelle.
Le diminutif habituel du prénom, Ricky, Rickie, semblable à ceux de Éric, ou Richard, renvoie également à Joseph Conrad par le biais de la petite enfance, avec la mangouste Ticki-Tavi, qui tue les reptiles, et aboutit donc à la trilogie du sobriquet Rickie-Ticki-Tavi, soit : « Rickie-Celle qui délivre des Serpents », ou encore : « Rickie-Mangouste ».
Avec Richelle, tout se passe comme si la rareté intensifiait le sens, et ce prénom quasi-introuvable vient livrer à profusion des images plus promptes et plus vastes que celles que nous offrent des prénoms éprouvés. N'hésitons pas à le dire : la planète ne manque peut-être pas tout à fait de mangoustes, de coquillages ni d'oiseaux, mais à coup sûr elle n'a pas assez de Richelle.

(voir Marguerite)

ROBERT

(Bob, Bobbie, Bobby, Rab, Rabbie, Riobart, Rob, Roba, Robb, Robbert, Robby, Robel, Röbeli, Roberta, Roberte, Robertina, Robertine, Roberto, Roberts, Robertson, Robin, Robina, Robine, Robinia, Robinette, Robinson, Roparz, Roperz, Roppel, Ruberta, Ruperta, Rüpli)

Couleur : le rouge.
Chiffre : le 6.
Signe associé : la Vierge.
Fête : le 29 avril.
A éviter devant un nom de famille commençant par R, Er, Ber.
Étymologie : du germain « hrod », ***gloire,*** **et « behrt »,** ***brillant.***
Célébrités : deux empereurs latins de Constantinople; deux rois de France; trois d'Écosse; trois comtes de Flandre; deux ducs de Normandie; Robin des Bois; Robert Grosseteste, religieux, érudit et physicien anglais du XIIᵉ siècle; le poète écossais du XVIIIᵉ siècle Robert Burns; le drame ***Robert Guiskard*** **(1803), de Heinrich von Kleist; Robert Schumann; Robert Stevenson; Robert Merle; Robert Sabatier; Roberto Benzi; Robert Lamoureux; Robert Delaunay; Robert Desnos; le peintre Matta (Roberto); et les cinéastes Robert Wise, Robert Bresson, et Robert Cordier.**

Vieux prénom d'Allemagne, de France, et d'Angleterre, Robert a aisément traversé les siècles jusqu'à nous. Saint Robert (1025-1110) fut à l'âge de quinze ans nommé prieur du monastère bénédictin où il était entré. Réformateur, il se heurta à la rigidité des moines, et s'en alla se faire ermite en forêt de Molesme. Une communauté érémitique se regroupa autour de lui, et, de dons des seigneurs en dons des seigneurs, commença à vivre grassement. Saint Robert n'apprécia pas, et s'en alla; il fonda l'abbaye de Citeaux, mais fut contraint sur ordre du pape de retourner à Molesme. Seize autres saints et bienheureux furent des Robert. Robin, diminutif de Robert, a été popularisé par le grand Robin des Bois, et désignait, en français médiéval, un mouton. Au caractère, Robert est intuitif et méfiant, dévoué et exigeant, sociable et soucieux de loyauté et de fidélité, généreux et prompt à la riposte. Impulsif et maître de soi, dynamique et infatigable, pointilleux sur les principes et souple dans les affaires, sa ténacité et son aisance dans le monde sont ses principaux atouts. Un solide.

ROBERTE

(voir Robert)

Couleur : le rouge.
Chiffre : le 2.
Signe associé : la Vierge.
A éviter devant un nom de famille commençant par R, Er, T.
Étymologie : voir ROBERT.
Célébrité : le roman de Pierre Klossowski, ***Roberte ce soir.***

RODOLPHE

(Dolf, Dolfi, Dulf, Hrolf, Reihl, Rilke, Rod, Rode, Rodekin, Rodin, Rodolf, Rodolfo, Roelf, Roelof, Röhle, Roleke, Rolef, Rolf, Rölke, Rolo, Rolof, Rolle, Rollekin, Rollon, Rudel, Rüdel, Rudi, Rudolf, Rudolfo, Rudolphe, Rudy, Ruedolf, Ruedly, Rüef, Rüetsch, Rulle, Ruodi, Ruoff)

Couleur : le bleu.
Chiffre : le 3.
Signe associé : le Cancer.
Fête : le 21 juin.

A éviter devant un nom de famille commençant par V, F.
Étymologie : du germain « hrod », *gloire*, et « wolf », *loup*.
Célébrités : trois rois de Bourgogne; deux empereurs germaniques; Rodolphe de Habsbourg, archiduc d'Autriche trouvé mort, avec la baronne Marie Vetsera, dans le pavillon de chasse de Mayerling, le 30 janvier 1889; l'idole de naguère, l'acteur Rudolf Valentino; l'ex-dauphin de Hitler, Rudolf Hess; et Rudolf Steiner, l'anthroposophe.

A ne pas confondre avec Rodolphe, qui vient de Raoul. Très vieux prénom germanique, Rodolphe est devenu Rolf dans les pays scandinaves, et Ralph en Angleterre; en Allemagne, Rudolph, ou Rodolf sont aujourd'hui encore très en faveur. Rodolphe se fait toutefois plus discret en France de nos jours. Saint Rodolphe, au IXᵉ siècle, fut évêque de Bourges et participa à plusieurs conciles. Au caractère, Rodolphe est réputé rêveur, tout auréolé de fraîcheur, de poésie, d'imaginaire; sa volonté, puissante et efficace à l'occasion, est empreinte d'alanguissements contemplatifs confinant à l'immobilité; et pourtant, Rodolphe est un actif, pour peu que la situation fasse glisser sa rêverie vers l'enthousiasme; comme, de surcroît, il est rigoureux dans ses principes, et colérique si on lui résiste, on peut être sûr qu'aiguillonné efficacement, il ira résolument de l'avant. Ce rêveur peut jouer à l'activiste.

ROGER

(Dodge, Roar, Rodge, Rodger, Rog, Rogelic, Rogelio, Rogeric, Rogerio, Rogge, Roggie, Rogier, Röle, Rosser, Rotkar, Rüdeger, Rüdiger, Ruggero, Ruggiero, Rutger, Rutje, Rüttger)

Couleur : le rouge.
Chiffre : le 9.
Signe associé : le Cançer.
Fête : le 30 décembre.
A éviter devant un nom de famille commençant par E, Gé.
Étymologie : du germain « hrod », *gloire*, et « gari », *lance*.
Célébrités : deux comtes de Sicile; des comtes de Foix; un prince d'Antioche; Roger Bacon, théologien et philosophe anglais du XIIIᵉ siècle; Roger Martin du Gard; Roger Vailland; Roger Peyrefitte; Roger Piantoni; Roger Couderc; Roger Hanin; Roger Vadim; Roger Garaudy; Roger Caillois; et le poète visionnaire du *Grand Jeu*, complice de René Daumal, Roger Gilbert-Lecomte.

Prénom très prisé dans le Moyen Age, et notamment le Moyen Age germanique, Roger s'éclipsa vers le XVIᵉ siècle, et maintient de nos jours une présence honnête. Il a laissé sa trace, en outre, dans nombre de patronymes, comme Rougier, Rogier, Rougerie, Rogeron. De saint Roger (XIIᵉ siècle), on sait seulement qu'il fut évêque de Cannes. Au caractère, on le dit extrêmement fin, intuitif, l'esprit à la fois aigu et profond; c'est un inventeur, un conteur merveilleux, un poète; sociable et vif, Roger mériterait plus de faveur qu'il n'en rencontre actuellement.

ROLAND

(Orlanda, Orlando, Rodhlann, Roeland, Roelandje, Rolanda, Rolande, Rolando, Rolands, Roldan, Roldo, Rolland, Rolle, Rollin, Rollins, Rolly, Rowland, Rulande, Rulant)

Couleur : le vert.
Chiffre : le 1.
Signe associé : les Poissons.
A éviter devant un nom de famille commençant par An, Lan.
Étymologie : du germain « hrod », *gloire*, et « nand », *courageux*.
Célébrités : Roland de Roncevaux, preux chevalier de Charlemagne, mort au combat à Roncevaux en 778 contre les Sarrazins; *La Chanson de Roland* (XIIe siècle) qui exalte ses exploits; les hommes politiques contemporains Roland Leroy, Roland Dumas (avocat, député); et Roland Garros (1888-1918), premier aviateur à traverser la Méditerranée, en 1913; depuis, on lui a offert un stade à Paris; Roland Topor, le dessinateur; Roland Michaud, le voyageur-photographe de la lumière de l'Orient.

La Chanson de Roland (XIIe siècle), puis le poème de l'Arioste, *Roland furieux* (1532), et l'Orlando de *Comme il vous plaira* (1599) de Shakespeare, contribuèrent tout autant, sinon davantage, à la gloire de ce prénom que la renommée de saint Roland (XIVe siècle) qui, ermite et ascète italien des plus surprenants, restait parfois, tel un héron pensant, debout sur une jambe plusieurs heures d'affilée... Il est vrai qu'il ne « pensait » pas, puisqu'il priait et méditait ainsi, yogi à sa façon. Comme il était vêtu de feuilles et de coquillages et qu'il ne semblait pas manger souvent, il était fatal qu'un jour, épuisé, relâchant sa surveillance, il acceptât de goûter à la soupe d'un curé charitable, qui s'était mis en tête de le confesser – et Roland, qui n'avait rien à dire, et plus l'habitude de digérer, rendit l'âme... Amen.
Au caractère, Roland a la réputation flatteuse d'être dynamique, sociable, généreux, et d'une intelligence vive; un flair de pythonnisse lui permet de jauger les situations et les êtres d'un seul coup d'œil, mais cet idéaliste raffiné n'en profite jamais bassement. Il sait voir loin, et haut.

ROLANDE

(voir Roland)

Couleur : le vert.
Chiffre : le 6.
Signe associé : les Poissons.
Fête : le 13 mai.
A éviter devant un nom de famille commençant par An, D.
Étymologie : voir ROLAND.
Sainte Rolande (VIIIe-IXe siècle) avait fait vœu de chasteté; fille d'un prince lombard, elle préféra le monastère de Cologne à l'époux qu'on lui présenta. Ce prénom est peu en usage de nos jours.

ROMAIN

(Mania, Manus, Roman, Romana, Romane, Romania, Romanie, Romanka, Romano, Romanus, Rome, Rimoussia)

Couleur : le rouge.
Chiffre : le 7.
Signe associé : le Bélier.
Fête : le 28 février.
A éviter devant un nom de famille commençant par In, Min.
Étymologie : du latin « romanus », *romain.*
Célébrités : les écrivains Romain Rolland, Romain Gary, Romain Bouteille; le cinéaste Roman Polansky; le graphiste Roman Cislewicz.

Aux Xe-XIe siècles, cinq empereurs d'Orient furent des Romain. Saint Romain, au Ve siècle, se vouait à une vie d'ermite, mais son frère saint Lupicin vint à lui, suivi de beaucoup d'autres, pour être son disciple. Lupicin, saint lui-même, et saint Romain, devant l'affluence, décidèrent de créer deux monastères, ce qui fut fait : autour de l'un s'aggloméra la cité de Saint-Lupicin, et autour de l'autre, celle de Saint-Claude. Quant à saint Romain, ne laissant aucune ville à son nom, on imagine qu'il a pu rejoindre l'ermitage suprême.
Au caractère, Romain est une sorte d'aventurier de l'esprit, généreux et noble; d'une forte volonté, d'une forte capacité d'action, et de forte sensibilité, Romain peut se laisser gagner par la violence – mais seulement pour une cause qui en vaille la peine; cette forte tête va de l'avant, mais jamais n'importe comment.

ROMARIC

(Maric, Romarich, Romary)

Couleur : le violet.
Chiffre : le 9.
Fête : le 10 décembre.
Signe associé : la Balance.
A éviter devant un nom de famille commençant par C, Ic, Ri.
Étymologie : du germain « hrod », *gloire,* et « mar », *grandeur,* plus « rik », *puissant, roi.*

Saint Romaric, en compagnie de saint Aimé, fonda un couvent dans les Vosges; disciple de saint Colomban, la ville de Remiremont (Romaricus mons : le mont de Romaric) lui doit son nom. La forme Romary a cours dans le sud de la France et serait d'origine latine (Romarius désignant un pèlerin de Rome; une « romarie » était un pèlerinage). Romaric comme Romary se font cependant rarés. Ils peuvent néanmoins resurgir à l'heure actuelle, à la faveur du retour des prénoms anciens.

ROMÉO

Couleur : l'orangé.
Chiffre : le 1.
Signe associé : le Bélier.
A éviter devant un nom de famille commençant par E, O.
Étymologie : du latin médiéval « romeo », *pèlerin (Je vais à Rome).*

Roméo et Juliette, de Shakespeare, a tout fait pour ce qui est de la renommée de ces deux prénoms, mais surtout de Roméo. Inoubliable personnage, certes, mais qui rend assez délicat le port du prénom. On rencontre tout de même quelques Roméo çà et là de nos jours.

ROMUALD

(Romaldo, Rommelt, Romualdine, Romualdo, Romwald, Rumold)

Couleur : le rouge.
Chiffre : le 3.
Signe associé : les Poissons.
A éviter devant un nom de famille commençant par A, L, D.
Étymologie : du germain « hrom », *renommée*, et « waldan », *gouverner*.

Saint Romuald (Xe-XIe siècles) fonda des ermitages près de Florence (à Camaldoni) ainsi que l'ordre des Camaldules. Prénom médiéval typique, Romuald amorce aujourd'hui son retour parmi nous.

ROSA

(voir Rose)

ROSALIE

(voir Rose)

ROSELINE

(voir Rose)

ROSE, ROSINE

(Rhoda, Rodhia, Roos, Rosa, Rosalia, Rosalie, Rosalio, Rosalyn, Röschen, Röseli, Roselin, Roseline, Roselyn, Rosella, Roselle, Rosetta, Rosette, Rosie, Rosina, Rosita, Rosius, Roslin, Rosolino, Rosula, Rosule, Rosy, Rozalija, Rozella, Rozenn, Rozinus)

Couleur : le bleu.
Chiffres : le 3, le 8.
Signes associés : le Scorpion, le Capricorne.
Fêtes : le 23 août, le 11 mars.
A éviter devant un nom de famille commençant par O, S ou I, Inn.
Étymologie : du latin « rosa », *rose*.

Célébrités : l'île de Rhodes (ou « île des roses », puisqu'en grec « rhodon » signifie rose); il y a une Rosaline dans *Roméo et Juliette*, de Shakespeare, une Rosine dans *Le Barbier de Séville*, une Röschen dans « la petite rose de la lande » *Heideröslein*, de Goethe, beaucoup de Rosemarie en Allemagne et en Angleterre, le film de Roman Polansky, *Rosemary's baby*, quantité de Rosita en Espagne et de Rosalia en Italie, sans oublier la militante et théoricienne révolutionnaire Rosa Luxembourg (1870-1919), la chanson de Brel, *Rosa*, et *Rrose Sélavy*, de Marcel Duchamp et Robert Desnos; enfin, *la rose au poing*.

Sainte Rose de Lima (1586-1617), née dans cette ville, est la patronne de l'Amérique; issue d'une famille pauvre, elle travailla et se mortifia durement pour finir dans une simple cabane, quasiment exclue et incomprise de ses semblables du tiers-ordre de Saint-Dominique, où elle était entrée à l'âge de vingt ans; il faut dire que ses expériences mystiques et la grâce qui l'accompagnait déroutaient plutôt ses corréligionnaires, comme cela arrive parfois. Neuf autres saintes et bienheureuses furent des Rose, et il y eut une sainte Rosalie (XIIe siècle) et une sainte Roseline (XIVe siècle). Symbole de l'amour comme de la pudeur, la rose fait évidemment partie de ces fleurs prédestinées à nommer des femmes. Très souvent, Rose s'est associée à d'autres prénoms pour former des prénoms doubles (Rose-Marie, Marie-Rose), ou s'est confondue avec d'autres, plus anciens, par contraction (Rosabelle, pour Rose-Belle) ou mélange (Rosalind provient, en fait, du germain « hros », *cheval*, et « lind », *serpent;* Rosemonde, de « hrod », *gloire*, et « mund », *protection*). Rosemary a conquis l'Écosse et l'Angleterre; Rozalia vient de Hongrie, et Rosina, d'Italie.

– Qui êtes-vous, Rose, Rosine, Rosa, femmes à la rose, et qu'est-ce que cache la double corolle de vos prénoms?

– Eh bien nous, Rose et Rosine, nous sommes *très :* très volontaires, avec parfois quelque sens du caprice, très intelligentes, mais oui, avec beaucoup d'humour et de fantaisie, très intuitives et sensibles et charmantes, et très actives et plus encore très vives et promptes à réagir à toute interpellation, très dynamiques quoiqu'avec des relâchements suspects : l'échec ne nous réussit pas, et nous abat et nous décourage; mais nous sommes également très exigeantes en amitié et en amour, où nous pouvons nous montrer très amicales et très amoureuses. En fait, nous sommes très tendres et pudiques, très fleurs bleues et très rigoureuses sur les principes. Il paraît que la chance nous est très attachée, et cela ne semble pas douteux. D'une manière générale, nous sommes très enclines à aimer la vie, et très à l'aise en société, mais nous avons nos nuances, et Rose possède le sens de l'autorité, de même qu'elle maîtrise l'art de séduire et celui de gouverner d'une main ferme au milieu des orages; alors que Rosine, douce et discrète, est anxieuse de n'être pas appréciée ou aimée, et prodigue autour d'elle un merveilleux dévouement. Rosalie est une indépendante, comme Rosa, qui refuse toute situation d'infériorité et montre une aptitude à la synthèse et à l'élan intellectuels remarquable. Comme on voit, les Rose ont finalement plus de fleurs que d'épines, et autant de chatoiements et de coloris que leurs prénoms l'indiquent. Prénoms toujours présents, et aussi prénoms d'avenir – tant qu'il y aura des roses.

(voir Rodolphe)

RUTH

Couleur : le rouge.
Chiffre : le 1.
Signe associé : le Sagittaire.
Fête : le 1er septembre.
A éviter devant un nom de famille commençant par T, U.
Étymologie : de l'hébreu « ruth », *compagne.*

Un livre entier de la Bible porte le nom de Ruth la Moabite, femme de Booz, mère d'Obed, lui-même grand-père de David, de telle sorte que Ruth fait partie des ancêtres de Jésus. Prénom plus que difficile à porter en France, Ruth est d'usage courant dans le monde anglo-saxon.

SABINE

(Bine, Binele, Sabe, Sabi, Sabie, Sabien, Sabienne, Sabin, Sabina, Sabiniano, Sabinka, Sabino, Sabinus, Saby, Saidhbhinn, Savin, Savina, Savine, Savinka, Saviniane, Savinien, Savino, Vinia)

Couleur : le bleu.
Chiffre : le 5.
Signe associé : le Bélier.
Fête : le 29 août.
A éviter devant un nom de famille commençant par N, B, Bi, Ni.
Étymologie : du latin « sabinus », *sabin, habitant de la Sabine,* d'où les Sabines et leur fameux enlèvement.
Célébrités : la femme de Néron, Poppée Sabine (Poppæa Sabina); le chef gaulois du Ier siècle, Julius Sabinus, qui fut fait prisonnier par Vespasien; et Sabine Monyris, peintre contemporaine.

Sabine et Sabin furent des prénoms très courants au Moyen Age, et Sabine, aussi bien en France qu'en Allemagne (Sabina) et en Angleterre, a resurgi fréquemment depuis la dernière guerre mondiale. Il y eut une sainte Sabine, au IIe siècle, qui fut, ou aurait été, martyrisée à Rome en compagnie de sa suivante, Séraphie. Trois autres saintes furent des Sabine. Au caractère, Sabine est une passionnée, une ardente, une lutteuse; volontaire, fine, active, elle est pourvue de surcroît d'une solide vitalité; entière, elle se donne totalement à ce qu'elle fait.

SABRINA

Couleur : le rouge.
Chiffre : le 1.
Signe associé : la Balance.
A éviter devant un nom de famille commençant par A, N, Na.
Célébrités : Sabrina Michaud, épouse et collaboratrice de Roland Michaud, tous deux voyageurs-photographes de la tradition et de l'Asie.

Étymologie très incertaine, puisque Sabrina est soit rattachée à Sabine, soit présentée comme provenant d'un nom d'une rivière britannique, la Sabrina, ce qui semble bien douteux. On n'a pas connaissance, par ailleurs, d'une sainte Sabrina, mais peut-être est-elle à venir. Ce beau prénom est donc plein de mystères, et, si nous ne le savions porteur d'exigence, de noblesse de sentiments, de rigueur morale, d'émotion contenue et de passion spirituelle, il serait notre énigme.

SACHA

(voir ALEXANDRE)

Couleur : le rouge.
Chiffre : le 1.
Signe associé : le Verseau.
A éviter devant un nom de famille commençant par A, Ch.
Célébrités : Sacha Guitry; Sacha Pitoëff.

SAMUEL

(Sam, Sameli, Sammel, Sammie, Sammy, Samuele, Somhairle)

Couleur : le rouge.
Chiffre : le 8.
Signe associé : le Bélier.
Fête : le 20 août.
A éviter devant un nom de famille commençant par L, El.
Étymologie : de l'hébreu « shemu'el », ***son nom est Dieu.***
Célébrités : un tsar de Bulgarie; le poète anglais du XVIIe siècle Samuel Butler; le grand écrivain contemporain Samuel Beckett.

Deux livres de la Bible portent le nom de Samuel, prophète du peuple hébreu qui, onze siècles avant la venue de Jésus, fonda la première monarchie de son peuple en sacrant Saül, puis ensuite David, comme rois d'Israël. La tradition juive, qui tient Samuel pour aussi important que Moïse, puis, avec la Réforme, les protestants, ont usé et usent encore de ce prénom venu de la nuit, ou de la lumière, des temps. Au caractère, Samuel est un être équilibré, où l'action, la volonté et la rigueur se conjuguent avec une grande générosité et un sens poussé du dévouement pour ceux qu'il aime, ou une noble cause. Que n'avons-nous davantage de Samuel!

SANDRINE

(voir Alexandra, Alexandre)

SANDY

(voir Alexandre)

SARAH

(Sadella, Sadie, Sal, Sallie, Sally, Sara, Sarene, Sarette, Sari, Sarine, Salaidh, Zara, Zarah, Laria)

Couleur : le rouge.
Chiffre : le 3.
Signe associé : le Lion.
Fête : le 9 octobre.
A éviter devant un nom de famille commençant par A, Ra.
Étymologie : de l'hébreu « sarah », *princesse, souveraine.*
Célébrités : Sarah Bernard; Sarah Vaughan, la chanteuse; la voyageuse-ethnologue Sara Dars; la photographe-sculpteur Sara Holt.

Il y eut trois grandes Sarah légendaires : l'une, servante noire de Marie-Madeleine, est vénérée par les Gitans, qui lui vouent un culte fervent aux Saintes-Maries-de-la-Mer, et les deux autres sont d'abord l'épouse d'Abraham, et ensuite l'épouse de Tobie le Jeune. Sarah, femme de 99 ans, se lamentait avec Abraham de n'avoir point eu d'enfants, lorsque survinrent trois anges qui annoncèrent une proche naissance : un an plus tard, Sarah mettait au monde Isaac; elle rendit l'âme, nous dit l'Ancien Testament, à 127 ans. L'autre Sarah de la Bible, sept fois veuve, épousa Tobie le Jeune qui, lui, ne mourut pas précocement comme ses prédécesseurs, saint Raphaël – l'Archange soi-même – ayant cette fois déjoué les maléfices mortels d'Asmodée, le démon. Sarah, prénom biblique, a eu et a toujours la faveur des milieux juifs, rejoints par les protestants avec la Réforme. Au caractère, Sarah, très généreuse et sociable, manifeste un idéalisme plein de fougue et de conviction; active, intuitive, elle se donne à ce qu'elle fait avec résolution et juge les êtres et les situations d'un coup d'œil précis.

SÉBASTIEN

(Basch, Bast, Bästel, Basten, Bastion, Bastiano, Bastien, Bastienne, Bastin, Bastina, Sebastiana, Sebastiane, Sebastini, Sebastino, Sébastienne, Seva, Sevastiana, Sevastiane)

Couleur : le bleu.
Chiffre : le 4.
Signe associé : les Poissons.
Fête : le 20 janvier.
A éviter devant un nom de famille commençant par In, Tien.
Étymologie : du grec « sebastos », ***honoré.***

Célébrités : la ville de Sébastien, c'est-à-dire Sébastopol (« sebastos », en grec, ***honoré, digne d'honneur,*** **et « polis »,** ***ville);*** **la ville de San Sebastian, en Espagne; un roi du Portugal; Vauban, qui s'appelait Sébastien Le Prestre, seigneur de Vauban; le peintre italien Sebastiano del Piombo (1485-1547); l'écrivain Sébastien Japrisot.**

Saint Sébastien percé de flèches au IIIᵉ siècle est devenu le patron des archers; il y eut huit autres saints et bienheureux, pas nécessairement marqués par le noble art du tir à l'arc, pour s'appeler Sébastien. Comme prénom, Sébastien fut très prisé au Moyen Age, et il bénéficie aujourd'hui, depuis les années 50, d'un retour en vogue appuyé. Au caractère, énergie et volonté, sensibilité et finesse font de Sébastien un amoureux de la vie et du monde, et un ami fidèle. Un cœur droit, s'il en est.

SERGE

(Goulia, Sergej, Sergia, Sergine, Sergio, Sergius, Sergoulig, Serguei, Serguiane, Serj)

Couleur : le rouge.
Chiffre : le 9.
Signe associé : la Vierge.
Fête : le 7 octobre.

A éviter devant un nom de famille commençant par J.

Étymologie : très obscure, puisque Sergius était le nom d'une famille romaine, lui-même provenant, semble-t-il, d'une origine étrusque. Catilina, dont Cicéron mit à jour la conjuration, était prénommé Lucius Sergius.

Célébrités : quatre papes; un patriarche de Moscou; un patriarche de Constantinople; Serge Diaghilev; Serge Lifar, le danseur; le grand cinéaste Sergheï Mikhaïlovitch Eisenstein (1898-1948); les cinéastes contemporains Serge Parajdanov (*Les Chevaux de feu*) et Sergio Leone; les poètes Serge Essenine, Serge Sautreau, Sergio Lima; les chanteurs Sergio Mendès et Serge Gainsbourg.

Saint Serge, inséparable de son ami saint Bacchus, fut martyrisé en compagnie de ce dernier en Syrie : grand officier de Rome, il avait opposé à ses supérieurs un refus d'obéissance pur et simple à un ordre de persécution des chrétiens. Saint Serge de Radonège, pour sa part, vécut au XIVᵉ siècle avec les paysans; moine à la sagesse appréciée de tous, les nobles et les princes de Russie venaient chercher auprès de lui conseils et arbitrages dans leurs querelles et rivalités. Quant à saint Serge Iᵉʳ, qui fut pape entre 687 et 701, son rayonnement et son action aboutirent à remettre de l'ordre dans l'Église; il s'intéressa à l'Angleterre et y envoya des missions, et réduisit le schisme d'Aquilée; le rituel catholique lui doit la célébration des fêtes mariales de l'Annonciation, de la Dormition, de la Nativité et de la Purification, ainsi que l'apparition de l'« Agnus Dei » dans la messe.
– Serge, qui est-ce? Vous, Serge, dites-le nous.
– Essayons. Serge, c'est d'abord l'intuition vive de la poésie, de la liberté d'esprit, de la souplesse intellectuelle. Une intelligence à la fois profonde et intense, observatrice jusqu'au détail et synthétisant jusqu'au vertige. Une désinvolture manifeste à l'égard des dogmes, des rigidités de pensée et de comportement, un sens de l'improvisation parfois déconcertant, et un

respect amoureux du mystère et de l'énigme à explorer. Là s'exercent la sagacité et les antennes intuitives d'un être qui entreprend plus qu'il ne résoud, qui impulse et électrise plus qu'il ne conclut : les conclusions, le point final mis à une action, voilà qui lui semble toujours un peu fossilisant; le sans-limites, l'inconnu, l'absolu toujours relancés à la pointe de l'esprit et du chant lyrique lui paraissent plus vrais et dignes d'attention que les pseudo-réponses définitives. Brillant, Serge est à la fois tranchant et diplomate, amoureux et indifférent, magnifiquement sociable et retranché sur soi, très actif en même temps que tout-à-fait rêveur, volontaire, mais par à-coups et éclipses, très émotif et maîtrisant ses nerfs – en bref, un paradoxe en marche. Finalement, c'est une manière de sixième sens qui le pousse en avant, bien plus que la volonté, pour lui faire affirmer que tous les au-delà conçus et concevables sont parmi nous, tout de suite, ici et maintenant. D'où sa séduction, son charme, et sa façon d'être là en créant des ailleurs, et d'être ailleurs en étant pleinement là!

SERVANE

(Servan)

Couleur : le vert.
Chiffre : le 8.
Signe associé : la Balance.
Fête : le Ier juillet.
A éviter devant un nom de famille commençant par N, Ann, Van.
Étymologie d'origine celtique indéterminée et obscure.
Célébrité : la navigatrice Servane Zanotti.

En fait, voici un prénom dont le sens se dérobe. Au VIIIe siècle, saint Servan aurait évangélisé les îles Orcades. Un culte lui était rendu dans l'Écosse du Moyen Age, et il est devenu le saint patron de la ville d'Ille-et-Vilaine qui porte son nom, Saint-Servan. De nos jours, Servan est encore plus rare que la forme féminine Servane, elle-même assez discrète.

SÉVERIN, SÉVERINE

(Sévéra, Sévère, Severiana, Severiane, Severianka, Severiano, Séverien, Séverienne, Severijn, Severinus, Sevir, Sövrin)

Couleur : l'orangé.
Chiffres : le 2, le 7.
Signe associé : le Scorpion.
Fête : le 8 janvier.
A éviter devant un nom de famille commençant par In, Rin ou Inn, Rinn.
Étymologie : du latin « severus », ***rigoureux, grave.***
Célébrités : l'écrivain contemporain Severo Sarduy, et la grande Séverine, brillante journaliste de la fin du siècle dernier.

Il y eut à Rome une dynastie de Severus, et Sévère est un personnage du *Polyeucte* de Corneille. Pour les saints Séverin, il y en eut neuf, dont trois particulièrement intéressants : l'un, saint Séverin du Norique (Ve siècle.), fut l'apôtre de cette région montagneuse du Norique, où il prêcha, évangélisa, soigna et guérit; face à Passau, au confluent du Danube et de l'Inn, il créa nombre d'ermitages; on le vénère à Naples. Un autre saint Séverin (v-vi^e^ siècles.) aurait débarrassé Clovis d'une fièvre maligne. Et le troisième, ermite aux environs de Paris au vi^e^ siècle, n'a laissé que sa tombe, à l'emplacement de l'actuelle église Saint-Séverin de Paris : on suppose que c'est à lui que l'église est consacrée, sans être toutefois assuré qu'il ne s'agit pas d'un autre Séverin. Si, de nos jours, Sévère et Séverin sont des prénoms tombés en désuétude, il n'en va pas de même pour Séverine, dont la faveur va croissant depuis la fin des années soixante. Au caractère, Séverin est un être à l'énergie puissante, porté à ne jamais se laisser abattre et à relever les défis qu'il s'adresse à lui-même. Séverine, de son côté, possède également cette force, mais la réhausse de tout l'éclat intérieur de son charme; d'une intelligence profonde, elle se montre à la fois active, incisive et sociable. Une grande dame, et un beau prénom.

SHEILA

(Sheelagh, Sheelah, Shelagh, Sheilah, Shiela)

Couleur : le rouge.
Chiffre : le 9.
Signe associé : les Poissons.
Fête : le 22 novembre.
A éviter devant un nom de famille commençant par A, La.
Étymologie : du gaélique « sile » ou « sighile », qui sont des variantes irlandaises de Celia (diminutif de Cecilia, Cécile).
Célébrité : Sheila, la chanteuse.

Très en vogue en pays anglo-saxons au début du siècle, Sheila y marque actuellement le pas. La chanteuse Sheila, qui en France a pris ce prénom pour pseudonyme, lui a fait traverser la Manche, et il commence à s'imposer parmi nous. Au caractère, Sheila est réputée volontaire, dynamique, intelligente et jamais rebutée par la tâche; du cœur à l'ouvrage, de la bonne humeur et de la simplicité, voilà Sheila.

SIBYLLE

(Beele, Bela, Beleke, Biel, Bilgen, Cibilla, Cilli, Sébille, Sib, Sibbie, Sibeal, Sibel, Sibell, Sibie, Sibil, Sibilla, Sibille, Sibyl, Sibylla, Sibyllina, Sybyl)

Couleur : le rouge.
Chiffre : le 3.
Signe associé : le Bélier.
Fête : le 8 octobre.
A éviter devant un nom de famille commençant par On.
Étymologie : du grec « sibylla », *prophétesse, qui connaît la volonté des dieux.*
Célébrités : la bienheureuse Sibylle, cistercienne belge du xiiie siècle; Anna Maria Sibylla Merian, peintre animalier des xvii-xviiie siècles.

A Rome comme à Athènes, les sibylles étaient des femmes reconnues pour pouvoir énoncer les oracles. Restait ensuite à interpréter leurs sibyllins propos. Ce prénom eut cours au Moyen Age. Il tend à refaire surface aujourd'hui. Intuitive, fort sociable, Sibylle est dotée d'un grand cœur et d'une heureuse vitalité. Et puis, elle connaît la volonté des dieux...

SIDONIE

(Sid, Sidel, Sidney, Sidoine, Sidonia, Sidonio, Sidonius, Sitta, Sydney, Zdenka)

Couleur : le violet.
Chiffre : le 3.
Signe associé : les Gémeaux.
Fête : le 21 août.
A éviter devant un nom de famille commençant par I, Ni.
Étymologie : du latin « sidonius », *originaire de Sidon,* (aujourd'hui Saïda, en Syrie), « citadelle des mers » selon la Bible.

Saint Sidoine Apollinaire (vᵉ siècle), poète latin, marié, père de trois enfants et évêque de Clermont-Ferrand; il a organisé et défendu l'Auvergne contre les envahisseurs Wisigoths. Sidonie, en revanche, ne s'est pas connue de sainte dans sa lignée. Sidoine, comme prénom, paraît désormais tombé en désuétude, mais Sidonie revient parmi nous. A noter que Sidney, en pays anglo-saxon, semble le fruit d'une contraction de Sidonie et de « saint Denis ». Au caractère, Sidonie est une perpétuelle enfant, une éternelle adolescente; c'est un cœur vaste et fragile, que souvent la maternité épanouit; comme elle ne manque ni d'intuition, ni de volonté, cette femme-enfant a de beaux jours devant elle.

SIEGFRIED

(Seyfrid, Sieffert, Sievert, Sifrit, Siffre, Siffrid, Sigefrido, Sigefroy, Sigfreda, Sigfredo, Sigfrid, Sigifrido, Sigisfredo, Suffridus, Suffried)

Couleur : le violet.
Chiffre : le 1.
Signe associé : le Sagittaire.
Fête : le 22 août.
A éviter devant un nom de famille commençant par Ri, D.
Étymologie : du germain « sieg », *victoire,* et « fried », *protection, paix.*

Il y eut plusieurs saints et bienheureux qui furent des Siegfried, et le Moyen Age fut friand de ce prénom. On le retrouve dans la *Chanson des Niebelungen,* où il occit le dragon et délivre Brunehilde du sommeil, et le romantisme va le remettre fortement en faveur. Wagner ira même jusqu'à nommer Siegfried son fils. Il est vrai que ce prénom a cours plutôt outre-Rhin qu'en France. Au caractère, Siegfried est un précipité d'intuition, de volonté et d'action rigoureuse; perpétuellement aux aguets de sa propre lucidité, il n'est à ses yeux aucune limite qui ne soit là pour être dépassée, et il se porte volontiers aux frontières de l'inconnu. Un entreprenant, un explorateur, et « toujours plus loin » pourrait être sa devise.

SIEGMUND

(Mündel, Segismunda, Segismundo, Siegel, Siegismond, Sigismond, Sigismonda, Sigismonde, Sigismondo, Sigismund, Sigismunda, Sigismundo, Sigmund, Sigmunda, Sigmundo, Zygmunt)

Couleur : le violet.
Chiffre : le 2.
Signe associé : le Taureau.
Fête : le Ier mai.

A éviter devant un nom de famille commençant par D.

Étymologie : du germain « sieg », *victoire*, et « mund », *protection*.
Célébrités : Sigismond de Luxembourg (XIVe siècle), fils de l'empereur Charles IV, et qui sera roi de Bohême et de Hongrie, et empereur germanique; trois rois de Pologne; et Siegmund Freud, bien sûr.

Dans la *Chanson des Niebelungen,* Siegmund est le père de Siegfried, et le prénom fut apporté en France par les Burgondes, et aboutit à la variante bourguignonne Sigismond. Saint Sigismond (VIe siècle) fut roi de Bourgogne et lutta contre les fils de Clovis; battu et tué par Clodomir, il est à l'origine de l'actuelle commune de Saint-Sigismond; curieusement, son culte fut des plus fervents en Europe centrale et en Allemagne. Au caractère, il est extrêmement proche de Siegfried.

SIGISMOND

(voir Siegmund)

SIMON

(Siem, Sim, Sima, Sime, Siméon, Siméone, Simmer, Simmerl, Simmie, Simona, Simone, Simonette, Sym, Syma, Scymon)

Couleur : le rouge.
Chiffre : le 7.
Signe associé : le Cancer.
Fête : le 28 octobre.
A éviter devant un nom de famille commençant par On, Mon.
Étymologie : de l'hébreu « shim'ôn », *qui est exaucé*.
Célébrités : Simon le Mage; Simon Ben Jokaï, auteur du *Zohar,* ou *Livre de la Splendeur;* Simonide de Céos, poète lyrique grec (556-467 avant J.-C.); saint Siméon, le vieillard juif qui, lors de la présentation de Jésus au Temple, prit l'enfant dans ses bras et laissa jaillir sa joie dans le chant du *Nunc dimittis;* saint Siméon Stylite l'Ancien (IVe siècle), ascète syrien qui vécut quarante ans sans redescendre de la colonne où il s'était perché pour méditer. Un khan des Bulgares (Xe siècle), Siméon Ier, qui deviendra tsar de Bulgarie; Siméon II, qui régna sur la Bulgarie de 1943 à 1946; Siméon le Superbe, grand-prince de Moscovie au XIVe siècle; Simon de Montfort

(1165-1218) chef de la croisade contre les Albigeois; son troisième fils, Simon, fut, comme lui, comte de Leicester; le peintre Simon Hantaï.

Saint Simon le Zélé était l'un des douze Apôtres; Marc et Matthieu le nommaient également Thaddée. Dix-sept autres saints furent des Simon, et huit des Siméon. Ces prénoms ont traversé les siècles, et sont encore en usage de nos jours, Simone semble actuellement plus en faveur que les formes masculines du prénom. Au caractère, Simon est un rêveur actif et activiste, un être de poésie et d'intuition. Chez lui, imagination et action concrète réussissent leur alliance.

SIMONE

(voir Simon)

Couleur : le violet.
Chiffre : le 3.
Signe associé : le Cancer.
A éviter devant un nom de famille commençant par Mo, N.
Étymologie : voir SIMON. On ne connaît point de sainte Simone, mais nous avons tout de même Simone Weil, Simone Simon, Simone Signoret et Simone de Beauvoir (ci-contre).

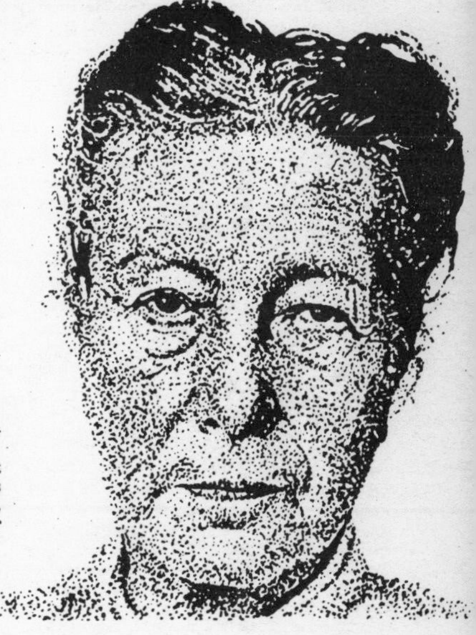

SOLANGE

(Solmnia, Solemnio, Solène, Solenne, Soline, Soulein, Souline)

Couleur : le bleu.
Chiffre : le 1.
Signe associé : le Cancer.
Fête : le 10 mai.
A éviter devant un nom de famille commençant par An, J.
Étymologie : du latin « solemnis », ***solennel.***

Sainte Solange (IXᵉ siècle) fut une bergère de la région de Bourges, bien décidée à refuser et repousser les avances et assauts d'un seigneur du Poitou – lequel devint fou de rage et finit par l'assassiner. Elle est devenue la sainte patronne du Berry, et elle est invoquée contre les périodes de sècheresse à la campagne. Au caractère, Solange est vouée à l'intuition, avec la fantaisie et l'imagination qui, chez elle, en découlent; comme elle ne manque ni de volonté ni de ténacité, et que dynamisme et bonne humeur lui font escorte, on peut être sûr de sa force comme de son charme. Comme prénom, Solange n'a jamais conquis le nord de l'Europe, mais il reste courant chez nous, quoique un peu raréfié depuis un demi-siècle. Tout passe.

SONIA

(forme slave de Sophia – voir Sophie)

Couleur : le jaune.
Chiffre : le 4.
Signe associé : les Gémeaux.
A éviter devant un nom de famille commençant par A, Nia.
Étymologie : voir SOPHIE.
Célébrité : l'artiste peintre Sonia Delaunay.

SOPHIE

(Fei, Fia, Fieke, Fig, Fiken, Phie, Sadhba, Sadhbn, Sofa, Sofi, Sofia, Sofie, Sonia, Sonja, Sonya, Sopher, Sophia, Sophus, Sophy, Vike, Viki, Vikli, Zofia, Zoffi)

Couleur : le vert.
Chiffre : le 3.
Signe associé : le Cancer.
Fête : le 25 mai.
A éviter devant un nom de famille commençant par Fi, Vi, I.
Étymologie : du grec « sophia », *sagesse*.
Célébrités : une impératrice byzantine; la reine Sophie Charlotte de Prusse (XVII-XVIIIe siècles); Sophie Alexeieva, régente de Russie; l'épouse du roi George de Hanovre Sophie-Dorothée; les actrices Sophie Desmarets et Sophia Loren (ci-contre).

Sainte Sophie, dite l'Inconnue tant son histoire est allégorico-légendaire, aurait été martyrisée sous le règne de Hadrien avec ses trois filles Foi (sainte Nadège), Espérance (sainte Véra) et Charité (sainte Liubbe). La basilique Sainte-Sophie, à Constantinople, n'est pas consacrée à sainte Sophie, mais à la Sophia de Dieu, c'est-à-dire à la Sagesse elle-même. Mais Sofia, capitale de la Bulgarie, lui rend hommage. Cinq autres saintes et bienheureuses furent des Sophie. Prénom très courant au Moyen Age, Sophie connaît depuis les années 1960 une belle faveur en France. La forme slave Sonia semble avoir désormais acquis son indépendance en Europe, et s'impose comme prénom distinct de Sophie qui reste, de l'Europe orientale à l'Angleterre, un prénom apprécié. Au caractère, Sophie a certes un cœur ouvert et généreux, mais un excès de sensibilité et de subjectivité aussi, qui ne vont pas nécessairement vers la sagesse; très sociable, intelligente et hyper-féminine, elle sait se tromper avec humour, et se dévouer sans déplaisir; vive et décidée, elle cultive volontiers le paradoxe, et n'hésite pas à frôler l'inconvenance. La sagesse est imprévisible!

STANISLAS

(Stan, Stanek, Stanig, Stanislao, Stanislaus, Stanislav, Stanzel, Stanzig, Stenz, Stenzel)

Couleur : le violet.
Chiffre : le 3.
Signe associé : le Verseau.
Fête : le 11 avril.

A éviter devant un nom de famille commençant par A, S.

Étymologie : du slave « stan », ***se dresser,*** **et « slaw »,** ***gloire.***
Célébrités américaines : Stan Laurel, le compère de Hardy; Stan Getz, le jazzman; Stanley Clarke, le bassiste de jazz-rock; et le clandestin Stanislas Rodanski, le poète.

Cette gloire qui se dresse, est-ce celle de saint Stanislas (1030-1072), évêque de Cracovie bassement assassiné par le roi Boleslas II, et désormais patron de la Pologne? C'est en tout cas grâce à Stanislas Ier Leszczynski (1677-1766) que les relations franco-polonaises se mirent à tourner à l'affaire de cœur, puisque Stanislas Ier, beau-père de Louis XV par Marie Leszczynska, fit cadeau de la Lorraine au royaume de France; de cette époque date l'introduction de Stanislas comme prénom en vogue aussi bien en France qu'en Angleterre, en Allemagne et aux Pays-Bas. Il faut reconnaître que cette mode s'est faite très discrète actuellement en France, où ce prénom semble à présent désuet.

STELLA

(voir Estelle)

STÉPHANE, STÉPHANIE

(voir Étienne)

Couleur : l'orangé.
Chiffre : le 7.
Signe associé : le Lion.

A éviter devant un nom de famille commençant par N, A.
Étymologie : voir ÉTIENNE.
Célébrités : le poète Stéphane Mallarmé; l'écrivain Stefan Zweig; le penseur Stéphane Lupasco; l'acteur Steve Mac Queen; le jazz-violon Stéphane Grapelli; le prince franco-afghan Stéphane Thiollier; et sainte Stéphanie, qui, au XVIe siècle, consacra sa vie aux humbles et miséreux d'Italie et portait, dit-on, les stigmates du Christ pour tout ornement.

SUZANNE

(Siusaidh, Siusan, Sanna, Sanne, Sannerl, Sosanna, Sue, Sukey, Suki, Susan, Susana, Susano, Susanna, Susannah, Sussana, Susette, Susi, Susie,

Suzann, Suzanna, Suzannus, Suzel, Suzette, Suzie, Suzon, Suzy, Zannie, Zuselt, Zuzanna)

Couleur : le violet.
Chiffre : le 1.
Signe associé : le Taureau.
Fête : le 11 août.
A éviter devant un nom de famille commençant par N, Ann.

Étymologie : de l'hébreu « shushân », *lys*.
Célébrités : l'actrice Susan Hayward; l'artiste peintre Suzanne Valadon (1865-1938), mère de Maurice Utrillo; Suzette Gontard, qui sera *Diotima* pour Hölderlin.

Deux scélérats vieillards, juges de leur état, surprirent au bain, nous dit le Livre de Daniel, la chaste Suzanne, juive très belle et craignant Iahvé; ils lui firent d'inconvenantes propositions, qu'elle repoussa vertueusement, moyennant quoi ils l'accusèrent publiquement d'adultère. Heureusement que Daniel s'en mêla : Suzanne fut lavée de tout soupçon et les deux barbons, lapidés. Mais la fête de Suzanne, le 11 août, est dédiée à sainte Suzanne (IIIe siècle), égorgée à domicile par le fils de Dioclétien, auquel elle ne désirait nullement céder. Quatre autres saintes furent des Suzanne. Dans les années 50-60 de notre siècle, ce prénom connut un grand succès en Angleterre et en France, qui s'est un peu atténué depuis. Auparavant, la célèbre chanson de Stephen Foster, *Oh Suzannah* (1850) avait accompagné et rythmé la Ruée vers l'or américaine. Les Allemands désignaient familièrement les cloches des églises comme des « susanna », mais c'était autrefois : il n'y a plus là de quoi faire siffler les oreilles d'une Suzanne. Au caractère, Suzanne est affectueuse, ironique, perspicace, dynamique, parfois renfermée ou repliée sur quelque secret; son charme est indéniable et tient à sa simplicité d'être, directe, bon enfant et enjouée. Cela peut aller jusqu'à la grâce du lys. Un prénom engageant.

SYLVAIN, SYLVIE

(Sila, Silane, Silas, Silouan, Silvaine, Silva, Silvane, Silvana, Silvano, Silvère, Silverio, Silvester, Silvestre, Silvestro, Silvia, Silviane, Silvin, Silvina, Silvino, Silvio, Silvius, Sylvaine, Sylvan, Sylvère, Sylvester, Sylvestre, Sylvette, Sylvin)

Couleur : le vert.
Chiffres : le 3, le 2.
Signes associés : le Taureau, le Bélier.
Fêtes : le 4 mai, le 5 novembre.
A éviter devant un nom de famille commençant par In, Vin ou I, Vi.
Étymologie : du latin « silva », *forêt*.
Célébrités : Sylvia Montfort; Sylvie Vartan; Sylvia Kristel (ci-contre).

Saint Sylvain et ses disciples (IVᵉ siècle), après avoir été faits forçats aux mines de Phænno, y furent massacrés; saint Sylvain était évêque de Gaza. Sainte Sylvie, sicilienne du VIᵉ siècle, sera la mère du pape Grégoire le Grand, tandis que saint Sylvestre, au IVᵉ, l'était déjà devenu (pape). Sylvie, répandu dans toute l'Europe avec la Renaissance, continue de nos jours d'être un prénom en vogue, davantage en tout cas que Sylvain et Sylvaine, plus rares.
Au caractère, Sylvain est lent mais infatigable, méfiant, introverti et tenace; c'est un être de la terre, un sensuel à l'intellect puissant. Sylvie en revanche est énergique, volontaire et très vive; sa générosité, sa sensibilité sont réelles, et de grandes réserves de dévouement la transportent. Chez Sylvaine, ces qualités se nuancent d'un goût de la rigueur et de la perfection qui augurent d'une personnalité plus austère, et apte au commandement. Quant à Sylviane, rieuse et soupe-au-lait, elle est la plus « enfant » de ces sylvestres prénoms.

SYLVAINE

(voir Sylvie)

Couleur : le vert.
Chiffre : le 8.
Signe associé : le Taureau.

SYLVIANE

(voir Sylvie)

Couleur : le vert.
Chiffre : le 8.
Signe associé : le Taureau.

SYLVESTRE

(voir Sylvain)

Couleur : le vert.
Chiffre : le 4.
Signe associé : la Vierge.

LES PRÉNOMS EN TERRE D'ISLAM

Ce chapitre concernant près d'un milliard d'êtres humains répartis en diverses zones géographiques, force nous est ici de savoir abréger et choisir. Nous évoquerons donc principalement les prénoms arabes, et les prénoms de quelques-uns des peuples islamisés mais non-arabes : iranien, afghan, turc, musulmans soviétiques, pakistanais, musulmans d'Inde, du Bangladesh, musulmans d'Afrique noire.

Si les Arabes ne représentent qu'un dixième des musulmans du monde, ils se trouvent néammoins à l'origine géographique et historique de l'Islam. Observons d'abord ce qu'il en est de leurs prénoms et de ceux des musulmans « arabisés ».

Commençons donc par le Prophète : Mohammad (Mahomet, comme nous disons en Europe) dont le nom signifie « le Loué », « le Digne », et qui vécut entre 570 et 632. C'est le prénom masculin le plus répandu sur toute la terre, sous des formes diverses il est vrai. Reconnu comme être humain et Messager de Dieu, il portait d'autres prénoms et surnoms, comme Ahmad, Mostafâ (« l'Elu »), Mokhtâr (« le Choisi »), Mahmoud (« le Loué »), qui, depuis quatorze siècles, furent également choisis pour nommer des millions d'enfants mâles chez les peuples musulmans.

Fâtima (« la Sevrée »), Rogayya (« la Grande ») furent des filles du Prophète, qui, durant la vie de Khadija, sa première épouse, fut monogame; il eut, après la disparition de celle-ci, plusieurs femmes : Sawda, 'Aïsha (« Qui doit vivre »), Hafsa, Zainab, Safiyya

(« la Pure », d'origine juive) Maymonna (« la Bénie ») et tous ces prénoms féminins ont été évidemment repris et largement répandus en terre d'Islam puisque, selon le Coran, ces femmes sont « les Mères des Croyants ».
Par ailleurs, les noms des compagnons du Prophète bénéficient également d'une grande faveur : ainsi les quatre premiers Califes Abou-bakr, 'Omar, 'Othman, 'Ali, tout comme les prénoms arabes déjà courants à leur époque : Sa'ad, Sa'îd (« le Bienheureux ») Walid (« Né et Elevé ») Safwân, Qays, Hâreth (« le Cultivateur ») Khâled (« Qui dure ») Ghâleb (« Qui domine ») Yazid, Harb (« le Guerrier »). Les anciens prophètes continuent également d'être à l'honneur dans l'usage prénominal et, dûment arabisés, viennent tout droit de la Bible, comme Ibrahîm (Abraham) Is'hâq (Isaac) Isma'êl, Ya'qoub (Jacob) Youssef (Joseph) Moussa (Moïse) Hâroun (Aaron) Dâwoud (David) Solayman (Salomon) Younos (Jonas) Z'akariyyâ (Zaccharie) Yahyâ (Jean) 'Issâ (Jésus). Enfin, Maryam (Marie) est courant dans certains pays d'Islam, puisque le Coran accrédite la thèse de l'Immaculée Conception.
La terminaison en *a* pouvant assurer, en arabe, la féminisation du prénom, on a ainsi Habîb (« Ami », ou « Aimé ») et Habîba, Sharif (« Honoré ») et Sahrifa, Karîm (« Généreux ») et Karîma, Tâher (« le Pur ») et Tâhera, Halîm (« Clément ») et Halîma, Najib (« Noble ») et Najiba, Shafiq (« le Compatissant ») et Shafiqa, 'Âdel (« le Justicier ») et 'Adela, Jamîl (« Beau ») et Jamîla, Malek (« Roi ») et Maleka... Mais certains prénoms restent sans correspondance ou équivalence féminines : Sâlem (« Sain ») n'admet pas de Sâlema, de même que Sâdeq (« Franc ») Hâmed (« Qui rend louange à Dieu ») Qasem (« Qui distribue ») Jâhed (« Actif ») Târeq (« Etoile ») Bashîr (« Qui apporte la bonne nouvelle ») Faisal (« Epée qui tranche ») Fahd (« Panthère ») Assad (« Lion ») Namer (« Tigre ») Adnân (« Paradisiaque ») Sobhî (« Né à l'aube ») Mansour (« Aidé de Dieu ») – tous ces prénoms restant strictement masculins, et s'adjugeant aussi bien les domaines symboliques du tigre et de la panthère que ceux de l'action et de l'étoile, de l'épée comme du paradis. En revanche, il est des prénoms strictement féminins, qui, eux, en disent long et pas assez : suavité, saveur, mais ni guerre ni dieu, ainsi vont Homayrâ (« Qui a de roses joues ») Laylâ (« Œil et chevelure couleur de nuit ») Ghazâl (« Gazelle ») 'Effat (« Chasteté ») Qamar (« Pleine lune ») Thorayyâ (Sorayya) (« Pleïades ») Ahlâm (« Rêve »).
Des prénoms anciens, ou évoquant la vieille civilisation arabe du désert ont été repris, ou créés, tels les Hend, Bothayna, Salmâ, Lamyâ, Arwâ, Fayhâ (prénoms féminins) et Jâber, Iyyâd, Jahsh, Mondhêr, Modrek, Nawfal, Nezâr, 'Ammâr, Ferass, Imân (prénoms masculins).

Il nous faut enfin évoquer les formes masculines composées, avec notamment cette série alignée sur le modèle de 'Abd-Allâh (Abdullah) (« Serviteur de Dieu ») comme :

'Abd-al-Rahmân (« Serviteur du Clément »).
'Abd-al-'Azîz (« Serviteur du Cher, de l'Honoré »).
'Abd-al-Hamîd (« Serviteur du Louable »).
'Abd-al-Qâder (« Serviteur du Puissant ») (Abd-el-Kader).
'Abd-al-Karîm (« Serviteur du Généreux ») (Abd-el-Krim en maghrébin).
'Abd-al-Nasser (« Serviteur du Défenseur »).

Ou encore les composés suivants :

'Atâ-Allah (« Don de Dieu »).
Dhiâ-Allah (« Lumière de Dieu »).
Habîb-Allah (« Ami de Dieu ») (Théophile).
Sayf-Allah (« Epée de Dieu »).

Ainsi que cette autre série courante :

Jamâl-ad-Dîn (« Beauté de la Religion »).
Sayf-ad-Dîn (« Epée de la Religion »).
Jalâl-ad-Dîn (« Gloire de la Religion »).
Nour-al-Dîn (« Lumière de la Religion »).
Shams-al-Dîn (« Soleil de la Religion »).
Najm-al-Dîn (« Astre de la Religion »).
Salâh-al-Dîn (« Perfection de la Religion », francisé sous la forme Saladin).

Ouvrons ici une parenthèse importante, relative aux « traductions » et correspondances entre prénoms islamiques et européens à travers le français médiéval. Si Salâh-al-Dîn y est devenu Saladin, ou Mohammad, Mahomet, il faut savoir que le même processus a engendré Bajazet (de Bâ-Yazid) Atala (de Ata-Allah) et que les grands philosophes de l'Islam que nous nommons Avicenne et Averroës s'appelaient, dans leur langue, Ibn-Sinâ et Ibn-Roshd. Enfin, sait-on que Nouriya (« Petite Lumière ») équivaut à Lucienne (même sens) Shârifa à Honorine, Fawziya à Victoire?

Mais il existe tant de peuples différents, de classes sociales, coutumes, parlers et dialectes en pays d'Islam, et aussi tant de modes fluctuantes dans les choix d'attribution des prénoms (chaque décennie a la sienne) qu'il serait vain, à moins d'un ouvrage entier, de rendre compte exhaustivement de toute cette diversité et de son cortège de nuances. Tentons néanmoins d'évoquer la situation des prénoms parmi les peuples islamiques mais non-arabes. Les prénoms arabes y sont largement adoptés, quoique prononcés à la manière locale, c'est-à-dire persanisés, kurdisés, afghanisés, indianisés, somalisés, swahilisés, etc. (Ainsi Fatema se dit Fatou en Guinée, Fâtî en Iran, et Fâtô en Afghanistan). Mais ces pays ont de surcroît leurs propres vogues de prénoms nationaux non-arabes. Examinons-en quelques-uns.

Les prénoms en Iran : Ardashîr, Bahrâm, Bijan, Cambyse, Cyrus, Jamshîd, Hormoz, Khosro, Shâh-Pour sont des prénoms masculins typiques de ce pays, de même, pour les féminins, que Ménijé, Katâyoune, Koudâbé, Soudâbé, Shîrîne (« Douce ») Shahlâ (« Narcisse Bleu ») Nargess (« Narcisse ») Férouzâne (« Brillante ») Shahr-Zâd (Schéhérazade, « Née en Ville ») Nâhîd (« Venus ») Sîmîne (« Argentée ») Zarîn (« Dorée ») Shour-Angiz (« Emouvante ») Homâ (« Phoenix ») Parwin (« Pléiades ») Soussane, Nasrîne (noms de fleurs) etc.

Les prénoms en Afghanistan : Et d'abord quelques prénoms d'apparition relativement récente, qui passent encore pour un peu « snobs » là-bas : Yâma, Kanishkâ, Kaykâvous, Avesta, Veda, Kâwa, Arash, tous prénoms masculins; les prénoms de filles en langue pashtô, en revanche, deviennent populaires, ainsi Tôr-Pêkay (« Frange Noire ») Hôsay (« Gazelle ») Kawtara (« Colombine ») Hêla (« Vœu ») Spîna (« Blanche ») Wajma (« Parfum »). Mais en règle générale, les prénoms arabo-persans prévalent, comme Dôst-Mohammad (« Ami de Mohammad ») Gol-Rahmân (« Fleur protégée de Dieu ») de même que les prénoms strictement persans, tels que Pâyenda-Gol (« Fleur qui doit persister ») Sar-Ferâz (« Esprit élevé »).

Les prénoms en Turquie : Si, depuis un demi-siècle, un retour s'effectue en faveur des prénoms d'origine turque, tels les Kaya, Orhân, Ozgur, on continue d'utiliser certains prénoms arabes comme Nedim (« Chambellan ») Nâzim (« Organisateur ») Métine (Matîn) (« Ferme ») Sélim (Salîm) (« Sain ») Kémal (Kamâl) (« Perfection ») Ahmet (Ahmad) Emine (Amîn) (« le Confident »). Les prénoms d'origine persane y sont également conservés, surtout pour les prénoms féminins, ainsi : Gozidé (« Choisie ») Nil-Goune (« Bleu indigo ») et toute une série de prénoms commençant par Gül (Gol) (« Fleur »), comme Güller, Gülseren.

Les pays musulmans soviétiques : L'Union soviétique, on le sait, compte un nombre important de populations musulmanes ou d'origine musulmane, qui continuent d'utiliser les anciens prénoms arabes, persans ou turcs, ou dont le nom de famille en conserve la trace évidente, quoique russifiée au moyen de la particule *-ov,-of.* Un Tajik, par exemple, peut s'appeler Jamâl Jalâlov (« Beauté, fils de Gloire ») ou encore Habîb-Jân Eskandarof (Habîb le Cher, fils d'Eskandar).

Le Pakistan et les musulmans de l'Inde : Là, on est résolument arabo-persan et irano-indien dans l'usage prénominal; ainsi Golzâr-Hasan (« Roseraie de Hasan », prénom masculin) et Zéb-un-Nisâ (« Parure de Femme », prénom féminin) sont mi-persans mi-arabes, tandis que Shakîlâ (« de belle forme ») est d'origine arabe et indo-iranienne.

Au Bangladesh, des dizaines de prénoms masculins se terminent par Rahmân (« Clément ») ou Haq (« Vérité ») comme Ziâ-ur-Rahmân (« Lumière du Clément ») Ziâ-ul-Haq (« Lumière de la Vérité ») ce qui égare parfois les Européens en leur donnant à croire que Ziâ est un prénom, et Haq le nom de famille. D'autre part, les différences de prononciation flagrantes rendent, entre musulmans, certains mots incompréhensibles, à commencer par Diâ (« la Lumière ») qui se prononce Ziâ en persan, en urdu, en bengali. En Inde, accent aidant, Mohammad devient aisément Mammaadt. Enfin, une large part de l'Afrique noire est gagnée à l'Islam et a recours, très souvent, aux prénoms qui en sont issus, et Souleiman y a libre vogue, avec également les variantes et transformations locales liées à la prononciation. Quoi qu'il en soit, rappelons qu'un livre entier serait nécessaire pour mener à bien un voyage complet parmi les prénoms en terre d'Islam, et continuer d'explorer cette gamme de dénominations chez les fervents d'Allah, à la fois tranchante et poétique, impérieuse et suave, entre Kamâl et Jamâl, « Perfection » et « Beauté ».

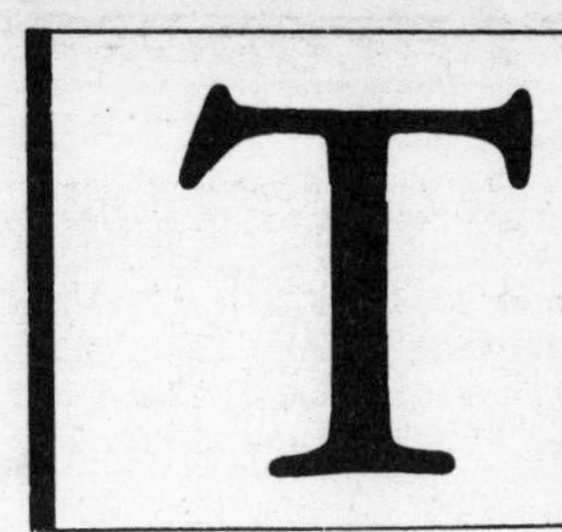

TANGUY

Couleur : le violet.
Chiffre : le 7.
Signe associé : le Cancer.
Fête : le 19 novembre.
A éviter devant un nom de famille commençant par I, ou une consonne dure.
Étymologie : du celtique « tan », ***feu,*** **et « ki »,** ***chien.***

Fils d'un seigneur breton, Tanguy décapita par mégarde sa sœur, sainte Héodez (sainte Haude); violemment secoué par ce geste, il se fit moine et atteint à la sainteté; fondateur du monastère de la Pointe-Saint-Matthieu-de-Fine-Terre, saint Tanguy rendit l'âme vers l'an 800, et continue d'être vénéré dans la Bretagne profonde. Le celtique « tan ki », littéralement « chien de feu », renvoie à *Chien* comme titre glorieux attribué aux guerriers, et à *Feu* entendu comme ardeur à la lutte : Tanguy, ce « Chien de Feu », est donc un « guerrier fougueux ».
Au caractère, c'est plutôt dans le domaine de l'imaginaire que se révèle ce guerrier : d'une grande fraîcheur et simplicité d'âme, Tanguy est un admirable et dynamique rêveur, ou penseur, selon l'immensité de l'instant qui passe, et que Tanguy goûte du plus profond. Encore un « grand » breton – pour les prénoms s'entend.

TANIA

(Tatania)

Couleur : le bleu.
Chiffre : le 9.
Signe associé : le Cancer.
Fête : le 12 janvier.
A éviter devant un nom de famille commençant par A, Nia.
Étymologie : du nom de Tatius, roi des Sabins.
Célébrité : la comédienne Tania Balachova.

Sainte Tania, au IIIe siècle, aurait été martyrisée à Rome. Beau prénom, à la force à la fois suave et slave, qui, au caractère, joue de la volonté et de l'intuition avec dynamisme et désinvolture, puisque quelques penchants marqués à la mythomanie et à la rêverie, légères ou appliquées, se font jour à la faveur d'un regard soudain lointain. Enigmatique Tania! Mystérieuse Tania!

THÉODORE

(Diounia, Dioussia, Dores, Dorle, Dorli, Doorsie, Doortje, Fediana, Fedor, Fedora, Fedoulia, Fedoussia, Feodor, Feodora, Feodorit, Fiodor, Fiodora, Fiodorka, Fjodor, Fjodora, Ted, Teddie, Teddy, Teodor, Teodora, Teodoreto, Teodoro, Teodors, Thed, Thederl, Thea, Theo, Theodoor, Theodoret, Theodorik, Theodorine, Theodoret, Theodoros, Theodorus, Theodosius, Toader, Todaro, Tudor, Tudyr)

Couleur : le rouge.
Chiffre : le 9.
Signe associé : le Taureau.
Fête : le 7 février.
A éviter devant un nom de famille commençant par Or, R.
Étymologie : du grec « theodoros », don de Dieu.

Célébrités : deux empereurs et deux impératrices byzantines et byzantins; le peintre Théodore Géricault; le poète Théodore de Banville; les écrivains Theodor Storm, Theodor Fontane, et Dostoïevski, qui se prénommait Fiodor; le président Théodore Roosevelt; le chanteur d'opéra Fédor Chaliapine.

Il y eut une quarantaine de saints et bienheureux pour s'appeler Théodore. Tenons-nous en au premier de la série, saint Théodore (IVe siècle) jeune soldat chrétien mis à mort après qu'il eût incendié un temple païen, sans oublier saint Théodore le Studite (759-826), tenu de son vivant même pour un saint, et qui introduisit de profondes réformes dans le monachisme oriental, ni saint Théodore, archevêque de Canterbury au VIIe siècle. Le premier d'entre eux, le soldat martyr, est devenu le saint patron des militaires et des cavaliers en Orient, où un culte fervent lui était consacré. La forme féminine de ce grand prénom, Théodora, fut portée par deux impératrices de Byzance, et ces prénoms eurent un grand succès en Russie, où trois tsars furent des Théodore, dont le fils d'Ivan le Terrible, Fiodor Ier, que renversera Boris Godounov. Fiodor, Fedor, Feodor sont les formes russes du prénom, répandu par ailleurs dans toute l'Europe et jusqu'aux Etats-Unis. Au caractère, Théodore se montre généreux, mais un tantinet possessif, sociable quoique parfois entêté, intuitif et porté au concret, dynamique et prenant le temps de la réflexion. Un presque parfait équilibre. Théodora, pour sa part, apparaît plus austère, éprise de rigueur, vulnérable à l'émotion et d'autant plus désireuse d'autorité, de volonté : elle trouve en elle ces ressources, et elle agit sans tarder.

THÉODORA

(voir Théodore)

Théophile

(Offy, Teofil, Teofilia, Teofilo, Theophila, Theophilia, Theophilus)

Couleur : le vert.
Chiffre : le 8.
Signe associé : le Sagittaire.
Fête : le 10 octobre.
A éviter devant un nom de famille commençant par Il, L, Phi.
Étymologie : du grec « Theos », *Dieu,* et « philein », *aimer.*
Célébrités : le poète Théophile de Viau (1590-1626); Théophile de La Tour d'Auvergne (1743-1800); Théophile Gautier (1811-1872).

L'un des Pères de l'Église, saint Théophile, fut évêque d'Antioche au IIe siècle. Quinze autres saints et bienheureux furent des Théophile, dont saint Théophile le Pénitent, personnage légendaire qui, Faust avant la lettre, vendit son âme au diable, mais obtint le pardon de Dieu : héros des *Miracles de Notre-Dame,* Théophile a eu droit à de nombreuses versions de son « Miracle », parmi lesquelles *le Miracle de Théophile,* de Rutebeuf – la meilleure.
Au caractère, c'est à la force de la volonté qu'avance Théophile; volontiers actif et sociable, de grande intelligence, il se propose sans cesse d'aller de l'avant, plus loin, plus fort et mieux : pour un « amoureux de Dieu », n'est-ce pas la moindre des choses?

Thérèse

(Resa, Resia, Reserl, Resli, Teresa, Terese, Teresita, Terssa, Teri, Terri, Terrie, Terry, Tessa, Tessy, Theresa, Theresia, Toireasa, Tracey, Tracie, Tracy)

Couleur : l'orangé.
Chiffre : le 7.
Signe associé : la Balance.
Fête : le 15 octobre.
A éviter devant un nom de famille commençant par E, S, Z.
Étymologie : du grec « Therasia », qui désignait, dans la Grèce antique, l'île de Therasia, non loin de la Crète, et ses habitantes.
Célébrités : Teresa Ansurez, reine du Léon, épouse de Sancho Ier; Thérèse de Castille, régente du Portugal; Marie-Thérèse d'Autriche, épouse de Louis XIV, reine de France; *Thérèse Raquin,* de Zola; *Thérèse Desqueyroux,* de Mauriac; Mère Thérèsa; la cantatrice espagnole Théreza Berganza.

Sainte Thérèse d'Avila (1515-1582), carmélite et réformatrice du Carmel, protectrice de saint Jean-de-la-Croix avec qui elle fonda des monastères, grande mystique et grand écrivain mystique, rencontra bien des obstacles et des difficultés dans son action au sein même de l'Église, avant d'être reconnue Docteur de celle-ci, en 1970. Seize autres saintes et bienheureuses furent des Thérèse, et parmi elle sainte Thérèse de l'Enfant Jésus, qui mourut au Carmel en 1897 tuberculeuse; sa ville natale, Lisieux, est devenue un centre de pèlerinage, et sa basilique, érigée entre 1929 et 1954, lui est dédiée. Jusqu'au Vᵉ siècle, Thérèse resta un prénom méditerranéen, et surtout ibérique, avant de gagner l'ensemble de l'Europe.

Thérèse? Interrogeons-la.

– Vous vous nommez bien Thérèse?

– Oui.

– On dit de vous que vous portez la bonne étoile : qu'en pensez-vous?

– Eh bien...

– C'est vrai : vous ne vous souciez pas de votre chance; pour vous, elle va de soi. D'autre part, l'émotivité excessive et l'anxiété qui parfois s'emparent de vous ne sont pas sans vous donner quelque fil à retordre, mais vous savez vous en sortir à la force de la volonté. Ah, votre volonté! Ah, votre vitalité! Quelle force, non?

– En effet, parfois...

– Évidemment! Et vous restez maîtresse de vous quoiqu'il arrive, et il vous en arrive, des flux, des impulsions, des nervosités inattendues! Mais vous résistez. Bravo. Et puis, il y a l'action : vous en usez largement, généreusement, et vous êtes sociable, disponible, affectueuse, maternelle. Comme de surcroît vous vous mettez facilement en quatre pour aider les autres, les excuser, les réconforter, le tout sous les auspices d'une rigueur morale allant de soi, spontanée, naturelle – pas crispée ni compassée, on peut dire que votre compagnie est d'un agrément évident.

– Vous voulez dire?...

– Je le dis. Vous êtes l'élan même de la chaleur vers votre prochain, et de la lumière dans l'intellect. Il vous importe avant tout d'être consciente, lucide, et en mesure d'effectuer de profondes synthèses : votre façon de méditer, c'est d'agir et de pouvoir agir. Il est curieux de constater à quel point votre allure raisonnable et sensée fait partie de votre charme...

– Merci.

– ... et votre manière de séduire, et de séduire intensément, semble donc consister à vous montrer attentive, très attentive, de toute la chaleur de votre bienveillance.

– ...

– Décidément, il est regrettable que votre prénom ne soit pas, actuellement, dans sa plus grande vogue. Toutes ces qualités soigneraient bien l'époque. Vestale du foyer, mère réconfortante : vous avez, Thérèse, le baume qu'il faut à ces délires que nous ménage l'histoire. Qu'en dites-vous?

– Mais... je vous écoute.

– La cause est donc entendue. Merci Thérèse.

THIBAUD

(Dietbald, Dietbold, Tebaldo, Tebaud, Teobaldo, Tepod, Thebault, Theobald, Theodbald, Thibald, Thibault, Thibaut, Thiébaud, Tibbolt, Tibold, Tiebout)

Couleur : le violet.
Chiffre : le 8.
Signe associé : les Gémeaux.
Fête : le 8 juillet.
A éviter devant un nom de famille commençant par Bau, O.

Étymologie : du germain « theud », *peuple*, et « bald », *audacieux*.
Célébrités : cinq comtes de Blois; cinq comtes de Troyes; Tybalt, nom familier du chat domestique dans *Le Roman de Renart* (XII-XIIIe siècles).

Prénom médiéval, Thibaud a laissé de nombreux noms de familles, tels les Thiébaud, Thibaudet, Thibaudin, Tebaldi ou Thibout. Saint Thibaud (XIe siècle) est encore particulièrement honoré en Alsace; il est le saint patron des charbonniers. Il bénéficie actuellement de la faveur dont jouissent les prénoms ressurgis du fond du Moyen Age. Au caractère, Thibaud est la volonté même; c'est un actif, pourvu d'un dynamisme et d'une vitalité solides, ce qui ne l'empêche nullement d'être parfois songeur, et de jeter des sondes dans l'inconnu. Il voit grand, et entreprend de même.

THIERRY

(Théry, Thiéry)

Couleur . le bleu.
Chiffre : le 4.
Signe associé : le Cancer.
Fête : le 1er juillet.
A éviter devant un nom de famille commençant par I, Ri.

Célébrités : trois rois de Neustrie, dont le fils aîné de Clovis; Thierry de Martel; Thierry le Luron; Thierry Roland; et le jeune tennisman français Thierry Tulane; l'éditeur Thierry Bordas.

Saint Thierry (VIe siècle) désobéit à son père et refusa de se marier. Il faut dire que son père était un bandit, et que Thierry lui préféra la compagnie de saint Rémi, et la retraite dans un ermitage aux aléas du mariage. Cet ermitage allait devenir monastère de Saint-Thierry (dans la Marne).
D'une belle rigueur morale, Thierry, au caractère, est parfois complaisant à l'égard de ses rêveries; fin, sensible, actif, il n'ignore rien, pourtant, de ce qui fait une volonté sans faille, et il est doté d'une puissance vitalité.

THOMAS

(Foma, Khoma, Maas, Macey, Maso, Masetto, Massey, Tam, Tammy, Tom, Tomas, Tomasa, Tomasi, Tomasina, Tomaso, Tomé, Tommie, Tommy, Toms, Thoma, Thomase, Thomasin, Thomasine, Thomé, Thömel, Thomelin)

Couleur : le bleu.
Chiffre : le 4.
Signe associé : le Cancer.
Fête : le 3 juillet.
A éviter devant un nom de famille commençant par Ma, A.

Étymologie : de l'araméen « toma », *jumeau*.
Célébrités : Thomas d'Angleterre, trouvère anglo-normand du XIIe siècle; les théologiens anglais Thomas Bradwardine et Thomas d'Ork; le poète Thomas Moore; le

grand chandelier (rebelle) d'Angleterre Thomas More; Thomas Gainsborough; Thomas Edison; Tomaso Albinoni; Thomas de Quincey; Thomas Mann; Thomas Hardy; *Thomas l'Obscur*, de Maurice Blanchot.

Très répandu en Europe à l'époque des Croisades, le prénom de Thomas est celui de l'un des Douze Apôtres. Il refusa de croire à la résurrection du Christ, et exigea de toucher pour croire : « Si je ne vois pas dans ses mains la marque des clous, si je ne mets pas mon doigt à la place des clous, si je ne mets pas ma main dans son côté, je ne croirai pas ». Jésus lui fit voir et toucher : « Parce que tu m'as vu, tu as cru, Thomas. Heureux ceux qui n'ont pas vu et qui ont cru. » Par la suite, Thomas s'en alla évangéliser la Perse et l'Inde du Sud, où il existe encore de nos jours plusieurs centaines de milliers de chrétiens du rite syro-malabar, qui se disent « chrétiens de saint Thomas ». Il fut martyrisé non loin de Madras. Soixante saints et bienheureux furent des Thomas, dont Thomas d'Aquin (XIIIe siècle), Thomas Becket (XIIe siècle), Thomas More (XV-XVIe siècles), et le bienheureux Thomas à Kempis (XIV-XVe siècles), auteur présumé de *l'Imitation de Jésus-Christ*. La France et l'Angleterre (dont les soldats sont des « tommies ») ont beaucoup usé de ce prénom, et l'Allemagne actuelle lui fait un franc succès. Il revient d'ailleurs à la mode en France, après une éclipse de près d'un demi-siècle.
Au caractère, Thomas est entier, tout d'une pièce, il croit ou ne croit pas, il aime ou il n'aime pas : aucun compromis possible, et les nuances lui paraissent douteuses: passionné, il lui arrive d'accueillir comme une intuition ce qui n'est souvent qu'une impulsion, et il s'éprouve et se cherche dans l'action concrète, et non dans la méditation. D'une intelligence pratique évidente, il se méfie, tel l'Apôtre, de tout ce qui peut lui sembler abstrait. C'est quelqu'un qui est cependant susceptible de transformations intéressantes, pourvu qu'il soit convaincu et assuré de la justesse de ce qu'il entreprend; il est ainsi un être de scepticisme et de foi, et intransigeant dans les deux cas. Son aspiration à la droiture, à la rigueur, à la justice peut le conduire au fanatisme ou au dévouement le plus total. Il importe de ne pas le décevoir ou le trahir, et il est assez excessif pour ne jamais succomber au découragement en cas d'échec.

TIGRANE

(Tigre)

Couleur : le bleu.
Chiffre : le 1.
Signe associé : la Balance.
Fête : le 12 janvier.
A éviter devant un nom de famille commençant par Ann.
Étymologie en relation avec le Tigre (le fleuve), du latin « tigris », *tigre*.

Tigrane le Grand (140-55 av. J-C.), roi d'Arménie entre 95 et 55, fut l'allié de Mithridate VI contre les Romains, avec lesquels il guerroya longtemps. Scilla chassera Tigrane de la Cappadoce, qu'il avait conquise. Mais Tigrane, en 78, établit sa capitale, Tigranocerte, sur le haut-Tigre, et y accueille Mithridate, de nouveau en guerre (et en fuite) face aux Romains. Ceux-ci, menés par Lucullus, finiront par s'emparer de Tigranocerte, et, lorsque

Pompée fondit sur l'Arménie, Tigrane dut se soumettre, et devenir le vassal de Rome. Tigre, au IVᵉ siècle après Jésus-Christ – ou plutôt saint Tigre – était un esclave affranchi, qui osa s'élever contre le bannissement de saint Jean Chrysostome; on l'accusa d'avoir fomenté troubles et incendie à cette occasion, et il fut soumis à la torture, puis envoyé en exil en Mésopotamie. Prénoms rares, voire rarissimes, Tigrane, Tigre nous viennent de loin. Observons-les : ils arrivent...

THOR

(Thora, Thore, Thorina, Thure, Toe, Tore, Tosse)

Couleur : le rouge.
Chiffre : le 1.
Signe associé : le Verseau.
Fête : le 8 juillet.
A éviter devant un nom de famille commençant par R, O, T.
Étymologie : du nom du dieu germanique Thôrr, fils d'Odin et de Jord, maître de la foudre, porteur du « marteau magique ».

Thôrr était une sorte de Mars ou d'Indra, et son nom a été remis en faveur par le romantisme. L'ennui, avec ce beau prénom du Nord, c'est sa consonance dans notre langue. Faisons-nous une raison, et oublions ce Thor.

TOUSSAINT

(Tossanus, Toussain, Toussaine, Toussainte)

Couleur : le rouge.
Chiffre : le 1.
Signe associé : le Lion.
Fête : le 1ᵉʳ novembre.
A éviter devant un nom de famille commençant par In, S.
Étymologie : contraction de « tous les saints ».
Célébrité : Toussaint Louverture (1743-1803), âme et stratège de l'insurrection de saint Domingue (1796).

Comme Pascal ou Noël, Toussaint est le nom d'une fête religieuse transformé en prénom. La fête chrétienne de la Toussaint a d'ailleurs pris le relais d'une très ancienne coutume européenne qui associait le premier (ou les premiers) jour(s) de novembre au souvenir des disparus, le 1ᵉʳ novembre constituant un pont, un passage, entre les morts et les vivants.
Comme prénom, Toussaint se manifesta principalement aux Antilles, et les enfants naissant un 1ᵉʳ novembre y avaient généralement droit, mais on le rencontre également en France, quoique rarement il est vrai.
On le dit, au caractère, actif et remuant, décidé, dynamique, entreprenant et généreux : une forte nature.

TRISTAN

(Trestan, Trestana, Tristam, Tristan, Tristana, Tristano, Trystan)

Couleur : le bleu.
Chiffre : le 2.
Fête : le 12 novembre.
Signe associé : le Capricorne.

A éviter devant un nom de famille commençant par T, An.
Étymologie : du celtique « drest », *tumulte*, mais à vrai dire cette étymologie est controversée, et le sens de Tristan nous reste plus obscur que sa lumineuse passion pour Isolde. Tristan nous vient donc tout droit du Moyen Age, et la vogue actuelle pour ce type de prénom s'empare de lui. Souhaitons-lui donc de rencontrer Isolde-Yseult encore et encore, et que l'amour triomphe, évidemment.
Célébrités : Tristan Corbière; le film de Luis Bunuel, *Tristana;* le fondateur et poète du mouvement Dada, Tristan Tzara.

TUDAL, TUGDUAL

(Toal, Tual, Tuala, Tualig, Tudalenn, Tudalez, Tugal, Tully, Tuzal)

Couleur : le violet.
Chiffre : le 7.
Fête : le 1er décembre.
Signe associé : les Gémeaux.
A éviter devant un nom de famille commençant par A, L, Al.
Étymologie : du celtique « touto », *peuple*, et « valos », *puissant*.

Saint Tugdual (VIe siècle), fut évêque à Tréguier (Côtes-du-Nord) après avoir fondé un monastère à Trébabu (Finistère); saint breton s'il en est, puisqu'on le dit « fondateur de la Bretagne » (avec six autres saints co-fondateurs il est vrai), et les Cornouailles lui vouent également un culte. Au caractère, il est réputé avoir le cœur sur la main, une ardeur sans pareille, et un esprit très éveillé. C'est un prénom qui revient de loin, et qui y va.

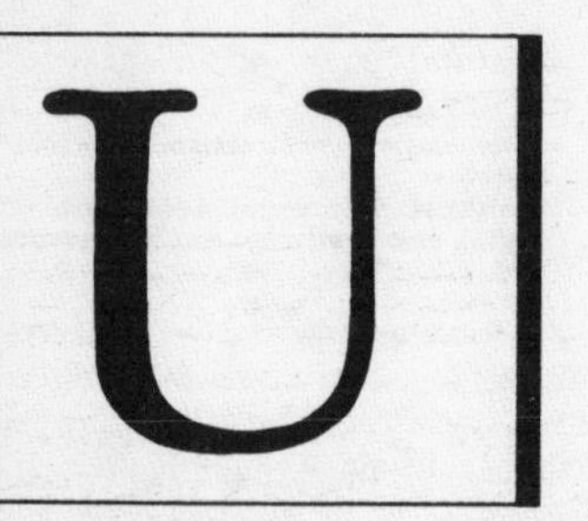

ULRIC

(Odalric, Odalrich, Oldrick, Olrik, Udalric, Uhde, Uhlig, Uldarico, Ulderic, Ulderika, Ulla, Ullman, Ulman, Ulrica, Ulrich, Ulrico, Ulrik, Ulrika, Ulrike, Ulrikke, Urle, Rika)

Couleur : le vert.
Chiffre : le 3.
Signe associé : le Sagittaire.
Fête : le 10 juillet.
A éviter devant un nom de famille commençant par I, C, Ri.
Étymologie : du germain « odal », *patrimoine*, et « rik », *roi*.
Célébrités : l'humaniste chevalier Ulrich von Hutten (XVe-XVIe siècles); un duc de Wurtemberg; et Ulrike Meinhoff.

Prénom médiéval, Ulric a bénéficié d'une faveur considérable en Suisse et dans le sud de l'Allemagne, et Ulrika est actuellement fort à la mode en Allemagne. Saint Ulrich (IIe siècle), évêque d'Augsbourg, sut défendre la ville pied à pied contre les attaques hongroises.

ULYSSE

(Odyssée, Odysseus, Uillioc, Ulick, Ulises, Ulisse, Ulyxes)

Couleur : le bleu.
Chiffre : le 1.
Signe associé : le Capricorne.
Célébrités : Ulysse, bien sûr, et le général puis président des États-Unis, Ulysse S. Grant; *Ulysse,* poème de Tennyson; et *Ulysse,* le roman de James Joyce.

Ulysse est le nom du héros de l'Odyssée, dont l'étymologie a été dégagée par Homère lui-même de « odusomai », *être courroucé.* C'est à partir de la Renaissance qu'Ulysse fut un prénom fréquent en Europe, où on le rencontre çà et là de nos jours.

URBAIN

(Bahn, Bahne, Urb, Urbaine, Urban, Urbana, Urbanilla, Urbano, Urbanus, Urbice)

Couleur : l'orangé.
Chiffre : le 2.
Signe associé : le Sagittaire.
Fête : le 29 juillet.
A éviter devant un nom de famille commençant par In, Bin.
Étymologie : de « urbanus », *citadin.*

Peu à peu, « urbanus » a pris le sens de *poli, raffiné,* par opposition à « rusticus », qui a donné *rustique, rustre :* comme on le voit, l'opposition entre la ville et la campagne était déjà vivement marquée du temps de Cicéron. Huit papes, et une dizaine de saints et de bienheureux (dont trois de ces huit papes) furent des Urbain, mais ce prénom est aujourd'hui largement oublié. Est-ce le retour à la terre?

URIELLE

Couleur : le rouge.
Chiffre : le 1.
Signe associé : le Capricorne.
Fête : le 1er octobre.
A éviter devant un nom de famille commençant par L, El.
Étymologie : d'un vocable celtique signifiant ange.

Sœur du roi breton saint Judicaël, sainte Urielle (VIIᵉ siècle) nous reste bien secrète. Au caractère, Urielle est réputée très intelligente, rigoureuse, dynamique; sous des apparences plutôt austères, elle aiguise une ironie tranchante. Ah, Bretagne!

URSULE

(Orso, Orsola, Orson, Ours, Oursa, Oursoula, Urs, Urschi, Ursel, Ursela, Ursi, Ursie, Ursin, Ursina, Ursinin, Ursinus, Ursle, Urso, Ursulina, Ursuline, Ursy, Urzili, Urzula)

Couleur : le bleu.
Chiffre : le 6.
Signe associé : la Balance.
Fête : le 21 octobre.
A éviter devant un nom de famille commençant par U, L, Ul, Lu.
Étymologie : du latin « ursus », ***ours.***
Célébrités : des héroïnes de romans, et l'actrice Ursula Andress (ci-dessus).

Sainte Ursule (IIIᵉ siècle), petite fille de huit ans, fut massacrée par les Huns; ceci se passait à Cologne, et la légende assure que ce jour-là, onze mille vierges furent martyrisées en même temps que sainte Ursule, ce qui fait beaucoup, même pour des Huns. La jeune sainte n'en demandait sûrement pas tant. Au caractère, Ursule était volontaire, active, dynamique – une vraie force de la nature, et naturelle et spontanée, précisément. Ce qui n'a pas empêché le prénom de tomber tout doucement en désuétude, en France tout au moins. En Allemagne en effet, Ursula continue d'éblouir.

LES PRÉNOMS SUR LE TOIT DU MONDE

Au Tibet et dans les pays de civilisation tibétaine, l'usage veut que le nouveau-né ne soit pas nommé avant d'avoir franchi la période critique des trois premiers mois. Jusqu'à cette date, on se contente de l'appeler *nono* ou *nomo,* ou encore *dopka* et *dokmo :* bien que signifiant « frère » et « sœur », ces termes s'appliquent en fait à tous les garçonnets, à toutes les fillettes, sans que les liens de parenté puissent entrer en ligne de compte.
Dès que le nourrisson paraît suffisamment robuste pour affronter une sortie hors de la maison, il est vêtu de la traditionnelle coiffe de laine jaune ou rouge, le *pinju,* qui est censée le protéger jusqu'à l'âge de trois ans. à la manière d'un talisman. Au cours de cette

première sortie, l'enfant est présenté au Grand Lama du monastère dont dépendent ses parents. Le dignitaire bouddhiste, après avoir célébré une brève *puja,* c'est-à-dire une cérémonie auspicieuse durant laquelle sont psalmodiés des textes sacrés avec accompagnement de tambour et de clochettes, choisit le nom du nouveau-né. Ce choix tente d'indiquer les aptitudes décelées par le Lama chez l'enfant, puisque les deux ou trois prénoms généralement énoncés sont empreints d'une claire signification. Cette signification, reliée à la spiritualité bouddhiste, est très importante : pour la tradition tibétaine, le nom contient et révèle l'essence même de l'être.

Les prénoms sont conférés sans qu'intervienne la moindre discrimination sexuelle; cependant, l'usage voulant que les prénoms des filles comportent un élément spécifiquement féminin, ou leur adjoint parfois le suffixe féminin *mo.* Le plus souvent, l'enfant reçoit le nom de son père, mais dans le cas d'une lignée matriarcale, il hérite alors du patronyme de la mère. Aussi étrange que cela puisse paraître, les noms de famille sont rarement mentionnés; même pas dans le cas d'une homonymie, puisqu'on se réfère alors simplement au nom du village et, si nécessaire, à celui de la maison. Ainsi ne désigne-t-on jamais les femmes mariées par le nom de leur mari; elles conservent leur identité propre et ne sont interpellées que par leurs noms-prénoms personnels.

Par ailleurs, il est un cas où un changement d'identité s'opère : quand un enfant entre comme novice dans un monastère. Le Grand Lama lui attribue alors un nouveau nom correspondant à sa nouvelle vocation. Plus tard, ayant progressé sur la voie spirituelle, le moinillon peut une fois encore changer de nom. C'est son maître spirituel qui le choisit, composant généralement la dénomination du disciple avec un élément de son propre nom : maître et disciple se trouvent ainsi liés par leur appellation même. On voit ici comment une civilisation profondément religieuse accorde plus d'importance à la filiation spirituelle qu'à la filiation de sang.

« En très peu de temps, le novice fut jugé apte à prononcer ses vœux et le jour solennel arriva. On lui coupa les cheveux, son corps fut lavé et revêtu de linge propre et d'une robe de bure neuve de couleur brune; sa tête fut coiffée d'un bonnet jaune. Agenouillé devant la statue du Bouddha, après l'avoir salué profondément neuf fois, les mains croisées sur la poitrine, en présence de toute la communauté rassemblée dans la grande salle du temple, il répondit aux quarante questions rituelles en affirmant qu'il n'était ni fantôme, ni esclave, ni eunuque, ni hermaphrodite, ni parricide, ni voleur, ni brigand, ni bourreau; qu'il avait assez de

forces physiques pour chasser les corbeaux si ces oiseaux voulaient lui disputer sa nourriture et que son corps n'était pas velu comme celui d'un animal. Ensuite il proclama sa libre volonté de se consacrer, à partir de ce moment, au service exclusif du Bouddha. A la fin de la cérémonie, le Lama supérieur toucha son front avec un petit sceptre et lui dit : « Désormais, ton nom sera *Galdan* » – ce qui veut dire « Celui qui est en possession de la Joie ».
Ce conte tibétain (extrait de *Le Sorcier du lac vert,* raconté par Marianne Pelliot) nous introduit tout naturellement à l'évocation de quelques-uns des prénoms de ce pays, en soulignant que ceux-ci sont toujours constitués d'un assemblage de deux prénoms, assemblage donnant lieu à de multiples possibilités de dénomination.
Toutefois, cet assemblage de deux prénoms n'évite pas cette ambiguité : dans l'interpellation quotidienne, on n'en utilise qu'un seul; ainsi, une femme nommée Tsering Drölma sera appelée simplement Drölma; or, Drölma est un prénom porté par 95 % des Tibétaines... Enfin, rappelons que la plupart des prénoms sont indifféremment masculins ou féminins; seul le suffixe *mo,* à la fin de certains prénoms, indique parfois la qualité spécifiquement féminine de ceux-ci. Soulignons que dans cette civilisation à tendance religieuse profondément marquée, les dénominations renvoient essentiellement à des notions spirituelles, à des noms de dieux et de déesses, à des qualités éthiques. Ainsi :

Ngawang Chöstso	**le Lac de la Loi et le Pouvoir de la Parole.**
Ngawang Dragpa	**Renommée du Pouvoir de la Parole.**
Ngawang Sangmo	**Secret du Pouvoir de la Parole.**
Tsering Lhamo	**Déesse de Longue Vie.**
Tsering Sönam	**Mérites de Longue Vie.**
Tenzing Lhamo	**Déesse de la Sagesse.**
Tenzing Gyatso	**Océan de Sagesse.**
Tenzing Djampa	**Amour de la Sagesse.**
Sönam Trachi	**Prospérité des Mérites.**
Sönam Djampa	**Amour des Mérites.**
Tsering Drölma	**Déesse de Longue Vie.**
Trachi Drölma	**Déesse de Prospérité.**
Rinchen Norbu	**Joyau de Haute Valeur.**
Lobzang Tsulthrim	**la Loi sagement réalisée.**

Jamyang (et aussi Jampeyang, Jampel) désigne le Boddhisatva pourfendeur de l'ignorance; Djampa, l'Amour; Trachima, la déesse de Gloire spirituelle; Tenzing Gyatso (Océan de la Sagesse), le Dalaï-Lama.

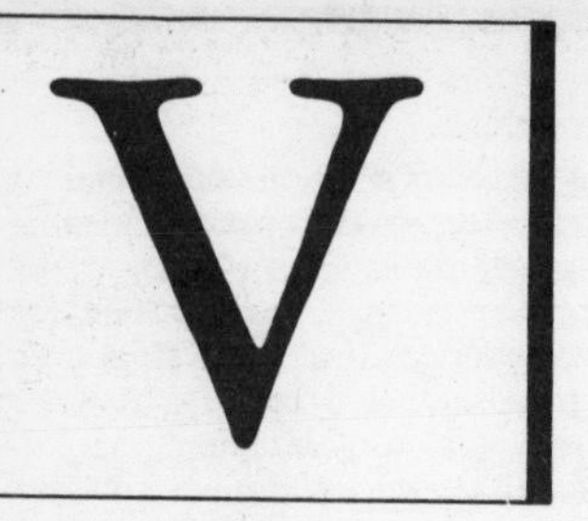

VALENTIN, VALENTINE

(Bailintin, Bâlint, Lalensia, Val, Valeda, Valence, Valens, Valensia, Valent, Valente, Valentia, Valentik, Vallentina, Valentino, Valention, Valiaka, Vallatina, Vallie, Valtin, Valtl)

Couleur : le bleu.
Chiffres : le 7, le 3.
Signe associé : la Balance.
Fêtes : le 13 février, le 25 juillet.

A éviter devant un nom de famille commençant par In, Tin, Inn, N, Ti.
Étymologie : du latin « valens », ***vigoureux.***

Célébrités : le gnostique d'Égypte Valentin; un pape; le Valentin (Jean de Boullongne), peintre français du XVIIe siècle; Valentin Haüy (1745-1822), qui fonda l'Institution des jeunes aveugles, et imagina des caractères en relief pour qu'ils puissent lire; la femme de lettres Valentine Hugo, petite-fille de Victor; l'astrologue Valentine Tessier.

Il y eut quatorze saints s'appelant Valentin, et l'on ne sait trop lequel est devenu, depuis le Moyen Age, le saint patron des amoureux, mais c'est ainsi. Quant à sainte Valentine, arrêtée et torturée à Césarée au IVe siècle, elle supporta l'extrême souffrance sans défaillir; ses bourreaux durent avoir recours au bûcher. L'empereur Valentinien (IVe siècle) est par ailleurs à l'origine du nom de la cité de Valenciennes. Au caractère, Valentin est un doux, un affectueux, un être intériorisé et hyper-intuitif, qui, soucieux d'équilibre, semble parfois indécis, tellement il pèse le pour et le contre, la justesse et la justice. Un noble cœur. Valentine est beaucoup plus résolue : décidée, volontaire, brillante et active, elle est très à l'aise en société sans jamais faillir sur ses principes. Et une générosité évidente.

VALÈRE

(voir Valérie)

Couleur : le bleu.
Chiffre : le 9.
Signe associé : le Sagittaire.
Fête : le 14 juin.

A éviter devant un nom de famille commençant par R, Ler.
Étymologie : voir VALÉRIE.

Depuis l'empereur romain Valérien (IIIe siècle) et l'historien, également romain et contemporain de Tibère, Valère Maxime, le prénom de Valère a cédé la place à Valéry, et surtout Valérie.

VALÉRIE

(Valère, Valeria, Valerian, Valeriana, Valeriane, Valeriano, Valerianka, Valérien, Valérienne, Valerijs, Valerio, Valero, Valéry, Valeska, Valier, Valioucha, Valiouchka, Vallie, Waleria)

Couleur : le bleu.
Chiffre : le 9.
Signe associé : le Sagittaire.
Fête : le 28 avril.
A éviter devant un nom de famille commençant par I, Ri.
Étymologie : du latin « valere », *être bien portant.*
Célébrités : La chanteuse Valérie Lagrange (ci-contre); les peintres Valérie-Catherine Richez et Valerio Adami.

Valerius était le nom d'une famille romaine célèbre. Au IIe siècle, sainte Valérie, après avoir vu mourir son époux, saint Vital, en martyr, fut peu après martyrisée à son tour.
Au caractère, volonté, ouverture du cœur, intuition vive et sensibilité un peu agitée çà et là par de fortes pulsions émotives, tel est l'apanage de Valérie. Un prénom qui se défend tout seul.

VALÉRY

(voir Valérie)

Couleur : le bleu.
Chiffre : le 2.
Signe associé : le Sagittaire.
Fête : le 1er avril.
A éviter devant un nom de famille commençant par I, Ri.
Étymologie : voir VALÉRIE.
Célébrités : Valéry Larbaud; Valéry Giscard d'Estaing.

Aux caractéristiques psychiques de Valérie, il faut ajouter, pour Valéry, le sens de la bougeotte. On dit qu'il ne tient pas en place, et que son exigence intérieure le voue à se dépasser lui-même. Il veut aller loin, au propre comme au figuré : à tout hasard, il voyage beaucoup.

VANESSA

(Van, Vanesa, Vanna, Vanni, Vannie, Vanny)

Couleur : le bleu.
Chiffre : le 6.
Signe associé : le Verseau.
Fête : le 4 février.
A éviter devant un nom de famille commençant par A, Sa.
Célébrités : les actrices Vanessa Brown et Vanessa Redgrave.

Jonathan Swift (1667-1745) est l'inventeur de ce prénom, qu'il imagina à partir des premières syllabes d'Esther Vanhomright, qui fut son élève et sa soupirante, et rendit l'âme en 1723, à trente-trois ans. L'écrivain composa alors un poème, *Cadenus et Vanessa,* qui fit littéralement naître Vanessa du souvenir d'Esther morte. Depuis, ce prénom nouveau a vivement fait son chemin en Angleterre, en France, et jusqu'en Allemagne.
Au caractère, Vanessa est très proche de Valérie, avec, en plus, un certain art de séduire de loin, sans ostentation aucune. Très efficace.

VASSILI

(forme slave de Basile – voir Basile)

VERA

Couleur : le bleu.
Chiffre : le 1.
Signe associé : le Scorpion.
Fête : le 18 septembre.
A éviter devant un nom de famille commençant par A, R.
Étymologie : du slave « viera », *foi.*
Célébrités : l'artiste Vieira da Silva; Vera Daumal, l'épouse du poète du *Grand Jeu.*

Sainte Vera aurait été martyrisée avec ses sœurs sainte Nadège et sainte Liubbe, et leur mère Sainte Sophie. Une sainte Verena (IIIe siècle), épouse de saint Victor, est vénérée en Allemagne et en Suisse alémanique, et une sainte Vera du IVe siècle l'est à Clermont-Ferrand; il y eut un saint Véran, évêque de Vence au Ve siècle. Mais c'est surtout grâce aux romans russes que Vera se répandit en Europe dès la fin du siècle dernier.
Au caractère, Vera est un être solide, mesuré, actif, et un cœur généreux.

VÉRONIQUE

(Bérénice, Berenike, Bernice, Bernie, Berny, Bunny, Fronika, Ronky, Ronnie, Veron, Veronica, Veronik, Veronika, Veronike, Veroucha, Verounia, Vonnie, Vroni, Vroon)

Couleur : le bleu.
Chiffre : le 9.
Signe associé : le Cancer.
Fête : le 4 février.
A éviter devant un nom de famille commençant par une consonne dure.

Étymologie : du grec « phéré », *apporter*, et « nikè », *victoire*.
Célébrité : un opéra-comique d'André Messager (1853-1929), *Véronique;* la chanteuse Véronique Samson.

Une invérifiable mais constante tradition veut qu'une femme ait essuyé, dans un geste de pitié, le visage ruisselant de Jésus qui montait au Calvaire, et que l'étoffe blanche utilisée ait gardé « imprimés » les traits du Sauveur. Le « voile de la Sainte Face » aurait ensuite permis de guérir des malades. Cette femme, nommée Véronique, fut donc la première sainte Véronique. Il y en eut deux autres du même nom.
En France, ce prénom n'a commencé à être courant qu'au siècle dernier. Si Veronika est en usage en Allemagne, c'est au contraire la forme Berenice, ou Bernice, qui s'est imposée en Angleterre depuis la Réforme. A l'origine, Bérénice était un prénom macédonien, que l'avancée conquérante d'Alexandre allait répandre au Proche-Orient et en Égypte. Princesse juive de la Bible, Bérénice, fille de Hérode Agrippa 1er, devait épouser l'empereur Titus, qui la répudia au dernier moment pour des raisons politiques; Corneille *(Bérénice)* et Racine *(Titus et Bérénice)* firent leurs délices de cette histoire, ainsi, plus tardivement, que Brasillach (*la Reine de Césarée,* 1940).
Comme Bérénice « européenne », Véronique, au caractère, cultive volonté et bienveillance avec une grande droiture de sentiments; elle est de surcroît fort active, fidèle et courageuse : de beaux jours lui sont acquis.

VICTOIRE

(voir Victoria, Victor)

VICTOR

(Gyösö, Toyo, Vichouta, Vick, Vicki, Vicky, Vico, Victoire, Victoria, Victoric, Victorico, Victoriano, Victorien, Victorienne, Victorin, Victorine, Victrice, Viktor, Viktorii, Viktorik, Viktorina, Vitiana, Vittore, Vittoriano, Vittorino, Vittorio, Vitoucha, Vitoulia)

Couleur : le vert.
Chiffre : le 6.
Signe associé : les Poissons.
Fête : le 27 juillet.
A éviter devant un nom de famille commençant par Or, R, To.
Étymologie : du latin « victor », ***vainqueur.***
Célébrités : Victoria 1re, reine d'Angleterre et impératrice des Indes; trois papes et un anti-pape; le roi d'Italie Victor-Emmanuel III; deux rois de Sardaigne; deux ducs de Savoie; Victor Riqueti, autrement dit le marquis de Mirabeau; Victor Cousin, le philosophe; Victor Brauner, Victor Vasarely, les peintres; les poètes Victor Hugo (page précédente) et Victor Segalen; et le cinéaste Victor Fleming ***(Autant en emporte le vent).***

Une quarantaine de saints furent des Victor, et les premiers siècles chrétiens ont beaucoup usé de ces prénoms de vainqueurs pour évoquer, en fait, une seule et unique « victoire », celle du Christ. La Révolution française relança la mode de Victor, et les exaltations patriotiques, par la suite, usèrent abondamment de la forme féminine Victoire. L'Allemagne et l'Angleterre eurent aussi leurs Victoria. La *Victoria Cross* est d'ailleurs la plus importante distinction militaire anglaise, et le lac Victoria comme les chutes Victoria, en Afrique, perpétuent la mémoire de la reine Victoria (1819-1901). Quant à Victor, tout comme Victoire et Victoria, il se fait discret de nos jours, mais peut-être ces vainqueurs attendent-ils leur moment? Au caractère, l'extrême sociabilité alliée à un puissant dynamisme font de Victor un joueur perpétuel, mais aussi un être d'une conscience professionnelle rare, qui s'adapte aux situations et use d'une intuition et d'une intelligence profonde pour aller de l'avant; il est capable de déployer une activité intense et, parfois, gigantesque. Affectueux, séduisant et aimant séduire, c'est aussi un gourmand de la vie et de ses plaisirs. Enfin la chance et la réussite semblent attachées à ses pas. Victoria et Victoire, plus silencieuses, discrètes, se retirent volontiers dans leur univers intérieur, très riche, et savent en sortir pour agir efficacement, sûrement, et sans vains tapages.

VICTORIA

(voir Victor)

Couleur : le vert.
Chiffre : le 7.
Signe associé : les Poissons.
Fête : le 17 novembre.
A éviter devant un nom de famille commençant par L, A, R.

VINCENT

(Cencio, Cente, Centina, Sent, Uinsionn, Vicenç, Vicencia, Vicencio, Vicenta, Vicente, Vicentia, Vicentius, Vicenzan, Vicenze, Vikacha, Vikenti, Vikentia, Vin, Vince, Vincente, Vincentius, Vincenz, Vinciane, Zenz, Zenzel)

Couleur : le rouge.
Chiffre : le 6.
Signe associé : la Balance.
Fête : le 27 septembre.
A éviter devant un nom de famille commençant par An, San.
Étymologie : du latin « vincentius », *qui vainc, qui triomphe.*

Célébrités : le poète Vincent Voiture (1597-1648); le compositeur Vincent d'Indy (1851-1931), qui fut l'un des fondateurs de la *Schola Cantorum*; l'écrivain Vicente Blasco Ibanez; le président Vincent Auriol; Vincent Van Gogh; Vincent Bardet; Vicenç Altaio, poète catalan contemporain; Vicente Minelli, le cinéaste.

Il y eut une trentaine de saints Vincent, et parmi eux saint Vincent de Paul (1581-1660), bienfaiteur des pauvres, saint Vincent le Diacre, de Saragosse (IVe siècle), patron des vignerons, saint Vincent d'Avila, martyr du IIIe siècle, saint Vincent Ferrier, dominicain espagnol du XIVe (1350-1419), prédicateur de génie et prodigue de prodiges, etc... Au Moyen Age, le prénom voyagea de l'Italie à l'Allemagne en passant par la Bourgogne, l'Alsace et la Suisse. Il apparaît en Angleterre au XIIIe siècle, et Shakespeare l'utilisera dans *Mesure pour Mesure.* Depuis la fin des années 1960, Vincent bénéficie d'un notable regain de faveur en France.
Au caractère, ce passionné, cet émotif, cet activiste, ce patient, ce tenace, ce sauvage, ce volontaire, ce violent qui se contient, cet agitateur, et parfois cet agité, cet hyper-sensible, cet intuitif, ce viril rêveur d'ondoiements et de souplesses, cet apprenti-sorcier soucieux de liberté, ce libertaire légèrement amoral, ce sensuel souriant, cet amoureux du secret, ce prince du clair-obscur possède une belle confiance en lui, une habileté quasimachiavélique, et un sourire irrésistible. Enfin, il paraît être de ceux qui « changent l'eau en vin ». Ce n'est pas pour rien qu'un Vincent est le saint patron des vignerons. Avec lui, il y a de la mutation, et même de la transmutation, dans l'air.

VINCIANE

(voir Vincent)

Couleur : l'orangé.
Chiffre : le 5.
Signe associé : la Vierge.
Fête : le 11 septembre.
A éviter devant un nom de famille commençant par N, A, Ann.
Étymologie : voir VINCENT.

Sainte Vinciane, sœur de saint Landoald, évangélisa en sa compagnie la Belgique du VIIe siècle. De Vincent, Vinciane se différencie par une tendance à se replier sur elle-même – ce qui la rend malheureuse et acariâtre si ce retrait dure trop; une volonté solide et une intelligence à la fois profonde et aiguë lui permettent d'ailleurs de s'en sortir aisément; enfin, charmante et très sociable, elle n'ignore pas l'humour. Ce prénom jouit actuellement d'une sorte de faveur nouvelle. On pense à *gentiane,* et à l'air vif des monts d'Auvergne.

VIOLETTE

(Ibolya, Letta, Ola, Olia, Olioucha, Vila, Viola, Violaine, Violante, Violantilla, Viole, Violet, Violeta, Violetka, Violett, Violetta, Violette, Violka, Vitoulia, Volia)

Couleur : le rouge.
Chiffre : le 7.
Signe associé : la Balance.
Fête : le 5 octobre.
A éviter devant un nom de famille commençant par T.

Étymologie : du latin « viola », ***violette.***
Célébrités : l'héroïne de la ***Traviata*** **(1853) de Verdi, Violetta Valéry; Viola, dans** ***La Douzième Nuit*** **(1600), de Shakespeare; et Violette Nozières.**

Dès le Moyen Age, et parmi les premières, cette fleur fut appelée à devenir un prénom. Comme elle est traditionnellement l'emblème de la modestie, il était fatal que le prénom, entre le Moyen Age et le XIXᵉ siècle, disparût presque complètement. Entre-temps, ce sont les formes Viola, Violet (Angleterre), et Veil, Veigelein (Allemagne), qui ont assuré le relais. La forme Violante, souvent confondue en France avec Yolande, apparut en Angleterre au XIVᵉ siècle avec Violante de Milan, épouse du fils d'Edward III et fille du duc de Milan. Quant à Violaine, en dépit de sa résonance médiévale, c'est un prénom récent, mis au goût du public par Paul Claudel, avec *La Jeune Fille Violaine.*
Au caractère, Violette est une émotive, une tendre, une généreuse, une rigoureuse, à la fois forte et fragile, femme et enfant, sève et fleur. Mais elle tend à se faire rare en ce moment.

VIOLAINE

(voir Violette)

VIOLANTE

(voir Violette)

VIRGILE

(Virge, Virgi, Virgil, Virgila, Virgilia, Virgiliane, Virgilio, Virgilius, Virgiliz)

Couleur : le bleu.
Chiffre : le 2.

Signe associé : le Sagittaire.
Fête : le 5 mars.

A éviter devant un nom de famille commençant par L, I, Il.
Étymologie : du latin « virga », ***pousse, surgeon, sève.***

Célébrités : le cosmonaute Virgil Grissom; le sénateur américain Virgil Chapman; l'écrivain Virgil Georghiu.

Virgile, le poète (P. Virgilius Maro), portait, en Virgilius, un nom rappelant directement celui des Pleïades, constellation que l'Antiquité nommait Virgilae. C'est évidemment lui qui ouvre à ce prénom une voie royale. Plus tard, l'évêque d'Arles, saint Virgile (VIe siècle) fera de saint Augustin un évêque de Cantorbéry. La Renaissance fut pour le prénom une période faste. Si Virgile est tombé en désuétude chez nous, les Autrichiens et les Américains en sont encore très friands.

VIRGINIE

(Ginnie, Ginny, Guinia, Virgie, Virgine, Virginia, Virguinia)

Couleur : le violet.
Chiffre : le 8.
Signe associé : le Capricorne.
Fête : le 7 janvier.
A éviter devant un nom de famille commençant par I, Ni.
Étymologie : du latin « virgo », ***vierge.***

La vie de sainte Virginie le restera, puisque hormis sa qualité de bergère dans le Poitou, nous ne savons rien d'elle. Il y eut une Virginie historique célèbre, tuée par son père qui refusait de la voir livrée aux appétits d'Appius Claudius. La reine Élisabeth d'Angleterre, « la Reine vierge » (1558-1603) fut pour une part décisive dans la diffusion de ce prénom, puisqu'une province de la Nouvelle-Angleterre fut baptisée Virginia (la Virginie) en signe de déférence à son égard, et qu'une coutume s'y établit, octroyant à la première fille née sur le sol américain le prénom de Virginia. En 1787, en France, un engouement s'emparait des nombreux lecteurs de *Paul et Virginie,* de Bernardin de Saint-Pierre. Enfin, il y eut Virginia Woolf, l'écrivain : c'est elle, Virginie. Que nul n'ait peur de l'aller voir.

VIVIAN, VIVIANE

(voir Vivien, Vivienne)

Couleur : le rouge.
Chiffres : le 5, le 1.
Signe associé : les Gémeaux.
Fête : le 2 décembre.
A éviter devant un nom de famille commençant par An, ou N, Ann.

Étymologie : voir VIVIEN.
Sainte Viviane (IIIe ou IVe siècle) fut fouettée à mort à Rome. Pas de saint Vivian à l'horizon.
Célébrités : les actrices Viviane Leigh et Viviane Romance et Vivian Veteau.

VIVIEN, VIVIENNE

(Bibian, Bibiane, Veïa, Vibien, Vivence, Vivencion, Viventiol, Vivia, Vivian, Viviana, Viviane, Vivianka, Vivianne, Viviano, Vivine)

Couleur : le rouge.
Chiffres : le 9, le 1.
Signes associés : les Gémeaux, le Lion.
Fête : le 10 mars.
A éviter devant un nom de famille commençant par In, Vin, Vien, ou Enn.
Étymologie : du latin « vivianus », ***plein de vie, ardent.***

Saint Vivien (IIIe-IVe siècles) eut, avec ses compagnons des « Quarante de Sébaste », un martyre étonnant, puisqu'on les laissa nus et pieds et poings liés, en plein hiver, sur le lac gelé de Sébaste, en Turquie, où ils moururent de froid et d'épuisement. Les récits de la légende arthurienne imposèrent le prénom de Vivien en Angleterre, et Tennyson y fera plus tard écho dans son poème *Vivien and Merlin*. Vivian est une forme galloise de Vivien, et la fée Viviane ne cesse d'être la Dame du Lac qui recueille Lancelot, et l'enchantement définitif de Merlin l'Enchanteur, qu'elle réduira à la merci de son amour.
Au caractère, les Vivien et Viviane, Vivian et Vivienne sont des êtres de grande (et bonne) volonté, dynamiques, actifs et soucieux de s'en tenir aux principes qu'ils se sont fixés, Vivienne et Viviane ajoutant au tableau une pointe d'émotivité et de sensibilité sans lesquelles leur charme serait altéré. Beaux prénoms, où bruit encore la légende de la forêt.

VLADIMIR

(Mira, Vavoulia, Vavoussia, Volodia, Vlad, Vlada, Vladia, Vladimir, Vladimira, Vladimiro, Wladimir)

Couleur : le violet.
Chiffre : le 7.
Signe associé : le Verseau.
Fête : le 15 juillet.
A éviter devant un nom de famille commençant par R, Ir.
Étymologie : du slave « vlad », ***régner,*** **et « mir »,** ***paix.***
Célébrités : deux grands-princes de Kiev; le peintre russe du XVIe siècle Vladimir; Vladimir Illitch Oulianov, Lénine; Vladimir Maïakovski; Vladimir Nabokov; Vladimir Boukovski; le peintre yougoslave contemporain Vladimir Velickovic; le poète tchèque Vladimir Holan.

Avec Vladimir, prénom typiquement slave, « la paix règne ». Après avoir épousé la princesse Anne, sœur de Basile II, empereur de Byzance, saint Vladimir Ier le Grand (956-1015), lui-même fils de Sviatoslav et petit-fils de Sainte Olga, se convertit au christianisme, Anne aidant (car elle était chrétienne, ardente et pieuse); dans la foulée, il décida d'entraîner le peuple russe dans la direction du Christ, et y parvint.
Au caractère, Vladimir est un non-conformiste, que l'habitude et la routine agacent; d'une intelligence lente et profonde, il explore les zones non fréquentées, et rien ne l'arrête dès que sa perspicacité s'est mise en route; à ses yeux, seule l'expérience faite par soi-même importe; un grand sens de

l'amitié, de la chaleur humaine, une évidente sociabilité font de Vlad un être plein de sérieux et de charme, qui cache du mieux qu'il peut une sensibilité, une émotivité intérieures parfois fort vives. Sous sa maîtrise apparente se cache un timide secret, un pudique, un pur.

WALDEMAR

(Valdemar, Waldl, Waldo, Woldemar)

Couleur : le vert.
Chiffre : le 4.
Signe associé : le Capricorne.
Fête : le 11 mai.
A éviter devant un nom de famille commençant par Ar, Am, Mar, R.
Étymologie : du germain « waldan », *commander*, et « mar », *renommé*.

Célébrités : quatre rois du Danemark; Waldemar de Brandebourg (XIIIe-XIVe siècles), margrave de son état; de nombreux chants folkloriques allemands font appel à Waldemar; le danois Valdemar Pouslen, qui inventa la bande magnétique; l'écrivain allemand contemporain Waldemar Bonsels.

Prénom du Moyen Age, Waldemar a été porté de nouveau à l'actualité par le romantisme, et continue de nos jours de rencontrer des adeptes, en Europe du Nord plus qu'en France il est vrai, mais rien ne nous interdit d'en user.

WALTER

(forme germanique et anglo-saxonne de Gautier – voir Gautier)

Couleur : le rouge.
Chiffre : le 7.
Signe associé : le Capricorne.
A éviter devant un nom de famille commençant par T, Ter, R, Er.

Étymologie : voir GAUTIER.
Célébrités : Walter Raleigh (1522-1618), marin et homme d'État anglais; l'écrivain écossais Walter Scott (1771-1832).

WANDA

(Vanda, Wandala, Wandeline, Wandis, Wando, Wandula, Wenda, Wendi, Wendie, Wendila, Wendy)

Couleur : le violet.
Chiffre : le 8.
Signe associé : les Gémeaux.

A éviter devant un nom de famille commençant par A, D.
Étymologie très incertaine et obscure, soit du germain « vandjan », *tourner*, soit de « vand », *souche, lignée*, mais rien n'est moins sûr.
Quoi qu'il en soit, ce prénom de l'Europe de l'Est est très en faveur en Pologne et en Tchécoslovaquie. Wanda, reine des Sarmates, est une gloire nationale et légendaire chez les Polonais. A la fin du siècle dernier, le roman *Wanda* (1883), de Ouida, contribua à l'introduction et à la vogue de ce prénom en Angleterre. Et puis, il y a l'inquiétante et fascinante *Wanda* de Sacher-Masoch. Mais la France, admiratrice prudente, continue de contempler Wanda... de loin.

WENCESLAS

(Vaclav, Venceslas, Venzislaus, Wenzeslaus, Wenzel, Wjatscheslaw)

Couleur : le bleu.
Chiffre : le 7.
Signe associé : les Poissons.
Fête : le 28 septembre.
A éviter devant un nom de famille commençant par S, As, Las.
Étymologie : du slave « vienetz », *couronne*, et « slava », *gloire*.
Célébrités : quatre rois de Bohême, dont saint Wenceslas Ier.

Saint patron de la Tchécoslovaquie, saint Wenceslas, duc puis roi de Bohême en 925 (il naquit en 907) fut assassiné par son frère Boleslav alors qu'il était en prière, en 929. Il faut dire que Wenceslas évangélisait et christianisait à tours de bras, ce qui, visiblement, ne plut pas à tout le monde. Il fait figure de héros national en Bohême, et le millième anniversaire de sa montée au ciel donna lieu, en 1929, à des commémorations grandioses.
Au caractère, Wenceslas est un cœur immense, une capacité d'action de grande envergure, et une rigueur spirituelle inlassable; il peut concevoir, mener à bien et assumer des entreprises vertigineuses et se révèle parfois d'une intuition mystique surprenante. Un grand monsieur.

WERNER

(Garnier, Granier, Guarnerio, Vernerio, Vernier, Warner, Wennie, Wernher, Wernz, Wessel, Widsel)

Couleur : le rouge.
Chiffre : le 2.
Signe associé : le Cancer.
Fête : le 19 avril.
A éviter devant un nom de famille commençant par R, Er, Ner.

Étymologie : du germain « warin » ***protection*****, et « hari »,** ***armée*****.**
Célébrités : l'acteur Warner Baxter; l'industriel Werner von Siemens; le maître es-fusées au long cours Wernher von Braun; le cinéaste Werner Herzog.

Le bienheureux Werner, vigneron des coteaux du Rhin, aurait été assassiné au XIIIe siècle, et la Rhénanie lui voue encore un culte, bien qu'il n'ait jamais été canonisé par Rome. Garnier est la forme française adaptée de Werner, et a laissé sa trace dans nombre de patronymes. Le romantisme a remis ce prénom de Werner en vogue, dans les pays germaniques et anglo-saxons, et il continue d'être courant de nos jours.
Au caractère, volonté, dynamisme et ardeur ne font pas défaut à Werner, qui montre un penchant à la finesse, à la délicatesse et à la rêverie particulièrement rafraîchissant. Ce fort est un tendre.

WILFRID

(Vilfred, Vilfrid, Vilfrida, Wilf, Wilfer, Wilfred, Wilfreda, Wilfrida, Wilfried, Wilfridus, Wilfroy)

Couleur : le bleu.
Chiffre : le 4.
Signe associé : les Poissons.
Fête : le 12 octobre.
A éviter devant un nom de famille commençant par I, D, Rid.
Étymologie : du germain « wil », ***volonté*****, et « fried »,** ***protecteur*****.**

Saint Wilfrid (VIIe siècle) évangélisa le Sussex et la Frise; une cinquantaine d'églises, en Angleterre, lui sont consacrées. Ce vieux prénom médiéval a été utilisé sans interruption jusqu'à nos jours en Allemagne.
Très intuitif, Wilfrid est l'homme de la volonté agissante même. On le voit actuellement gagner quelque faveur en France.

WILLIAM

(forme anglo-saxonne de Guillaume – voir Guillaume)

Couleur : le rouge.
Chiffre : le 7.
Signe associé : le Lion.
A éviter devant un nom de famille commençant par Am, N, M.
Célébrité évidente et première : William Shakespeare; et plus récente : William S. Burroughs.

WILLY

(diminutif de William – voir Guillaume)

Couleur : le rouge.
Chiffre : le 9.
Signe associé : les Gémeaux.
A éviter devant un nom de famille com-

mençant par L, Il, Li.
Célébrités : Henri Gauthier-Villars, mari de Colette, et qui signait ses écrits (et parfois ceux de sa femme) du pseudonyme de Willy; l'homme politique allemand Willy Brandt.

WOLFGANG

(Gangel, Volfango, Wölfe, Wölflein, Wülfke, Wülfling)

Couleur : le bleu.
Chiffre : le 4.
Signe associé : le Scorpion.
Fête : le 31 octobre.
A éviter devant un nom de famille commençant par une consonne dure.
Etymologie : du germain « wulf », *loup* et « gang », *assaut.*
Célébrité moderne : le peintre surréaliste Wolfgang Paalen.

Au Xe siècle, saint Wolfgang, évêque de Ratisbonne, évangélisa la Hongrie; devenu le patron des charpentiers, on l'invoque également contre l'apoplexie, mais on ne sait plus très bien pourquoi. En tout état de cause, c'est la grande gloire de Johann Wolgang von Goethe (1749-1832) et de Wolfgang Amadeus Mozart (1756-1791) qui a le plus fait pour la renommée de ce prénom, plutôt rare durant le Moyen Age, et dont on voit mal comment il pourrait être adopté en France. Son succès allemand est total.

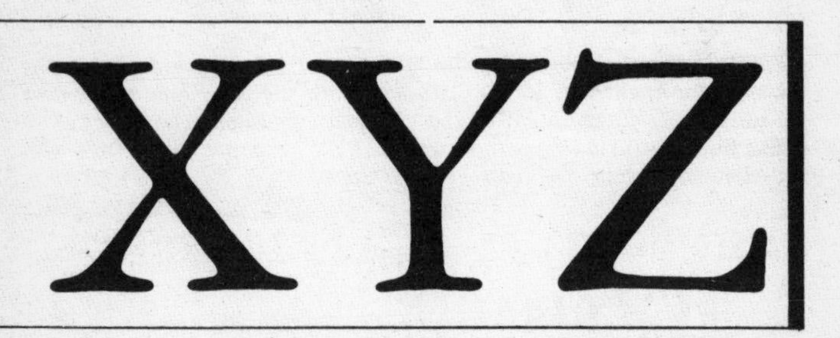

XAVIER, XAVIÈRE

(Javier, Saveria, Saverio, Savy, Ver, Vere, Veria, Verlein, Xablier, Xari, Xaveer, Xaver, Xaverius, Xaverl, Xaviera, Xever, Xidi)

Couleur : le bleu.
Chiffres : le 7, le 3.
Signe associé : le Capricorne.
Fête : le 3 décembre.

A éviter devant un nom de famille commençant par E, Vié, ou R.
Étymologie : du basque « etchaberri », *maison neuve,* en passant par « echaberri », « javerri », « javier ».
Célébrités : Xavier de Maistre (1763-1852), frère de Joseph de Maistre, et auteur du *Voyage autour de ma chambre* et de *La Jeune Sibérienne;* l'écrivain contemporain Xavière Gautier; et surtout Xavier Forneret et Xavier Graal.

Saint François Xavier (1506-1552) naquit en Navarre, au château de Xavier; après sa rencontre avec saint Ignace de Loyola, il fut l'un des premiers jésuites; évangélisateur des confins du monde, il sema la bonne parole aux Indes, en Chine et au Japon. Il est devenu le patron des missions et des missionnaires, évidemment. Au caractère, ce volontaire activiste déborde souvent de curiosité et d'amour pour le passé, la tradition, les arts de vivre; par ailleurs, épris de lucidité, Xavier peut pousser le souci de la rigueur jusqu'à la méfiance. Ce nostalgique n'a rien d'un naïf, et le sens critique ne lui fait nullement défaut. Xavière, quant à elle, fait preuve d'une intuition de pythonisse, et son dynamisme semble intarissable – une amazone européenne.

YANN

(voir Jean)

Couleur : le rouge.
Chiffre : le 9.
Signe associé : le Cancer.

A éviter devant un nom de famille commençant par Ann, N, Na.

YANNICK

(voir Jean, Jeanne)

Couleur : le rouge.
Chiffre : le 5.
Signe associé : la Vierge.

A éviter devant un nom de famille commençant par une consonne dure.
Célébrité : le tennisman Yannick Noah.

YOLANDE

(voir Violante, Violette)

(Eolande, Iola, Iolana, Iolanda, Iolande, Iolanthe, Iole, Iolende, Iolente, Jolanda, Jolande, Jolanthe, Jolenta, Yola, Yoland, Yolanda, Yolaine, Yolène, Yolenta, Yolente)

Couleur : le jaune.
Chiffre : le 4.
Signe associé : la Vierge.
Fête : le 15 juin.

A éviter devant un nom de famille commençant par An, D, T.
Étymologie en discussion : soit du latin « viola », *violette* (voir VIOLETTE), soit du germain « vêl », *adresse,* et « land », *pays.*
Célébrités : l'épouse du roi de Jérusalem, Jean de Brienne, Yolande, et leur fille; une sœur de Saint Louis; la reine de Sicile Yolande d'Aragon (XVe siècle); Yolanda, épouse du roi d'Écosse Alexander III (XIIIe siècle)

Femme de Boleslas le Pieux, nièce de sainte Elisabeth de Hongrie, sainte Yolande fut la maman de trois filles dont l'une devint Clarisse avec sa mère, près de Poznan; une fois là, on ne les entendit plus. Ce prénom de Yolande, les Croisés semblent être allés le chercher, pour l'imposer en Europe à leur retour, jusqu'à Jérusalem. Son succès, au Moyen Age, fut très grand. Il dure encore de nos jours quoique plus discrètement.
Au caractère, Yolande est forte, volontaire, généreuse; elle ne répugne pas à l'effort ni à l'action, et son intelligence et sa clairvoyance naturelle lui épargnent de trop s'attarder dans l'immobilité qui la guette çà et là et qui, chez elle, tourne à l'inquiétude. Le dévouement et la disponibilité la grandissent.

YVES

(Eozen, Erwan, Iv, Iva, Ivain, Ivar, Ivetta, Ivo, Ivona, Ivonne, Ivonou, Iwo, Von, Vonne, Vonnie, Yeun, Yf, Yft, Yve, Yven, Yveline, Yvette, Yvon, Yvona, Yvonne, Youna)

Couleur : l'orangé.
Chiffre : le 8.
Signe associé : le Verseau.
Fête : le 20 mai.

A éviter devant un nom de famille commençant par F, V.

Étymologie : du germain « iv », *if*.
Célébrités : le peintre surréaliste Yves Tanguy; l'océanographe Jean-Yves Cousteau; les poètes Yves Bonnefoy, Yves Buin; les chanteurs Yves Montand et Yves Duteil; le couturier Yves Saint-Laurent; le cinéaste Yves Robert.

Le frêne, le chêne et l'if étaient vénérés par les anciens Germains, et le Moyen Age fut l'âge d'or de ce prénom et de ses dérivés.
Yves était avec Roland à Roncevaux, et fut par ailleurs révélé à l'Angleterre par la conquête normande; Yvonne y fut très prisée, et connaît actuellement les faveurs de l'Écosse et de l'Allemagne. Yvette, dès le Moyen Age, ne manquait pas non plus d'adeptes. Enfin, le roman courtois de Chrétien de Troyes, *Ivain ou le chevalier au lion,* contribua à la vogue de ces prénoms.
S'il n'y eut pas, semble-t-il, de sainte Yvette ou Yvonne, il y eut en revanche deux saints Yves. Le premier (1040-1116) fut évêque de Chartres et se permit d'excommunier Philippe Ier, qui s'était permis de changer de femme par voie de répudiation (de l'une) et d'épousailles douteuses (de l'autre, déjà mariée) – moyennant quoi Philippe s'octroya la permission de jeter saint Yves en captivité pour quelques mois. Relâché, saint Yves rédigea de nombreuses *Lettres* et *Sermons,* où des accents pacifistes s'élèvent au gré d'une théorie s'attachant à cerner et réduire le « droit de guerre ».
L'autre saint Yves est saint Yves de Kermartin, né à Minihy-Tréguier, en Bretagne (1253-1303); ce fut un juge ecclésiastique irréprochable d'une austérité et d'une intégrité qui suscitèrent le dicton :

Sanctus Yvo erat Brito,
Advocatus et non latro,
Res mirando populo.

... autrement dit : « Saint Yves était breton, avocat et pas voleur, chose étonnante pour le peuple ». De 1291 à sa mort, saint Yves vécut dans un dépouillement complet, se faisant « père et avocat des pauvres », et recueillant ceux-ci dans son manoir familial, seul bien encore en sa possession. Il est devenu le saint patron des professions de Loi.

– Yves?
– Oui?
– Expliquez-nous : Yves, qui est-ce?
– Ah... mais c'est un secret!
– Quelle résistance!
– Enfin... Disons que j'ai la tête solide, mais je vais tout de même répondre. Je suis un volontaire-né, qui allie le goût de l'extrême rigueur, logique et morale, à celui de la maîtrise de soi. On ne me désarçonne pas facilement en jouant sur mon émotivité, que je contrôle fort bien. Certes, il m'arrive d'exploser, de bouillir, de réagir vite et violemment, mais je possède trop d'exigence intérieure pour me laisser déborder par la contrariété, la contradiction ou l'échec. Que voulez-vous, j'ai une ténacité, une opiniâtreté de Breton endurci, et un sens poussé du devoir, de la mission à accomplir vaille que vaille. Je crois à la justice, au dévouement, au sacrifice, et quand je crois, je crois! Mes jugements, sur moi-même comme autrui, sont sans concession : il faut dire que je suis doté d'une intelligence profonde, ruminatrice, lente et sûre; la réflexion à l'emporte-pièce, le trait d'intuition trop rapide me paraissent plus brillants, c'est-à-dire superficiels, qu'efficaces. Je suis de la race des bûcheurs, des coureurs de fond méthodiques, pas des sprinters échevelés. Du reste, ma vitalité, fort puissante, et mon goût de la vie, fort enraciné, me font un jeu des entreprises à longue échéance. Les amours tumultueuses et passionnelles m'attirent moins que la tendresse durable, calme, où je me plais à redécouvrir les bienfaits de la patience et de l'humilité. Avant tout, la sincérité et l'honnêteté du cœur me paraissent dignes de foi. Je déteste les démonstrations affectives qui tiennent du tourbillon possessif et de l'envahissement, et j'apprécie en revanche les amitiés solides, fraternelles, où je vois le gage des vraies complicités, où chacun, au-delà des différences évidentes, reconnaît pleinement et clairement les mérites de l'autre, ce nous-même secret. Je ne donne pas ma confiance au premier sourire ni au premier battement de paupière venu, mais quand je l'accorde, c'est à jamais. On peut dire qu'au premier abord j'ai tout d'une forte tête, du genre vieux loup de mer à qui « on ne la fait pas », et que je ne suis pas facile à vivre ni à deviner d'un coup, mais c'est précisément là une vision trop rapide : il faut savoir attendre, et l'on découvre ensuite, au-delà d'une rudesse, voire d'une rigidité apparente, de quelles merveilles de générosité un Yves est secrètement porteur. Et puis, j'ai une sorte de timidité bien à moi, qui confine au scrupule, au goût de la méditation préalable, et à une pudeur certaine face à l'expression des grands élans de l'esprit et du cœur. A la limite, il me paraît vaguement sacrilège d'en dire trop, et de le dire n'importe quand. Du reste, il est clair à mes yeux que je vous en ai quasiment trop dit; alors, je vous en prie, lâchez-moi le coude, taisons-nous, et contemplons, si possible, ces grands arbres qui frémissent dans la lumière de l'Ouest...

YVETTE

(voir Yves)

Couleur : le bleu.
Chiffre : le 7.
Signe associé : le Cancer.
A éviter devant un nom de famille commençant par T, Vé.
Étymologie : voir YVES.
Autre célébrité : Yvette Roudy, ministre des Droits de la femme.

Volontaire, affectueuse, généreuse et tendre Yvette! Fine et intuitive et rêveuse Yvette! Si émotive, si fragile au fantasme, si proche de la mythomanie douce, histoire d'arrondir un peu les angles de la vie. Mais elle enjolive joliment les choses, Yvette, et elle met de la grâce dans l'air, même sans l'accordéon d'Yvette Horner, même sans les chansons d'Yvette Guilbert.

YVON

(voir Yves)

Couleur : l'orangé.
Chiffre : le 4.
Signe associé : le Lion.
A éviter devant un nom de famille commençant par On, In, An, V.

Célébrités : Yvon Bourges, homme politique; Yvon Gattaz, « patron des patrons » (du CNPF); Yvon Chotard. autre patron en vogue.

YVONNE

(voir Yvette, Yves)

Couleur : le bleu.
Chiffre : le 5.
Signe associé : la Balance.

A éviter devant un nom de famille commençant par Onn, N, No.
Célébrités : Yvonne de Carlo; Yvonne Printemps.

ZAZIE

Couleur : le bleu.
Chiffre : le 2.
Signe associé : le Bélier.

A éviter devant un nom de famille commençant par I, Zi, Si.

Raymond Queneau, son inventeur *(Zazie dans le métro)*, nous ayant quittés, la douce Zazie consentira-t-elle à abandonner le métropolitain pour s'en aller flâner du côté des registres d'état civil, des fonts baptismaux, et des hasards de la vie sur terre?

ZÉLIE

(Zéa, Zélé, Zélia, Zéline)

Couleur : le vert.
Chiffre : le 3.
Signe associé : les Gémeaux.
A éviter devant un nom de famille commençant par L, Li, Zé.

Ce prénom ressemble à un météorite oublié. Il fut porté par Zélie Camélinat, fille de Zéphyrin Camélinat, responsable à la Monnaie durant la Commune de Paris.

ZÉPHYRIN

(Zéphyrine)

Couleur : le jaune.
Chiffre : le 4.
Signe associé : le Bélier.
Fête : le 26 août.
A éviter devant un nom de famille commençant par In, Rin.
Étymologie : du latin « zephyrus », ***zéphir.***

Zéphyrin, ce « zéphyr », est passé comme un souffle, puisque du saint pape qui porta ce nom au IIIe siècle, on ne sait rien, sinon qu'il s'appelait Zéphyrin. Le Communard Zéphyrin Camélinat, en revanche, nous est mieux connu. Monteur en bronze et ciseleur réputé, il fut l'un des premiers adhérents de l'Internationale, et le premier candidat communiste à la présidence de la République, en 1924. Ses obsèques, en 1932, à Mailly-la-Ville (dans l'Yonne, où il naquit en 1840), donnèrent lieu à une manifestation grandiose. Au caractère, Zéphyrin est réputé fort sociable, généreux et plein d'ardeur. Mais ce prénom est tombé en désuétude de nos jours.

ZÉNO

(Zéna, Zénas, Zéné, Zénobe, Zénobie, Zénobin, Zénodora, Zénodore, Zénon, Zénomina)

Couleur : le bleu.
Chiffre : le 7.
Signe associé : le Lion.
Fête : le 12 avril.
A éviter devant un nom de famille commençant par O, No.

D'emblée, donnons la parole à Zéno :
« Aux premières lueurs de l'aube grecque, j'apparais sous l'égide d'une quadruple racine étymologique : de « Zen », *Zeus,* de « Ve », *Vivre,* « Vo », *bouillir,* et « Xenos », *étranger.* De Zeus, je tiens ma couleur, celle du ciel serein, lumineux et brillant. Mon chiffre, le 7, est le symbole de la force, et

en effet je ne manque pas d'air. Quatre saints, et non des moindres, sont vénérés sous mon nom : saint Zénon, martyrisé à Philadelphie (en Arabie) en compagnie de saint Zénas au IVe siècle; saint Zénon, mis à mort en 362 sous Julien l'Apostat à Ghaza, en Palestine; saint Zénon le Courrier, mort à Antioche au IIIe siècle, où il s'était retiré dans la contemplation; mais le plus célèbre est saint Zéno de Vérone, dit *Il Pescatore* (le pêcheur), originaire d'Afrique, et qui fut évêque de Vérone (360), où l'on se doit de visiter la superbe basilique qui lui fut consacrée. Plusieurs sages ont donné à mon nom, outre la sainteté, ses lettres de noblesse philosophique : Zénon de Sidon (Ier siècle avant J.-C.), épicurien qui enseignait à Athènes; Zénon de Citium (335-264 avant J.-C.), fondateur de l'école stoïcienne qu'il dirigea durant cinquante ans : sa tempérance était proverbiale; et enfin le grand Zénon d'Elée, né vers 490 avant J.-C., qui chercha à établir l'unité de l'être en montrant l'impossibilité du mouvement, et, partant, de la pluralité, par une série de paradoxes jouant sur la divisibilité infinie de l'espace – ainsi Achille ne peut rattraper la tortue, puisque la distance qui les sépare reste toujours constituée d'une infinité de points; et la flèche qui vole est immobile, puisqu'elle occupe à chaque instant un espace égal à elle-même, ce qui est la définition d'un corps au repos... Mais ma carte de visite ne s'arrête pas à la sainteté ni à la philosophie : Zénon le Saurien fut en effet empereur d'Orient entre 471 et 491, et n'hésita pas à entrer en conflit schismatique avec Rome. Zénobie l'Impératrice fit de Palmire la ville la plus brillante de l'Orient. Zénodote d'Ephèse, directeur de la grande Bibliothèque d'Alexandrie, donna la première édition critique des poèmes d'Homère. Zénodore, mathématicien grec de la seconde moitié du IIe siècle, exerça sa réflexion sur les solides de surface égale et comprit que la sphère possédait les plus grands volumes. Et Zéno Bianu, auteur notamment d'une célèbre *Ode au Cristal,* est un poète et essayiste contemporain. On l'aura deviné : je suis, au caractère, un être paradoxal en quête d'unité. Si j'ai parfois la conscience malade, comme dans le beau roman, *Zéno,* d'Italo Svevo, c'est de ne pouvoir rester continument en ce Point zénonique – point indivisible dont parle le sage d'Elée – où la souffrance et la joie cessent d'être perçues contradictoirement, où zénith et nadir se rencóntrent dans l'éblouissement foudroyant de l'intuition. »

Prénom rare, voué à une recherche et à une nostalgie qui ne le sont, hélas, pas moins, Zéno-Zénon vole à jamais dans la possible éternité de l'instant, et cette fin de siècle aurait bien besoin de cette flèche vibrante, de cette intelligence dédiée à la non-dualité. Avec Zéno, la coïncidence active et immobile de la science, de la spiritualité et de la poésie est enfin remise à l'honneur, et le seul paradoxe vit!

(Zoa, Zoello, Zoilo)

Couleur : le bleu.
Chiffre : le 1.
Signe associé : les Gémeaux.
Fête : le 2 mai.

A éviter devant un nom de famille commençant par Z, O, E.
Étymologie : du grec « zoé », ***vie.***
Une célébrité contemporaine pour Zoé : l'écrivain Zoé Oldenbourg.

Esclave en Pamphilie au IIe siècle, sainte Zoé, ses deux fils et son époux refusèrent d'adorer les dieux de leur maître : il les fit jeter au bûcher (sainte Zoé et les siens – pas ses dieux).
D'abord employé dans l'Église d'Orient, ce prénom ne gagna l'Europe qu'au XIXe siècle, principalement en Angleterre. En France, il est plus que rare.
Au caractère, Zoé, qui n'est dépourvue ni de volonté ni de capacités d'action, se signale par une impétuosité émotionnelle et de grands élans du cœur qui ne manquent pas, çà et là, de se manifester sous forme de caprices passagers et de sautes d'humeur imprévisibles; mais Zoé, comme Ève, signifie *vie,* et la vie ne se programme pas comme un ordinateur. Il est d'ailleurs plaisant que Zoé-la-vie, cette sempiternelle dernière du point de vue alphabétique, soit précisément celle par qui prend fin le grand registre des prénoms : si tous les dictionnaires, une fois refermés, ouvraient ainsi sur la notion de *vie,* l'érudition ne serait plus nécessairement synonyme d'ennui, mais donnerait plus de saveur à *la grâce d'être né.*

L'INDE, ET QUELQUES-UNS DE SES PRÉNOMS

« Quelle est cette harmonie dont la cadence berce le monde? »
Tagore

L'espace et le temps manqueront nécessairement ici pour évoquer en détail le florilège tourbillonnant des prénoms en Inde, et il est bien dommage de ne pouvoir s'attarder un peu plus avec Mohandas, Rabindranath, Shrimati, Rajendra, Gopal, Surendranath, Lajpat, Kasturbaï, Indira, Maitreyi et autres Sarala, Saradha, Nirmalâ – mais que faire face à un pays immense, tolérant toutes formes de religions, croyances, cultures, et donnant à ses enfants les diverses dénominations de ses pléïades de divinités? Et quand ce ne sont pas directement les dieux et déesses, ce sont leurs manifestations, évidemment innombrables, de Usha (« Aurore », prénom féminin) à Savitri « Soleil », prénom féminin) ou leurs qualifications, de Padmanabha (l'un des noms de Vishnu, littéralement : « Celui de qui est né le Lotus du nombril », prénom masculin) à Keshavan (autre dénomination de Krishna) ou Prabhakaram (« Celui qui donne la Lumière »). Nous mentionnons évidemment ici les prénoms indiens proprement dits (non islamiques – au sujet des prénoms musulmans en Inde, voir le chapitre consacré aux « Prénoms en terre d'Islam ») prénoms indiens qui incluent dans leur panthéon les noms hindouistes et bouddhistes (le Bouddha étant considéré comme un Avatar de Vishnu) : ainsi rencontre-t-on des Siddharta (« Celui qui atteint le But ») Gautama (nom du Bouddha historique) Sujatha (le Bouddha, toujours) tout comme des Râma (Râm : Dieu) Shiva, Ramakrishna, Krishna, Narayana, Vijayan (Arjuna) Radhakrishna (prénoms masculins) et Janaki, Sita (noms de l'épouse de Rama) Uma, Parvati (épouses de Shiva) ou Radha (aimée de Krishna).

En plus de toutes les divinités, de leurs manifestations et qualifications foisonnantes, on use également de prénoms marquant le rang familial ou l'aura psychique, comme Suchila (« Qui a bon caractère ») Sarala (« Qui parle avec douceur ») Kunjunni (« le Cadet des Unnair »); Chandunni est, littéralement, « le Guerrier des Unnair » (*Chandu* = « guerrier », « art martial ») et Balachandren (« Petit croissant de lune »). Chandren (masculin) et Chandra (féminin) « Lune », sont aussi des prénoms, tout comme Ramachandren (« Lune de Dieu ») ou Rohini (« Étoile », prénom féminin) Tara (même sens, prénom féminin) Kalyani (« Qui est de bon augure », prénom féminin) ou Aaditya (« Soleil », prénom masculin). Très souvent, le nom ou l'initiale du nom de l'étoile qui, dans l'astrologie indienne, a présidé à la naissance de l'enfant, sont incorporés à son prénom.

Outre l'usage, donc, des Ishtadevata (dieux particulièrement vénérés dans une famille) on relève encore la coutume de donner aux nouveau-nés les noms de leurs ancêtres (grands, arrière-grands-parents). Les filles portent souvent, avant leur prénom, une mystérieuse initiale qui n'est autre que celle du nom de la communauté de leur mère, et sont interpellées par leur prénom seul. Le nom de communauté (qui équivaut, pour nous, au nom de famille, mais qui désigne en fait le groupe, la caste, le clan d'origine de celle-ci) est porté et mentionné par les hommes seulement. A la naissance de l'enfant, et jusqu'à l'âge de six mois – un an, celui-ci est simplement appelé « le petit, la petite, l'ange, l'adorée », et autres termes affectueux courants : Balou, Bala, Chechi, Chechikunia, après quoi une cérémonie, au temple, avec

rituels, encens, prêtre et lampes à huile, lui délivrera ses prénoms. On a également recours à des noms de princesses historico-mythiques, comme Malavika, Damayonti, Devayani, Shakuntala, Urvashi, Rukmini, Uloopi (héroïne du Mahabaratha, épouse d'Arjuna) Draupati (épouse des cinq Pandhavas) Kanaki (symbole de pureté et de fidélité, elle a mis le feu à Maduraï; son histoire constitue le premier roman, *Shilapatikaram,* de la littérature tamil).
De surcroît, toutes les gammes possibles de souhaits et vœux auspicieux, de qualification éthique et de symbolisme spirituel abondent et surabondent, du profane au sacré comme du pur au simple, et donnent volontiers lieu à autant de prénoms et de cérémonies d'attribution. Ici, devant la diversité et l'incroyable lacis des cultes, des castes et sous-castes, langues et populations de l'Inde, renonçons à des évocations qui nécessiteraient plusieurs volumes, et laissons agir la grâce de Premakumari (« Jeune fille – Amour divin ») Tejomaïdevi (« Celle dont la nature est Lumière ») Sarasvati (déesse de la musique et de la poésie) Radhakrishna, Radha, Atmananda (« Félicité de l'Atman ») comme une brise de noms venue d'un rêve ancien dont le sens aujourd'hui encore est perçu et présent, comme une musique d'au-delà des miroirs, un son venu d'avant la vie peut-être, avec la basse sourde, continue, de la tonique du AUM primordial, et ce déferlement de fleurs des prénoms comme une guirlande sans commencement ni fin, une offrande ininterrompue, un « Rayonnement » avec Kaltana, la « Beauté », avec Sundari, « l'Intuition de la Connaissance », avec Vidya, et puis Joti (« Flamme ») Nitya (« Éternité ») Lilâ (« Jeu divin ») Vasentha (« Printemps ») Nityakalyani (« Union éternelle ») Vijayantchimala (« Guirlande de Joyaux ») Kalanidhi (« Trésor de l'Art ») et Lalitha, Shyamala, Gayatri, Madhavi, Chitraleka, Padmini, Padmavati, Subadhra, Prema, Sukanya, Suchita, Yamini, Kamala, Bala, Balasarasvati, Chandraleka, Mrinalini, Indrani, Sanjukta, Kanaka, Asha, Asharevathi, Anjali, Sunita, Lakshmi, Anitha, Latha, Tchandrika, Sudharami, Mallika, Nirmala, Saradha, Devaki, Jayanti, dans la lumière de Padmanabha...

EN GUISE DE CONCLUSION

A l'issue de ce voyage aux 6 000 prénoms, dans leur vivant et bruissant souvenir et au-delà, c'est sur un ultime paradoxe apparent que nous aimerions refermer ces pages. Que dit en effet Maître Eckart? :

« Que veut-elle donc? Elle le veut où il ne porte point de nom. »

...Encore a-t-il fallu commencer par ce nom. Puisque la permanence, qui est sans nom, les aimante tous, souhaitons-nous à tout le moins de pouvoir en reconnaître un.

REMERCIEMENTS

L'auteur tient à remercier de leur concours amical et de leurs conseils Joaquim Sala Sanahuja, Jacques Dars, Rawan Faradi, Savitri Nair, Catherine Deloche, Florence Auboux, Albert Hirschprung, André Velter, Marie-José Lamothe, Jean-Michel Varenne, Erie et Philippe Sergeant, Serge Sautreau, Anaïs Delmas, Bernard Kreise, Jean-Marie Gibbal, André Marie, Julie Montagard, Michel Picar, Zéno Bianu, Antoni Taulé, Cesare Rancilio, Mario Martino, sans lesquels cet ouvrage n'aurait pas eu tout son relief.

INDEX DES PRÉNOMS

A

Aaditya *p 352*
Aama *p 58*
Aaron *p 7*
Abbas *p 7*
Abd-al-Aziz *p 316*
Abd-al-Hamid *p 316*
Abd-al-Karim *p 316*
Abd-al-Nasser *p 316*
Abd-al-Qader *p 316*
Abd-al-Rahman *p 316*
Abd-Allah *p 316*
Abd-el-Kader *p 316*
Abdullah *p 316*
Abeau *p 8*
Abel *p 8*
Abel *p 191*
Abélard *p 8*
Abélia *p 8*
Abélin *p 8*
Abélinda *p 8*
Abéline *p 8*
Abella *p 8*
Abisha *p 192*
Ablan *p 58*
Abondance *p 9*
Abou-Bakr *p 315*
Abraham *p 10*
Abstinence *p 140*
Acestus *p 54*
Achiléus *p 10*
Achille *p 10*
Achillée *p 10*
Achim *p 209*
Acke *p 54*
Ada *p 119*
Adalbert *p 20*
Adalbert *p 176*
Adalberte *p 22*
Adam *p 11*
Adam *p 191*
Adamo *p 11*
Adanet *p 11*
Adar *p 192*
Adeau *p 12*
Adel *p 315*
Adèla *p 12*
Adèla *p 315*
Adélaïde *p 12*
Adèle *p 12*
Adelheid *p 12*
Adelheid *p 83*
Adélie *p 12*
Adéline *p 12*
Adélita *p 12*
Adelphe *p 13*
Adémar *p 176*
Adenot *p 11*
Adeodat *p 115*
Adeodate *p 115*
Adhémar *p 13*
Adijoba *p 58*
Admeo *p 121*
Adnan *p 315*
Adnet *p 11*
Adnot *p 11*
Adolf *p 13*
Adolph *p 13*
Adolphe *p 13*
Adolphine *p 13*
Adoucha *p 12*
Adrian *p 14*
Adrian *p 176*
Adriana *p 14*
Adriane *p 14*
Adriano *p 14*
Adrien *p 14*
Adrien *p 177*
Adrienne *p 14*
Adrion *p 14*
Adulf *p 13*
Aeal *p 175*
Aegidia *p 164*
Aegidius *p 164*
Aella *p 126*
Aemilia *p 128*
Aerna *p 132*
Afanassi *p 237*
Afiba *p 58*
Afrodisi *p 176*
Agatha *p 15*
Agathe *p 15*
Agathon *p 15*
Aggie *p 15*
Aglaé *p 15*
Aglaéa *p 15*
Aglaia *p 15*
Agliane *p 15*
Agnès *p 16*
Agnesa *p 16*
Agneta *p 16*
Agnète *p 16*
Aguistin *p 51*
Ahlam *p 315*
Ahmad *p 314*
Ahmed *p 315*
Ahmet *p 317*
Ailean *p 17*
Aileen *p 138*
Aimada *p 176*
Aimé *p 16*
Aimée *p 16*
Aimeri *p 55*
Aimeric *p 55*
Aimeric *p 176*
Aimie *p 16*
Aimon *p 55*
Air *p 131*
Aïsha *p 315*
Akassi *p 58*
Akomba *p 58*
Aksel *p 54*
Alabhaois *p 228*
Alain *p 17*
Alan *p 17*
Alan *p 140*
Alano *p 17*
Alara *p 19*
Alari *p 176*
Alaric *p 19*
Alarico *p 19*
Alary *p 19*
Alba *p 19*
Albain *p 19*
Alban *p 19*
Albane *p 19*
Albanne *p 177*
Albe *p 19*
Albéric *p 20*
Albérich *p 20*
Albert *p 20*
Alberta *p 22*
Alberte *p 22*
Alberti *p 20*
Albertina *p 22*
Albertine *p 22*
Albertini *p 20*
Alberto *p 20*
Albin *p 19*
Alda *p 49*
Alda *p 22*
Aldegonde *p 23*
Aldemar *p 13*
Aldilon *p 49*
Aldo *p 22*
Aldwin *p 176*
Alena *p 238*
Alessandro *p 24*
Alex *p 24*
Alexandra *p 23*
Alexandre *p 24*
Alexandrine *p 25*
Alexane *p 25*
Alexia *p 25*
Alexia *p 24*
Alexiane *p 25*
Alexine *p 24*
Alexis *p 25*
Aleyde *p 26*
Alf *p 26*
Alfaric *p 20*
Alfonso *p 28*
Alfred *p 26*
Alfreda *p 27*
Alfredine *p 26*
Alfredo *p 26*
Ali *p 315*
Aliandre *p 123*
Alice *p 27*
Aliçia *p 27*
Alida *p 12*
Aliénor *p 123*
Aliénor *p 176*
Aliette *p 27*
Aline *p 12*
Aliona *p 179*
Alionka *p 179*
Alison *p 27*
Alissa *p 27*
Alix *p 27*
Aliyah *p 192*
Alizon *p 27*
Alla *p 26*
Allaire *p 184*
Allan *p 17*
Allen *p 17*
Allison *p 176*
Alois *p 28*
Aloisa *p 228*
Aloisia *p 228*
Aloisus *p 228*
Aloys *p 228*
Aloysia *p 228*
Aloysiuis *p 228*
Aloysius *p 28*
Aloysius *p 228*
Alphonse *p 28*
Alphonsine *p 28*
Alrick *p 19*
Alrun *p 83*
Alvise *p 228*
Alwine *p 83*
Amadéo *p 31*
Amadéus *p 31*
Amadis *p 31*
Amalia *p 32*
Amalric *p 30*
Amalric *p 176*
Amalric *p 29*
Amalrico *p 30*
Amanc *p 176*
Amance *p 29*
Amand *p 29*
Amanda *p 29*
Amandin *p 29*

Amandine p 29
Amata p 16
Amaury p 30
Amaury p 176
Amaya p 16
Ambre p 30
Ambroise p 30
Ambroisie p 30
Ambroisine p 30
Ambrose p 30
Ambrosia p 30
Ambrosie p 30
Ambrosio p 30
Amédée p 31
Amélia p 32
Amélie p 32
Amelin p 32
Ameline p 32
Amelot p 32
Amérigo p 30
Amfos p 176
Amie p 16
Amin p 317
Ammar p 315
Amnon p 192
Amory p 30
Amy p 16
Amy p 16
Anaïs p 37
Anastaise p 33
Anastase p 33
Anastasia p 33
Anastasiane p 33
Anastasie p 33
Anastasy p 33
Anasthase p 33
Anatole p 33
Anatolia p 33
Anatolie p 33
Anatoline p 33
Anders p 34
Andor p 34
Andre p 34
Andréa p 34
Andréani p 34
Andréas p 34
Andrée p 34
Andréu p 34
Andrev p 175
Andrew p 34
Andrieu p 34
Ange p 36
Angel p 36
Angela p 36
Angèle p 36
Angelina p 36
Angéline p 36
Angélique p 36
Angélon p 36
Angie p 36
Anicet p 37
Anicet p 177
Anicette p 37
Anita p 37
Anitha p 353
Anja p 36
Anja p 85
Anjali p 353
Anke p 37
Anna p 37
Annabelle p 37
Annaik p 37
Annchen p 37
Anne p 37
Annequin p 37
Annette p
Annick p
Annie p 37
Anduchka p 37
Anouck p 37
Anschaine p 271
Anse p 39
Anseaume p 39
Ansel p 39
Anselma p 39
Anselme p 39
Anserme p 39
Ansgaine p 271
Ansgar p 271
Ansgard p 83
Anstrud p 83
Answald p 272
Antheime p 39
Anthony p 40
Antje p 37
Antoine p 40
Antoine p 177
Antoinet p 40
Antoinette p 40
Antoinon p 40
Anton p 40
Antonella p 40
Antoni p 40
Antoni p 176
Antonia p 40
Antonien p 40
Antonienne p 40
Antonin p 40
Antonine p 40
Antonio p 40
Anzo p 39
Aodh p 189
Aodren p 175
Aourell p 175
Aourgen p 175
Apollinaire p 42
Apollinaris p 42
Apolline p 42
Apollon p 42
Apollonia p 176
Apollonius p 42
Apollos p 42
Arabelle p 42
Araldo p 178
Aralt p 178
Arash p 317
Arcadie p 42
Arcadius p 42
Arcady p 42
Archibald p 43
Archie p 43
Archimbaut p 43
Arcibaldo p 43
Ardashir p 317
Arend p 46
Arhel p 45
Ariadne p 43
Ariana p 43
Ariane p 43
Arianna p 43
Arianne p 43
Aricie p 44
Ariel p 44
Ariel p 192
Ariell p 44
Ariellah p 192
Arielle p 44
Arina p 237
Aristide p 44
Arjuna p 352
Arkadia p 237
Arleen p 44
Arlène p 44
Arleta p 44
Arlette p 44
Arline p 44
Armand p 45
Armanda p 45
Armandin p 45
Armandine p 45
Armel p 45
Armelin p 45
Armeline p 45
Armella p 45
Armelle p 45
Armelle p 175
Armilla p 45
Arnall p 46
Arnaud p 46
Arnaud p 176
Arnaudet p 46
Arnaudy p 46
Arnd p 46
Arnold p 46
Arnold p 176
Arnolde p 46
Arnoldo p 46
Arnost p 132
Arnoud p 46
Arnould p 46
Arnst p 132
Aroldo p 178
Arrigo p 180
Arsène p 47
Arsenius p 47
Arthur p 47
Arthur p 176
Arthus p 47
Arthuys p 47
Artie p 47
Artigine p 85
Artor p 47
Arturo p 47
Artus p 47
Arwa p 315
Arzel p 45
Arzhael p 45
Arzhaelig p 45
Arzhela p 45
Arzhelenn p 45
Arzhelez p 45
Arzhvael p 45
Asbjörn p 83
Asha p 353
Asharevathi p 353
Aspasie p 33
Assad p 315
Astasie p 33
Astri p 48
Astrid p 48
Astrid p 83
Ata-Allah p 316
Atansi p 176
Athanase p 48
Athanasie p 48
Athenais p 48
Atmananda p 353
Aubaine p 19
Auban p 19
Aubert p 20
Aubertin p 20
Aubin p 49
Aubriet p 20
Aubriot p 20
Aubry p 20
Aud p 49
Auda p 49
Aude p 49
Aude p 176
Audon p 49
Audrey p 50
Audric p 50
Audrica p 50
Audrie p 50
Audry p 50
Aufray p 26
Aufroy p 26
August p 51
Augusta p 51
Auguste p 51
Augustin p 51
Augustina p 51
Augustine p 51
Augusto p 51
Augustus p 51
Aure p 52
Aurèle p 52

Aurélia *p 52*
Auréliane *p 52*
Aurélie *p 52*
Aurélie *p 177*
Aurélien *p 52*
Aurélien *p 177*
Aurica *p 52*
Auriole *p 52*
Aurore *p 52*
Austin *p 51*
Autric *p 50*
Autry *p 50*
Ava *p 53*
Avelaine *p 53*
Avelina *p 53*
Aveline *p 53*
Avesta *p 317*
Avit *p 53*
Avital *p 192*
Aviva *p 53*
Aviva *p 192*
Avner *p 192*
Axel *p 54*
Axeline *p 54*
Axella *p 54*
Axellane *p 54*
Axelle *p 54*
Aymar *p 13*
Aymar *p 54*
Aymeric *p 55*
Aymon *p 55*
Aymone *p 55*
Aziliz *p 175*

B
Ba-yasid *p 316*
Baab *p 61*
Babette *p 124*
Babette *p 60*
Babie *p 61*
Bahn *p 327*
Bahne *p 327*
Bahram *p 317*
Bailintin *p 332*
Bajazet *p 316*
Bala *p 352*
Balachandren *p 352*
Balasarasvati *p 353*
Balbine *p 60*
Baldie *p 43*
Baldric *p 176*
Baldwin *p 65*
Baldwin *p 83*
Baldwina *p 65*
Balint *p 332*
Balou *p 352*
Balthazar *p 60*
Bapper *p 61*
Baptista *p 61*
Baptiste *p 61*
Baptistin *p 61*
Baptistine *p 61*
Barbara *p 61*
Barbary *p 61*
Barbe *p 61*
Barbe *p 62*
Barbel *p 61*
Barberine *p 61*
Barnabas *p 63*
Barnabe *p 63*
Barnabe *p 63*
Barnaby *p 63*
Barnard *p 69*
Barnd *p 69*
Barney *p 69*
Barthel *p 64*
Barthélemy *p 64*
Barthélemye *p 64*
Bartholome *p 64*
Bartholomée *p 64*
Bartholomew *p 64*
Bartholomäus *p 64*
Bartolo *p 64*
Bartoloméo *p 64*
Basch *p 303*
Bashir *p 315*
Basil *p 64*
Basile *p 64*
Basiléo *p 64*
Basilide *p 64*
Basilius *p 64*
Bast *p 303*
Basten *p 303*
Bastian *p 303*
Bastiano *p 303*
Bastien *p 65*
Bastien *p 303*
Bastienne *p 303*
Bastin *p 303*
Bastina *p 303*
Bathilda *p 65*
Bathilde *p 65*
Bathilde *p 83*
Bathylle *p 65*
Batilde *p 65*
Batista *p 61*
Baudoin *p 65*
Baudouine *p 65*
Bautisse *p 61*
Béa *p 66*
Béat *p 66*
Béate *p 66*
Béathan *p 67*
Béatrice *p 66*
Béatrix *p 66*
Béatriz *p 66*
Béatty *p 66*
Beaudoin *p 65*
Beele *p 306*
Bela *p 22*
Bela *p 306*
Bele Ke *p 306*
Belita *p 124*
Bella *p 124*
Bella *p 237*
Belle *p 124*
Belt *p 73*
Beltig *p 73*
Ben *p 67*
Benard *p 69*
Benead *p 175*
Bénédetto *p 68*
Bénédicta *p 68*
Bénédicte *p 67*
Bénédictine *p 68*
Benft *p 68*
Beniamino *p 67*
Benita *p 68*
Benito *p 68*
Benjamin *p 67*
Benniga *p 175*
Benny *p 67*
Benoit *p 68*
Benoite *p 68*
Bentje *p 83*
Benvenuta *p 75*
Benz *p 68*
Beranger *p 68*
Berangère *p 68*
Berengar *p 68*
Berengario *p 68*
Berenger *p 68*
Berengère *p 68*
Berengeria *p 176*
Bérénice *p 69*
Bérénice *p 334*
Bérénike *p 334*
Berhed *p 79*
Bernadette *p 71*
Bernadette *p 69*
Bernadine *p 69*
Bernard *p 69*
Bernardin *p 69*
Bernardino *p 69*
Bernardo *p 69*
Bernat *p 176*
Bernice *p 334*
Bernie *p 69*
Bernie *p 334*
Berny *p 334*
Bert *p 20*
Berteli *p 72*
Berteline *p 72*
Bertha *p 72*
Bertha *p 85*
Berthe *p 72*
Berthélemy *p 64*
Berthilde *p 83*
Bertie *p 72*
Bertilie *p 72*
Bertille *p 72*
Bertillon *p 72*
Bertin *p 72*
Bertl *p 72*
Bertram *p 73*
Bertran *p 73*
Bertrand *p 73*
Bertrand *p 176*
Bertrande *p 73*
Bertrane *p 73*
Bertus *p 188*
Bess *p 124*
Bessie *p 124*
Betsey *p 124*
Betsy *p 124*
Bettina *p 124*
Bettina *p 74*
Betty *p 124*
Betty *p 74*
Bhailtair *p 154*
Bianca *p 76*
Bibian *p 340*
Bibiane *p 340*
Biche *p 66*
Biddie *p 79*
Biel *p 306*
Bienvenue *p 74*
Bihilde *p 83*
Bijan *p 317*
Bilgen *p 306*
Bill *p 170*
Billie *p 170*
Billy *p 75*
Bine *p 301*
Binèle *p 301*
Binyamin *p 192*
Binyaminah *p 192*
Birgitte *p 79*
Björn *p 83*
Blaise *p 75*
Blaisette *p 75*
Blaisiane *p 75*
Blanca *p 76*
Blanca *p 176*
Blanche *p 76*
Blanchette *p 176*
Blandin *p 76*
Blandina *p 76*
Blandine *p 76*
Blandino *p 76*
Blas *p 75*
Blase *p 176*
Blasius *p 75*
Blesilla *p 75*
Blum *p 85*
Blumine *p 85*
Bob *p 295*
Bobbie *p 295*
Bobby *p 295*
Bolbi *p 227*
Bonaventure *p 77*
Boniface *p 77*
Bonifacio *p 77*
Bonifacius *p 77*
Bonifas *p 77*
Bop *p 61*

Boris *p 78*
Boris *p 237*
Borroméa *p 78*
Borromée *p 78*
Bothayna *p 315*
Branca *p 76*
Brec *p 176*
Breggie *p 188*
Brendan *p 175*
Bres *p 79*
Briagenn *p 175*
Brice *p 79*
Brice *p 176*
Bricius *p 79*
Bride *p 79*
Bridget *p 79*
Bridie *p 79*
Brighid *p 79*
Brigide *p 79*
Brigitte *p 79*
Britt *p 79*
Britta *p 79*
Britta *p 85*
Brix *p 79*
Briz *p 79*
Broen *p 81*
Bronne *p 81*
Bruna *p 81*
Brune *p 81*
Brunehaut *p 81*
Brunehaut *p 176*
Brunella *p 81*
Brunette *p 81*
Brunetto *p 81*
Brunhild *p 81*
Brunhilda *p 81*
Brunilda *p 81*
Brunilde *p 81*
Brunilla *p 81*
Bruno *p 81*
Bruno *p 83*
Bryce *p 79*
Brynhild *p 81*
Brunnhild *p 81*
Bunny *p 334*
Bärle *p 61*
Bärthel *p 64*
Bästel *p 303*

C
Caesar *p 92*
Caetano *p 152*
Caitlin *p 89*
Cajetan *p 152*
Caligula *p 177*
Calvin *p 177*
Cambyse *p 317*
Camila *p 86*
Camill *p 86*
Camilla *p 86*
Camille *p 86*
Camille *p 177*
Camillo *p 86*
Camilo *p 86*
Cammie *p 86*
Cara *p 87*
Carina *p 87*
Carine *p 87*
Carito *p 93*
Carl *p 93*
Carl, Carlos *p 87*
Carla *p 93*
Carlo *p 93*
Carlos *p 93*
Carlotta *p 93*
Carlyle *p 93*
Carma *p 87*
Carmen *p 87*
Carmencita *p 87*
Carmina *p 87*
Carmine *p 87*
Carol *p 93*
Carola *p 93*
Carole *p 93*
Carole, Caroline *p 86*
Carolin *p 93*
Caroline *p 93*
Carsta *p 96*
Carsten *p 96*
Casimir *p 89*
Casimiro *p 89*
Caspar *p 152*
Caspara *p 152*
Casper *p 89*
Casper *p 152*
Cass *p 89*
Cassie *p 89*
Cassy *p 89*
Catalina *p 89*
Catherine *p 89*
Cathia *p 89*
Cathie *p 89*
Cationa *p 89*
Cécil *p 90*
Cécile *p 90*
Cécilia *p 90*
Cécilius *p 90*
Cécily *p 90*
Cédric *p 91*
Ceese *p 90*
Célesta *p 91*
Céleste *p 91*
Célestin, Célestine *p 91*
Célestina *p 91*
Célia *p 92*
Célia *p 90*
Célie *p 91*
Célie *p 90*
Célina *p 240*
Célinda *p 92*
Célinda *p 176*
Céline *p 92*
Céline *p 240*
Célinia *p 92*
Célinie *p 92*
Célinie *p 240*
Celtina *p 91*
Cencio, Cente, Centina *p 336*
Césaire *p 92*
César *p 92*
César *p 177*
Césare *p 92*
Césarie *p 92*
Césarine *p 92*
Césarine *p 177*
Césario *p 92*
Césarius *p 92*
Céselha *p 176*
Chandra *p 352*
Chandraleka *p 352*
Chandren *p 352*
Chandu *p 352*
Chandunni *p 352*
Chantal *p 93*
Charel *p 93*
Charity *p 140*
Charlemagne *p 93*
Charlène *p 93*
Charles *p 93*
Charletta *p 93*
Charlette *p 93*
Charley *p 93*
Charlie *p 93*
Charline *p 93*
Charlot *p 93*
Charlotta *p 93*
Charlotte *p 96*
Charlotte *p 93*
Charmaine *p 87*
Chechi *p 352*
Chechikunia *p 352*
Cheng-Yi *p 260*
Cheree *p 93*
Chéryl *p 93*
Chick *p 93*
Chim *p 209*
Chiro *p 286*
Chitraleka *p 353*
Chlothilde *p 101*
Chrétien *p 96*
Chrétienne *p 96*
Chris *p 98*
Chris *p 96*
Chrissy *p 96*
Christel *p 96*
Christelle *p 96*
Christian *p 96*
Christiana *p 96*
Christiane *p 96*
Christie *p 96*
Christina *p 96*
Christine *p 97*
Christliebe *p 85*
Christophe *p 98*
Christopher *p 98*
Chrystal *p 98*
Chuck *p 93*
Cibilla *p 306*
Cilli *p 306*
Ciriac *p 176*
Cirila *p 107*
Cirillo *p 107*
Ciska *p 147*
Claatje *p 99*
Claes *p 264*
Clair *p 99*
Claire *p 99*
Clairette *p 99*
Clara *p 99*
Clare *p 140*
Clarence *p 99*
Clarent *p 99*
Clarette *p 99*
Clarie *p 99*
Clarinda *p 99*
Clarine *p 99*
Clarisse *p 99*
Clarita *p 99*
Claro *p 99*
Clarrie *p 99*
Claude *p 99*
Claudette *p 99*
Claudia *p 99*
Claudie *p 99*
Claudien *p 99*
Claudienne *p 99*
Claudine *p 99*
Claudio *p 99*
Claudius *p 99*
Claus *p 264*
Clédia *p 99*
Clélia *p 100*
Clélie *p 100*
Clem *p 101*
Clémence *p 101*
Clémens *p 101*
Clément *p 101*
Clémente *p 101*
Clémentia *p 101*
Clémentin *p 1001*
Clémentine *p 101*
Clémentius *p 101*
Clémmie *p 101*
Clémmy *p 101*
Clim *p 101*
Clodwig *p 228*
Clos *p 264*
Clothilde *p 101*
Clotilda *p 101*
Clotilde *p 101*
Clovis *p 228*
Clovisse *p 228*
Cob *p 201*
Cobb *p 201*
Cobie *p 201*

Colas *p 102*
Colas *p 264*
Colette *p 102*
Colette *p 264*
Colin *p 264*
Collette *p 264*
Colomba *p 176*
Colomban *p 102*
Concepcion *p 103*
Connie *p 103*
Conny *p 103*
Conrad *p 103*
Conrade *p 103*
Conradin *p 103*
Conradine *p 103*
Conrado *p 103*
Conrard *p 103*
Conrart *p 103*
Constance *p 104*
Constancy *p 104*
Constant *p 104*
Constant *p 177*
Constanta *p 104*
Constantin *p 104*
Constantina *p 104*
Constantine *p 104*
Constantino *p 104*
Constanza *p 104*
Cora *p 104*
Coralie *p 104*
Coraline *p 104*
Coralise *p 104*
Corentin *p 105*
Corentina *p 105*
Corentine *p 105*
Corentino *p 105*
Corinna *p 105*
Corinne *p 105*
Cornélie *p 177*
Corradina *p 103*
Corradino *p 103*
Corrado *p 103*
Cosette *p 264*
Costante *p 104*
Costin *p 104*
Cozette *p 264*
Crépin *p 106*
Crépinien *p 106*
Crézia *p 233*
Crispin *p 177*
Cristiano *p 96*
Cristobal *p 98*
Cristof *p 98*
Cristoforo *p 98*
Cristol *p 176*
Cunégonde *p 106*
Curd *p 103*
Curi *p 105*
Curt *p 103*
Cylinia *p 92*
Cyprian *p 106*
Cyprien *p 106*
Cyprienne *p 106*
Cyprille *p 107*
Cypris *p 106*
Cyriac *p 107*
Cyril *p 107*
Cyrill *p 107*
Cyrilla *p 107*
Cyrille *p 107*
Cyrillus *p 107*
Cyrus *p 317*
Cäcilie *p 90*
Cäsar *p 92*

D

Daffy *p 110*
Dafné *p 110*
Dafydd *p 110*
Dag *p 108*
Dagmar *p 108*
Dagmara *p 108*
Dagomar *p 108*
Dagomaro *p 108*
Dahud *p 175*
Daibidh *p 111*
Daisy *p 108*
Daisy *p 242*
Dajo *p 108*
Damayonti *p 353*
Dami *p 109*
Damia *p 109*
Damian *p 109*
Damian *p 176*
Damiana *p 109*
Damiane *p 109*
Damiano *p '09*
Damianus *p 109*
Damien *p 109*
Damienne *p 109*
Damiette *p 109*
Damioen *p 109*
Damy *p 109*
Dania *p 109*
Danie *p 109*
Daniel *p 109*
Daniela *p 109*
Danièle *p 109*
Danielle *p 109*
Canielo *p 109*
Danielou *p 109*
Danila *p 109*
Danilo *p 109*
Danitza *p 109*
Danjel *p 109*
Dany *p 109*
Daph *p 110*
Daphné *p 110*
Daria *p 237*
Dauphin *p 112*
Dauphine *p 112*
Dave *p 111*
David *p 111*
Davida *p 111*
Davide *p 111*
Davidka *p 111*
Davidou *p 111*
Davie *p 111*
Davina *p 111*
Daviot *p 111*
Davit *p 111*
Davy *p 111*
Daw *p 111*
Dawie *p 111*
Dawoud *p 315*
Deana *p 114*
Deb *p 111*
Debbie *p 111*
Debby *p 111*
Débir *p 111*
Debora *p 111*
Déborah *p 111*
Debra *p 111*
Dee *p 126*
Dee *p 114*
Dees *p 113*
Degaulle *p 56*
Delfina *p 112*
Delfine *p 112*
Della *p 12*
Delora *p 116*
Delorès *p 116*
Deloris *p 116*
Delphin *p 112*
Delphine *p 112*
Delphy *p 112*
Denice *p 112*
Deniel *p 109*
Denijse *p 112*
Denis *p 112*
Denise *p 113*
Denissia *p 112*
Denney *p 112*
Dennis *p 112*
Denny *p 112*
Denys *p 112*
Denyse *p 112*
Déodat *p 115*
Deodate *p 115*
Desidario *p 113*
Desideratus *p 113*
Desiderius *p 113*
Desirat *p 113*
Désiré *p 113*
Désirée *p 113*
Detlev *p 83*
Devaki *p 353*
Devayani *p 353*
Dhia-Allah *p 316*
Dia *p 317*
Dian *p 114*
Diana *p 114*
Diane *p 114*
Dianna *p 114*
Dick *p 294*
Dickie *p 294*
Dicky *p 294*
Die *p 115*
Diego *p 201*
Dietbald *p 322*
Dietbold *p 322*
Diethilde *p 83*
Dietrich *p 83*
Dietwin *p 83*
Dieudonné *p 115*
Dimitri *p 237*
Dina *p 104*
Dina *p 76*
Dine *p 104*
Dion *p 112*
Dionigia *p 112*
Dionise *p 112*
Dionisio *p 112*
Dioniza *p 112*
Diounia *p 320*
Dioussia *p 320*
Ditte *p 119*
Dizier *p 113*
Dmitri *p 327*
Dodge *p 296*
Dodie *p 118*
Dolf *p 295*
Dolfi *p 295*
Dolorès *p 116*
Dolorita *p 116*
Doma *p 116*
Domenica *p 116*
Domenico *p 116*
Domien *p 116*
Dominga *p 116*
Domingo *p 116*
Domingos *p 116*
Domini *p 116*
Dominik *p 116*
Dominika *p 116*
Dominikus *p 116*
Dominique *p 116*
Domnika *p 116*
Donald *p 117*
Donatien *p 118*
Donatienne *p 118*
Donald *p 117*
Donatien *p 118*
Donatienne *p 118*
Donisi *p 112*
Doorsie *p 320*
Doortje *p 118*
Doortje *p 320*
Dora *p 118*
Dora *p 118*
Doralicia *p 118*
Dorchen *p 118*
Dorès *p 320*
Dorian *p 118*

Doriane p 118
Dorinda p 118
Doris p 118
Doris p 118
Dorit p 118
Dorke p 118
Dorle p 320
Dorli p 320
Dorocha p 118
Dorofei p 118
Dorothée p 118
Dorothy p 118
Dorthea p 118
Dorthy p 118
Dost-Mohammad p 317
Dot p 118
Draupati p 353
Drew p 34
Drickes p 186
Dries p 34
Drotea p 118
Drusilla p 177
Duarte p 121
Dulf p 295
Duredle p 118
Durl p 118
Dwight p 112
Dyonise p 112
Dyonisius p 112
Dyonisos p 112
Dyonisus p 112
Dännel p 109
Dörte p 118

E

Ealasaid p 124
Eamon p 121
Eanruig p 180
Earnest p 132
Eckart p 83
Eda p 119
Edana p 122
Eddy p 121
Edeline p 176
Edemonda p 121
Edern p 175
Edgar p 119
Edgard p 119
Edgardo p 119
Edger p 119
Edika p 119
Edina p 122
Edita p 119
Edite p 119
Edith p 119
Edma p 121
Edme p 121
Edmea p 121
Edmée p 121
Edmond p 121
Edmonda p 121
Edmonde p 121
Edmondo p 121
Edmund p 121
Edmundo p 121
Edna p 122
Edoarda p 121
Edoardo p 121
Edouard p 121
Edouarda p 121
Edouardik p 121
Edouardine p 121
Eduardo p 121
Eduin p 122
Eduine p 122
Eduino p 122
Edvard p 121
Edvige p 122
Edward p 121
Edwarda p 121
Edwardine p 121
Edweena p 122
Edwige p 122
Edwin p 122
Edwina p 122
Effat p 315
Egid p 164
Egide p 164
Egidio p 164
Eglantine p 123
Eglentyne p 123
Egor p 157
Eibhlin p 138
Eileen p 179
Eilidh p 179
Eilis p 124
Einar p 83
Eirena p 196
Eirik p 131
Eister p 133
Elad p 192
Elaine p 179
Elane p 179
Elberich p 20
Elbert p 20
Eléanor p 123
Elena p 179
Elénore p 123
Eléonor p 123
Eléonora p 123
Eléonore p 123
Eleuteri p 176
Elga p 269
Elia p 124
Eliane p 124
Elias p 124
Eliaz p 175
Elie p 124
Eliet p 124
Eliette p 124
Elijah p 192
Elina p 124
Eline p 124
Elinor p 123
Elioussa p 179
Elisa p 124
Elisabeth p 124
Elisabetha p 124
Elise p 126
Elise p 124
Elisée p 124
Eliséo p 124
Elisha p 124
Elizabeth p 124
Elizabeth p 140
Ella p 123
Ella p 126
Ellen p 179
Ellie p 126
Ellinor p 123
Ellula p 231
Elly p 123
Elly p 126
Ellyn p 179
Elma p 170
Elna p 179
Elodea p 126
Elodia p 126
Elodie p 126
Eloi p 127
Eloisa p 228
Eloise p 228
Elsa p 127
Elsa, Else p 123
Elsbeth p 124
Else p 124
Elsebein p 124
Elseline p 124
Elsie p 124
Elsje p 124
Elslin p 124
Elvera p 128
Elvie p 128
Elvira p 128
Elvire p 128
Elyette p 124
Elyn p 179
Emanuel p 129
Emanuelle p 151
Emela p 197
Emèle p 128
Emeline p 128
Emerald p 133
Emeralda p 133
Emeraude p 133
Emeric p 55
Emil p 128
Emilda p 128
Emile p 128
Emilia p 128
Emiliaan p 128
Emiliana p 128
Emilane p 128
Emilie p 128
Emilien p 129
Emilien p 128
Emilienne p 129
Emilienne p 128
Emilio p 128
Emilius p 128
Emils p 128
Emily p 128
Emine p 317
Emlyn p 128
Emma p 131
Emma p 140
Emmanouil p 129
Emmanuel p 129
Emmanuella p 131
Emmanuelle p 131
Enoch p 191
Enora p 175
Enrico p 180
Enrique p 180
enriqueta p 180
Enselin p 39
Enzio p 180
Enzo p 180 et p 196
Eolande p 345
Eozen p 346
Eozenez p 175
Eozern p 175
Ephrat p 192
Ercolano p 182
Ercole p 182
Erena p 196
Eri p 131
Eri p 28
Eric p 131
Erica p 131
Erich p 131
Erich p 83
Eirico p 131
Erik p 131
Erika p 131
Erika p 83
Eriks p 131
Erke p 131
Erkenbald p 43
Erker p 131
Erkina p 131
Ermanno p 182
Erminia p 183
Erminio p 182
Erna p 132
Ernest p 132
Ernestina p 132
Ernestine p 132
Ernesto p 132
Ernestus p 132
Ernie p 132
Ernout p 46
Ernst p 132
Erny p 132
Erwan p 346

Erwanez p 175
Erwin p 132
Erwina p 132
Eryck p 131
Esma p 133
Esmeramda p 133
Esmeralde p 133
Essa p 133
Essie p 133
Estanislau p 176
Esteban p 134
Esteffe p 134
Estela p 133
Estella p 133
Estelle p 133
Estelon p 133
Ester p 133
Estève p 134
Esther p 133
Estienne p 134
Estiu p 176
Estrella p 133
Estrellita p 133
Estrid p 48
Ethel p 12
Ethel p 83
Etienne p 134
Ettie p 133
Eudeline p 176
Eufrasia p 176
Eugen p 135
Eugène p 135
Eugénia p 135
Eugénie p 135
Eugénien p 135
Eugénio p 135
Eugénius p 135
Eujen p 135
Eula p 135
Eulalia p 135
Eulalie p 135
Euphrasie p 56
Eusèbe p 136
Eusébie p 136
Eusébio p 136
Eustace p 136
Eustache p 136
Eustacia p 136
Eustasius p 136
Eustatius p 136
Eustazio p 136
Eutropi p 176
Eva p 137
Evaleen p 138
Evalyn p 138
Evan p 20
Evariste p 137
Evchen p 137
Eve p 137
Evdni p 135
Evelien p 138
Evelina p 138
Eveline p 138
Evelino p 138
Evelyn p 138
Evelyne p 138
Evguecha p 135
Evgueni p 135
Evi p 137
Evie p 137
Evita p 137
Evka p 137
Evlyn p 138
Evrard p 138
Ewa p 138
Ewald p 83
Ewe p 137
Ewen p 175

F

Faas p 77
Faba p 141
Fabia p 141
Fabian p 141
Fabiane p 141
Fabiano p 141
Fabianus p 141
Fabie p 141
Fabien p 141
Fabienne p 141
Fabiola p 141
Fabion p 141
Fabis p 141
Fabri p 142
Fabrice p 142
Fabricia p 142
Fabricien p 142
Fabricio p 142
Fabricius p 142
Fabrizio p 142
Fahd p 315
Faila p 288
Faisal p 315
Falia p 288
Falito p 288
Fanch p 175
Fanchon p 142
Fannies p 147
Fanny p 142
Fanta p 56
Fatema p 317
Fati p 317
Fatima p 314
Fatimata p 56
Fato p 317
Fatou p 317
Fatzel p 77
Fava p 141
Favre p 142
Fawziya p 316
Fedder p 148
Federico p 148
Federigo p 148
Fediana p 320
Fedor p 320
Fedora p 320
Fedoulia p 320
Fedoussia p 320
Fei p 310
Felica p 176
Félice p 142
Félician p 176
Félicie p 142
Félicien p 142
Félicienne p 142
Félicité p 142
Félip p 176
Félipa p 280
Félipe p 280
Félise p 142
Félix p 142
Félizon p 142
Féodor p 320
Féodora p 320
Féodorit p 320
Ferass p 315
Fercsi p 146
Ferd p 143
Ferdie p 143
Ferdinand p 143
Ferdinanda p 143
Ferdinande p 143
Ferdinando p 143
Ferdl p 143
Ferenc p 146
Fermin p 144
Fermine p 144
Fernand p 143
Fernanda p 143
Fernande p 143
Fernando p 143
Ferouzane p 317
Ferrante p 143
Fertel p 143
Fet-Nat p 56
Fia p 310
Fidel p 143
Fidèle p 143
Fieke p 310
Fiena p 210
Fieneke p 210
Fifine p 210
Fig p 310
Fiken p 310
Filia p 280
Filiberta p 280
Filiberto p 280
Filiouchka p 280
Filip p 280
Filipa p 280
Filipka p 280
Filipp p 280
Filippa p 280
Filippina p 280
Filippo p 280
Fina p 210
Fine p 210
Finie p 210
Fiodor p 320
Fiodora p 320
Fiodorka p 320
Fippe p 280
Firmin p 144
Firminan p 144
Firminien p 144
Firminienne p 144
Fjodor p 320
Fjodora p 320
Flavia p 144
Flavianus p 144
Flavie p 144
Flavien p 144
Flavienne p 144
Flaviuys p 144
Fleurance p 144
Fliep p 280
Flippie p 280
Flora p 144
Flore p 144
Florence p 144
Florenceau p 144
Florencia p 144
Florencio p 144
Florent p 144
Florentin p 144
Florentine p 144
Florentius p 144
Florenty p 144
Florenz p 144
Florian p 144
Floriane p 144
Florinde p 144
Florine p 144
Flossie p 144
Foma p 323
Fons p 28
Fotoe p 58
Fran p 146
France p 146
Francelin p 146
Franceline p 147
Francesca p 147
Francesco p 146
Francette p 147
Francina p 147
Francine p 147
Francis p 146
Francisca p 147
Francisek p 146
Francisque p 146
Franck p 146
François p 146
Françoise p 147
Franek p 146
Frangag p 146
Frank p 85
Franka p 147
Frankie p 146
Frankiska p 147

Frannie p 147
Franny p 147
Frans p 146
Franz p 146
Franzine p 147
Fred p 26
Fred p 148
Freddie p 148
Freddy p 148
Fredegonde p 176
Frédéric p 148
Frédérica p 148
Frédérick p 148
Frédéricus p 148
Frédérik p 148
Fredérika p 148
Frédérike p 148
Frédérique p 148
Fréderk p 148
Frédric p 148
Frédrick p 148
Freek p 148
Fremin p 144
Frerich p 148
Frerika p 148
Frerk p 148
Freude p 85
Frida p 83
Fridichs p 148
Frieda p 148
Friedel p 148
Friedel p 165
Friedenand p 143
Friedl p 148
Friderich p 148
Frigga p 148
Frika p 148
Fronika p 334
Fränze p 146
Fulbert p 149
Fulberte p 149
Fulgence p 177
Fulp p 280
Fulvi p 150
Fulvia p 150
Fulviah p 150
Fulvian p 150
Fulviane p 150
Fulvie p 150
Fulvien p 150
Fulvienne p 150
Fulvius p 150
Furchtegott p 85
Fülop p 280

G

Gaaf p 150
Gabay p 150
Gabel p 150
Gabin p 150
Gabor p 150
Gabrel p 150
Gabriel p 150
Gabriela p 150
Gabrièle p 150
Gabriella p 150
Gabrielle p 150
Gabriello p 150
Gabrielo p 150
Gabrio p 150
Gabriël p 150
Gabry p 150
Gaby p 151
Gad p 192
Gaetano p 152
Gaietan p 176
Galdan p 331
Galina p 237
Gall p 175
Galtier p 154
Galtière p 154
Galvane p 155
Gangel p 344
Gard p 159
Garda p 160
Gardina p 160
Garmon p 161
Garnier p 342
Garret p 159
Garrit p 159
Gaspar p 152
Gaspard p 152
Gaspare p 152
Gasparin p 152
Gasparine p 152
Gasparo p 152
Gasper p 152
Gastao p 153
Gaston p 153
Gastone p 153
Gaubert p 154
Gaudebert p 154
Gaudeberte p 154
Gauderic p 176
Gaultier p 154
Gautama p 352
Gauthier p 154
Gauthière p 154
Gautier p 154
Gauvain p 155
Gauvin p 155
Gauwe p 155
Gavan p 155
Gaven p 155
Gavin p 155
Gavriil p 150
Gavrila p 237
Gavriouna p 150
Gawain p 155
Gawen p 155
Gayatri p 353
Gaël p 152
Gaëlle p 152
Gaëtan p 152
Gaëtane p 152
Gearard p 159
Geeraard p 159
Geerhard p 159
Geert p 159
Geerte p 159
Geirgia p 157
Gelijn p 162
Gelsomina p 203
Gelsomino p 203
Gene p 135
Geneviève p 155
Genevièvre p 155
Genia p 135
Génie p 135
Genovefa p 155
Genovera p 155
Genseric p 131
Geoffrey p 156
Geoffroy p 156
Georas p 157
Georg p 157
George p 157
Georgène p 157
Georges p 157
Georgette p 157
Georgia p 157
Georgina p 157
Georgine p 157
Georgio p 157
Georgius p 157
Georgy p 157
Gera p 159
Gérald p 158
Géraldina p 158
Géraldine p 158
Gérallt p 158
Gérard p 159
Gérarda p 159
Gérarde p 159
Gérardin p 159
Gérardine p 159
Gérardo p 159
Gérardus p 159
Géraud p 159
Gerd p 159
Gerda p 160
Gerdi p 160
Gerdina p 160
Gerémia p 207
Gerhard p 159
Gerharda p 159
Gerhardina p 159
Gerhart p 159
Germain p 161
Germaine p 161
German p 161
Germana p 161
Germanus p 161
Germentsje p 161
Germina p 161
Gérome p 207
Gerrolt p 158
Gerry p 158
Gerry p 207
Gersten p 159
Gert p 159
Gerta p 160
Gertrud p 83
Gertrude p 161
Gerva p 162
Gervais p 162
Gervaise p 162
Gervatus p 162
Gerwald p 158
Geva p 155
Ghaleb p 315
Ghazal p 315
Gherardo p 159
Ghilain p 162
Ghislain p 162
Ghislaine p 162
Giacchina p 209
Giaccobe p 201
Giacobo p 201
Giacomina p 201
Giacomo p 201
Gian p 204
Gianina p 204
Gianna p 204
Gielbert p 163
Gielbertus p 163
Gil p 164
Gilbert p 163
Gilberta p 163
Gilberte p 163
Gilberto p 163
Gilbertus p 163
Gilbrecht p 163
Gildrina p 164
Gilet p 164
Gilia p 164
Giliane p 213
Gill p 164
Gillebert p 163
Gilleberte p 163
Gilles p 164
Gilleske p 164
Gillet p 213
Gillette p 164
Gillette p 213
Gillian p 213
Gillie p 213
Gillis p 164
Gillo p 164
Gina p 164
Gina p 291
Ginette p 155
Ging p 155
Ginnie p 339
Ginny p 339

Gino *p 164*
Gino *p 291*
Ginou *p 155*
Gioacchina *p 209*
Gion *p 204*
Giovanna *p 204*
Giovanni *p 204*
Girard *p 159*
Giraud *p 158*
Girioel *p 107*
Girometta *p 207*
Gisbert *p 163*
Gisberte *p 163*
Gisela *p 164*
Giselbert *p 163*
Gisèle *p 164*
Gisella *p 164*
Gisilo *p 163*
Gisla *p 164*
Gislain *p 162*
Gislaine *p 162*
Gisleno *p 162*
Gislenus *p 162*
Giulette *p 213*
Giulia *p 213*
Giulio *p 213*
Giuniata *p 217*
Giunone *p 217*
Giuseppe *p 210*
Giuseppina *p 210*
Giusta *p 217*
Giustina *p 217*
Giustino *p 217*
Giusto *p 217*
Glad *p 165*
Gladdie *p 165*
Gladez *p 175*
Gladys *p 165*
Gleda *p 165*
Gleitje *p 162*
Gleitje *p 164*
Glen *p 175*
Gnacie *p 193*
Gnazi *p 193*
Goberto *p 154*
Goda *p 166*
Godefroi *p 165*
Godefroy *p 165*
Godel *p 165*
Godelaine *p 166*
Godelieff *p 166*
Godelieve *p 166*
Godeline *p 166*
Godfred *p 165*
Godefroi *p 165*
Godofredo *p 165*
Godolefa *p 166*
Godoleine *p 166*
Godoleva *p 166*
Godolewa *p 166*
Godolieba *p 166*
Goffert *p 156*
Goffert *p 165*
Gol-Rahman *p 317*
Golia *p 166*
Goliat *p 166*
Goliath *p 166*
Goliato *p 166*
Golio *p 166*
Golven *p 168*
Golzar-Hasan *p 318*
Gontram *p 167*
Gontran *p 167*
Gonzague *p 167*
Gonzaguette *p 167*
Gopal *p 351*
Gora *p 157*
Goraidh *p 165*
Gorch *p 157*
Goro *p 286*
Gotfridus *p 165*
Gothfraith *p 165*
Gottelieb *p 85*
Gottfredo *p 165*
Gottfried *p 83*
Gottfriede *p 165*
Gottheld *p 85*
Gotthold *p 85*
Gotti *p 165*
Gottlieb *p 84*
Gotzi *p 165*
Goul'chen *p 168*
Goul'chennig *p 168*
Goulia *p 304*
Goulven *p 168*
Goulvena *p 168*
Goulvenez *p 168*
Goulwen *p 168*
Goulwena *p 168*
Goulwenig *p 168*
Gozide *p 317*
Graald *p 158*
Grace *p 168*
Gracia *p 168*
Graciane *p 168*
Gracieuse *p 168*
Granier *p 342*
Grazia *p 168*
Graziella *p 168*
Grazilla *p 168*
Greagoir *p 169*
Greda *p 242*
Gredel *p 242*
Greelt *p 158*
Greer *p 169*
Greet *p 242*
Greg *p 169*
Greger *p 169*
Gregh *p 169*
Grégoire *p 169*
Gregoor *p 169*
Grégor *p 169*
Grégori *p 169*
Grégoria *p 169*
Grégorine *p 169*
Grégorio *p 169*
Grégorius *p 169*
Grégory *p 169*
Grels *p 169*
Greta242
Gretchen *p 242*
Grete *p 242*
Gretel *p 242*
Grethel *p 242*
Gretus *p 242*
Grietje *p 242*
Grigor *p 169*
Grigori *p 169*
Grinia *p 169*
Griogair *p 169*
Grioghar *p 169*
Griselda *p 168*
Gualbar *p 154*
Gualtiero *p 154*
Guarnerio *p 342*
Guda *p 169*
Gudrun *p 169*
Guecha *p 135*
Guenia *p 155*
Guenia *p 180*
Guenièvre *p 155*
Guenola *p 174*
Guenole *p 174*
Guenovefa *p 155*
Fuenovera *p 155*
Guenrikh *p 180*
Guermana *p 161*
Guermane *p 161*
Guermoussia *p 161*
Guglielmo *p 170*
Gui *p 172*
Guido *p 172*
Guilarka *p 184*
Guilelmina *p 170*
Guillain *p 162*
Guillaine *p 162*
Guillaume *p 170*
Guillaumette *p 170*
Guillemet *p 170*
Guillemette *p 170*
Guillemin *p 170*
Guillerme *p 170*
Guillermo *p 170*
Guillou *p 170*
Guilmot *p 170*
Guinia *p 339*
Guislain *p 162*
Guislaine *p 162*
Guite *p 242*
Gunda *p 169*
Gundula *p 169*
Guntrun *p 169*
Gurig *p 172*
Gus *p 51*
Gus *p 171*
Gussie *p 171*
Gusta *p 51*
Gustaf *p 171*
Gustaphine *p 171*
Gustav *p 171*
Gustava *p 171*
Gustave *p 171*
Gustaviane *p 171*
Gustavine *p 171*
Gustavo *p 171*
Gustavus *p 171*
Gustel *p 171*
Gustin *p 51*
Guy *p 172*
Guylaine *p 162*
Guyonne *p 172*
Guyot *p 172*
Guyotte *p 172*
Gwen *p 76*
Gwenal *p 172*
Gwenaël *p 172*
Gwenaëlle *p 172*
Gwenda *p 173*
Gwendal *p 175*
Gwendaline *p 173*
Gwendolen *p 173*
Gwendoline *p 173*
Gwendolyn *p 173*
Gwenel *p 172*
Gwenhaël *p 172*
Gwenn *p 173*
Gwenna *p 173*
Gwenna *p 173*
Gwennaig *p 173*
Gwennaël *p 172*
Gwennaële *p 172*
Gwennen *p 173*
Gwennez *p 173*
Gwennig *p 173*
Gwennig *p 266*
Gwennoal *p 266*
Gwennole *p 174*
Gwennolea *p 174*
Gwenola *p 174*
Gwenole *p 174*
Gyula *p 213*
György *p 157*
Gyösö *p 335*
Gärd *p 160*
Göra *p 157*
Görch *p 157*
Görgel *p 157*
Gösta *p 171*
Göstschi *p 165*
Götz *p 165*
Gul *p 317*
Güller *p 317*
Gülseren *p 317*
Günther *p 83*

H

Haain *p 180*

Habib *p 315*
Habib-Allah *p 316*
Habiba *p 315*
Hafsa *p 315*
Habiba *p 315*
Hafsa *p 315*
Hagit *p 192*
Hal *p 178*
Halim *p 315*
Halima *p 315*
Halle *p 93*
Halle *p 178*
Hamed *p 315*
Hamish *p 201*
Hampe *p 204*
Hampus *p 204*
Hanako *p 286*
Hank *p 180*
Hanko *p 204*
Hannach *p 37*
Hannele *p 204*
Hannes *p 204*
Hanraoi *p 180*
Hans *p 204*
Hanselo *p 204*
Hansi *p 204*
Hansko *p 204*
Harailt *p 178*
Harald *p 178*
Haralds *p 178*
Haraldus *p 178*
Harb *p 315*
Hareth *p 315*
Hario *p 184*
Harione *p 184*
Harlette *p 44*
Harm *p 182*
Harmina *p 182*
Haro *p 182*
Harold *p 178*
Haroldo *p 178*
Haroun *p 315*
Harriet *p 180*
Harry *p 180*
Hartfried *p 83*
Harvey *p 183*
Haske *p 204*
Hattie *p 180*
Haug *p 189*
Hauke *p 188*
Haymo *p 55*
Haymon *p 55*
Huverdine *p 188*
Hedda *p 122*
Hedel *p 122*
Hedgen *p 122*
Hedi *p 122*
Hedwig *p 122*
Hedwiga *p 122*
Hedy *p 122*
Heidi *p 12*
Heincke *p 180*
Heinmann *p 180*
Heino *p 180*
Heinrich *p 180*
Heinz *p 180*
Hela *p 317*
Helaine *p 179*
Helen *p 179*
Hélène *p 179*
Helenia *p 179*
Helenius *p 179*
Helga *p 269*
Helge *p 269*
Helgo *p 269*
Helier *p 184*
Helko *p 169*
Hella *p 269*
Helle *p 182*
Hellmuth *p 182*
Helm *p 182*
Helmi *p 182*
Helmke *p 182*
Helmo *p 182*
Helmoed *p 182*
Helmut *p 182*
Helmuts *p 182*
Heloise *p 228*
Hemmo *p 182*
Hend *p 315*
Henderkien *p 180*
Hendrick *p 180*
Hendricus *p 180*
Hendrijke *p 180*
Hendrina *p 180*
Heneg *p 175*
Henke *p 180*
Henne *p 204*
Henneke *p 204*
Hennih *p 180*
Henno *p 180*
Henri *p 180*
Henrietta *p 180*
Henriette *p 180*
Henrik *p 180*
Henrika *p 180*
Henry *p 180*
Henschel *p 180*
Henschel *p 204*
Heodez *p 175*
Herbert *p 181*
Hercule *p 182*
Herkules *p 182*
Herm *p 182*
Herma *p 183*
Hermake *p 182*
Herman *p 182*
Hermance *p 182*
Hermanis *p 182*
Hermann *p 182*
Hermanna *p 182*
Hermanne *p 182*
Hermel *p 182*
Hermelin *p 45*
Hermeline *p 45*
Hermen *p 182*
Hermien *p 183*
Hermienne *p 183*
Hermine *p 183*
Herminie *p 183*
Herminius *p 182*
Hermjke *p 182*
Hernando *p 143*
Hérold *p 178*
Heroldo *p 178*
Herrmann *p 182*
Hervé *p 183*
Hervea *p 183*
Herveig *p 183*
Herveline *p 183*
Herveva *p 183*
Hervey *p 183*
Hervie *p 183*
Herz *p 85*
Hester *p 133*
Hesther *p 133*
Hetti *p 122*
Hettie *p 180*
Hetty *p 180*
Hetze *p 182*
Hetzel *p 182*
Hiacinth *p 190*
Hieronymus *p 207*
Hilaire *p 184*
Hilar *p 184*
Hilaria *p 184*
Hilarie *p 184*
Hilario *p 184*
Hilarion *p 184*
Hilarius *p 184*
Hilary *p 184*
Hilchen *p 179*
Hild *p 185*
Hilda *p 185*
Hilde *p 185*
Hildebrand *p 83*
Hildegarde *p 185*
Hildegonde *p 185*
Hildie *p 185*
Hillary *p 184*
Hillery *p 184*
Hinderik *p 180*
Hinnerk *p 180*
Hinrich *p 180*
Hinz *p 180*
Hippol *p 186*
Hippolyt *p 186*
Hippolyte *p 186*
Hiroko *p 286*
Hitoshi *p 286*
Hobard *p 188*
Hoege *p 189*
Hoela *p 175*
Hoibeard *p 188*
Homa *p 317*
Homayra *p 315*
Honor *p 186*
Honorat *p 186*
Honoratus *p 186*
Honore *p 186*
Honorine *p 186*
Honorius *p 186*
Horace *p 187*
Horatio *p 187*
Horatius *p 187*
Horats *p 187*
Hormoz *p 317*
Hortense *p 187*
Hortensia *p 187*
Hortenz *p 187*
Horz *p 187*
Hosay *p 317*
Hrolf *p 295*
Hube *p 188*
Hubert *p 188*
Huberta *p 188*
Huberte *p 188*
Hubertine *p 188*
Huberto *p 188*
Hubertus *p 188*
Huey *p 189*
Hugh *p 140*
Hugibert *p 188*
Huglie *p 189*
Hugly *p 189*
Hugo *p 188*
Hugolin *p 189*
Hugoline *p 189*
Hugolino *p 189*
Hugorick *p 189*
Hugues *p 189*
Huibert *p 188*
Huige *p 189*
Huik *p 189*
Hukko *p 188*
Humbert *p 189*
Huppel *p 188*
Huprecht *p 188*
Hyacinthe *p 190*
Hylda *p 185*
Hyronimus *p 207*
Hänsel *p 204*

I

Iacovo *p 201*
Iago *p 201*
Iaian *p 204*
Iakov *p 201*
Iakovkha *p 201*
Ian *p 204*
Ianka *p 240*
Iaroslav *p 237*
Iban *p 204*
Ibn-Roshd *p 316*
Ibn-Sina *p 316*

Ibolya *p 338*
Ibrahim *p 315*
Ichiko *p 286*
Ichiro *p 286*
Ida *p 193*
Idchen *p 193*
Iddo *p 192*
Ide *p 193*
Idzi *p 164*
Ieronim *p 207*
Ieva *p 137*
Iftah *p 192*
Ignace *p 193*
Ignacio *p 193*
Ignatia *p 193*
Ignatus *p 193*
Ignatz *p 193*
Ignaz *p 193*
Ignazio *p 193*
Igor *p 194*
Igor, Egor *p 237*
Igora *p 194*
Iiveta *p 176*
Ike *p 198*
Iken *p 193*
Ikey *p 198*
Ikie *p 198*
Ilari *p 184*
Ilaria *p 184*
Ilarione *p 184*
Ilariouchka *p 184*
Ilarka *p 184*
Ileana *p 179*
Ilga *p 269*
Ilian *p 164*
Illa *p 284*
Ilonka *p 179*
Ilsabe *p 124*
Ilse *p 125*
Ilsebey *p 124*
Ilya *p 237*
Iman *p 315*
Imela *p 197*
Immanuel *p 129*
Indira *p 351*
Indrani *p 353*
Inès *p 194*
Ingamar *p 195*
Ingemar *p 195*
Inger *p 195*
Ingerid *p 195*
Ingmar *p 195*
Ingri *p 195*
Ingrid *p 195*
Ingrida *p 195*
Ingvarr *p 194*
Ingver *p 194*
Ingwar *p 194*
Innocent *p 196*
Innocente *p 196*
Innocenzo *p 196*
Innokenti *p 237*
Inoulia *p 157*
Iola *p 345*
Iolana *p 345*
Iolanda *p 345*
Iolande *p 345*
Iolanthe *p 345*
Iole *p 345*
Iolende *p 345*
Iolente *p 345*
Iosep *p 210*
Iossif *p 237*
Iouri *p 237*
Ippolita *p 186*
Ippolito *p 186*
Ira *p 196*
Iren *p 196*
Irena *p 196*
Irenaeus *p 196*
Irenca *p 196*
Irène *p 196*
Irénée *p 196*
Ireneo *p 196*
Irenion *p 196*
Irina *p 196*
Irinei *p 196*
Iris *p 197*
Irma *p 197*
Irmchen *p 198*
Irme *p 197*
Irmela *p 197*
Irmeline *p 197*
Irmine *p 197*
Irmo *p 197*
Irmouchka *p 197*
Irounia *p 196*
Irvin *p 132*
Irvina *p 132*
Irving *p 132*
Irwin *p 132*
Is'haq *p 315*
Isa *p 125*
Isaac *p 198*
Isaak *p 198*
Isabeau *p 125*
Isabelle *p 125*
Isabelle *p 198*
Isacco *p 198*
Iseult *p 199*
Isidor *p 199*
Isidore *p 199*
Isidorius *p 199*
Isidoro *p 199*
Isidro *p 199*
Isma'el *p 315*
Isolda *p 199*
Isolde *p 199*
Isolde *p 199*
Isolt *p 199*
Isotta *p 199*
Issa *p 315*
Ita *p 193*
Itchen *p 193*
Itte *p 193*
Itzaq *p 198*
Iv *p 346*
Iva *p 346*
Ivain *p 346*
Ivan *p 200*
Ivanka *p 204*
Ivanne *p 204*
Ivar *p 346*
Ivassik *p 204*
Ivern *p 176*
Ivetta *p 346*
Ivo *p 346*
Ivona *p 346*
Ivonne *p 346*
Ivonou *p 346*
Iwo *p 346*
Iyyad *p 315*
Izak *p 198*
Izild *p 199*
Izolda *p 199*
Izzy *p 199*

J

Jaap *p 201*
Jaber *p 315*
Jachimo *p 201*
Jacinte *p 200*
Jacinthe *p 190*
Jack *p 201*
Jackaleen *p 201*
Jackalène *p 201*
Jackalyn *p 201*
Jackie *p 201*
Jacmeta *p 176*
Jacob *p 201*
Jacobin *p 201*
Jacobine *p 201*
Jacobo *p 201*
Jacobus *p 201*
Jacolyn *p 201*
Jacomus *p 201*
Jacot *p 201*
Jacotte *p 201*
Jacqueline *p 201*
Jacquelyn *p 201*
Jacques *p 201*
Jacquette *p 201*
Jacquine *p 201*
Jacquot *p 201*
Jacquotte *p 201*
Jacynth *p 190*
Jadwiga *p 122*
Jago *p 201*
Jahed *p 315*
Jaime *p 201*
Jaine *p 204*
Jakez *p 201*
Jakeza *p 175*
Jakkie *p 201*
Jakob *p 201*
Jakobus *p 201*
Jakoos *p 201*
Jakou *p 201*
Jalal-ad-Din *p 316*
Jamal-ad-Din *p 316*
James *p 201*
Jamesa *p 201*
Jamie *p 201*
Jamil *p 115*
Jamil *p 315*
Jamila *p 115*
Jamila *p 315*
Jampel *p 331*
Jampeyang *p 331*
Jamshid *p 317*
Jamyang *p 331*
Janaki *p 352*
Jane *p 204*
Janet *p 204*
Janetta *p 204*
Janina *p 204*
Janine *p 204*
Janis *p 204*
Janka *p 204*
Janna *p 204*
Janneken *p 204*
Janney *p 204*
Jannice *p 204*
Janning *p 204*
Janos *p 204*
Jantinus *p 204*
Janyce *p 204*
Jarl *p 93*
Jash *p 315*
Jasmin *p 203*
Jasmina *p 203*
Jasmine *p 203*
Jasper *p 152*
Jaubert *p 154*
Javier *p 344*
Jayanti *p 353*
Jayme *p 201*
Jayne *p 204*
Jean *p 204*
Jeanette *p 204*
Jeanie *p 204*
Jeanine *p 204*
Jeanna *p 204*
Jeanne *p 204*
Jeannette *p 204*
Jeannie *p 204*
Jeannine *p 204*
Jef *p 210*
Jeffe *p 156*
Jefferey *p 156*
Jeffrey *p 156*
Jefie *p 156*
Jehan *p 204*
Jehanne *p 204*
Jeke *p 210*

Jem p 201
Jeng p 204
Jengen p 204
Jennegien p 204
Jenneke p 204
Jenny p 204
Jens p 204
Jent p 204
Jeppe p 201
Jeremicas p 207
Jérémie p 207
Jérémy p 207
Jerina p 169
Jerk p 131
Jermen p 161
Jérôme p 207
Jeromia p 207
Jeromin p 207
Jeronim p 207
Jeronima p 207
Jeronimo p 207
Jeronimus p 207
Jerry p 158
Jerry p 207
Jerta p 159
Jessalyn p 208
Jessamine p 203
Jessamyn p 203
Jesse p 208
Jessica p 208
Jessie p 208
Jessy p 208
Jesus 208
Jezekela p 175
Jilez p 164
Jill p 213
Jillian p 213
Jim p 201
Jimmy p 201
Jiro p 286
Jo p 210
Joachim p 209
Joakima p 209
Joakje p 201
Joan p 204
Joanina p 204
Joanne p 204
Joao p 204
Joap p 210
Joaquim p 209
Joaquina p 209
Joceline p 212
Jocelyn p 212
Jocelyne p 212
Jochem p 209
Jochen p 209
Jochim p 209
Jock p 204
Jodelle p 176
Jody p 212
Joe p 210
Joela p 209
Joen p 204
Joes p 204
Joette p 210
Joey p 210
Joggi p 201
Johan p 204
Johann p 204
Johanna p 204
Johanne p 204
Johannes p 204
John p 204
John, Johnny p 210
Johnny p 204
Johny p 204
Jolanda p 345
Jolande p 345
Jolanthe p 345
Jolenta p 345
Jon p 204
Jonet p 204
Joop p 204
Joos p 210
Jorge p 157
Jorick p 157
Jorina p 169
Joris p 157
Joris p 169
Joscelyne p 212
Jose p 210
Josee p 210
Josef p 210
Josefina p 210
Joseph p 210
Josepha p 210
Josephe p 210
Josephine p 210
Josephus p 210
Josette p 210
Josiane p 210
Josie p 210
Josselin p 212
Josseline p 212
Jossie p 210
Josué p 208
Joti p 353
Joubert p 154
Jouberte p 154
Jovanka p 204
Joysef p 210
Joysiane p 210
Jozie p 210
Jozina p 210
Joël p 209
Joëlle p 209
Juana p 204
Juanita p 204
Juchem p 209
Jud p 212
Judd p 212
Jude p 212
Judette p 212
Judie p 212
Judinta p 212
Judith p 212
Juditha p 212
Judy p 212
Juhans p 204
Julchen p 213
Jules p 213
Juli p 213
Julia p 213
Julia, Julie, Juliette p 214 215
Juliaantje p 213
Juliana p 213
Julie p 213
Julien p 213
Julien, Julienne p 216
Julienne p 213
Juliet p 213
Julietta p 213
Juliette p 213
Julina p 213
Juline p 213
Julio p 213
Julius p 213
Juluen p 213
June p 217
Junette p 217
Juni p 217
Junia p 217
Junie p 217
Junien p 217
Junine p 217
Junio p 217
Junius p 217
Junon p 217
Jupp p 210
Juris p 157
Jurriano p 157
Just p 217
Justa p 217
Juste p 217
Justin p 217
Justina p 217
Justine p 217
Justinien p 217
Justinienne p 217
Justino p 217
Justis p 217
Justus p 217
Jutta p 212
Juult p 213
Jyungi p 286
Jyunpei p 286
Jäckel p 201
Jäggi p 201
Jöns p 204
Jörg p 157
Jörn p 157
Jürg p 157
Jurgen p 157

K

Kablan p 58
Kadio p 58
Kajetan p 152
Kakou p 58
Kalanidhi p 353
Kalleke p 89
Kaltana p 353
Kalyani p 352
Kamala p 353
Kamilka p 86
Kanaka p 353
Kanaki p 353
Kanga p 58
Kaou p 105
Kaourentin p 105
Kapp p 152
Karda p 294
Karel p 93
Karen p 87
Karim p 315
Karima p 315
Karin p 87
Karin p 220
Karina p 87
Karine p 87
Karl p 93
Karl p 87
Karlota p 93
Karlouchka p 93
Karsten p 96
Kasimir p 89
Kasmira p 89
Kaspar p 152
Kasper p 152
Kasturbaï p 352
Katalin p 89
Katarina p 89
Katayoun p 317
Kate p 89
Katell p 175
Kathleen p 89
Kathlene p 89
Katia p 89
Katia p 220
Katinka p 89
Katiouchka p 89
Katje p 89
Katrina p 89
Katsutoshi p 286
Katy p 89
Katy p 220
Kawa p 317
Kawtara p 317
Kaya p 317
Kaykavous p 317
Kecha p 92
Keet p 89
Keiko p 286
Kemal p 317
Keno p 103

Kerst *p 96*
Kerstin *p 96*
Kesari *p 92*
Keshavan *p 352*
Kester *p 98*
Ketty *p 89*
Keube *p 201*
Kevin *p 176*
Khadija *p 314*
Khaled *p 315*
Khaïm *p 220*
Khoma *p 323*
Khosro *p 317*
Khristocha *p 96*
Kirsten *p 96*
Kit *p 97*
Klaar *p 99*
Klaasina *p 264*
Klara *p 99*
Klasie *p 264*
Klaudia *p 99*
Klavdei *p 99*
Klavdia *p 99*
Kleber *p 221*
Klebert *p 221*
Kleberte *p 221*
Kleiske *p 264*
Klemens *p 101*
Klimka *p 101*
Klothilde *p 101*
Koeeb *p 201*
Koeraad *p 103*
Koert *p 103*
Koertsje *p 103*
Kofi *p 59*
Kohn *p 103*
Kolaig *p 264*
Kondrati *p 237*
Konogan *p 175*
Konstantin *p 237*
Konstantsia *p 104*
Kord *p 103*
Koro *p 58*
Kouame *p 58*
Kouassi *p 58*
Koudabe *p 317*
Kouig *p 201*
Koulmez *p 175*
Krishna *p 352*
Kristen *p 85*
Kristian *p 96*
Kristiane *p 96*
Kristina *p 96*
Kristine *p 96*
Kristof *p 98*
Kristofer *p 98*
Kristofor *p 98*
Ksenia *p 237*
Kunjunni *p 352*
Kuno *p 103*
Kunz *p 103*
Kurt *p 103*
Kurt *p 221*
Kutrun *p 169*
Kyrill *p 107*
Käsper *p 152*
Käthe *p 89*
Köb *p 201*
Köbes *p 201*

L

Labhaoise *p 228*
Labhras *p 224*
Labhruinn *p 224*
Ladewig *p 228*
Laetitia *p 222*
Laetoria *p 222*
Laetus *p 222*
Lajos *p 228*
Lajpat *p 351*
Lakshmi *p 353*
Lalensia *p 332*
Lalitha *p 353*
Lallie *p 135*
Lalou *p 222*
Lamb *p 222*
Lambe *p 222*
Lamberto *p 222*
Lambertus *p 222*
Lambrecht *p 222*
Lamme *p 222*
Lampe *p 222*
Lamprecht *p 222*
Lamya *p 315*
Lana *p 179*
Lancelot *p 176*
Landbert *p 222*
Lando *p 222*
Lanz *p 222*
Lanza *p 222*
Lanzo *p 222*
Lariocha *p 184*
Larrance *p 224*
Larry *p 224*
Lars *p 224*
Latha *p 353*
Laura *p 224*
Laure *p 223*
Laureano *p 224*
Lauréat *p 224*
Laureen *p 224*
Laurel *p 224*
Laurena *p 224*
Laurence *p 223*
Laurens *p 224*
Laurent *p 224*
Laurentin *p 224*
Laurentine *p 224*
Laurenz *p 224*
Laurette *p 224*
Lauretto *p 2324*
Lauriane *p 224*
Lauridas *p 224*
Laurie *p 224*
Lauritz *p 224*
Laux *p 232*
Lavr *p 224*
Lavra *p 224*
Lavrenti *p 224*
Lavria *p 224*
Lawrance *p 224*
Lawrence *p 224*
Lawry *p 224*
Layla *p 315*
Léa *p 225*
Léa *p 225*
Leah *p 225*
Leao *p 225*
Leberecht *p 85*
Lebold *p 227*
Leent *p 226*
Leentie *p 179*
Leetice *p 222*
Lehar *p 226*
Lehrd *p 226*
Leibold *p 227*
Leif *p 83*
Leila *p 315*
Leindel *p 226*
Leinhard *p 226*
Lelia *p 124*
Lelia *p 177*
Len *p 226*
Lena *p 179*
Lenaic *p 179*
Lenchen *p 179*
Lendel *p 226*
Leni *p 179*
Lennard *p 226*
Lennart *p 226*
Léo *p 225*
Leodebald *p 227*
Léon *p 225*
Léonard *p 226*
Leonarda *p 226*
Léonarde *p 226*
Leonardo *p 226*
Léonce *p 225*
Léone *p 225*
Léonel *p 228*
Leonello *p 228*
Léonerd *p 226*
Léonhard *p 226*
Léonharde *p 226*
Leonia *p 225*
Leonila *p 225*
Leonilla *p 225*
Leonille *p 225*
Leonilo *p 228*
Leonina *p 225*
Léonine *p 225*
Léonne *p 225*
Léonora *p 123*
Léonore *p 123*
Léonore *p 226*
Léons *p 225*
Léontin *p 225*
Léontine *p 225*
Léontyne *p 225*
Léopold *p 227*
Leopolda *p 227*
Léopoldine *p 227*
Leopoldino *p 227*
Leopoldo *p 227*
Leora *p 123*
Léore *p 123*
Leppe *p 227*
Lernet *p 226*
Leta *p 222*
Leticia *p 222*
Letitia *p 222*
Letizia *p 222*
Leto *p 222*
Letta *p 338*
Lettice *p 222*
Lettie *p 222*
Letty *p 222*
Leu *p 231*
Leupold *p 227*
Lev *p 225*
Levenez *p 175*
Levounia *p 225*
Lew *p 228*
Lewerentz *p 224*
Lewie *p 228*
Lewis *p 228*
Li *p 260*
Li Eai-Bo *p 260*
Lia *p 135*
Lia *p 225*
Liah *p 225*
Libby *p 125*
Lidia *p 237*
Lie *p 222*
Liede *p 222*
Lienard *p 226*
Lienet *p 226*
Liengen *p 179*
Lienor *p 123*
Liert *p 226*
Liev *p 237*
Lila *p 353*
Liliane *p 227*
Lilita *p 93*
Lillah *p 125*
Lillibet *p 125*
Linchen *p 93*
Linda *p 83*
Line *p 227*
Lini *p 93*
Linnel *p 228*
Linnert *p 226*
Lionardo *p 226*
Lionel *p 228*
Lionello *p 229*

Lionnel p 228
Lionnella p 228
Lionnello p 228
Lipa p 280
Lipp p 280
Lipperle p 280
Lippo p 280
Lippus p 280
Lips p 280
Lisbeth p 125
Lise p 125
Lise p 227
Liselotte p 125
Lison p 125
Lissounia p 125
Liusadh p 228
Liutbald p 227
Lluis p 228
Lobo p 231
Lobzang Tsulthrim p 331
Lodewijk p 228
Lodi p 126
Lodie p 126
Lodovico p 228
Loeiz p 175
Loeiza p 228
Loic p 228
Loig p 228
Lois p 228
Loise p 228
Lola p 116
Lola p 93
Lola, Lolita p 228
Loletta p 93
Lolita p 116
Lonni p 225
Looi p 228
Lope p 231
Lora p 123
Lore p 123
Loren p 224
Lorentz p 224
Lorenza p 224
Lorenzo p 224
Lori p 224
Lorin p 224
Lorinda p 224
Loritta p 224
Lorna p 224
Lorrie p 224
Lortz p 224
Lotta p 93
Lotte p 93
Lottie p 93
Lotz p 228
Lou p 228
Louie p 228
Louis p 228
Louisa p 228
Louise p 228
Louise, Louisette, Louison p 230 et 231
Louisette p 228
Louison p 228
Louka p 232
Loukama p 232
Louki p 232
Loukia p 232
Loukina p 232
Loukretsia p 233
Loup p 231
Loutsi p 232
Loutsian p 232
Louve p 231
Louwine p 224
Louwra p 224
Lovell p 231
Lowell p 231
Lowik p 228
Lozoic p 228
Lu p 228
Lua p 231
Luc p 232
Luca p 232
Lucas p 232
Luce p 232
Lucetta p 232
Lucette p 232
Lucia p 232
Lucian p 232
Luciana p 232
Lucide p 232
Lucie p 232
Lucien p 232
Lucienne p 232
Lucija p 232
Lucile p 232
Lucille p 232
Lucillien p 232
Lucinda p 232
Lucinde p 232
Lucinien p 232
Lucio p 232
Luciole p 232
Lucius p 232
Luck p 232
Lucrèce p 233
Lucrecia p 233
Lucrecio p 233
Lucretia p 233
Lucrezia p 233
Lucrezio p 233
Lucy p 232
Lucyna p 232
Ludel p 228
Ludivine p 176
Ludmila p 234
Ludmilla p 234
Ludmille p 234
Ludovic p 228
Ludovic p 234
Ludovico p 228
Ludovicus p 228
Ludoviko p 228
Ludovique p 228
Ludvig p 228
Ludvik p 228
Ludwig p 228
Ludwiga p 228
Lugaidh p 228
Luigi p 228
Luigia p 228
Luigina p 228
Luis p 228
Luisa p 228
Luisita p 228
Luisito p 228
Luitpold p 227
Luiz p 228
Lukas p 232
Luke p 232
Lukretia p 233
Lulu p 228
Lupo p 231
Lupold p 227
Lustine p 85
Lutbald p 227
Lutgarde p 235
Luthais p 228
Lutzele p 232
Lux p 232
Luz p 232
Luzei p 232
Luzia p 232
Lysje p 125
Löhr p 224
Löns p 224
Lützel p 232
Lüwisi p 228

M

Maai p 243
Maaia p 243
Maan p 129
Maartina p 247
Maas p 323
Macey p 323
Machtild p 249
Maciej p 250
Mada p 238
Madalen p 238
Madalena p 238
Maddalena p 238
Maddie p 238
Maddy p 238
Made p 238
Madel p 238
Madelaine p 238
Madeleine p 238
Madelin p 238
Madeline p 238
Madella p 238
Madelle p 238
Madelon p 238
Mades p 250
Madge p 242
Madhavi p 353
Madlen p 238
Madlin p 238
Mado p 238
Mae p 243
Maei p 243
Maelig p 175
Mafalda p 249
Mag p 242
Magali p 239
Magda p 238
Magdala p 238
Magdalen p 238
Magdalena p 238
Magdalène p 238
Magdelaine p 238
Magdelène p 238
Magel p 238
Maggeline p 238
Maggi p 242
Maggie p 242
Maggy p 238
Magl p 238
Magteld p 249
Maguelone p 242
Mahaud p 249
Mahault p 249
Mahaut p 249
Mahmoud p 314
Maidie p 242
Maighdlin p 238
Mair p 243
Mairead p 242
Mairghread p 242
Maisie p 242
Maitilde p 249
Maitreyi p 351
Maja p 243
Maka p 242
Makoto p 286
Maksim p 252
Maksima p 252
Maksis p 252
Mala p 238
Malania p 253
Malavika p 353
Malcolm p 239
Malcolmina p 239
Malcomle p 239
Malek p 315
Maleka p 315
Malena p 238
Malina p 238
Mall p 243
Mallika p 353
Mally p 243
Mammaadt p 318
Manda p 29
Mandel p 129

Mandy p 29
Manes p 182
Manfred p 83
Mania p 131
Mania p 297
Manioussa p 243
Mannuella p 131
Mannus p 182
Mano p 129
Manoel p 129
Manolete p 129
Manolita p 131
Manolo p 129
Manon p 243
Manouchka p 131
Mansour p 315
Manu p 129
Manuel p 129
Manuel p 240
Manuela p 131
Manuelita p 131
Manuelle p 240
Manus p 297
Maodez p 1[illegible]5
Mara p 243
Mara p 246
Marc p 240
Marcal p 176
Marceau p 240
Marcel p 240
Marcel p 241
Marceli p 240
Marcelia p 240
Marcelin p 240
Marcella p 240
Marcelle p 241
Marcellin p 240
Marcellina p 240
Marcelline p 240
Marcellino p 240
Marcello p 240
Marcellus p 240
Marchetto p 240
Marchitta p 240
Marcia p 240
Marciana p 240
Marciano p 240
Marcie p 240
Marcien p 240
Marcienne p 240
Marcile p 240
Marcille p 240
Marcin p 246
Marcio p 240
Marcion p 240
Marcionille p 240
Marcius p 240
Marck p 240
Marco p 240
Marcos p 240
Marcus p 240
Marcy p 240
Marei p 243
Mareïa p 243
Marfa p 246
Marfenia p 246
Marfoucha p 246
Marga p 242
Margalo p 242
Margaret p 242
Margareta p 242
Margaretha p 242
Margarethe p 242
Margaretta p 242
Margarette p 242
Margaretus p 242
Margarita p 242
Margaritka p 242
Marge p 242
Margerie p 242
Margery p 242
Marget p 242
Margette p 242
Margie p 242
Margit p 242
Margo p 242
Margory p 242
Margotton p 242
Margouchka p 242
Margrethus p 242
Margrieta p 242
Margrit p 242
Marguerie p 242
Marguerita p 242
Marguerite p 242
Marharid p 242
Marhaïd p 242
Mari p 243
Mari p 286
Maria p 243
Mariabou p 56
Mariam p 243
Marian p 243
Mariana p 243
Mariane p 243
Marianka p 243
Marianna p 243
Marianne p 243
Mariano p 243
Maric p 298
Marica p 243
Marichka p 243
Marie p 243
Mariedel p 244
Marieke p 244
Mariella p 244
Marielle p 244
Marien p 243
Marietta p 244
Mariette p 244
Marig p 244
Marija p 244
Marin p 245
Marina p 245
Marine p 245
Marinella p 244
Marinette p 244
Marinette p 245
Marini p 245
Mariola p 244
Marion p 245
Mariouchka p 244
Mariquita p 244
Marisa p 244
Marise p 244
Marita p 244
Marius p 245
Marjan p 243
Marjelle p 244
Marjorie p 242
Marjory p 242
Mark p 240
Marke p 240
Markei p 240
Markel p 240
Markell p 240
Markelline p 240
Markian p 240
Marko p 240
Markoussia p 240
Marks p 240
Markus p 240
Marleen p 238
Marlen p 236
Marlène p 238
Marline p 238
Maroussia p 244
Marquita p 240
Mars p 247
Marsal p 247
Marselis p 240
Marsina p 240
Mart p 246
Mart p 247
Martainu p 247
Martel p 247
Martella p 246
Martha p 246
Marthe p 246
Marti p 246
Martial p 247
Martialis p 247
Martiane p 247
Martie p 246
Martie p 247
Martieh p 247
Martijn p 247
Martin p 247
Martina p 247
Martine p 247
Martinian p 247
Martiniana p 247
Martiniano p 247
Martinianus p 247
Martinien p 247
Martinienne p 247
Martino p 247
Martinus p 247
Martita p 246
Martl p 247
Marton p 247
Martsen p 247
Marty p 247
Maruja p 244
Maruska p 244
Marx p 240
Maryam p 315
Marylène p 238
Marylin p 248
Maryse p 244
Maryvonne p 248
Marzel p 240
Marzel p 244
Marzell p 240
Marzella p 240
Marzelline p 240
Marziale p 247
Masahito p 286
Masako p 286
Masetto p 323
Maso p 323
Massey p 323
Massia p 240
Massimiliana p 252
Massimiliano p 252
Mat p 246
Mata p 250
Matelda p 249
Mateo p 250
Mateusz p 250
Matfrei p 250
Mathias p 250
Mathida p 249
Mathijs p 250
Mathilde p 250
Mathilde p 249
Mathis p 250
Matiaz p 250
Matilda p 249
Matilde p 249
Matrich p 253
Matt p 250
Mattalus p 250
Matten p 247
Matteo p 250
Mattew p 250
Matthaeus p 250
Matthew p 250
Matthias p 249
Matthieu p 250
Matthäus p 250
Matti p 250
Mattias p 250
Mattie p 246
Mattis p 249
Matty p 246

Matvei *p 250*
Matyas *p 250*
Maud *p 238*
Maur *p 251*
Maura *p 251*
Maureen *p 244*
Maurelius *p 251*
Maurice *p 251*
Mauricette *p 251*
Mauricia *p 251*
Mauricio *p 251*
Maurie *p 251*
Maurilia *p 251*
Maurin *p 251*
Maurita *p 251*
Maurits *p 251*
Maurizia *p 251*
Maurizio *p 251*
Mauro *p 251*
Maurus *p 251*
Maury *p 251*
Mavr *p 251*
Mavra *p 251*
Mavriki *p 251*
Max *p 252*
Maxie *p 252*
Maxim *p 252*
Maxima *p 252*
Maxime *p 252*
Maximilian *p 252*
Maximiliana *p 252*
Maximiliano *p 252*
Maximilianus *p 252*
Maximilien *p 253*
Maximilienne *p 252*
Maximille *p 252*
Maximin *p 252*
Maximino *p 252*
Maximo *p 252*
Maximus *p 252*
May *p 244*
Maya *p 244*
Maymonna *p 315*
Maze *p 250*
Mazhe *p 175*
Maël *p 239*
Maëla *p 239*
Maëlan *p 239*
Maëlennig *p 239*
Maëlezig *p 239*
Maëlig *p 239*
Maëliss *p 239*
Maïlys *p 239*
Maïte *p 239*
Maÿliss *p 239*
Mechte *p 249*
Mechtelt *p 249*
Mechtild *p 249*
Meckele *p 249*
Mectilde *p 249*
Mede *p 253*
Mederic *p 253*
Medrich *p 253*
Meg *p 242*
Megtilda *p 249*
Meins *p 182*
Mektilde *p 249*
Mel *p 128*
Mel *p 253*
Melaine *p 253*
Melania *p 253*
Melanie *p 253*
Melanija *p 253*
Melanio *p 253*
Melanius *p 253*
Melany *p 253*
Melas *p 253*
Melia *p 128*
Melicent *p 254*
Melina *p 253*
Meliocha *p 128*
Melisande *p 254*
Melisenda *p 254*
Mellicent *p 254*
Mellie *p 253*
Melloney *p 253*
Mellony *p 253*
Melltje *p 253*
Melo *p 236*
Mélusine *p 254*
Menahem *p 192*
Menchen *p 192*
Mendel *p 129*
Mendel *p 192*
Menije *p 317*
Menke *p 192*
Menzel *p 182*
Mercedès *p 254*
Merriel *p 259*
Merry *p 253*
Mertens *p 247*
Meta *p 242*
Metine *p 317*
Mettelde *p 249*
Mettild *p 249*
Metze *p 249*
Meurig *p 251*
Meurisse *p 251*
Mia *p 244*
Micaela *p 255*
Micarla *p 255*
Michaela *p 255*
Michaelina *p 255*
Michal *p 255*
Michaël *p 255*
Michaëlla *p 255*
Michee *p 255*
Micheil *p 255*
Michel *p 255*
Michela *p 255*
Michèle *p 255*
Micheline *p 255*
Michelle *p 255*
Michiko *p 286*
Michou *p 255*
Michouka *p 255*
Michoulia *p 255*
Mickaël *p 255*
Micke *p 255*
Mickey *p 255*
Midori *p 286*
Miek *p 291*
Miempie *p 244*
Migeli *p 128*
Migueka *p 255*
Miguel *p 255*
Miguela *p 255*
Miguelita *p 255*
Mihaly *p 255*
Mika *p 258*
Mikahilina *p 255*
Mikal *p 255*
Mikaly *p 255*
Mikattilina *p 255*
Mike *p 255*
Mikkiel *p 255*
Mikko *p 255*
Miklos *p 255*
Mikosch *p 255*
Mikus *p 255*
Mil *p 128*
Mil *p 254*
Mila *p 234*
Mildred *p 93*
Milena *p 234*
Milène *p 257*
Milia *p 128*
Milina *p 234*
Militza *p 234*
Millian *p 128*
Millicent *p 254*
Millie *p 86*
Millie *p 254*
Millisent *p 254*
Milly *p 32*
Milly *p 254*
Milly *p 128*
Milou *p 128*
Minella *p 170*
Mingo *p 116*
Mini *p 116*
Minkes *p 116*
Minnie *p 244*
Miquela *p 176*
Mira *p 170*
Mireille *p 257*
Mireio *p 257*
Mirella *p 257*
Mireya *p 257*
Mirganez *p 259*
Miriam *p 244*
Miriella *p 257*
Mirtel *p 247*
Mirzel *p 244*
Misha *p 255*
Mitchel *p 255*
Mitzi *p 244*
Miureall *p 244*
Modest *p 237*
Modrek *p 315*
Moe *p 258*
Mog *p 242*
Mohammad *p 314*
Mohandas *p 351*
Moises *p 258*
Mokhtar *p 314*
Moll *p 244*
Molly *p 244*
Mona *p 258*
Monca *p 258*
Mondher *p 315*
Mone *p 258*
Moni *p 258*
Monica *p 258*
Monico *p 258*
Monika *p 258*
Monique *p 258*
More *p 251*
Morell *p 251*
Morgain *p 259*
Morgaine *p 259*
Morgan *p 259*
Morgana *p 259*
Morgane *p 259*
Morganenn *p 259*
Moric *p 251*
Moris *p 251*
Moritz *p 251*
Morrell *p 251*
Morrigaine *p 259*
Morrigane *p 259*
Morris *p 251*
Morvan *p 175*
Morvane *p 175*
Mose *p 258*
Moses *p 258*
Moshe *p 258*
Mosie *p 258*
Moss *p 258*
Mostafa *p 314*
Moussa *p 315*
Moyra *p 244*
Mozes *p 258*
Moïra *p 244*
Moïse *p 258*
Mrinalini *p 353*
Mstislav *p 237*
Muire *p 244*
Muireall *p 259*
Muirgen *p 259*
Muirgheal *p 259*
Murial *p 259*
Muriel *p 259*
Murielle *p 259*
Myra *p 244*
Myriam *p 244*

Mädeli *p 238*
Mädi *p 238*
Mädli *p 238*
Märget *p 242*
Märtel *p 247*
Märten *p 247*
Märti *p 247*
Miñg. Häö *p 260*
Mündel *p 308*

N

Nacha *p 262*
Nada *p 261*
Nadège *p 261*
Nadejda *p 261*
Nadeschda *p 261*
Nadette *p 69*
Nadia *p 261*
Nadina *p 261*
Nadine *p 69*
Nadine *p 261*
Nadiona *p 261*
Nadioucha *p 261*
Nadiouna *p 261*
Nadioussa *p 261*
Nadja *p 261*
Naemi *p 266*
Naemia *p 266*
Nahid *p 317*
Najib *p 315*
Najiba *p 315*
Najm-al-Din *p 316*
Naldo *p 292*
Namer *p 315*
Nancy *p 37*
Nanette *p 37*
Nanette *p 204*
Naomi *p 266*
Narayana *p 352*
Narcisse *p 261*
Nargess *p 317*
Nasrine *p 317*
Nata *p 292*
Natacha *p 262*
Natal *p 262*
Natala *p 262*
Natalène *p 262*
Natalia *p 262*
Natalicio *p 262*
Natalie *p 262*
Nataline *p 262*
Natalio *p 262*
Natalis *p 262*
Nathalie *p 262*
Nathanaël *p 263*
Natolia *p 33*
Natoulia *p 262*
Nattie *p 262*
Natz *p 293*
Nawfal *p 315*
Nazerl *p 193*
Nazim *p 317*
Nicolasa *p 264*
Ned *p 121*
Nedeleg *p 175*
Nedim *p 317*
Nehemiah *p 266*
Nehemie *p 266*
Nelig *p 262*
Nellchen *p 179*
Nellette *p 179*
Nelliana *p 179*
Nelly *p 263*
Nerès *p 287*
Nestor *p 263*
Nestora *p 263*
Netta *p 180*
Netta *p 204*
Nettie *p 180*
Nezar *p 315*
Ngawang Chöstso *p 331*
Ngawang Dragpa *p 331*
Ngawang Sangmo *p 331*
Niccolo *p 264*
Nichol *p 264*
Nichola *p 264*
Nicholas *p 264*
Nick *p 264*
Nickie *p 264*
Nicky *p 264*
Niclaus *p 264*
Nicol *p 264*
Nicola *p 264*
Nicolaas *p 264*
Nicolas *p 264*
Nicolau *p 264*
Nicolaï *p 264*
Nicole *p 264*
Nicoletta *p 264*
Nicolette *p 264*
Nicoli *p 264*
Nicolin *p 264*
Nicolina *p 264*
Nicoline *p 264*
Nicolo *p 264*
Nicou *p 264*
Nik *p 264*
Nika *p 116*
Nikita *p 237*
Nikki *p 264*
Niklas *p 264*
Niklaus *p 264*
Niklavs *p 264*
Nikol *p 264*
Nikolajs *p 264*
Nikolaz *p 264*
Nikolaï *p 264*
Nikolia *p 264*
Nikoucha *p 116*
Nikoucha *p 264*
Nil-Goune *p 317*
Nilla *p 225*
Nils *p 264*
Nina *p 237*
Nine *p 89*
Ninette *p 37*
Ninon *p 37*
Ninotchka *p 237*
Nirmala *p 351*
Nise *p 112*
Nisi *p 112*
Nita *p 204*
Nitya *p 353*
Nityakalyani *p 353*
Noami *p 266*
Nocenzio *p 196*
Noé *p 265*
Noel *p 265*
Noémi *p 266*
Noémie *p 266*
Nolwenn *p 266*
Nolwennig *p 266*
Noor *p 123*
Noortje *p 123*
Nora *p 123*
Nora *p 266*
Norberis *p 266*
Norbert *p 266*
Norberta *p 266*
Norberte *p 266*
Norberto *p 266*
Norbertus *p 266*
Nordbert *p 266*
Nore *p 123*
Norina *p 123*
Nouel *p 262*
Nour *p 267*
Nour-ad-Din *p 316*
Nouriya *p 316*
Novela *p 262*
Noël *p 262*
Noëla *p 262*
Noëlle *p 262*
Noëllie *p 262*
Nuz *p 175*

O

Ocky *p 271*
Ocky *p 271*
Octaaf *p 267*
Octave *p 267*
Octavia *p 267*
Octavian *p 267*
Octaviana *p 267*
Octavie *p 267*
Octavien *p 267*
Octavienne *p 267*
Octavius *p 267*
Octavus *p 267*
Od *p 268*
Oda *p 268*
Odalric *p 326*
Odalrich *p 326*
Odde *p 268*
Oddone *p 268*
Oded *p 192*
Odel *p 268*
Odelia *p 268*
Odelin *p 268*
Odelinda *p 268*
Odeline *p 176*
Odemar *p 271*
Odet *p 268*
Odette *p 268*
Odie *p 126*
Odila *p 268*
Odilas *p 268*
Odile *p 268*
Odile *p 268*
Odilia *p 268*
Odilie *p 268*
Odille *p 268*
Odilo *p 268*
Odilon *p 268*
Odin *p 269*
Odina *p 268*
Odinette *p 268*
Odita *p 268*
Odomar *p 271*
Odon *p 268*
Odyssée *p 327*
Odysseus *p 327*
Offy *p 321*
Ogawasan *p 286*
Ogier *p 119*
Oktav *p 267*
Oktavi *p 267*
Ol *p 270*
Ola *p 269*
Ola *p 338*
Olaf *p 269*
Olaus *p 269*
Olav *p 269*
Oldrick *p 326*
Ole *p 269*
Oleg *p 269*
Olegouchka *p 269*
Olga *p 269*
Olgounia *p 269*
Olgoussia *p 269*
Olia *p 338*
Oliacha *p 269*
Olier *p 270*
Oliona *p 179*
Olioucha *p 338*
Olive *p 270*
Oliveiros *p 270*
Oliver *p 270*
Oliverio *p 270*
Oliverius *p 270*
Oliverus *p 270*
Olivette *p 270*

Olivia *p 270*
Olivier *p 270*
Ollie *p 270*
Ollier *p 270*
Ollivier *p 270*
Olmes *p 207*
Olof *p 269*
Olrik *p 326*
Oluf *p 269*
Olva *p 269*
Omar *p 315*
Ombeline *p 270*
Omer *p 271*
Ommar *p 271*
Ommo *p 271*
Omri *p 192*
Onesime *p 271*
Onimus *p 207*
Onorata *p 186*
Onorato *p 186*
Onorina *p 176*
Onorio *p 186*
Oomer *p 271*
Oomke *p 271*
Opper *p 271*
Opperli *p 271*
Oratio *p 187*
Orell *p 52*
Oretta *p 224*
Orhan *p 317*
Orlanda *p 297*
Orlando *p 297*
Orso *p 328*
Orsola *p 328*
Orson *p 328*
Oscar *p 271*
Osgar *p 271*
Oshrat *p 192*
Oskar *p 271*
Ossip *p 210*
Ossip, Iossif *p 237*
Ossy *p 271*
Ostwald *p 272*
Osvald *p 272*
Osvaldo *p 272*
Oswald *p 272*
Osweald *p 272*
Oswell *p 272*
Otello *p 268*
Otgar *p 119*
Otger *p 119*
Otha *p 268*
Othilia *p 268*
Othilio *p 268*
Othman *p 315*
Otho *p 268*
Othon *p 268*
Otker *p 119*
Otmar *p 271*
Otmund *p 120*
Ottania *p 268*
Ottavia *p 267*
Ottaviano *p 267*
Ottavio *p 267*
Ottel *p 268*
Ottelien *p 268*
Ottilie *p 268*
Ottli *p 271*
Ottmar *p 271*
Otto *p 268*
Ottokar *p 85*
Otton *p 268*
Otward *p 120*
Ouliacha *p 213*
Oulianke *p 213*
Ours *p 328*
Oursa *p 328*
Oursoula *p 328*
Ovidi *p 237*
Ozgur *p 317*
Ozzie *p 272*
Ozzy *p 272*

P

Paavo *p 276*
Pablito *p 276*
Pablo *p 276*
Pachata *p 276*
Pachouchka *p 276*
Paco *p 146*
Paddy *p 275*
Padmanabha *p 352*
Padmavati *p 353*
Padmini *p 353*
Padraig *p 275*
Padrig *p 275*
Padriguez *p 275*
Padruig *p 275*
Paitje *p 282*
Pam *p 274*
Pamela *p 274*
Pancho *p 146*
Paola *p 276*
Paoli *p 276*
Paolina *p 276*
Paolino *p 276*
Paolo *p 276*
Paquerette *p 274*
Paquita *p 147*
Parvati *p 352*
Parwin *p 317*
Pascal *p 274*
Pascale *p 274*
Pascalin *p 274*
Pascaline *p 274*
Pascalis *p 274*
Pascasia *p 274*
Pascasio *p 274*
Paschal *p 274*
Paschalis *p 274*
Paschase *p 274*
Paschasie *p 274*
Paschasius *p 274*
Pascoal *p 274*
Pascoe *p 274*
Pascual *p 274*
Pascuala *p 274*
Pasqua *p 274*
Pasquale *p 274*
Pasqualino *p 274*
Pasquot *p 274*
Pat *p 275*
Patern *p 176*
Patric *p 275*
Patrice *p 275*
Patricia *p 275*
Patricio *p 275*
Patrick *p 275*
Patrik *p 275*
Patrikei *p 275*
Patriki *p 275*
Patriz *p 275*
Patrizio *p 275*
Patsy *p 275*
Patty *p 275*
Paul *p 276*
Paula *p 276*
Paulat *p 276*
Paule *p 276*
Paulette *p 276*
Paulette, Pauline *p 279*
Paulien *p 276*
Paulienne *p 276*
Paulille *p 276*
Paulin *p 276*
Paulina *p 276*
Pauline *p 276*
Paulino *p 276*
Paulinus *p 276*
Paulita *p 276*
Paulot *p 276*
Pauls *p 276*
Pauw *p 276*
Pauwel *p 276*
Pauwels *p 276*
Pavel *p 237*
Pavla *p 276*
Pavlik *p 276*
Pavlina *p 276*
Pavline *p 276*
Pavlinka *p 276*
Pavlounia *p 276*
Pawl *p 276*
Payenda-Gol *p 317*
Peadair *p 282*
Peadar *p 282*
Pedrinka *p 282*
Pedro *p 282*
Peer *p 282*
Pegg *p 242*
Peggie *p 242*
Peggy *p 242*
Pekka *p 282*
Pelage *p 279*
Pelagia *p 279*
Pelagie *p 279*
Pelagien *p 279*
Pelagienne *p 279*
Pelagius *p 279*
Pepita *p 210*
Pepito *p 210*
Peppi *p 210*
Peppone *p 210*
Per *p 282*
Perez *p 282*
Perico *p 282*
Perig *p 282*
Pernette *p 282*
Pero *p 282*
Perrette *p 282*
Perrin *p 282*
Perrine *p 282*
Perrinette *p 282*
Peta *p 282*
Petar *p 282*
Pete *p 282*
Peter *p 282*
Peterina *p 282*
Peterus *p 282*
Petey *p 282*
Petia *p 282*
Petie *p 282*
Petoussia *p 282*
Petr *p 282*
Petra *p 282*
Petrine *p 282*
Petrinka *p 282*
Petronella *p 282*
Petronia *p 282*
Petronille *p 282*
Petronille *p 280 et 177*
Petrus *p 282*
Petrusa *p 282*
Petter *p 282*
Petz *p 282*
Phie *p 310*
Phil *p 280*
Philbert *p 280*
Philberte *p 280*
Philibert *p 280*
Philiberta *p 280*
Philiberte *p 280*
Philipe *p 280*
Philipp *p 280*
Philippa *p 280*
Philippe *p 280*
Philippine *p 280*
Philippus *p 280*
Phillie *p 280*
Philp *p 280*
Phine *p 210*
Pia *p 280*
Piat *p 280*
Piato *p 280*

Piatus *p 280*
Pie *p 280*
Pierig *p 282*
Pierke *p 282*
Piero *p 282*
Pierre *p 282*
Pierrette *p 282*
Pierrick *p 282*
Pierrot *p 282*
Piers *p 282*
Piet *p 282*
Pieter *p 282*
Pietro *p 282*
Pilib *p 280*
Pio *p 280*
Pippa *p 280*
Pippo *p 280*
Pita *p 282*
Pitrah *p 282*
Pitt *p 282*
Pius *p 280*
Plezou *p 175*
Pol *p 284*
Poldie *p 227*
Polly *p 42*
Polte *p 227*
Pompee *p 177*
Ponc *p 176*
Poulkheria *p 237*
Prabhakaran *p 352*
Praskovia *p 237*
Predena *p 175*
Prema *p 353*
Premakumari *p 353*
Prew *p 285*
Prewdence *p 285*
Pris *p 284*
Prisca *p 284*
Priscilla *p 284*
Priscillian *p 284*
Priscilliano *p 284*
Priscillien *p 284*
Priscillienne *p 284*
Priscilo *p 284*
Prisco *p 284*
Priscus *p 284*
Prisk *p 284*
Priskilla *p 284*
Prissie *p 284*
Prokhor *p 237*
Prosper *p 284*
Prospera *p 284*
Prospero *p 284*
Protia *p 282*
Protz *p 282*
Prudence *p 285*
Prudencia *p 176*
Prudent *p 285*
Prudentia *p 285*
Prudentius *p 285*
Prudenz *p 285*
Prudie *p 285*
Pär *p 282*

Q

Qamar *p 315*
Qasem *p 315*
Qays *p 315*
Quentilien *p 285*
Quentin *p 285*
Quinta *p 285*
Quintien *p 285*
Quintila *p 285*
Quintiliano *p 285*
Quintilien *p 285*
Quintilienne *p 285*
Quintilius *p 285*
Quintin *p 285*
Quintina *p 285*
Quinton *p 285*

R

Rab *p 295*
Rabbie *p 295*
Rabindranath *p 351*
Rachael *p 287*
Rachel *p 287*
Rachèle *p 287*
Rachelle *p 287*
Rachie *p 287*
Rachile *p 287*
Rackner *p 287*
Radeke *p 288*
Radel *p 103*
Radha *p 352*
Radhakrishna *p 352*
Radlof *p 288*
Radola *p 288*
Radolf *p 288*
Radolphe *p 288*
Radulf *p 288*
Rae *p 287*
Rael *p 292*
Rafa *p 288*
Rafael *p 288*
Rafaella *p 288*
Rafaelle *p 288*
Rafaelli *p 288*
Rafaello *p 288*
Rafaïla *p 288*
Raff *p 288*
Raff *p 288*
Raffaele *p 288*
Rafil *p 288*
Rafil *p 208*
Raghal *p 192*
Ragnar *p 287*
Ragnvald *p 292*
Raimo *p 289*
Raimond *p 289*
Raimondo *p 289*
Raimund *p 289*
Raimunda *p 289*
Raimunde *p 289*
Raimundo *p 289*
Raimunds *p 289*
Raina *p 292*
Rainald *p 292*
Rainer *p 287*
Rainier *p 287*
Rajendra *p 351*
Rajmund *p 289*
Rakha *p 288*
Ralf *p 288*
Ralph *p 288*
Ram *p 192*
Ram, Rama *p 352*
Ramachandren *p 352*
Ramakrishna *p 352*
Ramon *p 289*
Ramona *p 289*
Ramuncho *p 289*
Raneiro *p 287*
Raniera *p 287*
Raols *p 176*
Raoul *p 288*
Raoulet *p 288*
Raoulin *p 288*
Raphael *p 288*
Raphaela *p 288*
Raphaël *p 288*
Raphel *p 288*
Raquel *p 287*
Ratolf *p 288*
Rauf *p 277*
Raul *p 288*
Ravel *p 292*
Ray *p 289*
Raymond *p 289*
Raymonde *p 292*
Reamonn *p 289*
Rebecca *p 290*
Reel *p 288*
Reg *p 292*
Regan *p 291*
Regg *p 292*
Reggie *p 292*
Regina *p 291*
Reginald *p 292*
Reginaldo *p 292*
Reginar *p 287*
Régine *p 290*
Regino *p 291*
Reginus *p 291*
Regis *p 291*
Regnaud *p 292*
Regnault *p 291*
Regner *p 287*
Regnerus *p 287*
Regnier *p 287*
Rehm *p 291*
Reich *p 294*
Reichard *p 294*
Reichardt *p 294*
Reignier *p 287*
Reihl *p 295*
Reim *p 289*
Reime *p 289*
Reimund *p 289*
Reinald *p 292*
Reinalda *p 292*
Reinaldo *p 292*
Reine *p 291*
Reiner *p 287*
Reinhold *p 292*
Reinmund *p 289*
Reinold *p 292*
Reinout *p 292*
Reinwald *p 292*
Reiz *p 180*
Relef *p 288*
Remey *p 291*
Rémi *p 291*
Remies *p 291*
Remigio *p 291*
Remigius *p 291*
Remus *p 289*
Rémy *p 291*
Rena *p 292*
Renaat *p 292*
Renat *p 292*
Renata *p 292*
Renate *p 292*
Renatka *p 292*
Renato *p 292*
Renatus *p 292*
Renaud *p 292*
Renaude *p 292*
Renault *p 292*
Renaut *p 292*
René *p 292*
Renée *p 292*
Renelle *p 292*
Reni *p 196*
Renia *p 196*
Renie *p 196*
Renner *p 287*
Renout *p 292*
Renzo *p 224*
Resa *p 321*
Reserl *p 321*
Resia *p 321*
Resli *p 321*
Reum *p 89*
Reynold *p 292*
Reynolds *p 292*
Rhisiart *p 294*
Rhoda *p 299*
Ric *p 131*
Ricard *p 294*
Ricarda *p 294*
Ricardo *p 294*
Riccarda *p 294*
Riccardo *p 294*
Ricciardo *p 294*
Richard *p 294*

Richarda *p 294*
Richarde *p 294*
Richardine *p 294*
Richart *p 294*
Richelle *p 287*
Richelle *p 294*
Richenza *p 294*
Richerd *p 294*
Richie *p 294*
Richly *p 294*
Rick *p 294*
Rickel *p 148*
Rickert *p 294*
Rickie *p 287*
Rickie *p 294*
Ricky *p 131*
Ricky *p 287*
Ricky *p 294*
Ricordino *p 294*
Ridsert *p 294*
Ridzard *p 294*
Riek *p 294*
Riekie *p 180*
Rika *p 131*
Rika *p 326*
Rikitza *p 294*
Rikkard *p 294*
Rilke *p 295*
Rimoussia *p 297*
Rina *p 291*
Rinalda *p 292*
Rinaldo *p 292*
Rinchen Norbu *p 331*
Rinner *p 287*
Riobart *p 295*
Riocard *p 294*
Rita *p 242*
Ritocha *p 242*
Ritz *p 180*
Riwan *p 175*
Roar *p 296*
Rob *p 295*
Roba *p 295*
Robb *p 295*
Robbert *p 295*
Robby *p 295*
Robel *p 295*
Robert *p 295*
Roberta *p 295*
Roberte *p 295*
Robertina *p 295*
Robertine *p 295*
Roberto *p 295*
Roberts *p 295*
Robertson *p 295*
Robin *p 295*
Robina *p 295*
Robine *p 295*
Robinette *p 195*
Robinia *p 295*
Robinson *p 295*
Rod *p 295*
Rode *p 295*
Rodekin *p 295*
Rodge *p 296*
Rodger *p 296*
Rodhia *p 299*
Rodhlann *p 297*
Rodin *p 295*
Rodolf *p 295*
Rodolfo *p 295*
Rodolphe *p 295*
Roeland *p 297*
Roelandje *p 297*
Roelf *p 295*
Roelof *p 295*
Rog *p 296*
Rogayya *p 314*
Rogelic *p 296*
Rogelio *p 296*
Roger *p 296*
Rogeric *p 296*
Rogerio *p 296*
Rogge *p 296*
Roggie *p 296*
Rogier *p 296*
Rohini *p 352*
Roland *p 297*
Rolanda *p 297*
Rolande *p 297*
Rolando *p 297*
Rolands *p 297*
Roldan *p 297*
Roldo *p 297*
Rolef *p 295*
Roleke *p 295*
Rolf *p 295*
Rolland *p 27*
Rolle *p 297*
Rollekin *p 295*
Rollin *p 297*
Rollins *p 297*
Rollon *p 295*
Rolly *p 297*
Rolu *p 295*
Rolof *p 295*
Romain *p 297*
Romaldo *p 299*
Roman *p 297*
Romana *p 297*
Romane *p 297*
Romania *p 297*
Romanie *p 297*
Romanka *p 297*
Romano *p 297*
Romanus *p 297*
Romaric *p 298*
Romarich *p 298*
Romary *p 298*
Rome *p 297*
Roméo *p 298*
Rommelt *p 299*
Romuald *p 299*
Romualdine *p 299*
Romualdo *p 299*
Romwald *p 299*
Ron *p 292*
Ronald *p 292*
Ronanez *p 175*
Ronimus *p 207*
Ronky *p 344*
Ronnie *p 292*
Ronny *p 292*
Roos *p 299*
Roparz *p 295*
Roparzh *p 175*
Roperz *p 295*
Roppel *p 295*
Rosa *p 299*
Rosalia *p 299*
Rosalie *p 299*
Rosalio *p 299*
Rosalyn *p 299*
Rose *p 299*
Roselin *p 299*
Roseline *p 299*
Rosella *p 299*
Roselle *p 299*
Roselyn *p 299*
Rosetta *p 299*
Rosette *p 299*
Rosie *p 299*
Rosina *p 299*
Rosine *p 299*
Rosita *p 299*
Rosius *p 299*
Roslin *p 299*
Rosolino *p 299*
Rosser *p 296*
Rosula *p 299*
Rosule *p 299*
Roswitha *p 83*
Rosy *p 299*
Rotkar *p 296*
Rowl *p 288*
Rowland *p 297*
Rozalija *p 299*
Rozella *p 299*
Rozenn *p 299*
Rozinius *p 299*
Ruberta *p 295*
Rudel *p 295*
Rudi *p 295*
Rudolf *p 295*
Rudolfo *p 295*
Rudolphe *p 295*
Rudy *p 295*
Ruedly *p 295*
Ruedolf *p 295*
Ruef *p 295*
Rufus *p 177*
Ruggero *p 296*
Ruggiero *p 296*
Rukmini *p 353*
Rulande *p 297*
Rulant *p 297*
Rulle *p 295*
Rumold *p 299*
Ruodi *p 295*
Ruoff *p 295*
Ruperta *p 295*
Rutger *p 296*
Ruth *p 301*
Rutje *p 296*
Rädel *p 103*
Räsch *p 103*
Röbeli *p 295*
Röhle *p 295*
Röle *p 296*
Rölke *p 295*
Röschen *p 299*
Roseli *p 299*
Rudeger *p 296*
Rüdel *p 295*
Rudiger *p 296*
Rüetsch *p 295*
Rüpli *p 295*
Rüttger *p 296*

S

Sa'ad *p 315*
Sa'id *p 315*
Sabe *p 301*
Sabi *p 301*
Sabie *p 301*
Sabien *p 301*
Sabienne *p 301*
Sabin *p 301*
Sabina *p 301*
Sabine *p 301*
Sabiniano *p 301*
Sabinka *p 301*
Sabino *p 301*
Sabinus *p 301*
Sabrina *p 302*
Saburo *p 286*
Saby *p 301*
Sacha *p 24*
Sacha *p 302*
Sachiko *p 286*
Sadella *p 303*
Sadeq *p 315*
Sadhbha *p 310*
Sadie *p 303*
Safiyya *p 315*
Saidhbhinn *p 301*
Sal *p 303*
Salah-al-Din *p 316*
Salaidh *p 303*
Salem *p 315*
Sallie *p 303*
Sally *p 303*
Salma *p 315*
Sam *p 302*
Sameli *p 202*
Sammel *p 302*

Sammie *p 302*
Sammy *p 302*
Samuel *p 302*
Samuele *p 302*
Samzun *p 175*
Sandie *p 24*
Sandra *p 24*
Sandra *p 85*
Sandrine *p 24*
Sandrine *p 303*
Sandy *p 303*
Sanjukta *p 353*
Sanna *p 311*
Sanne *p 311*
Sannerl *p 311*
Santiago *p 201*
Sar-Feraz *p 317*
Sara *p 303*
Saradha *p 351*
Sarah *p 303*
Sarala *p 351*
Sarasvati *p 353*
Sarel *p 93*
Sarene *p 303*
Sarette *p 303*
Sari *p 303*
Sarine *p 303*
Saveria *p 344*
Saverio *p 344*
Savin *p 301*
Savina *p 301*
Savine *p 301*
Saviniane *p 301*
Savinien *p 301*
Savinka *p 301*
Savino *p 301*
Savitri *p 352*
Savy *p 344*
Sawda *p 315*
Sayf-ad-Din *p 316*
Sayf-Allah *p 316*
Schack *p 201*
Scheherazade *p 317*
Schüll *p 213*
Scymon *p 308*
Seain *p 204*
Seamus *p 201*
Sean *p 204*
Seasaidh *p 208*
Seb *p 210*
Sebastan *p 176*
Sebastiana *p 303*
Sebastiane *p 303*
Sebastien *p 303*
Sebastienne *p 303*
Sebastını *p 303*
Sebastino *p 303*
Sebel *p 210*
Sébille *p 306*
Seefke *p 210*
Sefa *p 210*
Seffi *p 210*
Segismunda *p 308*
Segismundo *p 308*
Seiorse *p 157*
Selim *p 317*
Selma *p 83*
Semion *p 237*
Sent *p 338*
Seonaid *p 204*
Seosaimhtin *p 210*
Sepp *p 210*
Serena *p 177*
Serge *p 304*
Sergej *p 304*
Sergia *p 304*
Sergine *p 304*
Sergio *p 304*
Sergius *p 304*
Sergoulig *p 304*
Serguei *p 304*
Serguiane *p 304*
Serj *p 304*
Serres *p 92*
Servan *p 305*
Servane *p 305*
Seva *p 210*
Seva *p 303*
Sevastiana *p 303*
Sevastiane *p 303*
Severa *p 305*
Sevère *p 305*
Severiana *p 305*
Severiane *p 305*
Severianka *p 305*
Severiano *p 305*
Séverien *p 305*
Sévenienne *p 305*
Severijn *p 305*
Séverin *p 305*
Séverine *p 305*
Séverinus *p 305*
Sevir *p 305*
Seyfrid *p 307*
Seymour *p 251*
Shafiq *p 315*
Shafiqa *p 315*
Shah-Pour *p 317*
Shahla *p 317*
Shahr-Zad *p 317*
Shakila *p 318*
Shakuntala *p 353*
Shams-al-Din *p 316*
Shane *p 204*
Shang *p 204*
Shani *p 204*
Sharif *p 315*
Sharifa *p 315*
Sheelagh *p 306*
Sheelah *p 306*
Sheenagh *p 204*
Sheila *p 306*
Sheilah *p 306*
Shelagh *p 306*
Sheona *p 204*
Sherry *p 93*
Sheryl *p 93*
Shiela *p 306*
Shinichi *p 286*
Shiona *p 204*
Shirine *p 317*
Shiva *p 352*
Shlomit *p 192*
Shour-Angiz *p 317*
Shrimati *p 351*
Shyamala *p 353*
Siarl *p 93*
Sib *p 306*
Sibbie *p 306*
Sibeal *p 306*
Sibel *p 306*
Sibell *p 306*
Sibie *p 306*
Sibil *p 306*
Sibilla *p 306*
Sibille *p 306*
Sibyl *p 306*
Sibylla *p 306*
Sibylle *p 306*
Sibyllina *p 306*
Sid *p 307*
Siddharta *p 352*
Sidel *p 307*
Sidney *p 307*
Sidoine *p 307*
Sidonia *p 307*
Sidonie *p 307*
Sidonio *p 307*
Sidonius *p 307*
Sieffert *p 307*
Siegel *p 308*
Siegfried *p 307*
Siegismond *p 308*
Siegmund *p 308*
Siem *p 308*
Siene *p 210*
Sievert *p 307*
Siffre *p 307*
Siffrid *p 307*
Sifrit *p 307*
Sigefrido *p 307*
Sigefroy *p 307*
Sigfreda *p 307*
Sigfredo *p 307*
Sigfrid *p 307*
Sigifrido *p 307*
Sigisfredo *p 307*
Sigismond *p 308*
Sigismonda *p 308*
Sigismonde *p 308*
Sigismondo *p 308*
Sigismund *p 308*
Sigismunda *p 308*
Sigismundo *p 308*
Sigmund *p 308*
Sigmunda *p 308*
Sigmundo *p 3'08*
Sigrid *p 83*
Sila *p 312*
Silane *p 312*
Silas *p 312*
Sile *p 90*
Sile *p 213*
Sileas *p 90*
Sileas *p 213*
Silke *p 164*
Silouan *p 312*
Silva *p 312*
Silvaine *p 312*
Silvana *p 312*
Silvane *p 312*
Silvano *p 312*
Silvère *p 312*
Silverio *p 312*
Silvester *p 312*
Silvestre *p 312*
Silvestro *p 312*
Silvia *p 312*
Silviane *p 312*
Silvin *p 312*
Silvina *p 312*
Silvino *p 312*
Silvio *p 312*
Silvius *p 312*
Silvna *p 312*
Sim *p 308*
Sima *p 308*
Sime *p 308*
Siméon *p 308*
Siméone *p 308*
Simine *p 317*
Simmer *p 308*
Simmerl *p 308*
Simmie *p 308*
Simon *p 308*
Simona *p 308*
Simone *p 308*
Simonette *p 308*
Sine *p 204*
Sinead *p 204*
Sinema *p 58*
Siobhan *p 212*
Sior *p 157*
Sisile *p 90*
Sisley *p 90*
Sissie *p 90*
Sita *p 352*
Sitta *p 307*
Siusaidh *p 311*
Siusan *p 311*
Sivanah *p 192*
Sjang *p 204*
Smerald *p 133*
Smeralda *p 133*
Soazic *p 175*
Sobhi *p 315*
Sofa *p 310*

Sofi p 310
Sofia p 310
Sofie p 310
Soizic p 147
Solange p 309
Solayman p 315
Solemnio p 309
Solène p 309
Solenne p 309
Soline p 309
Solmnia p 309
Solveig p 83
Somhairle p 302
Song p 260
Song-Lin p 260
Sonia p 310
Sonja p 310
Sonya p 310
Sopher p 310
Sophia p 310
Sophie p 310
Sophus p 310
Sophy p 310
Sorayya p 315
Sorcha p 99
Sorry-for-Sin p 140
Sosanna p 311
Soudabe p 317
Souleiman p 56
Soulein p 309
Souline p 309
Soussane p 317
Spina p 317
Sta p 104
Stacey p 33
Stacey p 136
Stacie p 136
Staf p 171
Staffan p 134
Staines p 134
Stan p 311
Stanek p 311
Stanig p 311
Stanislao p 311
Stanislas p 311
Stanislaus p 311
Stanislav p 311
Stans p 104
Stanzel p 311
Stanzig p 311
Stazio p 136
Steaphan p 134
Stefa p 134
Stefaans p 134
Stefan p 134
Stefani p 134
Stefanie p 85
Steffel p 134
Steffert p 134
Stella p 133
Stella p 311
Stelle p 133
Stellin p 133
Stenz p 311
Stenzel p 311
Stepanida p 134
Stéphan p 134
Stéphane p 134
Stéphane, Stéphanie p 311
Stephania p 134
Stéphanie p 311
Stephania p 134
Stéphanie p 134
Stephanson p 134
Stephen p 134
Sterenn p 175
Stevana p 134
Steve p 134
Steven p 134
Stevena p 134
Stevenje p 134
Stevenson p 134
Stijn p 96
Stina p 96
Stinke p 96
Stiobban p 134
Stora p 263
Subadhra p 353
Suchila p 352
Suchita p 353
Sudharami p 353
Sue p 311
Suffridus p 307
Suffried p 307
Suisana p 311
Sujatha p 352
Sukanya p 353
Sukey p 311
Suki p 311
Sundari p 353
Sunita p 353
Surendranath p 351
Susan p 311
Susana p 311
Susanna p 311
Susannah p 311
Susanne p 85
Susano p 311
Susette p 311
Susi p 311
Susie p 311
Sussana p 311
Suzann p 312
Suzanna p 312
Suzanne p 311
Suzannus p 312
Suzel p 312
Suzette p 312
Suzie p 312
Suzon p 312
Suzy p 312
Sviatoslav p 237
Swanhilde p 83
Swantje p 83
Sybyl p 306
Sydney p 307
Sylvain p 312
Sylvaine p 313
Sylvan p 312
Sylvère p 312
Sylvester p 312
Sylvestre p 312
Sylvette p 312
Sylvie p 312
Sylvin p 312
Sym p 308
Syma p 308
Säbel p 210
Sonam Djampa p 331
Sönam Trachi p 331
Sövrin p 305

T

Tacha p 262
Tacite p 177
Tadeg p 175
Tadeu p 176
Taffy p 111
Taher p 315
Tahera p 315
Taizou p 286
Takashi p 286
Tam p 323
Tammy p 323
Tanguy p 319
Tania p 319
Tanja p 85
Tankrede p 176
Tara p 352
Tareq p 315
Taro p 286
Tatania p 319
Tatiana p 319
Tava p 267
Tavie p 267
Tchandrika p 353
Tearlach p 93
Tebaldo p 322
Tebaud p 322
Ted p 121
Ted p 320
Teddie p 320
Teddy p 121
Teddy p 320
Tejomayidevi p 353
Telia p 249
Tempérance p 140
Tenzing Djampa p 331
Tenzing Gyatso p 331
Tenzing Lhamo p 331
Teobaldo p 322
Téodor p 320
Teodora p 320
Teodoreto p 320
Teodoro p 320
Teodors p 320
Téofil p 321
Teofilia p 331
Teofilio p 321
Tepod p 322
Teresa p 321
Térèse p 321
Teresita p 321
Teri p 321
Terri p 321
Terrie p 321
Terry p 321
Terssa p 321
Teruko p 286
Tessa p 321
Tessy p 321
Tewis p 250
Thea p 320
Thebault p 322
Thed p 320
Thederl p 320
Theo p 320
Théobald p 322
Théodbald p 322
Theodoor p 320
Théodore p 320
Théodoret p 320
Théodorik p 320
Théodorine p 320
Théodoros p 320
Theodorus p 320
Theodosius p 320
Theophila p 321
Théophile p 321
Theophilia p 321
Theophilus p 321
Theresa p 321
Thérèse p 321
Theresia p 331
Thery p 393
Thibald p 322
Thibaud p 322
Thibault p 322
Thibaut p 322
Thiebaud p 322
Thierry p 323
Thiery p 323
Thiess p 250
Thoma p 323
Thomas p 323
Thomase p 323
Thomasin p 323
Thomasine p 323
Thome p 323
Thomelin p 323

Thony p 40
Thor p 325
Thora p 325
Thorayya p 315
Thore p 325
Thorfinn p 83
Thorina p 325
Thure p 325
Thurel p 47
Thusnelda p 83
Thömel p 323
Tiago p 201
Tibbolt p 322
Tibold p 322
Tiebout p 322
Tigrane p 324
Tigre p 324
Tilda p 101
Tilda p 249
Tilde p 101
Tillie p 242
Tillie p 268
Tin p 105
Tish p 222
Titia p 222
Tizia p 222
Tjakob p 201
Toader p 320
Toal p 3326
Todaro p 320
Toe p 325
Toffel p 98
Toinette p 40
Toinon p 40
Toireasa p 321
Tom p 323
Tomas p 323
Tomasa p 323
Tomasi p 323
Tomasina p 323
Tomaso p 323
Tome p 323
Tommie p 323
Tommy p 323
Toms p 323
Toni p 40
Tonio p 40
Tooru p 286
Tor-Pekay p 317
Tore p 325
Tossanus p 325
Tosse p 325
Toussain p 325
Toussaine p 325
Toussaint p 325
Toussainte p 325
Toyo p 335
Tracey p 321
Trachi Drölma p 331
Tracie p 321
Tracy p 321
Trajane p 177
Traugott p 84
Trestan p 325
Trestana p 325
Tribulation p 140
Tricia p 275
Trick p 275
Trina p 89
Trine p 89
Trinke p 89
Tristam p 325
Tristan p 325
Tristana p 325
Tristano p 325
Trixie p 66
Trystan p 325
Tsering p 331
Tsering Drölma p 331
Tsering Lhamo p 331
Tsering Sönam p 331
Tsilia p 90
Tual p 326
Tuala p 326
Tualig p 326
Tudal p 326
Tudalenn p 326
Tudalez p 326
Tudor p 320
Tudyr p 320
Tugal p 326
Tugdual p 326
Tully p 326
Tuzal p 326
Tzezr p 92

U

Ualtar p 154
Ubert p 176
Uberto p 188
Udalric p 326
Ude p 268
Udo p 268
Ugénie p 135
Ugolina p 189
Uguccio p 189
Uhde p 326
Uhlig p 326
Uillioc p 327
Uinsionn p 336
Uldarico p 326
Uldéric p 326
Ulderika p 326
Ulf p 231
Ulfe p 231
Ulick p 327
Ulises p 327
Ulisse p 327
Ulla p 326
Ullman p 326
Ulman p 326
Uloopi p 353
Ulric p 326
Ulrica p 326
Ulrich p 326
Ulrico p 326
Ulrik p 326
Ulrika p 326
Ulrike p 326
Ulrikke p 326
Ulysse p 327
Ulyxes p 327
Uma p 352
Ummo p 271
Urb p 327
Urbain p 327
Urbaine p 327
Urban p 327
Urbana p 327
Urbanilla p 327
Urbano p 327
Urbanus p 327
Urbice p 327
Urielle p 327
Urle p 326
Urs p 328
Urschi p 328
Ursel p 328
Ursela p 328
Ursi p 328
Ursicin p 328
Ursie p 328
Ursin p 328
Ursina p 328
Ursinus p 328
Ursle p 328
Urso p 328
Ursula p 328
Ursule p 328
Ursulina p 328
Ursuline p 328
Ursy p 328
Urvashi p 353
Urzili p 328
Urzula p 328
Usha p 352

V

Vaclav p 342
Val p 332
Valdemar p 341
Valeda p 332
Valence p 332
Valens p 332
Valensia p 332
Valent p 332
Valente p 332
Valentia p 332
Valentik p 332
Valentin p 332
Valentina p 332
Valentine p 332
Valentino p 332
Valention p 332
Valère p 332
Valeria p 333
Valerian p 333
Valeriana p 333
Valériane p 333
Valerianka p 333
Valeriano p 333
Valérie p 333
Valérien p 333
Valérienne p 333
Valerijs p 333
Valerio p 333
Valero p 333
Valéry p 333
Valeska p 333
Valiaka p 332
Valier p 333
Valioucha p 333
Valiouchka p 333
Vallatina p 332
Vallentina p 332
Vallie p 332
Valtin p 332
Valt p 332
Valtrude p 176
Van p 334
Vanda p 342
Vanesa p 334
Vanessa p 334
Vanina p 204
Vanna p 334
Vanni p 334
Vannie p 334
Vanny p 334
Varnava p 63
Varvara p 237
Vasentia p 353
Vassil p 64
Vassili p 334
Vassily p 64
Vavoulia p 340
Vavoussia p 340
Veda p 327
Veit p 172
Venceslas p 342
Veniamine p 67
Venzislaus p 342
Ver p 344
Vera p 334
Vère p 344
Veria p 344
Verlein p 344
Vernerio p 342
Vernier p 342
Veron p 334
Veronica p 334
Veronik p 334
Veronika p 334
Veronike p 334
Véronique p 334
Veroucha p 334

Verounia *p 334*
Vespasien *p 177*
Veïa *p 340*
Via *p 150*
Viatcheslav *p 237*
Vibien *p 340*
Vicenc *p 336*
Vicencia *p 336*
Vicencio *p 336*
Vicenta *p 336*
Vicente *p 336*
Vicentia *p 336*
Vicentius *p 336*
Vicenzan *p 336*
Vicenze *p 336*
Vichouta *p 335*
Vick *p 335*
Vicki *p 335*
Vico *p 335*
Victoire *p 335*
Victor *p 335*
Victoria *p 335*
Victoriano *p 335*
Victoric *p 335*
Victorico *p 335*
Victorien *p 335*
Victorienne *p 335*
Victorin *p 335*
Victorine *p 335*
Victrice *p 335*
Vida *p 111*
Vidalina *p 176*
Vidli *p 111*
Vidya *p 353*
Vijayan *p 352*
Vijayantchimala *p 353*
Vikacha *p 336*
Vike *p 310*
Vikenti *p 336*
Vikentia *p 336*
Viki *p 228*
Viki *p 310*
Vikli *p 228*
Vikli *p 310*
Viktor *p 335*
Viktorii *p 335*
Viktorik *p 335*
Viktorina *p 335*
Vila *p 338*
Vilen *p 236*
Vilfred *p 343*
Vilfrid *p 343*
Vilfrida *p 343*
Viliam *p 170*
Villerme *p 170*
Vilma *p 170*
Vin *p 336*
Vince *p 336*
Vincent *p 336*
Vincent *p 336*
Vincente *p 336*
Vincentius *p 336*
Vincenz *p 336*
Vinciane *p 336*
Vinia *p 301*
Viola *p 338*
Violaine *p 338*
Violante *p 338*
Violantilla *p 338*
Viole *p 338*
Violet *p 338*
Violeta *p 338*
Violetka *p 338*
Violett *p 338*
Violetta *p 338*
Violette *p 338*
Violka *p 338*
Virge *p 338*
Virgi *p 338*
Virgie *p 339*
Virgil *p 338*
Virgila *p 338*
Virgile *p 338*
Virgilia *p 338*
Virgiliane *p 338*
Virgilio *p 338*
Virgilius *p 338*
Virgiliz *p 338*
Virgine *p 339*
Virginia *p 339*
Virginie *p 339*
Virguinia *p 339*
Visen *p 228*
Vishnou *p 352*
Vitiana *p 335*
Vitoucha *p 335*
Vitoulia *p 335*
Vitoulia *p 338*
Vittore *p 335*
Vittoriano *p 335*
Vittorino *p 335*
Vittorio *p 335*
Vitus *p 172*
Vivence *p 340*
Vivencion *p 340*
Viventiol *p 340*
Vivia *p 340*
Vivian *p 340*
Viviana *p 340*
Viviane *p 340*
Vivianka *p 340*
Vivianne *p 340*
Viviano *p 340*
Vivien *p 340*
Vivienne *p 340*
Vivine *p 340*
Vlad *p 340*
Vlada *p 340*
Vladia *p 340*
Vladimir *p 340*
Vladimira *p 340*
Vladimiro *p 340*
Vladislav *p 237*
Vlas *p 75*
Volbert *p 149*
Volberte *p 149*
Volfango *p 344*
Volia *p 338*
Volkmar *p 83*
Volodia *p 340*
Von *p 346*
Vonne *p 346*
Vonnie *p 334*
Vonnie *p 346*
Vroni *p 334*
Vroon *p 334*
Vsevolod *p 237*

W

Wajma *p 317*
Walde *p 272*
Waldemar *p 341*
Waldl *p 341*
Waldo *p 341*
Waleria *p 333*
Walid *p 315*
Walt *p 154*
Walter *p 154*
Waltersje *p 154*
Walterus *p 154*
Walthera *p 154*
Waly *p 154*
Walz *p 154*
Wanda *p 342*
Wandala *p 342*
Wandeline *p 342*
Wandis *p 342*
Wando *p 342*
Wandula *p 342*
Wat *p 154*
Welter *p 154*
Wenceslas *p 342*
Wenceslau *p 176*
Wenda *p 342*
Wendi *p 342*
Wendie *p 342*
Wendila *p 342*
Wendy *p 342*
Wennie *p 342*
Wenzel *p 342*
Wenzeslaus *p 342*
Werner *p 342*
Wernher *p 342*
Wernz *p 342*
Wessel *p 342*
Wickel *p 228*
Widsel *p 342*
Wiegel *p 122*
Wig *p 122*
Wigg *p 228*
Wigge *p 122*
Wiggl *p 228*
Wiley *p 170*
Wilf *p 231*
Wilf *p 343*
Wilfer *p 343*
Wilfred *p 343*
Wilfreda *p 343*
Wilfrid *p 343*
Wilfrida *p 343*
Wilfridus *p 343*
Wilfried *p 343*
Wilfroy *p 343*
Wilhelm *p 170*
Wilhelmina *p 170*
Wilhelmine *p 170*
Wilko *p 170*
Willa *p 170*
Willabelle *p 170*
Willem *p 170*
Willeme *p 170*
William *p 170*
William, Willy *p 343*
Willie *p 170*
Willis *p 170*
Willy *p 170*
Wilma *p 170*
Wilmette *p 170*
Wilson *p 170*
Winifred *p 176*
Wisie *p 228*
Wjatscheslaw *p 342*
Wladimir *p 340*
Woldemar *p 341*
Wolf *p 231*
Wolfgang *p 344*
Wolfilo *p 231*
Wolt *p 154*
Wouter *p 154*
Wölfe *p 344*
Wölfer *p 231*
Wölflein *p 344*
Wülfke *p 344*
Wülfling *p 344*

X

Xablier *p 344*
Xari *p 344*
Xaveer *p 344*
Xaver *p 344*
Xaverius *p 344*
Xaverl *p 344*
Xavier *p 344*
Xaviera *p 344*
Xavière *p 344*
Xever *p 344*
Xidi *p 344*
Xing *p 260*

Y

Ya'qoub *p 315*
Yaba *p 58*
Yacha *p 201*
Yael *p 192*
Yahya *p 315*

Yama *p 317*
Yamini *p 353*
Yann *p 204*
Yann, Yannick *p 345*
Yannez *p 176*
Yannick *p 204*
Yasmine *p 203*
Yazid *p 315*
Yehudin *p 212*
Yeun *p 346*
Yf *p 346*
Yft *p 346*
Yo-el *p 192*
Yoan *p 204*
Yoav *p 192*
Yola *p 345*
Yolaine *p 345*
Yoland *p 345*
Yolanda *p 345*
Yolande *p 345*
Yolène *p 345*
Yolenta *p 345*
Yolente *p 345*
Yorick *p 157*
Youka *p 157*
Youli *p 213*
Youliane *p 213*
Youna *p 217*
Youna *p 346*
Younona *p 217*
Younos *p 315*
Yourassia *p 157*
Youri *p 157*
Youria *p 157*
Youssef *p 210*
Youssouf *p 210*
Yseult *p 199*
Yseulte *p 199*
Yseut *p 199*
Ysolde *p 199*
Yukio *p 286*
Yve *p 346*
Yveline *p 346*
Yven *p 346*
Yves *p 346*
Yvette *p 346*
Yvette *p 348*
Yvon *p 348*
Yvona *p 346*
Yvonne *p 346*
Yvonne *p 348*

Z

Zaccharie *p 315*
Z'akariyya *p 315*
Zaguette *p 167*
Zaig *p 228*
Zainab *p 315*
Zakhar *p 237*
Zannie *p 312*
Zara *p 303*
Zarah *p 303*
Zaria *p 303*
Zarin *p 317*
Zazie *p 348*
Zdenka *p 307*
Zéa *p 349*
Zeb-un-Nisa *p 318*
Zeia *p 232*
Zeiele *p 232*
Zèle *p 349*
Zelia *p 349*
Zelie *p 349*
Zeline *p 349*
Zena *p 349*
Zenas *p 349*
Zene *p 349*
Zengo *p 224*
Zeno *p 349*
Zenobe *p 349*
Zenobie *p 349*
Zenobin *p 349*
Zenodora *p 349*
Zenodore *p 349*
Zenomina *p 349*
Zenon *p 349*
Zenz *p 336*
Zenzel *p 336*
Zephyrin *p 349*
Zephyrine *p 349*
Zia *p 318*
Zia-ul-Haq *p 318*
Zia-ur-Rahman *p 318*
Zielge *p 90*
Zinaïda *p 237*
Ziska *p 147*
Ziskus *p 146*
Zjak *p 201*
Zoa *p 350*
Zoé *p 350*
Zoello *p 350*
Zoffi *p 310*
Zofia *p 310*
Zoilo *p 350*
Zolda *p 199*
Zoïa *p 237*
Zuselt *p 312*
Zuzanna *p 312*
Zygmunt *p 308*

Achevé d'imprimer par Nevada-Nimifi
à Bruxelles, pour le compte des éditions **Marabout**.
D.L. juillet 1994/0099/257
ISBN 2-501-00852-9